NEUE WISSENSCHAFTLICHE BIBLIOTHEK 67
GESCHICHTE

DER AUFGEKLÄRTE ABSOLUTISMUS

Neue Wissenschaftliche Bibliothek

Herausgeberkollegium

GÉRARD GÄFGEN
Wirtschaftswissenschaften

CARL FRIEDRICH GRAUMANN
Psychologie

JÜRGEN HABERMAS
Soziologie

DIETER HENRICH
Philosophie

EBERHARD LÄMMERT
Literaturwissenschaften

P. M. ROEDER
Pädagogik

KLAUS R. SCHERER
Kommunikationswissenschaft

FREDERIC VESTER
Biologie

HANS-ULRICH WEHLER
Geschichte

Redaktion

DIETER WELLERSHOFF
KARIN DAVID

60 0332679 X TELEPEN

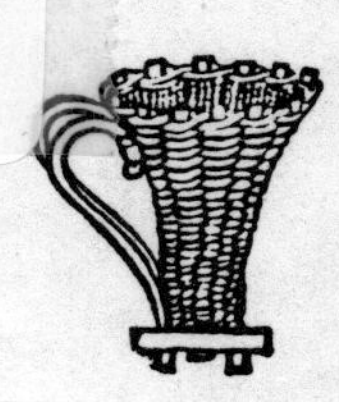

DATE DUE FOR RETURN

This book may be recalled before the above date.

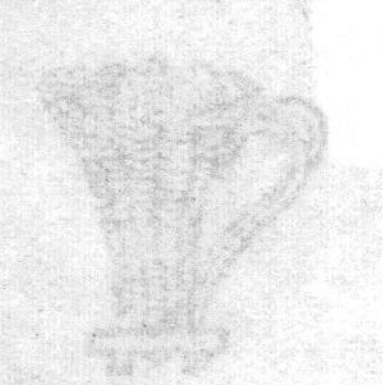

Der Aufgeklärte Absolutismus

Herausgegeben von
Karl Otmar Freiherr von Aretin

Neue Wissenschaftliche Bibliothek
Geschichte

Kiepenheuer & Witsch

332679

Alle Rechte vorbehalten
Verlag Kiepenheuer & Witsch Köln
Gesamtherstellung Mohndruck Reinhard Mohn OHG, Gütersloh
Printed in Germany 1974
ISBN Broschur 3 462 00990 7
ISBN Leinen 3 462 00989 3

Inhalt

Vorwort

Eine Aufsatzsammlung über den Aufgeklärten Absolutismus bedarf einiger Vorbemerkungen. Der Begriff als solcher ist nämlich noch immer, obwohl er seit etwa hundert Jahren gebraucht wird und in den dreißiger Jahren sogar eine internationale Diskussion auslöste, in seiner Bestimmung reichlich unklar. Eine befriedigende Definition ist auch aufgrund der bisher vorliegenden Forschungsergebnisse kaum zu geben. Eine Erfassung aller Teilaspekte hätte überdies die Möglichkeiten eines solchen Bandes weit überstiegen. Es mußte also eine Auswahl getroffen werden. So wurde der Versuch unternommen, die Probleme in einer etwas breiter angelegten Einleitung thesenartig zusammenzufassen. Die Schwierigkeit dabei war, daß es neben fast allzu detailliert erforschten Bereichen solche gab, die entweder ungenügend oder gar nicht erforscht sind. Eine systematische Bearbeitung des Themas in der notwendigen Breite hat der zur Verfügung stehende Raum nicht gestattet. Insbesondere mußte der Anmerkungsteil zur Einleitung auf das Notwendigste beschränkt werden. Eine detaillierte Auseinandersetzung mit der im Literaturverzeichnis aufgeführten Literatur mußte unterbleiben und auf eine spätere breitere Untersuchung über den Aufgeklärten Absolutismus verschoben werden.

In der Aufsatzsammlung sind in einem ersten Teil die wichtigsten theoretischen Artikel zusammengefaßt. Sie sind nicht gleichgewichtig, jedoch ist hier Wert darauf gelegt worden, daß der Benutzer vielzitierte Artikel findet. Der zweite Teil behandelt den Aufgeklärten Absolutismus in den einzelnen Ländern. Dabei war es die Hauptabsicht, durch diesen zweiten Teil den gesamteuropäischen Charakter des Aufgeklärten Absolutismus herauszustellen. Es hat sich zwar in letzter Zeit eingebürgert, von einer allein auf Preußen, Rußland oder Österreich zentrierten Betrachtungsweise abzugehen und wenigstens diese drei Länder oder die preußische und die österreichische Entwicklung miteinander zu vergleichen. Das Gesamtphänomen Aufgeklärter Absolutismus ist aber unseres Erachtens so nicht zu fassen. Beide Teile gehören aber insofern zusammen, als die meisten der im zweiten Teil veröffentlichten Artikel auch theoretische Betrachtungen enthalten.

Dieses Auswahlprinzip bedingte einen erheblichen Anteil von Übersetzungen. Neun der insgesamt vierzehn Beiträge sind ursprünglich in anderen Sprachen erschienen. Das hat einerseits den Vorteil, den Leser auf Artikel hinzuweisen, die seinen Blicken sonst vielleicht entgangen wären. Andrerseits ist dieser Band aber mit dem zusätzlichen Problem der Übersetzungen belastet worden. Die Herstellung adäquater Übersetzungen hat sich als sehr schwierig erwiesen. Ich habe hier neben den Übersetzern insbesondere meinen Mitarbeitern Fräulein Dr. von Reden und Herrn Dr. Lacher zu danken. Während des Internationalen Historikertages in Moskau hat Herr Scharf seine Übersetzung mit Professor Družinin durchsprechen können. Ich selber habe den Artikel von Professor Valsecchi mit ihm in Rom im einzelnen überarbeitet. Hans Rosenberg ist die Übersetzung seines Beitrages im einzelnen durchgegangen und hat fast eine neue Übersetzung geliefert. Allen drei sei hiermit ganz besonders gedankt. Die anderen Übersetzungen sind von den Autoren autorisiert. Wenn trotzdem an der einen oder anderen Stelle das Ergebnis nicht ganz befriedigt, dann liegt das an dem Problem der Übersetzung an sich und der Begrenztheit der zur Verfügung stehenden Mittel. Trotzdem hoffe ich, daß der vorliegende Band seinen Zweck erfüllt und nicht nur den Studierenden einen Einblick in die Problematik Aufgeklärter Absolutismus gewährt, sondern auch Anregungen gibt, die eine Neuaufnahme der inzwischen in der Sowjetunion und in Italien so eifrig geführten Diskussion auch in Deutschland in Gang bringen. Der Gegenstand wäre lohnend genug.

Mainz, im August 1973 Karl Otmar Freiherr von Aretin

Einleitung

Der Aufgeklärte Absolutismus als europäisches Problem

Der Begriff »Aufgeklärter Absolutismus« wird heute im wesentlichen synonym mit den Begriffen »despotisme éclairé«, »dispotismo illuminato« oder »assolutismo illuminato« gebraucht [1]. Am ältesten ist der französische, von den Physiokraten in der Mitte des 18. Jahrhunderts geprägte Ausdruck. Er ging von der Überzeugung aus, daß nur ein Despot in der Lage wäre, den Staat im Sinne der Aufklärung umzugestalten. Die Physiokraten haben daher auch den in sich widersprüchlichen Begriff »despotisme légal« verwendet, der zum Ausdruck bringen sollte, daß ein aufklärerische Reformen erzwingender absoluter Herrscher im höheren Sinne legal handelt [2].

Der Begriff »Aufgeklärter Absolutismus« ist, wie Hartung in seinem hier abgedruckten Aufsatz näher schildert, in Deutschland in der Mitte des 19. Jahrhunderts entstanden. Ursprünglich in erster Linie auf Friedrich den Großen bezogen [3], wurde er in den dreißiger Jahren – nicht zuletzt unter dem Einfluß Valsecchis – auch auf Österreich und insbesondere auf Joseph II. ausgedehnt [4]. Für R. R. Palmer stellt Joseph den Prototyp des aufgeklärten absolutistischen Herrschers dar [5].

Eine Erweiterung des Begriffs brachte dann der Beitrag von M. Lhéritier auf dem Internationalen Historikertag in Oslo 1928 [6]. An die Spitze seines thesenartig zusammengefaßten Vortrags stellte er die Frage, ob der Aufgeklärte Absolutismus nicht ein allgemein historisches Phänomen sei, das in allen europäischen Staaten anzutreffen sei. Zeitlich führte er den Aufgeklärten Absolutismus bis Napoleon I. Ja, er gab zu bedenken, ob nicht auch Napoleon III. und sogar die faschistischen Regimes Elemente des Aufgeklärten Absolutismus enthielten. Der Osloer Historikertag beschloß, eine Kommission zu bilden, die in den zehn Jahren bis zum Internationalen Historikertag in Zürich das Phänomen Aufgeklärter Absolutismus untersuchen sollte.

Das Problem hat dann die internationalen Historikertage von Warschau (1933), Zürich (1937) und Rom (1955) beschäftigt [7]. Trotz des insgesamt unbefriedigenden Ergebnisses dieser Diskussion hat es sich seither allgemein durchgesetzt, den Aufgeklärten Absolutismus als gesamteuropäisches Phänomen zu betrachten. Auch Fritz Hartung, der dem Unternehmen mit größter Skepsis gegenübergestanden war, hat sich dieser Sicht nicht verschließen können. Noch 1932 hatte er gemeint: »Seine (des Aufgeklärten Absolutismus) Verbreitung beschränkt sich auf wenige Staaten, vor allem die preußisch-deutsche Staatenwelt; eine allgemeine Erscheinungsform ist er nicht [8].« In seinem hier abgedruckten Beitrag von 1955 schließt er neben Österreich und Preußen Schweden, Dänemark, Rußland, die italienischen Staaten, Spanien und Portugal in seine Betrachtungen ein. Den ersten Versuch, den Aufgeklärten Absolutismus in einer vergleichenden Darstellung zusammenzufassen, unternahm Leo Gershoy in seinem 1944 erschienenen Buch »From Despotism to Revolution [9]«. Er nahm Frankreich, England und Holland aus seinen Betrachtungen aus, da es dort keinen Aufgeklärten Absolutismus gegeben habe. Die in letzter Zeit in England erschienenen Arbeiten folgen diesem Schema [10]. Nach dem Zweiten Weltkrieg ist die Diskussion zunächst in Frankreich weitergeführt worden. Morazé, Lefèbvre und der Belgier Lousse [11] vertraten dabei die These, der Aufgeklärte Absolutismus sei nur ein Täuschungsmanöver der Fürsten gewesen. Für Lefèbvre war er nichts als »geistreiche Spielerei [12]«. Morazé äußerte sich ähnlich, während Lousse in seinem Urteil vorsichtiger war. Eine Lektüre der Artikel von Lousse und Morazé ergibt freilich, daß dieses Urteil in ungenügender Kenntnis der deutschen und russischen Geschichte gefällt ist [13]. Auch Roland Mousnier hat in seinem Beitrag zum Internationalen Historikertag in Rom 1955 zwar nicht behauptet, der Aufgeklärte Absolutismus sei eine Täuschung der Zeitgenossen gewesen, aber seine bereits 1953 in seiner »Histoire générale des Civilisations« aufgestellte Behauptung bekräftigt [14], der Aufgeklärte Absolutismus habe nichts wesentlich Neues enthalten [15]. Die These, der Aufgeklärte Absolutismus habe die Welt nur täuschen wollen, wird insbesondere in der marxistischen Geschichtsschreibung vertreten [16]. Danach war der Aufgeklärte Absolutismus nichts anderes als ein »Versuch des sterbenden Feudalabsolutismus, sich weiterhin durch Ausnützung der bürgerlichen Lehren und Errungenschaften zu behaupten und die Herrschaft der Feudalklasse zu bewahren [17]«. Vor 1945 ist diese Betrachtungsweise in Deutschland insbesondere von dem 1945 im deutschen Widerstand umgekommenen Leipziger Historiker Georg Sacke vertreten worden, der aufgrund seiner Forschungen über Katharina die Große schon in den dreißiger Jahren zu der These kam, die Reformarbeit der Zarin habe nichts anderes bezweckt, als die Alleinherrschaft zu untermauern und zu festigen [18]. Diese These ist vornehmlich von Historikern der DDR übernommen worden, die sich in erster Linie auf die bekannte Bemerkung von Engels, es sei dem russischen Hof Katharinas II. gelungen, »die öffentliche Meinung trefflich zu täuschen«, stützen [19]. Neueste sowjetische Untersuchungen sind von dieser Auslegung der Worte von Engels abgerückt. Schon Družinin hat diese These in seinem hier abgedruckten Aufsatz nur in Abschwächung vertreten. A. J. Avrech bezeichnet sie als eine unmögliche Konstruktion [20]. Entwicklungen wie der Aufgeklärte Absolutismus besäßen ein Eigengewicht, das eine rein opportunistische Haltung ausschlösse. In den neuesten Arbeiten marxistischer Geschichtsbetrachtung nimmt der Aufgeklärte Absolutismus nur eine Unterfunktion ein. Da der Absolutismus im marxistischen Geschichtsbild den Übergang von der feudalen zur kapitalistischen Gesellschaftsordnung darstellt, ist der Aufgeklärte Absolutismus nur ein Unterproblem des Absolutismus des 18. Jahrhunderts [21].

So besteht zwar, wie wir gesehen haben, über das Vorhandensein des Phänomens »Aufgeklärter Absolutismus« im großen und ganzen ein Konsens. Das Phänomen »Aufgeklärter Absolutismus« selbst aber ist in sich widersprüchlich. Eine dieser Widersprüchlichkeiten besteht unter anderem darin, daß ein von der Aufklärung bestimmtes Regierungssystem in der letzten Konsequenz unter einem absolutistischen Herrscher unmöglich ist [22]. Der Aufgeklärte Absolutismus trug daher den Keim der Überwindung in sich. Das hat er zwar letztlich mit jeder historischen Epoche gemeinsam, doch ist es bei ihm wesentlich ein konstitutives Element. Als absolutistische Herrschaft war er tief verwurzelt in der davorliegenden Entwicklung. Als Kind der

Aufklärung wies er weit in die Zukunft. Trotzdem sind beide Elemente in ihm nicht in der Form einer sich gegenseitig ablösenden Entwicklung vorhanden gewesen. Auch das aufgeklärteste Regime eines Joseph II. blieb bis zuletzt absolutistisch. Vielmehr ist in dem Spannungsverhältnis von Aufklärung und Absolutismus das Besondere dieser Epoche zu finden.

Man darf daher die zumindest anfangs enge Verbindung zwischen Aufklärern und Monarchen in ihrer Wirkung nicht zu gering einschätzen, auch wenn sich offensichtlich manch erlauchter Geist allzusehr vom Glanz höfischer Freundschaften blenden ließ. Es ist ja auffallend, wie sehr sich die Herrscher, mit deren Namen diese Epoche verbunden ist, mit Aufklärern umgaben, ihren Rat suchten oder sich selbst, wie Friedrich der Große, als Philosoph bezeichneten. Sie taten das nicht nur aus Eitelkeit, sondern weil sie dem neuen Denken einen breiten Raum bei der Neugestaltung ihrer Staaten einräumen wollten. Sie haben damit einen Weg beschritten, der sich von allem, was vorher war, radikal unterschied. Nicht mehr das von Gott abgeleitete Herrschertum, nicht mehr Tradition, Erfahrung und Herkommen, sondern die Maximen einer neuartigen Philosophie und ihre Erkenntnisse wurden zur Richtschnur ihres Handelns, mit dem sie darangingen, die Welt von Grund auf zu wandeln [23]. Damit wurde eine Neugestaltung aller Verhältnisse eingeleitet, die prinzipiell vor nichts haltmachen mußte.

Im Gegensatz zum Absolutismus der Epoche Ludwigs XIV., von der wir heute wissen, daß sie viele historisch gewachsene Einrichtungen unangetastet ließ, ging der Aufgeklärte Absolutismus dabei mit einem Rigorismus ohnegleichen vor. Vom Ansatz her ist im Aufgeklärten Absolutismus der erste Versuch in der neueren Geschichte gemacht worden, den gesamten Staat und alle seine Einrichtungen von einem säkularisierten Weltverständnis her neu zu gestalten. In dieser Beziehung steht er der Revolution näher als der davorliegenden Epoche. Natürlich ist er nicht in allen Staaten vollständig zu seinem Ziel gelangt, ja da, wo dieser Versuch mit der größten Konsequenz betrieben wurde wie im Österreich Josephs II., haben spätere Revolutionen diese Maßnahmen wieder teilweise in Frage gestellt oder rückgängig gemacht. Der Staat aus der Retorte, wie ihn nicht der absolute Monarch im Stile eines Ludwig XIV., sondern die folgenden Aufklärer entwickelten, und wie ihn manche Herrscher dieser Epoche errichten wollten, eilte seiner Zeit so voraus, daß seine Verwirklichung teilweise auf erbitterten Widerstand stieß. Der Staat des Aufgeklärten Absolutismus verdankte seine Entstehung daher nicht zuletzt dem unbeschränkten absoluten Willen des Herrschers. Hatte sich der Absolutismus damit begnügt, die seiner Herrschaft entgegenstehenden Einrichtungen zu beseitigen, im übrigen aber auf den bestehenden Verhältnissen aufzubauen, so beginnt der Aufgeklärte Absolutismus einen Staatsaufbau, der zum Vorfahren unserer modernen Staaten wurde [24]. Er baute dabei auf dem absolutistischen Staat auf, ohne den der Aufgeklärte Absolutismus nicht zu denken ist. Der im Grunde schwer zu definierende Unterschied zwischen beiden besteht im wesentlichen darin, daß die Reformen absolutistischer Herrscher in Verantwortung vor Gott vorgenommen wurden, eine theoretische Begründung daher überflüssig war, während der Herrscher des Aufgeklärten Absolutismus besonderen

Wert darauf legte, seine Reformen theoretisch zu begründen und in Übereinstimmung mit den Vorstellungen der Aufklärung zu handeln. In diesem Sinn ist dieser Herrscher viel mehr vom Zeitgeist abhängig, während etwa ein Ludwig XIV. sicher war, den Geist seiner Zeit zu bestimmen. Wie schon Otto Hintze betont hat, macht einen Teil des säkularisierten Herrscherverständnisses der aufgeklärten Monarchen ihr mehr oder weniger bewußter Versuch aus, im Geist der Zeit zu leben[25].

1. DIE VERÄNDERUNGEN IM VERHÄLTNIS DES HERRSCHERS ZUM STAAT UND SEINEN UNTERTANEN

1609 hat Jakob I. von England in einer Parlamentsrede den unumschränkten Herrschaftsanspruch des absoluten Monarchen und sein Verhältnis zu den Untertanen in einer Weise formuliert, wie es die absoluten Monarchen zu Beginn des 18. Jahrhunderts nicht mehr so hart ausgedrückt hätten, wie es aber noch weitgehend ihrer Praxis entsprach[26]. »Könige«, heißt es hier, »sind in Wahrheit Götter, dieweil sie auf Erden eine Art göttliche Macht üben. Sie schaffen und vernichten ihre Untertanen, erhöhen und erniedrigen, gebieten über Leben und Tod, richten in allen Sachen, selber niemand verantwortlich denn allein Gott; sie können mit ihren Untertanen handeln als mit Schachpuppen, aus Bauern Bischöfe oder Ritter machen, das Volk wie eine Münze erhöhen oder herabsetzen, ihnen gebührt die Zuneigung der Seele und der Dienst des Leibes[27]«. Gebunden, und damit von der schrankenlosen Willkür asiatischer Tyrannen unterschieden, war diese Herrschaft durch die Verantwortung vor Gott, die eine Verantwortung für das Volk, wenn auch keine Rechenschaft vor demselben einschloß. Einen grundsätzlichen Wandel leitete die von den Staatsrechtslehrern im Laufe des 17. Jahrhunderts entwickelte und im Laufe des 18. Jahrhunderts perfektionierte Vertragslehre ein, die wesentlich zur Entwicklung einer Geisteshaltung beitrug, aus der der Aufgeklärte Absolutismus als eine pragmatische Entwicklung theoretischer Ansätze entstanden ist, in der ein säkularisiertes Herrscherverständnis die Verantwortung vor Gott in ein rational erklärbares System sozialer und staatsrechtlicher Formen verwandelte. Im Verlauf dieser Entwicklung sah man den Herrscher nicht mehr als Stellvertreter Gottes, sondern, wie Friedrich der Große es formuliert hat, als den ersten Diener seines Volkes. Damit wurde ein grundsätzlicher Wandel in den Beziehungen des Herrschers zu seinen Untertanen eingeleitet. Der von Friedrich und vielen Aufklärern beschworene Dienst am Volk war nicht zuletzt auch eine Konsequenz des Gesellschaftsvertrages, in dem der Herrscher zu einer Gegenleistung verpflichtet war. Diese Verpflichtung wurde aber nicht als notwendige Preisgabe der eigenen Position, sondern als Aufgabe verstanden, gut und aufgeklärt zu regieren.

In den Werken Friedrichs ist dieses neue Verständnis des Herrscheramtes aus unzähligen Äußerungen zu belegen[28]. Über diesen Vorgang ist auch inzwischen so viel geschrieben worden, daß sich eine eingehende Schilderung der Entwicklung erübrigt. Zusammenfassend kann man aus Friedrichs Betrachtungen aber folgende, für das

Denken des Aufgeklärten Absolutismus charakteristische Veränderungen im Selbstverständnis des Monarchen aufzeigen. Das Verhältnis vom Herrscher zum Untertan wird bei ihm von dem Prinzip der gegenseitigen Nützlichkeit bestimmt. Der Herrscher steht nicht mehr als ein von Gott Auserwählter der Masse seiner Untertanen gegenüber, sondern schließt sich in die Gesellschaft ein. Mit aller Entschiedenheit leugnet Friedrich in seinen Werken, daß der Herrscher etwas Besonderes ist. »Die Könige sind . . . auch nichts anderes als Menschen, und alle Menschen sind sich gleich[29].« »Sie bringen ihre Verzagtheit oder Entschlossenheit, ihre Tatkraft oder Trägheit, ihre Laster oder Tugenden mit auf den Thron, wohin der Zufall der Geburt sie setzt[30].« Das Herrschertum wird folgerichtig auch nicht mehr durch die Vorzüge der Geburt oder des Amtes begründet, sondern durch seine Pflichterfüllung. Es gäbe nur eine Fürstenweisheit, meint Friedrich: »Sein Bestes zu tun und im Staate möglichst der Vollkommenste zu sein[31].«

Mit diesen Ansichten stand Friedrich keineswegs allein. Auch in den Werken des von Maria Theresia, aber insbesondere von Kaunitz hochgeschätzten Wiener Kameralisten Josef von Sonnenfels sind ganz ähnliche Stellen zu finden. So schreibt dieser 1779 in seinen Politischen Abhandlungen: »Jeder Bürger hat dagegen ein Recht . . . von dem Staate den bestmöglichsten Wohlstand zu fordern[32].« Ähnlich wie Friedrich der Große sieht auch Sonnenfels den Herrscher nicht mehr als eine der Masse seiner Untertanen gegenüberstehende Person, sondern eingebunden in die Gesellschaft, die ein gemeinsames Ziel, das allgemeine Beste, verfolgt[33]. Die Gleichheit aller, die im Absolutismus als Gleichheit aller Untertanen gegenüber dem einzigen Nichtgleichen, nämlich dem Herrscher, erschien, ist nicht nur von Friedrich, sondern von Sonnenfels und Martini auch auf den Herrscher angewandt worden. Hierher gehören auch die beiden programmatischen Erklärungen Josephs II., wie er sie 1765 in seiner Denkschrift über den Zustand der österreichischen Monarchie[34] und acht Jahre später in seinem sogenannten Hirtenbrief »Disposition de Sa. Majesté Impériale et Royale adressée aux chefs des départements sur la manière de traiter publiques[35]« niedergelegt hat. In beiden Aktenstücken ließ Joseph nicht den geringsten Zweifel, daß er allein zu herrschen und zu bestimmen habe. Es ist aber andererseits nach Lektüre dieser Aktenstücke auch unübersehbar, daß er sein Amt als Beauftragter und Sachwalter des Volkes aufgefaßt hat. Aus beiden Aktenstücken tritt uns daher der aufgeklärt absolute Fürst in aller Naivität entgegen, der sich allein kraft seines absoluten Herrschertums für fähig und beauftragt hielt, für das Wohl seines Volkes zu sorgen. Auch von Katharina II. und von Gustav III. von Schweden gibt es Äußerungen, die zeigen, daß sie ihr Amt als Verpflichtung gegenüber ihren Völkern aufgefaßt haben. In diesem Sinn hat sich Joseph II. bei seinen Erlassen an die Beamtenschaft einmal als oberster Beamter bezeichnet und von »wir Beamten« gesprochen. Am weitesten ging hier Leopold von Toskana. Kurz vor seinem Regierungsantritt in Wien schrieb er 1790 seiner Schwester Marie Christine[36]: »Der Souverän, auch wenn er ein erblicher Monarch ist, ist nichts anderes als ein vom Volk angestellter Delegierter. Jedes Land sollte ein Grundgesetz haben, das als Vertrag zwischen den Untertanen und dem Monarchen dienen und dessen Rechte und Autorität begrenzen sollte. Der Herrscher, der diesen Vertrag nicht hält, verliert dadurch seine Position, die ihm nur unter dieser Bedingung übertragen worden ist.«

Freilich stehen neben diesen Äußerungen andere, die beweisen, daß bei aller Fürsorge für den Untertan, bei aller Betonung der Gleichheit und bei allem Dienst am Volk auch der aufgeklärteste Monarch absoluter Herrscher blieb. Einige josephinische Kirchenrechtler wie Eybel oder Martini hielten an der gottunmittelbaren Einsetzung der Monarchie fest und Joseph II. war, wenn es sich so fügte, nicht abgeneigt, sich zur Rechtfertigung seiner Herrschaft darauf zu berufen [37]. Sogar Leopold hat bei seinen kirchlichen Reformen auf das ihm von Gott verliehene Amt hingewiesen [38].

Hermann Conrad ist in diesem Zusammenhang noch ein weiterer wichtiger Nachweis gelungen. Er hat aus den von ihm in Wien entdeckten Kronprinzenvorträgen und aus den berühmten Vorträgen von Svarez sowie aus den Anweisungen Maria Theresias und ihres Mannes zur Erziehung ihrer Söhne nachweisen können, daß in allen Fällen das neue, im Geiste Pufendorffs entwickelte Naturrecht zur Grundlage der Erziehung gemacht wurde [39]. Damit ist ein direkter Einfluß des durch das neue Naturrecht säkularisierten Herrscherverständnisses auf die beiden für die Entwicklung des Aufgeklärten Absolutismus so wichtigen Habsburger Joseph II. und Leopold II. nachgewiesen. Beide haben ihrerseits, wie auch Friedrich II., in ihren Weisungen an die Prinzenerzieher mehrfach darauf hingewiesen, daß alle Menschen gleich seien und die Sonderstellung der Fürsten nur zu rechtfertigen sei, wenn sie rastlos für das Wohl ihrer Untertanen tätig wären [40]. Das heißt aber, daß diese Vorstellungen eines neuen säkularisierten Herrscherverständnisses bereits um die Jahrhundertmitte Bestandteil der Fürstenerziehung waren.

Ähnlich liegt der Fall bei Karl III. von Neapel und seinem Sohn Ferdinand. Karl III. stand auch als König von Spanien, wie sein ausführlicher Briefwechsel mit seinem neapolitanischen Minister Tanucci beweist, unter dem Einfluß dieses von seiner Zeit als Professor in Pisa dem Naturrecht verpflichteten Mannes, der entscheidenden Einfluß auf die Erziehung des jungen Ferdinand IV. ausübte [41]. Allerdings hat Karl III. unter dem Eindruck des Motin de Esquilache (Adelsaufstand vom 23. März 1766) zeitlebens die Lehre vom Gottesgnadentum in Spanien zur offiziellen Staatsdoktrin erhoben. Dieser Widerspruch erklärt sich aus dem persönlichen Schicksal des Königs. Bei ihm stand der Adelsaufstand am Anfang seiner Regierung, der bei Joseph II. das Ende kennzeichnete. Er wußte um die Gefahren, die sich aus einem allzu leichtfertigen Abbau der Sonderstellung des Herrschers ergeben konnten.

In einer konstitutionellen Monarchie mag das Verständnis des Herrschers von seinem Amt relativ belanglos sein. In einer absoluten Monarchie aber mußten von einem so radikalen Wandel, wie er eben geschildert wurde, erhebliche Veränderungen ausgehen. Das heißt aber, daß sich innerhalb des Absolutismus um die Mitte des 18. Jahrhunderts aus dem Selbstverständnis des Herrschers heraus eine revolutionäre Veränderung vollzog, obwohl der Herrscher ein absoluter Monarch blieb, an seiner Stellung also nicht gerüttelt wurde [42]. Sie ist zum Ausgangspunkt aller Revolutionen von oben geworden. Die Autorität des Monarchen im Aufgeklärten Absolutismus gründete sich nicht mehr auf das von ihm ausgeübte Amt, sondern auf seine Eigenschaften als Mensch. Ein absoluter Monarch, der seine Stellung durch Leistungen vor dem Volk rechtfertigen mußte, war aber eine Unmöglichkeit [43]. Wollte man das Prinzip der Leistung gelten lassen, so war nicht die Erbfolge, sondern, wie in den Vereinigten Staaten, die Wahl des Besten zum Präsidenten die logische Konsequenz.

2. DER AUFBAU DES STAATES NACH RATIONALEN GESICHTSPUNKTEN UND DAS PROBLEM DER FREIHEIT IM AUFGEKLÄRTEN ABSOLUTISMUS

Befreit von den historischen Bindungen, die dem Herrscheramt auch im Absolutismus durch seine religiösen Bindungen auferlegt waren, und unter dem Einfluß der neuen Ideen begannen die Monarchen des Aufgeklärten Absolutismus, in ihren Ländern einen Staatsaufbau nach rein rationalen Gesichtspunkten zu errichten. Nicht alle gingen dabei so weit wie Friedrich II., der in einer am 22. Januar 1750 in der Akademie der Wissenschaften in Berlin verlesenen Abhandlung meinte: »Ein vollkommenes Gesetzbuch wäre das Meisterstück des menschlichen Geistes im Bereich der Regierungskunst. Man müßte darin Einheit des Planes und so genaue und abgemessene Bestimmungen finden, daß ein nach ihm regierter Staat einem Uhrwerk gliche, in dem alle Triebfedern nur einen Zweck haben [44].« Das Bild vom Staat als einer Maschine mit ineinandergreifendem Räderwerk wurde ein vielbemühtes Beispiel, das sich bei Justi ebenso findet wie bei Sonnenfels oder Martini. Auch die Physiokraten gingen von einem theoretischen Staatsideal aus, an dem sie alles maßen [45]. Die Rechtskodifikationen, das heißt die Versuche, den Staat neu zu organisieren, gehören daher auch neben der Errichtung einer modernen Verwaltung zu den wichtigsten Errungenschaften des Aufgeklärten Absolutismus. Mit ihnen beginnt das, was wir einen modernen, den einzelnen erfassenden Staatsaufbau nennen. Diesen Reformen trat in Schweden, Dänemark und Portugal Vergleichbares zur Seite, während sie in Neapel-Sizilien, Spanien und Rußland entweder nur zögernd in Angriff genommen wurden oder rasch versandeten. Das Charakteristische dieser Bewegung ist ganz allgemein die Zerschlagung oder Zurückdrängung alter ständischer oder patrimonialer Einrichtungen und ihre Ersetzung durch rational aufgebaute neue Verwaltungsbehörden. Diese Reformen überließen auch die unteren Verwaltungseinheiten nicht mehr einfach den vorhandenen Einrichtungen, sondern trugen zum ersten Mal den Staat, der bis dahin vom Untertanen her gesehen nur schwer vom Fürsten zu unterscheiden war, an den einzelnen Bürger. Hierher gehört auch die in Österreich, Preußen, im Bayern Montgelas', in Neapel-Sizilien und Toskana sowie in Portugal und Spanien ausgesprochene Aufhebung der gemeindlichen Selbstverwaltungen sowie ihre Ersetzung durch eingesetzte Beamte. Die Verwaltungsfunktionen des Adels und der Kirche wurden in Frage gestellt. Allerdings ist dies mehr eine allgemeine Tendenz, denn nur in wenigen Ausnahmefällen ist diese Ablösung wirklich gelungen [46]. Adel und teilweise auch die Geistlichkeit behielten zumindest einen Teil ihrer Funktionen als Obrigkeit.

In dieser Veränderung kündigte sich ein Konflikt an, in dem Aufklärung und Absolutismus in einen grundsätzlichen Gegensatz gerieten. Im Absolutismus bestand die Freiheit des einzelnen als korporative Freiheit weitgehend unangetastet weiter[47]. Die Reformen des Aufgeklärten Absolutismus gefährdeten diese ständische Libertät, ohne etwas anderes an ihre Stelle zu setzen. Wenn schon der Herrscher innerhalb der Gesellschaft stand, dann waren ständische Schranken in diesem Staat um so weniger akzeptabel, als sie dem rationalen unhistorischen Denken der Aufklärung ohnehin widersprachen. Kurt von Raumer hat den Wettlauf zwischen dem Ideal der ständischen Libertät und dem Rousseauschen Freiheitsideal einen atemberaubenden Vorgang genannt[48]. »Korporative Libertät«, so schreibt er, »ist eine Realität der feudalen Zeit, die in die Zeit des Absolutismus vielfältig fortwirkte und die mit demselben verschwunden ist; die persönliche Freiheit ist die Sprengkraft, die wie keine zweite zur Überwindung des Absolutismus in der Revolution beigetragen hat[49].« Genau hier, nämlich zwischen ständischer Libertät und persönlicher Freiheit, begann das Dilemma des Aufgeklärten Absolutismus. Die alten Freiheiten wurden von einer neuen Verwaltung in Frage gestellt, ohne daß für den Untertan ein persönlicher Freiheitsraum geschaffen wurde. Das heißt, er wurde in ungleich stärkerem Ausmaß als vorher von diesem Staat in Anspruch genommen, der sich auch nicht scheute, in die persönlichen Verhältnisse des einzelnen einzugreifen. Zu einem Zeitpunkt, wo in Frankreich im Namen der Aufklärung das Ideal der Freiheit entwickelt wurde, geriet im Aufgeklärten Absolutismus der Untertan in Gefahr, zum Objekt ohne persönlichen Freiheitsraum zu werden.

An sich hätte das eben erwähnte, von Rousseau entwickelte Ideal der persönlichen Freiheit im Aufgeklärten Absolutismus ein notwendiges Korrektiv darstellen können, wenn es mit irgendeiner Form des Absolutismus zu vereinbaren gewesen wäre[50]. So aber wurde aus dem absoluten Herrscher der Despot des despotisme éclairé, der seinen Despotismus mit seiner Fürsorge für den Untertan begründete, die seiner Meinung nach den von Rousseau erstrebten Freiheitsraum überflüssig machte[51]. Es ist bezeichnend, daß auch die Physiokraten das Dilemma nicht zu lösen wußten, das zwischen der von ihnen bejahten starken Staatsmacht und der Freiheit des einzelnen bestand[52]. Ihr Vorschlag, die Willkür des Herrschers durch die öffentliche Meinung zu beschränken, ist, wie schon Holldack festgestellt hat, eine naive, wenn auch sehr zeittypische Überschätzung der Wirksamkeit von Publizisten. Das negative Echo der Mehrzahl der französischen Schriftsteller auf Turgots Reformmaßnahmen bewies auch Condorcet die Manipulierbarkeit der öffentlichen Meinung in Frankreich und zerstörte endgültig sein Vertrauen in die Einsicht aufklärerischer Schriftsteller[53]. Für jene Form der Freiheit, die erst in der Revolution auftauchte und die den politisch frei mitbestimmenden Bürger meinte, fehlte im Aufgeklärten Absolutismus auch der Ansatz eines Verständnisses. Dieses Problem ist von den meisten Herrschern gar nicht gesehen worden[54]. Selbst da, wo die Monarchen der Idee der Aufklärung vom Staat als einer Gemeinschaft Gleichgesinnter folgten, gab es für sie keinen Zweifel, daß der Fürst allein berechtigt war, das politische Geschehen zu bestimmen. Wie Friedrich sich ausdrückte, gab es für den Herrscher und die Untertanen nur ein Wohl, und dieses Wohl wurde vom Fürsten bestimmt[55]. Ähnlich dachte Joseph II.[56] Lediglich Leopold hatte dieses Problem, wie sein Verfassungsentwurf beweist, erkannt. »Die gegenwärtigen Regierungssysteme«, schrieb er[57], »können nicht mehr länger fortbestehen.« Er fügt hinzu, daß nur eine begrenzte Monarchie die Probleme lösen könnte.

Hier tut sich eine bemerkenswerte Diskrepanz von Theorie und Praxis auf, die uns noch öfter begegnen wird. Das Prinzip der Repräsentativverfassung war schon um die Mitte des Jahrhunderts von Montesquieu in seinem viel gelesenen »L'esprit des lois« entworfen worden, ohne daß es in der Diskussion des Aufgeklärten Absolutismus die ihm zukommende Rolle gespielt hätte. Man hielt auch weiter am Absolutismus fest und entschied sich für das Ideal der Physiokraten, den despot légal.

An dieser Stelle setzt bezeichnenderweise die Kritik der Traditionalisten, das heißt der Kräfte an, die sich gegen die Herrschaft der Aufklärung im Aufgeklärten Absolutismus wandten: der Kirche und einiger Theoretiker wie Möser, Hume und Burke. Für sie mußte jeder Versuch, die Gesellschaft nach theoretischen Maximen und nicht nach Erfahrungen zu formen, notwendig in der Tyrannei enden. Der antifreiheitliche Charakter »aufgeklärter Regierung«, schreibt Parry[58], »war für Möser inhärenter Bestandteil ihrer rationalistischen Herrschaftsphilosophie und ihrer Regierungspraktiken«. Er konnte sich dabei auf Montesquieu berufen, der behauptet hatte, je einfacher und einheitlicher die Gesetze seien, desto despotischer sei die Regierung[59]. Für die Traditionalisten ist es, da sie ständische Libertät mit Freiheit gleichsetzten, ausgemacht, daß der Verlust der ersteren mit dem Verlust der Freiheit gleichzusetzen ist. Da sie ständische Libertät und persönliche Freiheit noch nicht voneinander trennten, ist ihnen der Widerspruch auch nicht klar geworden, den Rousseau gegen den Aufgeklärten Absolutismus ins Feld führte. Rousseau erkannte sehr klar die vom Aufgeklärten Absolutismus ausgehende Gefahr für die Freiheit und die Autonomie des Individuums und kam von daher zur Überwindung des monarchischen Ideals. Die Traditionalisten erstrebten nicht die Überwindung der Monarchie, sondern sie forderten den Herrscher auf, das aufklärerische Element fallenzulassen. Sie wollten den Staat wieder auf die alten Elemente der Tradition, des Herkommens und des alten Rechts zurückführen. Sie haben klarer als die aufgeklärt absolutistischen Herrscher das revolutionäre Element des Aufgeklärten Absolutismus erkannt, das wiederum Rousseau dazu brachte, ihn in manchem zu bejahen.

Zumindest der Widerspruch, der zwischen aufgeklärter Regierung und dem immer enger werdenden Freiheitsspielraum der Untertanen lag, ist den meisten aufgeklärt absolutistischen Herrschern bewußt geworden. Sie haben den Schwierigkeiten durch Selbstbeschränkung des Herrschers oder durch seine Bindung an das Gesetz ausweichen wollen[60]. Das entsprach zwar dem neuen Herrscherideal, nach dem der Monarch seinen Platz innerhalb der Gesellschaft hatte, kam aber doch immer wieder mit der Selbstherrlichkeit des absoluten Fürsten in Konflikt. So schloß das Allgemeine Preußische Landrecht von 1794 den Machtanspruch des Königs nicht aus, und Joseph II. widersetzte sich trotz aller Aufgeklärtheit dem von Sonnenfels konzipierten Fundamentalgesetz für die österreichische Monarchie[61]. Andererseits wird aber von daher klar, weshalb die meisten Gesetzeskodifikationen in der zweiten Hälfte des 18. Jahrhunderts Verfassungscharakter haben. Der österreichische Staatsrechtler K. H. v. Martini nahm zwei Gruppen von Gesetzen an, die in einer Rechtskodifikation berücksichtigt werden mußten. Eine die Grundverfassung des Staates betreffende und daher unveränderliche, und eine andere Gruppe von zufälligen und daher auch veränderlichen Gesetzen[62]. Von der ersten Gruppe meinte er, daß sie für alle Staaten dieselbe Gültigkeit besäßen. Ähnlich argumentierte Sonnenfels. Er hoffte auf einen allgemeinen Staatsplan, der das Wohlergehen des Staates von dem Eigennutz des Herrschers und der Minister unabhängig mache. »Eine Nation«, heißt es in seinem 1798 erschienenen Handbuch der inneren Staatsverwaltung mit Rücksicht auf die Umstände und Begriffe der Zeit[63], »wird sich immer glücklicher bei Gesetzen schätzen, die von Regenten zu Regenten, von Minister zu Minister durch Jahrhunderte unabgeändert bestehen, als bei solchen, die mit jeder Thronveränderung oder neuen Ministerschaft umgeformt werden und nur zu oft offenbar Eigenmacht und Willkür bezeichnen«. Auch Katharina die Große schrieb in ihrer berühmten Instruktion für die Gesetzeskommission von 1767 von unabänderlichen Staatsgrundsätzen und verherrlichte damit das System des durch Gesetze gebundenen absoluten Herrschers[64]. Ähnlich läßt sich das schon erwähnte Allgemeine Preußische Landrecht sowie das bürgerliche Gesetzbuch Josephs II. von 1786 deuten. Dessen Artikel 1 weist dem Monarchen die Aufgabe und Befugnis zu, die Rechte der Untertanen festzusetzen und ihre Handlungen so zu leiten, daß sie dem gemeinen Wohl und dem einzelnen zum Besten gereichen, ist also eine Art Grundgesetz der österreichischen Monarchie.

Ein Fundamentalgesetz für die österreichische Monarchie, das seine Rechte festgelegt und damit beschränkt hätte und das ihm von Sonnenfels nahegelegt wurde, lehnte er freilich ab. Der von Sonnenfels entwickelte Gedanke einer Trennung von Herrscher und Staat in dem Sinn, daß dem Staat Schutz vor den Monarchen gewährt werden sollte, war dann das auslösende Element bei Leopolds toskanischem Verfassungsprojekt, ohne daß eine direkte Verbindung hergestellt werden kann[65].

Wollte Leopold den Staat vor einem unfähigen Herrscher bewahren, so ging es 1785 dem anonymen Verfasser eines Artikels der Berliner Monatsschrift um den Schutz des Staates vor den Maßnahmen eines nicht aufgeklärten Monarchen. Dort wurde die Auffassung vertreten, daß ein Fürst, der seinen Gesetzen eine ungewöhnliche Dauer verschaffen wolle, dem Staat eine Verfassung geben müsse, »wodurch es seinen Nachfolgern unmöglich wird, die von ihm eingeführten Gesetze willkürlich zu ändern. Er muß bewirken, daß von nun an keine Gesetze anders als mit Einwilligung des ganzen Staates gegeben werden können; mit einem Wort, er muß den Staat in eine Republik verwandeln, in welcher das Haupt der regierenden Familie den bloßen Vorsitz hat[66].«

Diese Forderung begegnet der der Physiokraten, die den aufgeklärten Despoten ja nicht deswegen forderten, weil sie den Despotismus für die beste Staatsform hielten, sondern weil sie glaubten, daß nur ein sich über alle historischen und andere Hindernisse hinwegsetzender Despot in der Lage sei, die Voraussetzungen für den rationalen, aufgeklärten Staat zu schaffen [67]. Sie gingen sogar so weit, den aufgeklärten Despotismus als den legalen und den alten Absolutismus als den willkürlichen zu bezeichnen [68].

Ihr Eintreten für den aufgeklärten Despoten, das dem Aufgeklärten Absolutismus insofern noch einmal einen besonderen Auftrieb gab, als ihm eine notwendige historische Funktion zuerkannt wurde, galt nicht dem absoluten Herrscher, sondern der ihm in aufklärerischem Schwärmertum zugedachten Fähigkeit, sich selbst zu überwinden. Die Physiokraten predigten, wie Holldack das formuliert hat, »nicht die Revolution gegen die absolute Monarchie, sondern die Revolution durch die absolute Monarchie [69]«. Das heißt aber, daß gerade auf dem Gebiet, auf dem der Aufgeklärte Absolutismus seine größten Leistungen vollbracht hat, also auf dem Gebiet der Verwaltungsreform und der Rechtskodifikationen, der innere Widerspruch unübersehbar ist, der zwischen Aufklärung und Absolutismus klafft. Hier half kein Appell an das Pflichtgefühl des Herrschers, weil dieses Pflichtgefühl ebensowenig verbürgt werden konnte wie die Gefahr zu beseitigen war, daß ein absolut regierender Nachfolger alle aufklärerischen Maßnahmen mit einem Federstrich abschaffte. Dazu kam das Dilemma mit dem aufklärerischen Freiheitsbegriff, das in einem absoluten Staat nicht gelöst werden konnte. Von daher wird verständlich, weshalb der Aufgeklärte Absolutismus nach einer ersten Euphorie, die durch die engen Verbindungen der Herrscher mit vielen französischen Aufklärern gekennzeichnet ist, eigene, meist von der Regierungspraxis bestimmte Wege ging und insbesondere die letzte, von zur Revolution – das heißt zur Republik – drängenden Philosophen bestimmte Phase der französischen Aufklärung nicht mehr mitmachte, ja sie meist gar nicht mehr rezipierte. Mit Montesquieu, Voltaire, d'Alembert und den meisten Encyklopädisten war eine Diskussion über eine Reform der Staaten sinnvoll. Mit Mably etwa oder den Anhängern Rousseaus war eine solche sinnlos geworden, weil ihre Schriften bereits Ende der 60er Jahre, also zur Zeit, als in den meisten Ländern der Aufgeklärte Absolutismus erst begann, auf den Sturz der Monarchie, das heißt auf die Revolution, zielten [70].

So sah sich Friedrich 1770 veranlaßt, in zwei Pamphleten den Ansichten Paul Thiry von Holbachs entgegenzutreten, die dieser in seinem »Système de la nature« 1770 aus der Kündbarkeit des Gesellschaftsvertrages gezogen hatte. Mit Recht sah Friedrich hier den Umsturz der bestehenden Ordnung auf sich zukommen. »Sollten die verstiegenen Ideen unseres Philosophen jemals in Erfüllung gehen«, schrieb er [71], »so müßten vorher die Regierungsformen sämtlicher Staaten von Europa umgestaltet werden.« Daß Holbach selber ein Anhänger des weisen Fürsten war, also wie die Physiokraten den aufgeklärten Despoten bejahte, nahm seinen Schriften nicht die Schlagkraft. Dazu kam die durch die amerikanische Revolution ausgelöste republikanische Welle. Unter diesem Eindruck fiel es selbst Le Mercier, dem entschiedensten Anhänger der Monarchie unter den Physiokraten, schwer, die Möglichkeit zu leugnen, der Fürst könne vor den Aufgaben versagen, die ihm ein rationalistischer Staatsaufbau abverlangte [72]. Dazu kamen die von dem säkularisierten Herrscherverständnis ausgehenden Gefahren. Solange der Fürst nur Gott verantwortlich war, stand er jenseits der Kritik. Ein unfähiger Monarch mußte sozusagen als Schicksal ertragen werden. Ein Monarch aber, dessen Sonderstellung mit seinen Fähigkeiten begründet wurde, mußte, wenn man wie die meisten Physiokraten an der Erbfolge festhielt, zum Problem werden [73]. Der Schritt zur Ablehnung der Monarchie war hier die logische Konsequenz, die nicht nur Rousseau, sondern auch Turgot in seine Überlegung einbezog.

Bei Le Mercier ist noch ein weiteres Problem angesprochen, durch das sich der Aufgeklärte Absolutismus von seiner eigenen Regierungspraxis her in Frage stellte. Der absolute Staat alter Prägung, dessen Verwaltungspraxis auf einer relativ hohen Ebene endete, konnte mit einem relativ kleinen Apparat regiert werden. Der neue Staat mit seiner weitverzweigten Verwaltung, seiner rationalen Steuererhebung, seiner Rechtsorganisation, um nur diese Beispiele zu nennen, brachte eine solche Ausdehnung der Verwaltung und der damit zusammenhängenden Probleme, daß die absolute Regierungspraxis des Herrschers immer mehr zur Fiktion eines in Wirklichkeit von Beamten beherrschten Regierungssystems wurde [74]. Das hatte selbstverständlich auch Rückwirkungen auf das Verhältnis des Herrschers zu seinen Untertanen. Von Friedrich dem Großen ist die Äußerung überliefert, er habe es satt, über Sklaven zu herrschen. Valsecchi zitiert seinen Ausspruch, er behandele sein Volk wie ein krankes Kind [75]. Hans Rosenbergs Beitrag zeigt, daß sich seine Mitarbeiter weder als Sklaven noch als kranke Kinder fühlten, sondern sehr selbstbewußt darangingen, ihre Abhängigkeit von der Person des Herrschers in einen Dienst am Staat zu verwandeln [76]. Der verbeamtete Kaiser, wie Joseph II. sich noch freiwillig nannte und wie es der Regierungspraxis seiner Nachfolger entsprach, war, auch wenn er es gewollt hätte, kein absoluter Herrscher mehr. Mit Recht sahen die Pragmatiker dieser Regierungsform – Svarez, Beck, Martini, Sonnenfels, Justi und wie sie alle hießen – den Beamtenabsolutismus als künftige Erscheinung [77].

Diese Pragmatiker mußten sich nicht mehr auf die Erkenntnisse der französischen Aufklärung stützen. Friedrich Karl von Moser, Johann Heinrich von Justi und der schon häufig genannte Joseph von Sonnenfels waren nicht nur Theoretiker, sondern besaßen Verwaltungserfahrung. So wandelte sich das Verhältnis von Aufklärung und Aufgeklärtem Absolutismus. Die Regierungspraxis gewann an Gewicht und der Staat des Aufgeklärten Absolutismus wurde von anderen Maximen bestimmt als von denen der sich rasch fortentwickelnden französischen Aufklärung.

3. AUFGEKLÄRTER ABSOLUTISMUS UND ÖKONOMISCHE STRUKTUREN

Im 18. Jahrhundert waren England, Holland und Frankreich, also jene Staaten, in denen es nach allgemeiner Ansicht keinen Aufgeklärten Absolutismus gab, die Kreditgeber jener Länder, in denen sich der Aufgeklärte Absolutismus entwickelte. Die Grundlage dieses Reichtums war ein weit entwickelter Handels- und Manufakturkapitalismus, dem die anderen europäischen Staaten kaum Vergleichbares an die Seite zu setzen hatten. Unter den vielen Gründen, die zu aufgeklärten Reformen führten, war daher der eine vielleicht der wichtigste: Die Fürsten, deren Länder in ihrer Entwicklung zurückgeblieben waren, wollten den Abstand verringern und ihre Staaten auch in wirtschaftlicher Hinsicht konkurrenzfähig machen [78]. Die Einführung einer staatlichen Steuerverwaltung und der Abbau von Zollschranken dienten diesem Ziel ebenso wie die Aufhebung von steuerlichen Privilegien. Die Staatseinnahmen konnten damit auch erheblich gesteigert werden, doch war es auf die Dauer unübersehbar, daß Frankreich mit seiner altertümlichen Steuerverwaltung und England und Holland mit ihrer – an Österreich und Preußen am Ende des Jahrhunderts gemessen – unmodernen Steuerverfassung reicher waren als die umliegenden Länder. Es liegt nahe, zwischen der ökonomischen Entwicklung und der Ausbildung des Aufgeklärten Absolutismus eine Verbindung in dem Sinn herzustellen, daß dieser offenbar nur in den wirtschaftlich zurückgebliebenen Ländern möglich war.

Lhéritier hat daher 1928 in seinem bereits erwähnten Vortrag versucht, zwischen Aufgeklärtem Absolutismus und den ökonomischen Lehren der Physiokraten eine Verbindung herzustellen [79]. Die Lehren der Physiokraten haben auch ohne Zweifel einen großen Einfluß auf die ökonomischen Reformen der Herrscher des Aufgeklärten Absolutismus genommen. Eine besondere Rolle haben dabei die wenigen Jahre, in denen Turgot in Frankreich sein Reformprogramm entwickelte, gespielt. Aber selbst die Praxis des Herrschers, der den Theorien der Physiokraten am nächsten stand, nämlich Joseph II., zeigt, daß man den Physiokratismus nicht einfach zur ökonomischen Theorie des Aufgeklärten Absolutismus schlechthin erklären darf. Joseph II. hatte sich von Turgot bei seinem Pariser Aufenthalt die Lehren des Physiokratismus erläutern lassen [80]. Seine ersten Steuergesetze von 1783 hatten einen rein physiokratischen Charakter, indem sie allein Grund und Boden zur Grundlage der Steuererhebung machten. Wie in Mailand war daher auch in Österreich die Erstellung eines neuen Katasters die Voraussetzung einer neuen Steuererhebung. Handel und Industrie sollten zunächst unbesteuert bleiben. In dem Vorsitzenden der Steuerregulierungs-Hofkommission, Graf Zinzendorf, besaß der Kaiser auch einen überzeugten Physiokraten, der die Steuerfreiheit von Handel und Gewerbe aus prinzipiellen Gründen vertrat. Unter dem Einfluß des sehr viel weniger theoretisch denkenden Staatsrats Eger wandte sich Joseph jedoch vom Physiokratismus ab, indem er Zinshäuser und später auch Handel und Gewerbe der Steuer unterwarf [81]. So wie hier ist das Verhältnis von physiokratischer Theorie und Staatspraxis in den meisten Ländern, von denen Toskana, Rußland und Spanien besonders genannt seien [82]. Keine Steuerreform und keine Reform der ökonomischen Verhältnisse ist ohne die physiokratische Theorie in dieser Zeit zu denken. Aber ebenso wie die Ideen der Aufklärung in der Staatspraxis einen Wandel erfuhren, so ist es auch mit den physiokratischen Theorien: Sie wurden benutzt, soweit ihre Verwirklichung im Staatsinteresse lag. Ein ursächlicher Zusammenhang zwischen Physiokratismus und Aufgeklärtem Absolutismus in dem Sinn, als wäre er die ökonomische Theorie des Aufgeklärten Absolutismus gewesen, läßt sich aber nicht aufstellen. Das heißt aber in die Praxis übersetzt, die ökonomische Seite des Aufgeklärten Absolutismus war weniger davon bestimmt, eine gewisse ökonomische Theorie zu verwirklichen, was seine sonst festzustellende

Abhängigkeit von Theorien nahezulegen scheint, als vielmehr ein Versuch, eine weit zurückgebliebene Wirtschaft den Segnungen des »kapitalistischen« Systems zu öffnen.

In diesem Zusammenhang ist die in den letzten Jahren in der Sowjetunion geführte Diskussion von Interesse. Die marxistische Geschichtstheorie geht ja davon aus, daß der Absolutismus nur da möglich ist, wo die kapitalistische Entwicklung bereits eingesetzt hat [83]. Den offensichtlichen Widerspruch zwischen Theorie und historischem Tatbestand versuchte A. N. Čistozvonov 1968 durch seine nicht unwidersprochen gebliebene These zu überbrücken, der in England, Frankreich und Holland ausgebildete Absolutismus sei auf der Grundlage der autochthonen Entwicklung des mittelalterlichen Städtebürgertums zur Bourgeoisie entstanden [84]. Die Entwicklung des Absolutismus in Preußen, Österreich, Rußland und Spanien sei hingegen dadurch gekennzeichnet, daß die herrschende Feudalklasse ein absolutistisches Regime errichtete, obwohl die kapitalistischen Elemente noch fehlten oder nur sehr schwach entwickelt waren. Die beiden Typen könnte man auch Absolutismus und Aufgeklärten Absolutismus nennen, ohne daß mit dieser Einteilung freilich erklärt wäre, wieso sich beim zweiten Typ ein absolutistisches Regime ohne kapitalistische Grundlage bilden konnte. Dieses Problem versuchte A. J. Avrech 1968 folgendermaßen zu lösen. Er geht davon aus, daß die bereits im Spätfeudalismus auftauchenden nationalen Bindungen potentiell bürgerlich seien. »Aus dieser gemeinsamen Wurzel nationalbürgerlicher Bindungen«, schreibt er, »erwuchsen sowohl Absolutismus als auch Kapitalismus. Das Besondere besteht nun darin, daß das durchaus nicht immer gleichzeitige Prozesse sind. In Frankreich verliefen beide Entwicklungen parallel, in Rußland dagegen zu verschiedenen Zeiten. Aber überall dort, wo zeitliche Unterschiede auftreten, entwickelte sich zuerst der Absolutismus [85].« In dieser Betrachtung erscheint der Aufgeklärte Absolutismus, der allerdings von Avrech nicht direkt angesprochen wird, nur da, wo eine zeitliche Verschiebung vorhanden war, das heißt, wo eine Phase zwischen Absolutismus und der Ausbildung des Kapitalismus liegt. In Weiterentwicklung dieser Thesen kommt der DDR-Historiker Peter Hoffmann zu der Ansicht, der Aufgeklärte Absolutismus in Preußen, Österreich und Rußland wäre »der Versuch eines Kompromisses zwischen den rückständigen sozialökonomischen Verhältnissen im eigenen Lande und der international in immer stärkerem Maße vom Kapitalismus bestimmten Entwicklung.« »Eine Phase des Aufgeklärten Absolutismus«, stellt er abschließend fest, »war demnach nur im Endstadium des Absolutismus, und zwar in sozialökonomisch rückständigen Ländern möglich [86].« Diese Diskussion, bei der wie gesagt von sowjetischer Seite der Begriff »Aufgeklärter Absolutismus« kaum eine Rolle spielt, auch wenn Phänomene beschrieben wurden, die offensichtlich zu ihm gehören, sieht insgesamt den Absolutismus als eine Angleichungsperiode [87]. Durch die These Avrechs von der möglichen Phasenverschiebung, durch die Absolutismus und Kapitalismus in eine zeitliche Folge eingereiht wurden und die inhaltlich durch P. Hoffmann insofern ergänzt wurde, als er den Aufgeklärten Absolutismus eben als *die* Phase des Absolutismus bezeichnete, in der versucht wurde, auf ökonomischem Gebiet aufzuholen, konnte der Widerspruch in der marxistischen Geschichtstheorie aufgelöst werden, der darin bestand, daß man einerseits den Absolutismus ohne kapitalistische Voraussetzungen für unmöglich hielt, andrerseits aber solche in den meisten europäischen Ländern nicht zu erkennen sind [88]. In dieser Betrachtungsweise ist der Aufgeklärte Absolutismus eine vorwiegend ökonomisch bestimmte Phase, in der weder das absolutistische noch das aufklärerische Element eine besondere Rolle spielten. Die These hat den Vorteil, schlüssig das Ausbleiben des Aufgeklärten Absolutismus in England, Holland und Frankreich zu erklären. Der Nachteil ist, daß sie die geistige Entwicklung und die Bedeutung der Herrscher allzusehr vernachlässigt. Nach ihr hat sich sozusagen in Umkehrung der ursprünglichen marxistischen Theorie der Aufgeklärte Absolutismus in den unterentwickelten Ländern einen »kapitalistischen Unterbau« geschaffen. Dafür gibt es eine Reihe von Belegen, auch wenn insgesamt gesehen dieses Problem bisher von der Forschung in den westlichen Ländern weitgehend unbeachtet geblieben ist.

So hat Kaunitz 1770 bei der Weiterentwicklung des Josephinismus, also der Neuregelung des Verhältnisses von Kirche und Staat, die Notwendigkeit dieser Reformen gerade auch von ökonomischer Seite begründet. In einem Vortrag vom 12. April 1770 prophezeite er eine weitere Verarmung der katholischen gegenüber den nichtkatholischen Ländern [89]. Er begründet das mit »dem Nichtvorhandensein eines organisierten Klerus« in den protestantischen Ländern, »wodurch die Ausbeutung aller existierenden materiellen Quellen« möglich würde. Auch fördere »der Mangel an ungünstigen moralischen Vorurteilen die Gestaltung von Kapitalien, die für die Entwicklung wirtschaftlicher Tätigkeit so wertvoll sind.« Die Vorstellung, daß die ökonomische Überlegenheit der protestantischen Länder religiöse Gründe hat, ist in vielen Denkschriften von Kaunitz zu finden [90]. Selbst Josephs Toleranzpatent muß in diesem Zusammenhang gesehen werden, wie Äußerungen Josephs beweisen, in denen er die der protestantischen Religion angehörenden Länder England und Holland als die Heimat der meisten Kapitalien bezeichnet und daraus den Schluß zieht, nur durch eine religiöse Toleranz sei es möglich, in katholischen Ländern eine ähnliche Entwicklung in Gang zu bringen. Diese ökonomische Begründung des Josephinismus ist nicht nur eine eindrucksvolle Bestätigung der bekannten Kapitalismusthese von Max Weber von den religiösen Ursprüngen des Kapitalismus, sie läßt auch das ganze Reformwerk von Kaunitz als einen Versuch erscheinen, durch eine Veränderung der Bewußtseinslage in dem durch den Verlust Schlesiens in seiner Stellung als Großmacht gefährdeten Österreich eine Entwicklung in Gang zu bringen, die es auf dieselbe Stufe mit den anderen europäischen Großmächten stellen sollte.

Theoretisch unterbaut wurden diese Bestrebungen durch Männer wie Joseph von Sonnenfels. In seinem 1765 erschienenen Werk »Grundsätze der Polizey, Handlung und Finanzwissenschaft« sah Sonnenfels als Voraussetzung einer gedeihlichen Entwicklung in der Landwirtschaft die Sicherung des bäuerlichen Besitzes an [91]. Der Kristallisationspunkt seiner neuen Agrarverfassung war das freiwirtschaftliche Profitstreben, das auch die bäuerliche Einzelwirtschaft bestimmen sollte [92]. Ebenso propagierte er den Durchbruch einer davon bestimmten neuen Wirtschaftsgesinnung durch Beseitigung der Zunftschranken[93]. Joseph II. ist insofern diesen Vorschlägen gefolgt, als er in der Bauernbefreiung und in der von ihm erlassenen Gewerbefreiheit die Grundlagen für eine solche Entwicklung legte[94].

Die Befreiung der Agrarwirtschaft, die Einschränkung der Zunftverfassung und die Förderung von Handel und Industrie waren Forderungen der Physiokraten, die nicht nur in Österreich, sondern in allen Ländern des Aufgeklärten Absolutismus eine grundsätzliche Änderung der ökonomischen Verhältnisse im Sinne einer auf Gewinnstreben abzielenden Entwicklung in Gang gesetzt haben. Das Ergebnis dieser Bemühungen stand allerdings in keinem Verhältnis zum Aufwand. Auch hier kamen sich nämlich die beiden Elemente des Aufgeklärten Absolutismus ins Gehege. Es ist ihm zwar gelungen, die Staatseinnahmen durch eine Modernisierung der Verwaltung, insbesondere der Steuerverwaltung, in einer vorher kaum geahnten Weise zu steigern. Da, wo der Aufgeklärte Absolutismus mit seiner Prämisse »mehr Staat« vorgehen konnte, hatte er auch Erfolg[95]. Ein Anschluß an die westlichen Handelsstaaten war aber ohne ein »mehr Freiheit« nicht zu erreichen. So hat man zwar die alten Zunfteinrichtungen bekämpft, aber was an ihre Stelle trat, war ein von unzähligen Behörden gegängelter »Staatskapitalismus«, der den Abstand zu den »kapitalistischen Ländern« nicht aufholen konnte. Was der polnische Historiker Rozdolski für die josephinischen Reformen feststellt, gilt in Abwandlung für die Förderung von Handel und Industrie in allen Staaten des Aufgeklärten Absolutismus: »Durch seine bürokratische Bevormundung der Industrie und des Handels zwang Josefs Regime der embryonalen Bourgeoisie der Monarchie manche Drangsale auf[96].«

Sowohl der fehlende Freiheitsspielraum als auch das trotz aller Bemühungen rettungslos zurückgebliebene, auch weiterhin agrarisch bestimmte Wirtschaftssystem bedingten es, daß die scheinbar so weitgehend reformierten Länder des Aufgeklärten Absolutismus beim Zusammenstoß mit der Französischen Revolution rettungslos veraltet erschienen.

Frankreich besaß nach der Beseitigung des absolutistischen Überbaus finanzielle Reserven, gegenüber denen alles, was die große Koalition von 1793, das heißt Österreich, Preußen, Spanien, Toskana, Piemont und Portugal trotz der Teilnahme Englands einzusetzen hatten, verblaßte. Das damit angesprochene Problem des Staatskredits blieb für alle absolutistisch regierten Länder unlösbar. Die Stände, die den Kredit mit hätten garantieren müssen, wollte der Absolutismus beseitigen. Ein reiches Bürgertum aber war in den ökonomisch zurückgebliebenen Ländern nicht vorhanden. Das österreichische Beispiel, wo die Pläne Ludwig Zinzendorfs an diesen Problemen scheiterten, zeigt deutlich, daß auch der von den Aufklärern angestrebte Zentralstaat den notwendigen Kredit nicht schaffen konnte[97]. An dieser Tatsache konnten auch die durch die Steuerreformen gesteigerten Einnahmen nichts ändern. Die Gründung einer Staatsbank mißlang in den meisten Ländern. Die 1772 von Friedrich dem Großen ins Leben gerufene Seehandelsgesellschaft und ihr Aufstieg zeigt die Möglichkeiten, die in derartigen florierenden Unternehmen für die ökonomische Entwicklung eines Landes gegeben waren.

Wenn auch unleugbar der Staat im Aufgeklärten Absolutismus reicher geworden war und in ökonomischer Beziehung gegenüber den »kapitalistischen« Ländern aufgeholt hatte, so hat er doch auch und gerade auf ökonomischem Gebiet mehr Entwicklungen in Gang gebracht als fertige Ergebnisse erzielt. Dieser ökonomische Aufholprozeß, von Avrech eine Phasenverschiebung genannt, gehört unzweifelhaft zu den wichtigsten Tatsachen des Aufgeklärten Absolutismus. In ihm zeigen sich sowohl die Grenzen, die dem Absolutismus gesetzt waren, als auch die sehr realen Notwendigkeiten, die das Reformprogramm der Länder des Aufgeklärten Absolutismus nicht weniger bestimmten als die von den aufklärerischen Ideen ausgehenden Theorien.

4. AUFGEKLÄRTER ABSOLUTISMUS UND SOZIALER WANDEL

Die grundsätzliche innere Widersprüchlichkeit des Aufgeklärten Absolutismus wird auf dem gesellschaftlichen Sektor besonders evident: Die Aufklärung war eine im Kern bürgerliche Bewegung[98], der Absolutismus aber beruhte im wesentlichen auf der feudalen Gesellschaftsordnung. Durch ihre von aufklärerischem Geist erfüllten Reformen, die sich nicht selten gegen die Vorrechte des Adels wandten, begünstigten die Herrscher des Aufgeklärten Absolutismus insgesamt gesehen den Aufstieg anderer Schichten, insbesondere des Bürgertums. Der Aufgeklärte Absolutismus kann daher nicht als eine spätfeudale, nur die Interessen des Adels fördernde Erscheinung angesehen werden. Dies wird in neuester Zeit auch von marxistischen Historikern nicht mehr geleugnet. »Die ganze Epoche des Aufgeklärten Absolutismus in allen Ländern stellt sich als Nonsens dar«, schreibt der sowjetische Historiker Avrech, »wenn man im absolutistischen Staat nicht die bürgerlichen Staatsprinzipien erkennt[99].« Peter Hoffmann bezeichnet die Verselbständigung des Staates als eine sich gegen den Adel wendende Tendenz[100]. Ausgangspunkt waren die von den Physiokraten vertretenen Ideen Quesnays, die mit der Befreiung des Bodens, der Aufhebung der Leibeigenschaft und der Zünfte die bisherige Gesellschaftsordnung in Frage stellten. Der eine Faktor dieser Entwicklung war der Aufstieg des Bürgertums.

Die Ablösung des Adels aus den Verwaltungsaufgaben, die Entstehung einer Bürokratie, die dem Bürgertum in der hohen Ministerialbürokratie einen steigenden Anteil an der Macht verschaffte, und eine Verschiebung des Reichtums zum Bürgertum hin stellen zwischen diesem Aufstieg und den Reformprogrammen des Aufgeklärten Absolutismus eine enge Relation her. »Insbesondere lehnte es der Aufgeklärte Absolutismus des 18. Jahrhunderts ab, die obrigkeitliche Gewalt und die kriminelle Gerichtsbarkeit als Privatbesitz des Gutsbesitzers anzusehen. Er faßte dieselbe vielmehr als eine den Grundobrigkeiten bloß übergebene staatliche Gewalt auf und fing an, die Patrimonialverfassung mehr und mehr in den Bereich der öffentlichen, durch den Landesherrn zu regelnden Einrichtungen einzubeziehen[101].« Zur Verschiebung der Besitzverhältnisse trugen sowohl die Förderungsmaßnahmen für Industrie und Handel als auch die in den katholischen Ländern mit der Enteignung kirchlichen Grundbesitzes zusammenhängende Entstehung eines bürgerlichen

Grundbesitzes bei. Der Aufstieg des Bürgertums erfolgte allerdings keineswegs gradlinig. Dazu erwiesen sich die gegenläufigen Tendenzen als zu stark. Sowohl die Unentbehrlichkeit des Adels in jeder Beziehung als auch die geringe Entwicklung des Bürgertums zu Beginn des Aufgeklärten Absolutismus setzten seinem Aufstieg enge Grenzen.

Das, was man im Sinne Frankreichs und Englands als Bourgeoisie bezeichnen könnte, hat sich in den Ländern des Aufgeklärten Absolutismus allenfalls in Ansätzen in der zweiten Hälfte des 18. Jahrhunderts gezeigt. Die für die Entwicklung einer Bourgeoisie so wichtige Garantie des Eigentums war ja in vielem erst ein Ergebnis der vom Aufgeklärten Absolutismus und seinen Rechtskodifikationen eingeleiteten Rechtsstaatlichkeit [102]. Sie konnte in dem knappen Zeitraum keine Früchte zeitigen, sondern allenfalls Entwicklungen einleiten, von denen die Judenemanzipation eine der bekanntesten ist. Daher ist es in keinem Land des Aufgeklärten Absolutismus zum Entstehen eines reichen, selbstbewußten, die Entwicklung mitbestimmenden Bürgertums gekommen. Wenn möglich, glich man sich in Lebenshaltung und Auftreten dem Adel an und bemühte sich, nach der Nobilitierung so rasch wie möglich den früheren nichtadeligen Stand zu vergessen. Ein vielfach übersehener, in seinen Auswirkungen aber nicht minder wichtiger Vorgang war dabei die Verbürgerlichung des Adels, die insgesamt gesehen in diesen Ländern fast eine stärkere Veränderung des sozialen Klimas zuwege brachte als der Aufstieg des Bürgertums. In Spanien, Portugal, Toskana, Rußland, Neapel-Sizilien und Österreich wurde dem Adel gestattet, Handel und Gewerbe zu betreiben. In dieselbe Richtung ging die von Rosenberg festgestellte Tendenz im preußischen Adel, sich durch Bildung dem Bürgertum anzupassen [103]. Auf diese Art ist das Problem des Adels als einer gegen die Reformen stehenden Schicht in manchem entschärft worden. In diesem Sinn ist auch der von Hans Rosenberg eingehend geschilderte Prozeß des Vordringens Bürgerlicher in die hohe Ministerialbürokratie Preußens zu interpretieren. Er läßt sich in Spanien, Portugal, der Toskana und Neapel ebenso nachweisen wie in Schweden und Österreich. Im August 1797 fragte Kaiser Franz II. bei seinem Minister Thugut an, weshalb der junge erbländische Adel sich nicht mehr zum kaiserlichen Dienst dränge [104]. Thugut, der selber aus dem Nichts aufgestiegen war, gab in seiner Antwort drei Gründe an: Der Leichtsinn der jungen Leute lasse sie den Dienst meiden. Die besser gebildeten Söhne aus dem Bürgertum verschlechterten ihre Aufstiegschancen, und schließlich sei es nicht mehr vornehm, in den kaiserlichen Dienst zu treten, seit eine regelmäßige Bezahlung die Vorrechte reicher Adeliger beschnitte.

Dieser Entwicklung in den einzelnen Ländern nachzugehen, ist ein wichtiges Desiderat der Forschung. Hierbei dürfte sich die sowohl für Preußen als auch für Österreich geltende Beobachtung allgemein bestätigen, daß man in vielen Fällen wohl besser von Nichtadeligen und nicht vom Bürgertum spricht.

Neben dem Aufstieg des Bürgertums verdienen in dieser Zeit noch die Anfänge jenes Prozesses besondere Beachtung, durch den die Stellung des Bauern eine grundsätzliche Änderung erfuhr. Das ist zwar ein weit in das 19. Jahrhundert reichender Vorgang, doch sind sowohl in Österreich als auch in Preußen, der Toskana und in

Anfängen auch in Spanien Verfügungen erlassen worden, die das Problem in Gang brachten. Joseph II. ging mit seinen Erlassen, deren erster 1781 erschien und der die persönliche Leibeigenschaft aufhob, insofern über Friedrich hinaus, als er die Bauernbefreiung nicht auf die Domänenbauern beschränkte, sondern gerade auch das Untertanenverhältnis zum Grundherrn beseitigen wollte [105]. Er ist damit, insbesondere mit seinem Projekt der gleichen Besteuerung, allerdings weitgehend gescheitert [106]. Ferdinand von Neapel, der die Leibeigenschaft auf den Domänen aufhob, garantierte den Bauern die erworbene Freiheit auch bei einem späteren Verkauf staatlicher Güter an Privatpersonen. In Rußland sind durch die Säkularisierung des Kirchenbesitzes die ehemals kirchlichen und klösterlichen Bauern mit den Staatsbauern gleichgestellt worden, was zu einer spürbaren Verbesserung ihrer Lage führte. Die Maßnahmen zur Bauernbefreiung sind aber im 18. Jahrhundert in den meisten Ländern nicht wirklich durchgedrungen. Nur an einer Stelle haben es alle Länder des Aufgeklärten Absolutismus gewagt, das Ideal des freien Bauern zu verwirklichen. In Preußen, Österreich, Rußland, der Toskana, Bayern und Spanien erhielten die Siedler des in Kolonisationsvorhaben urbar gemachten Landes ebenso wie die Bewohner der in Preußen, Rußland, Toskana, Österreich, Neapel, Spanien und Portugal verteilten Domänen den Status eines freien Bauern. Dieses Vorbild hat insgesamt gesehen die Entwicklung zur Bauernbefreiung gefördert. Allerdings gibt es innerhalb des Aufgeklärten Absolutismus auch eine gegenläufige Tendenz. Schon die ersten Maßnahmen Katharinas II. von Rußland begünstigten den Adel, und der Gnadenbrief für den Adel von 1785 festigte nicht nur seine Stellung, sondern lieferte ihm auch in großem Umfang Bauern als Leibeigene aus. Auch Friedrich getraute sich nicht, in das Verhältnis Gutsherr–Bauer einzugreifen. Die immer wieder behauptete Begünstigung des Adels, die gegen alles ins Feld geführt wird, was an Förderungsmaßnahmen aufgeklärter Herrscher für das Bürgertum oder die Bauern in Gang gesetzt wurde, war für den Aufgeklärten Absolutismus insgesamt gesehen jedoch untypisch. Joseph II. war ausgesprochen adelsfeindlich [107]. Dasselbe gilt für Gustav III. von Schweden, der durch seinen Staatsstreich 1772 den allmächtigen Adel seiner Rechte entsetzte und so erst die Voraussetzung für sein aufgeklärtes Regime schuf. Ähnlich rigoros ging Pombal in Portugal gegen den Adel vor. Untergründig war eine gewisse Adelsfeindschaft auch bei Leopold II. und Karl III. von Spanien vorhanden, nur daß sie, vorsichtiger als Joseph II., erkannten, daß es in ihren Ländern kein Bürgertum gab, das ihnen als Partner ihrer Herrschaft hätte dienen können. R. R. Palmer sieht daher in der Bekämpfung der Aristokratie eine der Grundmaximen des Aufgeklärten Absolutismus [108].

Eine wirklich tiefgreifende soziale Veränderung ist vom Aufgeklärten Absolutismus trotzdem nicht erreicht worden. Das Ende der achtziger Jahre steht vielmehr im Zeichen einer Erstarkung des Adels, der sich mit Erfolg gegen die allzu fortschrittlichen Reformen durchsetzte und manche von ihnen zu einer Episode werden ließ. Die von Frankreich ausgehende, das Ende des Jahrhunderts beherrschende Adelsrevolte hat in Schweden einen Höhepunkt erreicht, wo Gustav III. am 16. März 1792 einer Adelsverschwörung zum Opfer fiel. Schon vorher hat nur der frühe Tod

Josephs II. verhindert, daß sich neben Belgien und Ungarn auch in Böhmen und Galizien, dem Experimentierland des Aufgeklärten Absolutismus in Österreich, eine Adelsrevolte ausbreitete. Diese richtete sich sowohl gegen die Beseitigung der adeligen Steuervorrechte als auch gegen die allgemein gegen die Grundherren gerichteten Maßnahmen, von denen der verbesserte Kataster besonderen Anlaß zu Beschwerden bot[109].

Das Vordringen Bürgerlicher in die Verwaltung war dabei in allen Ländern ein wichtiger Stein des Anstoßes. Hätten die böhmischen und ungarischen Reichstage ihre Forderungen durchgesetzt, der Staatsdienst wäre in diesen Ländern auf den Adel beschränkt worden[110]. Dieses Scheitern der auf einen Abbau der Vorrechte und damit auf Egalisierung ausgehenden Tendenzen des Aufgeklärten Absolutismus, das in erster Linie das Lebenswerk des aufgeklärtesten Despoten, Josephs II., traf, hat nicht zuletzt seine Ursache in dem eigentümlichen Verhältnis der Fürsten des Aufgeklärten Absolutismus zur Gesellschaft. Schon die Grundtatsache, ob sie sich innerhalb oder außerhalb derselben verstanden, war je nachdem verschieden, ob sie sich in erster Linie als aufgeklärte oder als absolute Fürsten fühlten. Das Eingeständnis, daß alle Menschen gleich waren, endete da, wo sie ein unveräußerliches Recht zur alleinigen Führung ihrer Völker beanspruchten.

Allerdings erhebt sich die Frage, ob sich jene Herrscher, die den Versuch grundlegender Reformen unternahmen, nicht auch in dem Sinn außerhalb der Gesellschaft stellten, als es innerhalb dieser keinen Partner für ihre Reformen gab. Ein reiches, selbstbewußtes Bürgertum wie in Frankreich, Holland und England, das diese Umwälzung mitgetragen hätte, existierte nicht. Die Bauern, für die Joseph II. am meisten tat, waren nicht fähig, ihre Wünsche zu artikulieren oder einen Partner zu bilden, der imstande gewesen wäre, eine Basis für Josephs Reformen darzustellen. Sieht man im Aufgeklärten Absolutismus den Versuch unterentwickelter Länder, Anschluß an die reichen westlichen Länder zu finden, so war der Versuch von oben, eine neue Gesellschaftsordnung zu schaffen, das tragische Unterfangen, ein in Frankreich und England mögliches Modell einer bürgerlichen Gesellschaft auf Verhältnisse zu übertragen, die von feudalen Abhängigkeiten bestimmt waren. Dieser Irrtum war um so verständlicher, als in Frankreich die feudale Gesellschaft scheinbar unangetastet weiterbestand und die weit fortgeschrittenen Entwicklungen für eine Veränderung für viele nicht sichtbar waren. In Frankreich drängte eine neue Schicht zur Verantwortung, während in Österreich und Schweden der Monarch einer Schicht Verantwortung geben wollte, die es noch gar nicht gab[111]. Hier werden die Grenzen erkennbar, die einer sozialen Reform von oben gesetzt waren. Um ihre Pläne durchzuführen, hätten die aufgeklärten Monarchen gegen den Adel eines Partners bedurft. Weil sich dieser in dem Tempo der Reformen nicht schaffen ließ, scheiterten sie. Insofern sind sie auch Opfer ihrer eigenen Ungeduld geworden. Das Modell des despot éclairé, der durch seinen Despotismus den Staat von Grund auf veränderte, war an die Grenzen seiner Möglichkeiten gelangt. Denn selbst wenn es ihm gelungen wäre, ein Bürgertum zu schaffen, so wäre an dieser Stelle der innere Gegensatz des Aufgeklärten Absolutismus unweigerlich aufgebrochen. So sehr der Aufgeklärte

Absolutismus nämlich ein selbstbewußtes Bürgertum als Partner seiner Reformen gebraucht hätte, so wenig hätte sich dieses mit jenem geringen Freiheitsraum begnügen können, den er zu geben bereit war. Der Absolutismus auch in seiner aufgeklärtesten Form konnte nur in einer feudalen Gesellschaftsordnung erhalten werden. So ergibt sich die paradoxe Situation, daß eben dieser für die Reformen des aufgeklärten Fürsten so wichtige Partner der Totengräber seines Absolutismus geworden wäre. Das bedeutet jedoch nicht, daß die vom Aufgeklärten Absolutismus ausgehenden sozialen Veränderungen folgenlos geblieben wären. Soziale Veränderungen sind an lange währende Entwicklungen gebunden. Viele der weit ins 19. Jahrhundert hinausgreifenden Entwicklungen sind vom Aufgeklärten Absolutismus in Gang gesetzt worden. Vieles, was in der vielgerühmten Revolution von oben nach 1806 als Ausführung revolutionärer Ideen erschien, war im Aufgeklärten Absolutismus bereits vorgezeichnet.

5. DAS PROBLEM DER SÄKULARISATION IM AUFGEKLÄRTEN ABSOLUTISMUS

Unter Säkularisation versteht man im Aufgeklärten Absolutismus nicht nur die Enteignung von Kirchenvermögen, sondern einen alle bisher von den Kirchen betreuten Lebensbereiche erfassenden Vorgang. Der nach den Maximen der Aufklärung handelnde Fürst hatte sich von allen religiösen Bindungen frei gemacht. Er erstrebte gegenüber den Kirchen eine neutrale Stellung. Die Toleranzgesetze eines Friedrich II. oder Joseph II. müssen unter diesem Gesichtspunkt gesehen werden. Sie sind weniger von der Achtung vor anderen religiösen Überzeugungen als davon geprägt, sich von den Bindungen an eine Staatsreligion frei zu machen und so die erstrebte Stellung über den Kirchen zu erlangen [112]. Das heißt nicht, daß die protestantischen Fürsten ihre Stellung als summus episcopus in den evangelischen Ländern aufgegeben hätten. Sie erwarben nur mit der Aufnahme katholischer Untertanen ein größeres Maß an Freiheit. Dasselbe gilt für die katholischen Fürsten, die in dieser Zeit alle den Versuch unternahmen, sich die Kirche zu unterwerfen. Wo die Monarchen des Aufgeklärten Absolutismus als Förderer der Kirchen auftraten, da taten sie es, weil sie der Meinung waren, daß eine dem Fürsten unterworfene Kirche bequeme Untertanen erziehe. Insofern bestand bei ihnen ein Interesse an einer gut organisierten Seelsorge, die sich oft merkwürdig mit aufklärerischem Gedankengut mischte.

Das heißt allerdings nicht, daß es im 18. Jahrhundert keine religiösen Strömungen gegeben hätte. Im Gegenteil: Erst durch das Vorhandensein der den Aufgeklärten Monarchen entgegenkommenden religiösen Strömungen ist es diesen gelungen, ihre Absichten zu verwirklichen. Im Protestantismus sind der Pietismus und im Katholizismus der Jansenismus und die von ihm abhängigen Strömungen eminent religiöse Bewegungen. Sie sind den Absichten des Aufgeklärten Absolutismus insofern entgegengekommen, als sie aus religiösen Gründen den Staat als die einzig mögliche Instanz zur Durchführung religiöser Reformen ansahen. Ohne das pietistische

Pflichtethos wäre das friderizianische Preußen ebenso unmöglich wie das aufgeklärt absolutistische Regime in Dänemark. Der Jansenismus und die von ihm abhängigen katholischen Reformbestrebungen haben ein Klima geschaffen, in dem die Josephinisten, die filogiansenistischen Reformer in Italien sowie die Regalisten im spanisch-portugiesischen Bereich an die Neugestaltung des Verhältnisses von Staat und Kirche gehen konnten.

Allerdings wird man bei der Betrachtung des Verhältnisses von Kirche und Staat im protestantischen, russisch-orthodoxen und im katholischen Bereich von ganz verschiedenen Voraussetzungen ausgehen müssen. Im protestantischen Bereich war die Unterwerfung der Kirche unter den Staat im 16. Jahrhundert erfolgt. Der Kirchenbesitz war enteignet, die vielen Vorrechte der Kirche gefallen. Ähnlich war die Lage im russisch-orthodoxen Bereich, wo die Kirche zwar erheblich reicher, aber seit Peter dem Großen von den Zaren abhängig war. Im katholischen Bereich stieß der Aufgeklärte Absolutismus auf eine reiche, sich im Besitz aller seit dem Mittelalter erworbenen Vorrechte erfreuenden Kirche. Die katholische Kirche, durch Papsttum und Kirchenstaat zu den Souveränen dieser Welt zählend, hat allen säkularisierenden Bestrebungen daher einen erbitterten Widerstand entgegengesetzt. Ihr und nicht dem Protestantismus galt daher der ganze Haß der Aufklärer. Sie kreideten jedem Fürsten eine nachgiebige Haltung gegenüber dem Katholizismus als unverzeihlichen Verrat an den modernen Geistesströmungen an. Der in vielem angelegte Konflikt zwischen Aufklärung und Aufgeklärtem Absolutismus hat in den katholischen Ländern hier immer neue Nahrung gefunden, weil die Fürsten den von den Aufklärern geforderten grundsätzlichen Kampf gegen die katholische Kirche scheuten.

Dieser Konflikt war allerdings nicht nur eine geistige Auseinandersetzung [113]. Er hat vielmehr auch sehr reale Gründe [114]. In der ökonomischen Begründung des Josephinismus sahen wir ja bereits, daß Kaunitz mit der Neuregelung des Verhältnisses von Staat und Kirche eine grundlegende Reform des gesamten Staates auf allen Gebieten einleiten wollte [115]. Eine Neuordnung in den katholischen Ländern mußte von der Enteignung des kirchlichen Grundbesitzes ausgehen, der oft bis zu sechzig Prozent des gesamten Landbesitzes ausmachte und bei der Steuerfreiheit des Klerus und der hohen Staatsverschuldung ein unüberwindliches Hindernis für jede Reform darstellte. Nicht geringer waren die zu überwindenden Schwierigkeiten auf rechtlichem Gebiet. Die Inquisition, das Asylrecht und die Tatsache, daß nicht nur die Priester, sondern auch der größte Teil ihrer Untertanen dem kanonischen Recht unterworfen waren, zeigen, welche Widerstände der Aufgeklärte Absolutismus hier bei seinen Bemühungen zu überwinden hatte, eine moderne Verwaltung und Rechtspflege einzuführen. Das gesamte Wohlfahrts- und Bildungswesen war in der Hand der Kirche. Erst nach der Vertreibung der Jesuiten konnte auf den Universitäten in Wien, Padua, Pisa, Neapel, Madrid und Lissabon Landesrecht gelehrt werden [116]. Der Aufgeklärte Absolutismus stand daher in den katholischen Ländern vor dem Problem, zwei Schritte auf einmal machen zu müssen: Die Enteignung des Kirchenbesitzes und die damit zusammenhängende Entflechtung von Staat und Kirche, und die Reform des Staates, die ihrerseits eine Fülle von Konflikten mit sich bringen mußte. Der zweite war im 18. Jahrhundert, als der Reichtum im wesentlichen und insbesondere in den katholischen Ländern an den Grundbesitz gebunden war, ohne den ersten Schritt nicht zu vollbringen. In Österreich, den italienischen Staaten, in Spanien und Portugal stellte daher die Auseinandersetzung mit der katholischen Kirche das eigentliche Problem des Aufgeklärten Absolutismus dar. An ihm ist er entweder gescheitert wie in Neapel, Spanien und Portugal, oder er ist das Problem geworden, an dem sich, wie in Österreich und Toskana, die Gegenrevolten entzündeten. Hierbei hat es im wesentlichen drei verschiedene Varianten antirömischer Bestrebungen gegeben.

In Portugal und in den bourbonischen Ländern war es der Regalismus und in seinem Gefolge der Kampf gegen den Jesuitenorden, der die Auseinandersetzung beherrschte. Unter Regalismus verstand man ursprünglich das Recht des Herrschers, die Zwischennutzung erledigter Bistümer vorzunehmen. Es ist von Ludwig XIV. für ganz Frankreich ertrotzt worden und diente im 18. Jahrhundert in allen bourbonischen Ländern dazu, die Rechte der Päpste zu beschränken. Der von diesen Ländern geführte Kampf gegen die Jesuiten, der 1773 zum Verbot des Ordens führte, galt jener päpstlichen Truppe, die den Einfluß des Papsttums in allen katholischen Ländern garantierte [117]. Der Jansenismus spielte hier nur eine ganz untergeordnete Rolle und ist in Portugal nur in der Form des Febronianismus aufgetreten. Es ging im Regalismus im wesentlichen um eine größere Selbständigkeit von Rom.

Anders war es bei den beiden anderen Bewegungen, dem Josephinismus und dem Leopoldismus. In Österreich ist im Josephinismus ein lange ins 19. Jahrhundert hineinwirkendes System des Verhältnisses von Staat und Kirche errichtet worden, das wegen seiner Auswirkungen auf die übrigen Bereiche des öffentlichen Lebens fast als eine Art Grundgesetz bezeichnet werden kann. Der Josephinismus beschränkte den päpstlichen Einfluß auf reine Glaubensfragen und verwob die Einrichtungen der katholischen Kirche eng mit den Einrichtungen des Staates, wobei im Gegensatz zu früher der Staat der dominierende Teil war. Im Josephinismus sind Strömungen des Regalismus, des Gallikanismus, Febronianismus, Jansenismus sowie das durch den Protestantismus geschaffene Vorbild einer engen Verbindung von Staat und Kirche zu einem besonderen System entwickelt worden [118]. Er darf als das durchdachteste katholische Staatskirchensystem des Aufgeklärten Absolutismus gelten.

Regalismus und Josephinismus akzeptierten aber insgesamt gesehen das Amt des Papstes als oberstem Richter in Glaubensfragen. Es konnte aber nicht ausbleiben, daß die nachtridentinische barocke, jeder Reform abholde katholische Kirche mit dem Rigorismus des Aufgeklärten Absolutismus auch in theologischen Fragen in Konflikt geriet [119]. Diese Auseinandersetzung prägte den Leopoldismus, in dem der Versuch gemacht wurde, mit einer Neuordnung des Verhältnisses von Staat und Kirche auch eine theologische Reform durchzuführen [120]. Sie war von jansenistischen Vorstellungen geprägt und hat insofern auf die beiden anderen Bewegungen eingewirkt, als der Leopoldismus bei vielen Reformkatholiken die Illusion hervorrief, der katholische Aufgeklärte Absolutismus werde auch in den anderen Ländern zu theologischen Reformen führen.

Der Jansenismus und die von ihm abhängigen reformkatholischen Strömungen besaßen aber auch für die Monarchen des Aufgeklärten Absolutismus einige Anziehungskraft. Wie wir gesehen haben, machte das Problem der Enteignung des Kirchenbesitzes den Konflikt unvermeidlich. Auch der Jansenismus erstrebte eine arme Kirche. Er war aber nicht nur bereit, in dieser einen wichtigen Frage dem neuen Staat entgegenzukommen. In einer ganzen Reihe von Reformwünschen gingen die Wünsche der Jansenisten oder der Filogiansenisten mit denen der staatlichen Reformer konform. Seit ihrer Verurteilung durch Rom sahen überdies die Jansenisten im modernen Staat ihren Partner bei der Durchsetzung ihrer Reformen. Das heißt, der Jansenismus stellte eine Form des Katholizismus dar, die dem Staat des Aufgeklärten Absolutismus den Einfluß einzuräumen versprach, den dieser mit allen Mitteln erstrebte.

Die Folge war, daß sich der Konflikt zwischen den Reformern und Rom auch da in unangemessener Weise verschärfte, wo der theologische Konflikt vermieden wurde. Die Kirche fühlte sich nämlich durch die jansenistisch beeinflußten Reformprogramme nicht nur in ihrem Besitz und ihrer Machtstellung innerhalb der katholischen Staaten, sondern auf ihrem ureigensten Gebiet, nämlich dem der Theologie und der Kirchendisziplin, bedroht. Diesem Angriff gegenüber zeigten einige Päpste Unsicherheit. Mit der Wahl Pius VI. 1775 fiel die Entscheidung. Pius dachte nicht an Reformen, sondern sah seine Aufgabe darin, die eigenen Reihen dichter zu schließen und den Angriff der Aufklärung abzuwehren. In den Jansenisten sah er nur Häretiker.

In dieser Zeitfeindlichkeit, die in schroffem Gegensatz zu den Reformbestrebungen in fast allen Staaten Europas stand, erblickten die Jansenisten nun ihrerseits ihre Chance. Sie hofften, die aufgeklärten Monarchen mit sich reißen und mit ihrer Hilfe auf einem Reformkonzil die Dinge in Fluß bringen zu können. Diese Illusion verflog aber rasch. Schon Leopold konnte sich unter den Bischöfen der Toskana nicht durchsetzen. Es ist dies die Situation der Synode von Pistoia von 1786, die Ettore Passerin d'Entrèves in seinem hier abgedruckten Beitrag erwähnt [121]. Die Lage blieb in der Schwebe. Erst 1794 wagte Pius VI. eine Verurteilung der Beschlüsse von Pistoia.

Die Jansenisten mußten erfahren, daß die aufgeklärten Monarchen nicht an den von ihnen erstrebten kirchlich-theologischen Reformen, sondern nur daran interessiert waren, die Kirche dem Staat zu unterwerfen. Joseph II. und der Josephinismus scheuten in ihrem Interesse vor keinem Konflikt mit der Kurie zurück. Die theologischen Fragen, die für die Jansenisten im Vordergrund standen, interessierten sie nicht, und ihrethalber waren sie auch nicht bereit, mit Rom einen Konflikt auszutragen, der die Gefahr eines Schismas in sich trug. Daran ist gegen Ende der 80er Jahre das Bündnis zwischen Jansenismus und Aufgeklärtem Absolutismus zerbrochen. Es bestand ohnehin mehr in den habsburgischen Ländern, während die Linien des Hauses Bourbon in erster Linie das Verbot des Jesuitenordens erzwungen hatten und sich in ihrer Zusammenarbeit mit den Jansenisten viel zurückhaltender zeigten.

Auf diesem Sektor übte auch der sonst so konsequente Joseph II. Zurückhaltung. Als sich in Deutschland die vier Erzbischöfe, unter ihnen Max Franz von Köln, der jüngere Bruder des Kaisers, gegen den päpstlichen Hof verbanden, beschwor ihn Leopold, diese Chance zu nutzen, die deutschen Bischöfe zur Abhaltung eines Nationalkonzils zu veranlassen und so für immer das eigennützige und despotische Joch des römischen Hofes abzuschütteln [122]. Aber Joseph lehnte diesen wie auch den Vorschlag einer österreichischen Nationalsynode ab [123]. Er war sich im klaren, daß ein solcher Generalangriff Rom die Möglichkeit nehmen würde, den Josephinismus trotz aller Bedenken zu tolerieren. Diese Toleranz aber war die notwendige Voraussetzung für das Gelingen des Josephinismus, der sonst vor den Gläubigen keine Chance besessen hätte. So hat Joseph II. zwar den Jansenisten die Pforten der staatlichen Priesterseminare, insbesondere die von Padua, geöffnet, er hat aber sein Staatskirchensystem nicht mit theologischen Streitfragen belastet. Die Jansenisten bekamen in aller Deutlichkeit zu spüren, daß es den aufgeklärten Monarchen auf religiösem Gebiet nicht um echte, tiefgreifende Reformen, sondern um Verbesserungen ging, die nur ein Ziel, die Festigung der staatlichen Macht, kannten. Sie wandten sich daher von den aufgeklärten Monarchen ab und der Revolution zu. Jansenistisch denkende Priester sind daher nach 1789 im Lager der Revolution, in Neapel, in Genua, unter den österreichischen Jakobinern ebenso wie unter den den Verfassungseid leistenden Priestern in Frankreich zu finden [124]. An der Reformunwilligkeit der katholischen Kirche auf theologischem Gebiet sind schließlich alle Versuche des Aufgeklärten Absolutismus in den katholischen Ländern gescheitert, das Verhältnis von Staat und Kirche in befriedigender Weise zu lösen. Die Kirche wurde in einen Schmollwinkel gedrängt, aus dem heraus sie ihre vergifteten Pfeile gegen die Reformen des Aufgeklärten Absolutismus schleudern konnte. Es bildete sich eine Atmosphäre gegenseitiger Gehässigkeit, in der alle Ansätze eines Verstehens untergingen. Sie hat bis auf den heutigen Tag eine unvoreingenommene Beurteilung der katholischen Aufklärung verhindert.

Die katholische Kirche hat in diesen Jahren in Österreich, den italienischen Staaten, in Spanien und Portugal ihren alles bestimmenden Einfluß verloren. Von da her ist es zu vertreten, den Begriff »Aufgeklärter Absolutismus« im katholischen Bereich auch auf Länder anzuwenden, die, an protestantischen gemessen, nicht so weit in der rationalen Durchstrukturierung ihrer Staaten kamen. Ja, es erscheint so gesehen sogar als relativ belanglos, bis zu welchem Grad der Perfektion der Staat des Aufgeklärten Absolutismus im katholischen Bereich gedieh. Ohne diese Entwicklung wären moderne Verwaltungseinrichtungen in diesen Ländern gar nicht möglich gewesen.

Vergleichbares spielte sich allenfalls in Rußland ab, doch ist es hier Katharina II., ohne auf große Widerstände zu stoßen, gelungen, die Unterwerfung der russisch-orthodoxen Kirche durch eine teilweise Enteignung des Kirchenbesitzes zu vollenden [125]. Wenn der Aufgeklärte Absolutismus unter Katharina II. nicht zu Ende geführt wurde, dann sind dafür ganz andere Gründe als der Widerstand der orthodoxen Kirche maßgebend [126].

Der Protestantismus aber hat weder in Preußen noch in Dänemark oder Schweden ein retardierendes Moment gegen den Aufgeklärten Absolutismus dargestellt. Von allen christlichen Konfessionen sind die evangelischen Kirchen am meisten vom Aufklärungsdenken erfaßt worden. Jahrzehntelang ist auch die theologische Diskussion davon bestimmt gewesen. Eine andere selbständige Kraft, die sich in diesen Ländern gegen den Aufgeklärten Absolutismus zur Wehr gesetzt oder seine Maßnahmen im breiten Volk bekämpft hätte, hat es nicht gegeben. Daher ist der Aufgeklärte Absolutismus hier auch am weitesten in der Durchsetzung seiner Ziele gekommen.

6. DAS VERHÄLTNIS VON AUFKLÄRUNG UND AUFGEKLÄRTEM ABSOLUTISMUS

Schon aus den bisherigen Ausführungen dürfte klar sein, daß eine Diskrepanz zwischen Aufklärung und Aufgeklärtem Absolutismus besteht. Beide Seiten haben sich mit der Zeit auseinanderbewegt. Zunächst standen die meisten Aufklärer dem Aufgeklärten Absolutismus positiv gegenüber. »Die Neuerungen des Aufgeklärten Absolutismus wurden beifällig aufgenommen, selbst dann, wenn sie gewalttätig durchgeführt wurden[127].« Hierher gehört die Idee des aufgeklärten Despoten, die ja nicht nur von den Physiokraten, sondern auch von Rousseau und den italienischen Aufklärern wie Verri oder Beccaria vertreten wurde[128]. Aber dann trat eine Verschiebung ein. Die Aufklärer bejahten weiterhin die Maßnahmen, die in Österreich und Preußen, in Rußland, den skandinavischen Ländern, in Italien, Spanien und Portugal zu einer Zentralisierung, Differenzierung und einem rationalen Aufbau der staatlichen Verwaltung führten. Ja, der ganze in sich gigantische Versuch, einen neuen Staatsaufbau von der Theorie her durchzuführen, wurde durchaus mit Beifall bedacht. Aber man beobachtete das in Frankreich, der Heimat der Aufklärung, sozusagen mit gönnerhafter Gelassenheit, wie man eben Vorgänge in Entwicklungsländern zu beobachten pflegt[129]. In Frankreich, wo der Staat in den von niemandem mehr recht ernst genommenen Formen des ancien régime weiterlebte, entwickelte sich die Diskussion in eine Richtung, in welche die lange um den Beifall der Aufklärer buhlenden Herrscher nicht folgen konnten. Ausgehend von Paul de Rapin Thoyras' »Histoire d'Angleterre« und insbesondere von Montesquieus »Esprit des lois«, kam schon um die Mitte des Jahrhunderts eine Begeisterung für England und die englische Verfassung auf, die rasch in die Forderung nach einer verfassungsmäßigen Beschränkung der königlichen Gewalt und der Errichtung eines frei gewählten Parlaments mündete. Von da an lief die politische Diskussion sozusagen auf zwei Ebenen. Während in Frankreich die Weichen bald über die konstitutionelle Monarchie hinweg gestellt wurden und an manchen Stellen – wie bei Mably in seinem 1776 erschienenen Werk »De la législation ou principes des lois« – bereits sozialistische Ideen auftauchten, haben selbst die wildesten Aufklärer gegenüber den nichtfranzösischen Ländern eine gewisse Milde walten lassen. Dieselben Physiokraten, die für Frankreich die Einführung einer Volksvertretung forderten, befürworteten für das Ausland einen aufgeklärten Despoten, der den neuen Ideen mit Zwang zum Durchbruch verhelfen sollte [130]. Diese Haltung war von beiden Seiten bedingt. Ein Joseph II. konnte sich bei Turgot über das Wesen physiokratischer Reformen erkundigen. In die Tat umsetzen konnte er sie aber nur, weil er imstande war, seine Ansichten als die allein gültigen zu bezeichnen. Das heißt, der Aufgeklärte Absolutismus konnte sich nur da durchsetzen, wo einem reformwilligen Herrscher ein relativ geringer Kreis von Aufklärern gegenüberstand. Dieser kleine Kreis war zudem meist in den Diensten des Herrschers und stand nicht wie in Frankreich in einer grundsätzlichen Opposition zu allem, was die Krone wollte und tat. Je größer der Kreis von Aufklärern war, desto unklarer mußte es sein, wie man diese Ideen in die Praxis umsetzen sollte, ja, was konkret in der Politik Aufklärung bedeutete. Das zeigt gerade das Schicksal der Turgotschen Reformen, die man vielleicht als die Phase des Aufgeklärten Absolutismus in Frankreich bezeichnen könnte [131]. Die Diskussion war zu weit fortgeschritten, um eine pragmatische Entwicklung mit Erfolg durchführen zu können, zumal die Mehrzahl der Aufklärer in Verkennung der wahren Sachlage im Lager der reaktionären Gegner Turgots standen [132]. Ein aufgeklärtes Reformprogramm konnte – so betrachtet – nur da durchgeführt werden, wo ein absoluter Herrscher in der Lage war zu bestimmen, was Aufklärung und was aufgeklärte Reformen waren. Auch in dieser Hinsicht ist der Aufgeklärte Absolutismus eine Bewegung unterentwickelter Länder, er mußte sich bei fortschreitender Entwicklung immer mehr selbst in Frage stellen.

In Frankreich war der Absolutismus nicht zu retten. Die Monarchie in Frankreich ist nicht, wie Stadelmann 1948 meinte, deshalb gestürzt, weil sie keine Phase eines Aufgeklärten Absolutismus kannte [133]. Die Aufklärung war dort vielmehr so weit fortgeschritten und stützte sich auf so breite Schichten, daß ein Reformprogramm zur Revolution führen mußte. Die Kräfte, die außerhalb Frankreichs ein absolutistisches Reformprogramm förderten, drängten in Frankreich zur Verfassung und bald auch zur Republik. Das hatte zur Folge, daß der Aufgeklärte Absolutismus gerade in der Zeit, als er in den von ihm erfaßten Staaten seinem Höhepunkt zustrebte, in Frankreich sozusagen nicht mehr »up to date« war. Gleichzeitig wurden auch die aufgeklärt absoluten Herrscher selbtbewußter. Keiner dieser Herrscher war bereit, die letzten Konsequenzen aus dem Denken der französischen Aufklärung zu ziehen. Ihnen ging es um den effektiven Staat [134]. Die Folge war eine zunehmende Entfremdung, die bei Friedrich dem Großen, wie wir gesehen haben, bereits 1770 einsetzte und sich bis zu seinem Tode steigern sollte, bei Katharina II. aber ebenso festzustellen ist wie bei Ferdinand IV. von Neapel oder den Nachfolgern Pombals [135]. Schon vor der Revolution kam es in diesen Ländern entweder zu einem Abstoppen der Reformen oder zu einer Haltung, die im Selbstbewußtsein eigener Leistung für die letzten Ziele der französischen Aufklärer nur noch Hohn übrig hatte. Der Aufgeklärte Absolutismus war mit der Aufklärung in Konflikt geraten [136].

Die Kritik der Aufklärer am Aufgeklärten Absolutismus entzündete sich interessanterweise, wie schon erwähnt, an der zwiespältigen Haltung gegenüber der katholischen Kirche. Der Despotismus wurde der Begünstigung des Priesterbetrugs geziehen [137]. Die Kritik erfaßte aber bald auch den Aufgeklärten Absolutismus als solchen, dessen Herrscher man zu beschuldigen anfing, vor den letzten Konsequenzen der

Aufklärung zurückzuschrecken. Dies ist auch der Vorwurf vieler späterer Kritiker, die deshalb in ihm nichts anderes erblicken wollten als eine gigantische Täuschung. Da es jedoch unübersehbar ist, daß das aufklärerische Denken eine Entwicklung nahm, der die absolutistischen Herrscher nicht folgen konnten, so ist es klar, daß jeder Herrscher, der sich nicht selber aufgeben wollte, eine Auswahl aus dem aufgeklärten Denken traf, dem er zu folgen gesonnen war. Das Staatsdenken der Aufklärer und der Aufgeklärte Absolutismus waren im Ergebnis zwei verschiedene Dinge[138].

Während das erstere, wie die Diskussion in Frankreich am Ende des 18. Jahrhunderts und die Ereignisse der Revolution zeigen, in vielem wirklich nichts anderes als eine Durchgangsstation zur Revolution war, hat das andere durchaus eigene Züge, die gerade im politischen Bereich klar hervortreten. Dagegen spricht auch nicht, daß Joseph II. der Meinung war, die Französische Revolution sei ein Plagiat seiner eigenen Reformmaßnahmen[139]. Gerade hier nämlich zeigt sich das Mißverständnis besonders klar. Für Joseph war der aufgeklärte Staat ein besser regierter Staat. Das hinter der Revolution stehende Freiheitsideal hielt er für eine gefährliche und, wie Kaunitz meinte, wohl zu benutzende Verirrung[140]. Die hier zutage tretende Diskrepanz ist von grundsätzlicher Bedeutung. Es war ja nicht nur so, daß beide, Aufklärung und Aufgeklärter Absolutismus, aus demselben Denken erwachsen, in dem Augenblick getrennte Wege gingen, als sich die letzten Konsequenzen abzeichneten. Der Aufgeklärte Absolutismus zielte, wenn er die monarchische Staatsform nicht in Frage stellen wollte, in seiner letzten Konsequenz auf die konstitutionelle Monarchie als einer Staatsform, in der der Herrscher, durch Gesetze gebunden, ein Parlament an seiner Seite hat. Die Ideen der Aufklärung hingegen konnten an der Revolution, also an der Beseitigung der Monarchie, gar nicht vorbei. Das erstere war eine pragmatische Lösung, die niemals das Ideal des frei entscheidenden Menschen zu ihrer Maxime erheben konnte. Das letztere, die Revolution, wollte die vom aufgeklärten Denken eingeleitete totale Veränderung durch die Freiheit des einzelnen krönen. Wenn die Lehre vom Gesellschaftsvertrag auch die gemeinsame Wurzel beider Entwicklungen war, so war bei ihr doch von Anfang an eine Ausdeutungsmöglichkeit im Sinne einer Auflösbarkeit dieses Vertrages, das heißt also einer Revolution, möglich, an der das Aufklärungsdenken nicht vorbei konnte. Wenn der Marquis d'Argenson schon 1751 im Angesicht einer Fülle bedeutender Herrscher ausrufen konnte[141]: »Ein absolutes monarchisches Regierungssystem ist vorzüglich unter einem guten König, aber Natur und Erfahrung zeigen uns, daß wir zehn schlechte für einen guten haben«, dann wird verständlich, daß die konstitutionelle Monarchie in einer Zeit unausweichlich war, wo auf den Thronen Europas mit einem Friedrich Wilhelm III., einem Franz I. von Österreich, einem Karl IV. von Spanien, um nur einige Beispiele zu nennen, die »Hohlköpfe Legion waren«, wie Egon Friedell sich auszudrücken beliebte. Die Absicht, den Staat vor einem schlechten Herrscher zu schützen, die bei Leopold und bei den preußischen und österreichischen Aufklärern eine Rolle spielte, stand daher im Denken der französischen Aufklärer in den letzten dreißig Jahren vor der Revolution gar nicht mehr im Vordergrund. Ihnen ging es um die Regierung, die mehr Freiheit verbürgte. Das heißt, der Schritt von der konstitutionellen Monarchie zur Republik war geistig bereits vor der Französischen Revolution vollzogen. Das heißt aber weiter: Der Aufgeklärte Absolutismus mußte sich am Ende des Jahrhunderts vom Denken der Aufklärung trennen.

Die Frage, ob der Aufgeklärte Absolutismus mit seinem Bestreben nach dem von allen Traditionen befreiten, allein nach aufklärerischen Theorien rational aufgebauten Staat im Endergebnis dasselbe wollte wie die Revolution, ist mit dem eben Gesagten bereits teilweise beantwortet. Das Ideal der persönlichen Freiheit, ein entscheidendes Element der Revolution, ist ja in keiner Form von dem Aufgeklärten Absolutismus vertreten worden, so daß sich hier bereits ein eklatanter Unterschied zu den Zielen der Revolution ergibt [142]. Es ist auch später, wenn überhaupt, dann nur zögernd, von den konstitutionellen Monarchien übernommen worden. Das heißt aber, daß Aufgeklärter Absolutismus und Revolution vielleicht einen ähnlich organisierten Staat erstrebten, daß hier aber doch ein fundamentaler Unterschied besteht. Deshalb scheint uns auch die Frage, ob der Aufgeklärte Absolutismus in den Ländern, in denen nach seinen Maximen regiert wurde, die Revolution verhindert habe oder nicht, falsch gestellt. Man hat dafür immer wieder Preußen als Beispiel einer evolutionären Entwicklung ins Feld geführt, ohne zu bedenken, daß das zur politischen Verantwortung drängende Bürgertum hier fehlte. Es fehlte insbesondere das breit mitdiskutierende Publikum, das in Paris die Entwicklung so mächtig vorantrieb. Auch scheint uns dabei Ursache und Wirkung verwechselt. Die geradezu unerträgliche Tyrannei des sich in alles und jedes einmischenden Aufgeklärten Absolutismus konnte sich in jenen Ländern nicht entwickeln, die ein reiches und selbstbewußtes Bürgertum besaßen, das wiederum die Voraussetzung zur Revolution war. So betrachtet, erhält die vorher entwickelte These eine neue Bestätigung, der Aufgeklärte Absolutismus stellte eine Entwicklungsphase des modernen Staates dar, die durch einen allgemeinen Angleichungsprozeß an die wirtschaftlich weiter entwickelten Länder gekennzeichnet ist. Der Aufgeklärte Absolutismus hat insgesamt den Abstand zu den reichen westeuropäischen Staaten England, Frankreich und Holland verringert. Am Ende des 18. Jahrhunderts waren Österreich und Preußen moderner organisiert, effektiver und finanzkräftiger als das Frankreich des ancien régime. Ja, selbst Rußland und Spanien hatten einen gewaltigen Sprung nach vorn getan. Die besondere französische Entwicklung, vorab das Denken der Aufklärung, erzwang aber eine weit darüber hinausgehende Revolution, die einen ganz neuen, vom Aufgeklärten Absolutismus nicht zu schaffenden Schritt in der Entwicklung der Menschheit bedeutete. Daher konnte der Aufgeklärte Absolutismus ebensowenig die Revolution in irgendeinem Land verhindern, wie die Revolution in einem Land ausbrechen konnte, das das Stadium des Aufgeklärten Absolutismus durchmachte. Beide ähneln sich zwar in der Zielsetzung, weil sie beide Kinder einer geistigen Bewegung, eben der Aufklärung, sind. Aber keines war durch das andere zu ersetzen.

7. DIE ZEITLICHE UND RÄUMLICHE AUSDEHNUNG DES AUFGEKLÄRTEN ABSOLUTISMUS

Es herrscht Einigkeit darüber, daß drei Länder, die in ihrer Entwicklung an der Spitze der europäischen Staatenwelt standen und in denen das Geistesgut der Aufklärung am weitesten verbreitet war, keinen Aufgeklärten Absolutismus gekannt haben: die Seemächte England und Holland und Frankreich. Dafür lassen sich, wie wir gesehen haben, verschiedene Gründe ins Feld führen [143]. Die allgemeine Verbreitung aufklärerischen Denkens verlangte ein Maß an Freiheit, wie es in erster Linie in Holland und England anzutreffen war. Im absolutistischen Frankreich war der für die weite Verbreitung aufklärerischer Ideen notwendige Freiheitsraum dadurch entstanden, daß sich die höfische Gesellschaft und die geistige Elite der Aufklärer nebeneinander entwickelten. Eine hat die andere nicht ganz ernst genommen, so daß sich ein geistiger Freiheitsraum entwickeln konnte, der von der öffentlichen Meinung so geschützt wurde, daß es auch dem Absolutismus nicht mehr möglich war, die Aufklärer zu unterdrücken. Allen drei Ländern war darüber hinaus eine gegenüber dem übrigen Europa weit fortgeschrittene, teilweise bereits kapitalistische Züge annehmende wirtschaftliche Entwicklung gemeinsam, die den übrigen europäischen Nationen zum Vorbild diente.

Gegenüber diesen Weltmächten war das übrige Europa weit zurückgeblieben. Diesen Abstand aufzuholen, war das Ziel der um die Jahrhundertmitte einsetzenden Reformen. Dabei wurde von Anfang an die Philosophie als die Lehrmeisterin der neuen Entwicklung angesehen. Der König als Philosoph war das Ideal dieser Zeit, aber nur wenige entsprachen diesem Ideal. Neben Friedrich dem Großen könnte man, wenn man einmal von den Ministern absieht, allenfalls Katharina und Gustav III. von Schweden nennen. Joseph II., der Prototyp eines aufgeklärten Herrschers, hat die Philosophen verachtet.

Der Aufgeklärte Absolutismus muß daher unseres Erachtens als eine allgemeine Bewegung angesehen werden, die darauf abzielte, den Staatsaufbau in den einzelnen Ländern nach rationalen, der Aufklärung entlehnten Gesichtspunkten zu verändern. Er ist, anders ausgedrückt, eine Zeiterscheinung, der sich nur wenige ganz entziehen konnten. Paris als geistiges Zentrum hat dabei eine entscheidende Rolle gespielt, doch hat sich der Aufgeklärte Absolutismus selbst andere Vorbilder geschaffen. Ausgehend von Friedrich dem Großen, der schon bei seinem Regierungsantritt 1740 ein aufklärerisches Reformprogramm verkündete und mit seinen Kriegen seine Gegenspielerin Maria Theresia zu Reformen zwang, sind die Staaten Europas durch fünfzig Jahre das Experimentierfeld umfassender Neuerungen gewesen. Schon am Ende der 50er Jahre entsteht in Mailand ein nach den Maximen des Aufgeklärten Absolutismus regierter Staat. Wenn hier auch Kaunitz die eigentlich treibende Persönlichkeit war, so muß man doch auch Maria Theresia trotz ihrer Abneigung gegen die Aufklärungsphilosophie zu den Monarchen des Aufgeklärten Absolutismus rechnen. Auf sie und nicht nur auf Kaunitz gehen nämlich viele der den Josephinismus einleitenden Maßnahmen zurück [144]. 1765 greift mit dem Regierungsantritt Peter Leopolds der Reformeifer auf die Toskana über. 1755 hat die Zeit der Reformen mit der Berufung Tanuccis in Neapel begonnen. Fünf Jahre später wird Karl III. König von Spanien. Er nimmt den Reformeifer und einige Italiener nach Spanien und bespricht schriftlich mit Tanucci jede seiner Reformmaßnahmen. Mit den Ministern Aranda, Floridablanca und Godoy beginnt Karl III. ein weitgespanntes Reformprogramm, das sehr bald eigene spanische Züge annimmt. Es hat kaum einen Bezirk staatlichen Lebens unberührt gelassen, wenn auch hier sehr oft spanische Tradition vor aufklärerischen Neuerungen ging. 1756 tritt unter dem Minister du Tillot auch das kleine Parma-Piacenca in den Wettstreit der Reformen ein. Pombal hat dem Aufgeklärten Absolutismus in Portugal, der nach der Zerstörung Lissabons 1755 einsetzte und bis zu seinem Tode 1782 währte, ganz spezifisch eigene Züge gegeben. Neben dem englischen und französischen Einfluß war es auch hier das italienische Beispiel, das einwirkte. Mit Preußen traten nicht zuletzt Katharina und Friedrichs Neffe Gustav III. in Wettstreit. In Dänemark begann der Aufgeklärte Absolutismus mit Struensees Ernennung 1770. Das preußische Beispiel wirkte auch auf viele deutsche Fürsten. Von ihnen muß mit Sicherheit Karl Friedrich von Baden genannt werden, bei dem sich auch eine aufgeklärte Bürokratie entwickelte [145]. Als aufgeklärter Fürst gilt auch Karl Theodor von Dalberg, obwohl dieser in der Zeit des Aufgeklärten Absolutismus kein regierender Fürst war [146]. Daneben kann noch eine Reihe geistlicher Fürsten genannt werden, wie Max Franz von Köln oder der Würzburger Erthal, bei denen vorwiegend die österreichischen und preußischen Beispiele nachwirkten. Es ist jedoch in Deutschland nicht zu einer mit Italien vergleichbaren Entwicklung gekommen, wo die Gründung habsburgischer und bourbonischer Sekundogenituren die traditionellen Bindungen beseitigt und so die Einführung aufklärerischer Reformen entscheidend erleichtert hatte. Es ist daher eine einseitige Betrachtung, wenn man die Monarchen des Aufgeklärten Absolutismus nur nach ihrem Verhältnis zur französischen Aufklärung beurteilt. Der edle Wettstreit, der unter ihnen herrschte, der Preußen ebenso zum weitausstrahlenden Zentrum werden ließ wie Österreich und Italien, kennzeichnet den Aufgeklärten Absolutismus mindestens ebenso. Ja, als europäisches Phänomen wird der Aufgeklärte Absolutismus durch diese gegenseitige Befruchtung fast in gleichem Maße gekennzeichnet wie durch seine Abhängigkeit von aufklärerischen Theorien. Erst hierdurch wird letzten Endes die Anwendung des Begriffs »Aufgeklärter Absolutismus« auf so verschiedenartige Länder mit so verschiedenen Entwicklungen wie Schweden, Dänemark, Rußland, Preußen, Österreich, die italienischen Staaten, Spanien und Portugal vertretbar. Der Aufgeklärte Absolutismus ist so gesehen kein streng zu definierender Begriff, sondern eine allgemeine Erscheinung, die durch gemeinsame Ziele gekennzeichnet ist.

Zeitlich ist der Beginn des Aufgeklärten Absolutismus je nach Land verschieden. Vor Friedrich kann man keinen Monarchen dazurechnen. Družinin hat überzeugende Gründe dargelegt, weshalb die Zeit nach der Französischen Revolution nicht mehr zum Aufgeklärten Absolutismus gezählt werden kann [147]. Die Axiome der französischen Aufklärung fanden nach 1792 keine naive Anwendung mehr. Sie wurden Abwehr revolutionärer Bedrohung und erstarrten entweder in Reaktion oder waren, wie die Reformen Steins, von der antiaufklärerischen Welle der Traditionalisten bestimmt, wonach die Rechte des einzelnen in seinem Lebensbezirk den Staat vor den neuen Lehren der Volkssouveränität schützen sollten [148]. Der Absolutismus mußte auch da, wo er in Form des Beamtenabsolutismus weiterlebte, das Problem des frei entscheidenden Menschen zur Kenntnis nehmen. Es gibt daher keinen einleuchtenden Grund, den Aufgeklärten Absolutismus bis in die Mitte des 19. Jahrhunderts zu verlängern, wie Emil Lousse und Leo Just das tun [149].

8. ZWÖLF THESEN ZUM AUFGEKLÄRTEN ABSOLUTISMUS

Es ging darum, aufzuzeigen, daß der Aufgeklärte Absolutismus eine Epoche der europäischen Geschichte ist, die sich inhaltlich von der davorliegenden und der ihr folgenden Zeit abgrenzen läßt. Es leuchtet ein, daß eine solche Definition bei einem in sich so widersprüchlichen Phänomen nur schwer zu geben ist. Hingegen scheint es uns möglich, in zwölf Thesen den Charakter dieser Epoche zu kennzeichnen.

1. Der Aufgeklärte Absolutismus stellt insofern eine eigene Epoche innerhalb der Geschichte der europäischen Monarchien dar, als er seinen Ausgang von einem grundlegend veränderten Selbstverständnis des Herrschers nimmt. Nicht mehr das von Gott verliehene Amt, sondern die eigene Tüchtigkeit begründete den Vorzug des Herrschers vor seinen Mitbürgern. Ein absoluter Herrscher, der so dachte, leitete eine Revolution ein, die über kurz oder lang das Ende der auf dem Erbrecht beruhenden Monarchie bedeuten mußte. Wollte man dies vermeiden, so gab es nur einen Weg: die Umwandlung in eine konstitutionelle Monarchie. Sie entzog den Monarchen der Kritik seiner Untertanen, indem sie ihm einen klar umgrenzten Aufgabenbereich zuwies.

2. Ein nach den Maximen der Aufklärung aufgebauter Staat kennt keinen Bezirk, den er durch seine Reformen nicht verändern will. Da er auch den Freiheitsraum der ständischen Libertät nicht respektiert, beseitigt er Freiheit und gerät so mit den Idealen der Aufklärung in einen unlösbaren Konflikt.

3. Um aufklärerische Reformen zu erzwingen, bejahten viele Aufklärer das von den Physiokraten geschaffene Ideal eines despot éclairé, das zum Ideal vieler Herrscher des Aufgeklärten Absolutismus wurde, mit dem sie ihre Herrschaft begründeten. Dies zeigt, daß sich nicht nur der Absolutismus der Aufklärung bedient hat, sondern daß es auch umgekehrt war. Der Aufgeklärte Absolutismus war daher nur da möglich, wo ein Herrscher imstande war zu bestimmen, welche Reformen konkret die Verwirklichung aufklärerischer Ideen bedeutete. In Frankreich war einerseits der Kreis der Aufklärer dazu zu groß und andrerseits das Ansehen des Herrschers zu gering, um die Reformen im Rahmen absolutistischer Herrschaft zu halten. Sie mußten daher ebenso ins Extrem, nämlich in die alles verändernde Revolution abgleiten, wie die Ideen der Aufklärung an sich extrem waren.

4. Die Selbstbeschränkung eines absoluten Herrschers, der sein Amt als Dienst am Volk auffaßt, ist, wenn die absolute Herrschaftsform erhalten bleiben soll, nur als

Appell an seine Pflichtauffassung möglich. Die meisten Fürsten des Aufgeklärten Absolutismus sind sich jedoch bewußt gewesen, wie brüchig eine solche Konstruktion war. Alle Versuche, dieses Problem auf dem Weg der Rechtskodifikation zu lösen, haben zu keinem überzeugenden Ergebnis geführt.

5. Der Aufgeklärte Absolutismus ist vom Denken der Aufklärung bestimmt. Das heißt aber nicht, daß er allen Entwicklungen dieses Denkens folgen mußte. Vielmehr entwickelte sich aus den eingeleiteten Reformen eine Staatspraxis, die sich unabhängig vom Denken der Aufklärung behauptete.

6. Ökonomisch gesehen stellte der Aufgeklärte Absolutismus den Versuch der unterentwickelten Länder dar, wirtschaftlich den Anschluß an die »kapitalistischen Länder« zu gewinnen. Er kann daher in den Ländern nicht vorkommen, in denen die Entwicklung zum »Kapitalismus« bereits weit fortgeschritten war. Durch Beseitigung steuerlicher Privilegien hatte der Aufgeklärte Absolutismus in allen Ländern einen erheblichen Anstieg der Staatseinnahmen erreicht. Es gelang ihm aber nicht, den Freiheitsraum zu schaffen, den eine nach kapitalistischen Grundsätzen aufgebaute Industrie und ein so organisierter Handel benötigten.

7. In den katholischen Ländern stellte die im Rahmen der aufgeklärten Reformen notwendige Unterwerfung der Kirche unter den Staat einen revolutionären Vorgang dar, dem in den evangelischen und orthodoxen Ländern nichts Vergleichbares gegenübersteht. Sie macht den Aufgeklärten Absolutismus in diesen Staaten zum wichtigsten Ereignis auf dem Weg zum modernen Staat[150].

8. Der Aufgeklärte Absolutismus begründete in den Ländern, in denen er sich durchsetzte, die Tradition der Revolution von oben. An der Zähigkeit, mit der sich diese Tradition hielt, läßt sich auch die Bedeutung ermessen, die er am Anfang der Entwicklung zum modernen Staat in diesen Ländern besaß. Lhéritier irrte zwar, als er glaubte, der Faschismus sei eine Art Aufgeklärter Absolutismus, aber es besteht insofern eine Verbindung, als sich diese Länder später besonders anfällig für den Faschismus erwiesen.

9. Der Aufgeklärte Absolutismus ist in sich ein revolutionärer Vorgang. Die von ihm in Gang gesetzten sozialen Veränderungen wirkten weit über die Zeit hinaus, die ihm zur Verfügung stand. Der Aufstieg des Bürger- und Bauerntums im 19. Jahrhundert ist von ihm eingeleitet worden. Die Tatsache, daß es ihm nicht gelungen ist, die Rechte des Adels zu beseitigen, hat bewirkt, daß dieser in den von ihm beherrschten Ländern bis ins 20. Jahrhundert eine Sonderstellung bewahren konnte.

10. Aufklärung und Absolutismus schließen sich in letzter Konsequenz aus. Das Bündnis zwischen beiden war daher ein Bündnis auf Zeit, das so nur in einer bestimmten Situation möglich war. Der Aufgeklärte Absolutismus trug daher im Gegensatz zum Absolutismus und zur konstitutionellen Monarchie den Keim der Überwindung in sich. Dieser Widerspruch ist in allen seinen Handlungen sichtbar.

11. Aufgeklärter Absolutismus und Revolution sind Kinder desselben Denkens. Sie schließen sich aber insofern aus, als die Revolution ein Bürgertum voraussetzt, das der Aufgeklärte Absolutismus erst schaffen wollte. Weil es dieses Bürgertum nicht gab, regierte er gegen die bestehende Gesellschaftsordnung, was sich in den

Adelsrevolten an der Wende der 80er und 90er Jahre zeigte. Die Gefahr einer aus den Ideen der Aufklärung erwachsenen Revolution bestand hingegen nicht, weil die revolutionäre Schicht fehlte, die sie hätte durchführen können. Das Gesellschaftsideal des Aufgeklärten Absolutismus, das in der Hingabe jedes einzelnen an das öffentliche Wohl bestand [151], war nicht mit dem Freiheitsideal der Aufklärer der zweiten Hälfte des 18. Jahrhunderts, das ein zutiefst bürgerliches Ideal war, identisch oder austauschbar. Letzteres war nur durch eine Revolution zu verwirklichen.

12. Hier liegt letztlich der Grund, daß die Länder des Aufgeklärten Absolutismus im Kampf mit der Französischen Revolution trotz ihres weitgespannten Reformprogramms so rettungslos veraltet erschienen. Der Aufgeklärte Absolutismus konnte einen Abstand aufholen. Er war aber unfähig, ein Staatsideal zu schaffen, das dem Denken der Aufklärung und seinen zukunftweisenden Idealen entsprochen hätte. Gegen den Umsturz aller Verhältnisse in einer die Freiheit des einzelnen zum Maßstab setzenden Revolution hatte er nichts einzusetzen.

Über die Gewichtung dieser Thesen wird es sicher verschiedene Ansichten geben. Wer die Meinung vertritt, daß der Anpassungsprozeß an die ökonomische Entwicklung der reichen westlichen Länder das wesentliche ist, eine These, die allein dadurch an Gewicht erhält, daß das Nichtvorhandensein eines Aufgeklärten Absolutismus sich in diesen Ländern am schlüssigsten damit erklären läßt, der wird dem veränderten Selbstverständnis des Herrschers weniger Bedeutung beimessen. Im Endergebnis kommt das aber darauf hinaus, ob man dem aufklärerischen oder dem absoluten Element des Aufgeklärten Absolutismus die größere Bedeutung gibt.

ANMERKUNGEN

1. Der Begriff »dispotismo illuminato« und »assolutismo illuminato« wird von F. Valsecchi in seinem Buch *L'assolutismo in Austria e in Lombardia* und in seinem 1961 in dem von E. Rota herausgegebenen Sammelwerk *Nuove questioni di storia del Risorgimento e dell'unitá d'Italia* erschienenen Aufsatz synonym gebraucht. Auch der hier abgedruckte Aufsatz, der eine erheblich erweiterte Form des in dem eben genannten Sammelwerk erschienenen Beitrags ist, heißt im Original »Dispotismo illuminato«, ohne daß die Verwendung dieses Begriffs gegenüber »assolutismo illuminato« besonders erläutert worden wäre.

2. Vgl. L. Ph. May, Despotisme légal et despotisme éclairé d'après Le Mercier de la Rivière, in: *Bulletin of the International Committee of Historical Sciences*, Bd. 9, 1937, S. 60ff.

3. Vgl. hier das Werk von P. Klassen, *Die Grundlagen des Aufgeklärten Absolutismus*, 1929, das praktisch ausschließlich Friedrich den Großen in seine Betrachtung einbezieht.

4. *L'assolutismo illuminato in Austria e in Lombardia*, 2 Bde., 1931/34.

5. Vgl. R. R. Palmer, *Das Zeitalter der demokratischen Revolution*, 1970, S. 401ff.

6. M. Lhéritier, Le rôle historique du despotisme éclairé, in: *Bulletin of the International Committee of Historical Sciences*, 1929, Bd. 1. Zur Geschichte dieser Diskussion s. den im vorliegenden Band abgedruckten Aufsatz von E. Walder, *Aufgeklärter Absolutismus und Revolution*, S. 115, Anm. 8.

7. Vgl. *Bulletin of the International Committee of Historical Sciences*, Bd. 5, 1933, Bd. 9, 1937, Bd. 4, 1955.

8. F. Hartung, Die Epochen der absoluten Monarchie in der Neueren Geschichte, *HZ* 145, 1932, S. 49.

9. Die französische Übersetzung trägt den Titel *L'Europe des princes éclairés 1763–1789.* Diese andere Akzentuierung begründet Denis Richet in einer kurzen Einleitung, in der sie auf das Besondere des Aufgeklärten Absolutismus hinweist.

10. M. S. Anderson, *Europe in the Eighteenth Century, 1717–1783*, 1961; L. G. Crocker, *The Age of Enlightenment*, 1969 (The Documentary History of Western Civilization); R. W. Harris, *Absolutism and Enlightenment, 1660–1789*, 1964.

11. Ch. Morazé, Finances et despotisme. Essai sur les despots éclairés, in: *Annales* 3, 1948, S. 279ff. Der hier veröffentlichte Aufsatz von G. Lefèbvre, Der aufgeklärte Despotismus (S. 77ff.), ist ebenfalls in den *Annales* (1949) erschienen. Vgl. auch E. Lousse in seinem hier abgedruckten Artikel »Absolutismus, Gottesgnadentum, aufgeklärter Despotismus«, S. 89ff.

12. G. Lefèbvre (wie Anm. 11), S. 83.

13. Aus diesem Grund mußte auf einen Abdruck des Artikels von Morazé verzichtet werden. Die Ausführungen Lefèbvres zur preußischen, österreichischen und russischen Geschichte sind aus demselben Grund hier weggelassen.

14. Bd. V, S. 173.

15. Quelques problèmes concernant la monarchie absolue, in: *Relazioni del X. Congresso Internazionale di Scienze storiche*, Bd. 4, 1955, S. 17.

16. Sie ist immer wieder behauptet worden. Schon Ottokar Lorenz hat 1862 in seinem Buch *Joseph II. und die belgische Revolution nach den Papieren des Generalgouverneurs Grafen v. Tierray* die Aufklärung als verhüllenden Mantel des Despotismus bezeichnet. I. Mittenzwei, Über das Problem des Aufgeklärten Absolutismus, in: *Zs. f. Gesch.wiss.* 18, 1970, S. 1162f., stellt dies besonders heraus.

17. G. Schilfert, *Zs. f. Gesch.wiss.* 1, 1953, S. 748. Vgl. auch H. Kröger, ebenda 2, 1954, S. 796ff.

18. Die Thesen von Georg Sacke sind in den Aufsätzen »Zur Charakteristik der Gesetzgebenden Kommission Katharinas II. von Rußland«, in: *Archiv f. Kulturgesch.* 21, 1930/31, S. 166–191, »Katharina II. im Kampf um Thron und Selbstherrschaft«, ebenda 23, S. 191–216, 1933, »Adel und Bürgertum in der Gesetzgebenden Kommission von Katharina II. von Rußland« in: *Jahrbücher für Geschichte Osteuropas* 3, 1938, S. 408–417, entwickelt und in dem Werk »Die Gesetzgebende Kommission Katharinas II. Ein Beitrag zur Geschichte des Absolutismus in Rußland«, *Jahrbücher für Geschichte Osteuropas*, Beiheft 2, 1940, zusammengefaßt worden.

19. F. Engels, Die auswärtige Politik des russischen Zarismus, in: Marx/Engels, *Werke*, Bd. 22, 1963, S. 24.

20. A. J. Awrech, Der Absolutismus und seine Rolle bei der Herausbildung des Kapitalismus, in: *Sowjetwissenschaft*, Gesellschaftswissenschaftliche Beiträge, 1969, 2, S. 175. Vgl. auch den Aufsatz von I. A. Fedosov, Prosveščennyj absoljutizm v Rossii (Der aufgeklärte Absolutismus in Rußland), in: *Voprosy istorii* 1970, 9, S. 34ff., der sich insgesamt kritisch mit Družinin auseinandersetzt, hier aber seiner Ansicht folgt.

21. Vgl. den hier abgedruckten Aufsatz von P. Hoffmann, Entwicklungsetappen und Besonderheiten des Absolutismus in Rußland, S. 364.

22. Auf diesen Widerspruch weist u.a. auch N. M. Družinin in seinem hier abgedruckten Aufsatz »Der aufgeklärte Absolutismus in Rußland«, S. 317, hin.

23. E. Lousse (wie Anm. 11) nennt auf S. 100 den Aufgeklärten Absolutismus eine Form des regierenden Unglaubens.

24. So bezeichnet ihn O. Hintze, in: *Die Hohenzollern und ihr Werk. Fünfhundert Jahre vaterländischer Geschichte*, [7]1916, S. 427, als »die Vorstufe unseres modernen Rechts- und Verfassungsstaates«.

25. Der moderne Kapitalismus als historisches Individuum, ein kritischer Bericht über Sombarts Werk, zitiert nach: O. Hintze, *Feudalismus – Kapitalismus*, hrsg. v. G. Oestreich, Kleine Vandenhoeck-Reihe, 1970, S. 129.

26. Vgl. den hier abgedruckten Aufsatz von F. Hartung, Der Aufgeklärte Absolutismus, S. 63f. und ders., Die politischen Testamente der Hohenzollern, in: *Volk und Staat*, 1940, S. 124.

27. Zitiert nach Hundeshagen, *Über den Einfluß des Calvinismus auf die Ideen von Staat und staatsbürgerlicher Freiheit*, Bern 1842, S. 35f.

28. Das entscheidende Kapitel im Werk von P. Klassen (wie Anm. 3), Herrschaft und Gesellschaft, S. 105ff., baut ganz auf den Äußerungen Friedrichs des Großen auf.

29. *Die Werke Friedrichs des Großen in deutscher Übersetzung*, hrsg. v. B. Volz, deutsch von F. v. Oppeln-Bronikowski, Bd. 7, S. 33.

30. Ebenda, Bd. 7, S. 255.

31. Ebenda, Bd. 7, S. 108.

32. J. von Sonnenfels, *Politische Abhandlungen*, 1777, S. 91.

33. Diese Tatsache stellt besonders P. Klassen (wie Anm. 3), S. 109f., fest. Denselben Gedanken verfolgte Sonnenfels. Vgl. K. O. Osterloh, *Joseph von Sonnenfels und die österreichische Reformbewegung im Zeitalter des aufgeklärten Absolutismus*, 1970, S. 23.

34. A. v. Arneth, *Maria Theresia und Joseph II. Ihre Korrespondenz*, Bd. 3, 1868, S. 335ff.

35. Veröffentlicht in: *Recueil des ordonnances des Pays-Bas autrichiens*, 3. Serie, 1700–1794, Bd. 12, hrsg. v. P. Verhaegen, 1910, S. 333ff.

36. Brief veröffentlicht bei A. Wolff, *Leopold II. und Marie Christine*, ihr Briefwechsel, 1867, S. 85f.

37. Vgl. G. Holzknecht, *Ursprung und Herkunft der Reformideen Kaiser Josephs II. auf kirchlichem Gebiet*, 1914, S. 17ff.

38. Vgl. den hier abgedruckten Aufsatz von E. Passerin d'Entrèves, Die Politik der Jansenisten in Italien gegen Ende des 18. Jahrhunderts, S. 245.

39. Vgl. H. Conrad, Staatsgedanke und Staatspraxis des aufgeklärten Absolutismus, in: Rhein.-Westfäl. Akademie der Wissenschaften, *Vorträge* G, 173, 1971, S. 11, 13, 18.

40. Vgl. E. Walder (wie Anm. 6), S. 108f.

41. Zu dem Einfluß Tanuccis auf Karl III. vgl. C. Alcázar Molina, El despotismo illustrato en Espagna, in: Bull. Bd. 5 (wie Anm. 7), S. 7. Zu Tanucci E. Viviani della Robbia, *Bernardo Tanucci e il suo più importante categgio*, 2 Bde., 1942. Siehe auch das sehr negative Urteil von F. Valsecchi im hier abgedruckten Aufsatz »Der Aufgeklärte Absolutismus«, S. 229. Die neueste spanische Literatur ist sich einig darüber, daß Karl III. trotz der großen Freiheit, die er seinen Ministern einräumte, der entscheidende Mann war und in den Kreis der Monarchen des Aufgeklärten Absolutismus gehört. Vgl. insbesondere L. Sanchez Agesta, *Il pensiamento politico del despotismo illustrado*, 1952.

42. E. Lousse (wie Anm. 11), S. 93, urteilt ähnlich, meint nur, die Revolution sei über sie hinweggegangen, was objektiv nicht zutrifft.

43. Vgl. den hier abgedruckten Aufsatz von V. Palacio Atard, »Der aufgeklärte Absolutismus in Spanien« S. 289f., insbesondere aber auch R. Koselleck, *Kritik und Krise. Ein Beitrag zur Pathogenese der bürgerlichen Welt*, 1959, S. 121f., wo er den Prozeß schildert, in dem der Herrscher durch Übernahme bürgerlicher Moralbegriffe seines absoluten Charakters entkleidet wird.

44. *Die Werke Friedrichs des Großen* (wie Anm. 29), Bd. 8, 1913, S. 32.

45. Vgl. H. Holldack in seinem hier abgedruckten Artikel »Der Physiokratismus und die absolute Monarchie«, S. 138.

46. Vgl. u.a. R. R. Palmer (wie Anm. 5), S. 412f.

47. Vgl. K. v. Raumer, Absoluter Staat, korporative Libertät, persönliche Freiheit, in: *HZ* 183, 1957, S. 60. Neudruck in: *Die Entstehung des modernen souveränen Staates*, hrsg. von H. H. Hofmann, 1967.

48. Ebenda, S. 91.

49. Ebenda, S. 69f.

50. Vgl. V. Palacio Atard (wie Anm. 43), S. 290.

51. Vgl. E. Walder (wie Anm. 6), S. 113.

52. Vgl. H. Holldack (wie Anm. 45), S. 143.

53. Vgl. R. Reichardt, Reform und Revolution bei Condorcet. Ein Beitrag zur späten Aufklärung in Frankreich, *Pariser historische Studien* 10, 1973, S. 292ff.

54. Vgl. H. Holldack (wie Anm. 45), S. 147ff.

55. Vgl. E. Walder, *Aufgeklärter Absolutismus und Staat*, in diesem Band S. 128f.

56. Ebenda, S. 130.

57. Vgl. den hier abgedruckten Beitrag von A. Wandruszka, Das toskanische Verfassungsprojekt, S. 280.

58. Vgl. den hier abgedruckten Aufsatz von G. Parry, Aufgeklärte Regierung und ihre Kritiker im Deutschland des 18. Jahrhunderts, S. 171.

59. Vgl. ebenda.

60. Vgl. R. Koselleck (wie Anm. 43), S. 122, wo er die These vertritt, daß durch diese Bindung an das Gesetz der absolute Herrscher aufhört, absolut zu sein und das Gesetz zum eigentlichen Souverän wird.

61. Vgl. H. Conrad (wie Anm. 39), S. 30f. Zu Sonnenfels' Plänen aus dem Jahr 1790 vgl. K. O. Osterloh (wie Anm. 33), S. 208ff.

62. Vgl. H. Conrad (wie Anm. 39), S. 43.

63. S. 470f.

64. Vgl. G. Sacke, Die Gesetzgebende Kommission Katharinas II. (wie Anm. 18), S. 68ff. Die Überbetonung des politischen Charakters dieser Kommission bei Sacke ist von D. Geyer, »Gesellschaft« als staatliche Veranstaltung, Bemerkungen zur Sozialgeschichte der russischen Staatsverwaltung im 18. Jahrhundert, in: *Jb. für die Gesch. Osteuropas*, NF 14, 1966, S. 35, zurechtgerückt worden. Von ihr rückte auch die neuere sowjetische Absolutismusforschung ab. Zu dem Problem der Beschränkung ihrer Macht bei Katharina vgl. N. M. Družinin (wie Anm. 22), S. 323.

65. Vgl. A. Wandruszka (wie Anm. 57), S. 264ff.

66. Zitiert nach F. Hartung (wie Anm. 26), S. 73.

67. Dies ist das Ergebnis des hier abgedruckten Aufsatzes von H. Holldack (wie Anm. 45).

68. Vgl. F. Valsecchi (wie Anm. 41), S. 208.

69. Vgl. H. Holldack, Die Bedeutung des aufgeklärten Despotismus für die Entwicklung des Liberalismus, in: *Bulletin of the Commission of Historical Sciences*, Bd. 5, 1933, S. 778.

70. Vgl. F. Valjavec, Die politische Wirkung der Aufklärung, in: *Ostdeutsche Wissenschaft*, Bd. 2, 1956, S. 289. Vgl. auch die Bemerkung von N. M. Družinin (wie Anm. 22), S. 335, Katharina II. habe Voltaire, Montesquieu, Diderot und d'Alembert geschätzt, für Rousseau aber Antipathie empfunden.

71. *Werke Friedrichs des Großen* (wie Anm. 29), 1913, S. 267.

72. Vgl. H. Holldack (wie Anm. 69), S. 776.

73. Das übersieht H. Holldack (wie Anm. 45), S. 151 f., der nur von dem durch die Unübersichtlichkeit der Verhältnisse überforderten Monarchen spricht.

74. Die Unmöglichkeit einer wirksamen Kontrolle stellt H. Rosenberg in seinem hier abgedruckten Beitrag »Die Überwindung der monarchischen Autokratie«, S. 183, besonders heraus.

75. F. Valsecchi (wie Anm. 41), S. 209.

76. Vgl. H. Rosenberg (wie Anm. 74), S. 195.

77. Vgl. H. Conrad (wie Anm. 39), S. 35, 38.

78. A. N. Čistozvonov leugnet in seinem Aufsatz über die stadial-regionale Methode bei der vergleichenden historischen Erforschung der bürgerlichen Revolutionen des 16.–18. Jahrhunderts in Europa, in: Zs. f. Gesch.wiss. XXI, 1973, S. 43, daß das Frankreich des 18. Jahrhunderts zu den kapitalistischen Ländern zu zählen sei. Das ist von England und Holland her gesehen sicher richtig, nur sieht die Sache vom übrigen Europa her betrachtet anders aus, wo Frankreich offensichtlich einen Vorsprung hatte.

79. Lhéritier (wie Anm. 6), S. 601 ff.

80. Vgl. R. Rozdolski, *Die große Steuer- und Agrarreform Josephs II. Ein Kapitel zur österreichischen Wirtschaftsgeschichte*, 1961, S. 17f., auch für das Folgende.

81. Vgl. ebenda, S. 86ff.

82. Zu Spanien vgl. J. Sarrailh, *L'Espagne éclairée de la seconde moitié du XVIIIe siècle*, 1954, S. 548ff. Zur Toskana vgl. A. Wandruszka, *Leopold II., Erzherzog von Österreich, Großherzog von Toskana, König von Ungarn und Böhmen, Römischer Kaiser*, I, 1965, S. 261–278.

83. Diese vertrat noch einmal mit allem Nachdruck S. M. Troickij, O nekotorych spornych voprosach istorii absoljutizma v Rossii, in: *Istorija SSSR*, 1969, H. 3, S. 140.

84. A. N. Čistozvonov, Nekotorye aspekty problemy genezisa absoljutizma, in: *Voprosy istorii*, 1968, H. 5, S. 45.

85. A. J. Avrech (wie Anm. 20), S. 174.

86. P. Hoffmann (wie Anm. 21), S. 356f.

87. Vgl. P. Hoffmann, Aufklärung, Absolutismus und aufgeklärter Absolutismus in Rußland, in: *Studien zur Geschichte der russischen Literatur des 18. Jahrhunderts*, hrsg. v. H. Grasshoff und U. Lehmann, Bd. IV, 1970, S. 20.

88. In etwa übernimmt auch A. N. Čistozvonov (wie Anm. 78), S. 42, diese These einer Phasenverschiebung, wobei er freilich dem Aufgeklärten Absolutismus skeptisch gegenübersteht.

89. *Staatskanzlei Vorträge* 158, Haus-, Hof- und Staatsarchiv Wien.

90. Als eines dieser vielen Beispiele sei folgendes genannt. 1786 befahl der Reichshofrat in Köln die Einführung der Toleranz, da die Förderung von Handel und Gewerbe in erster Linie von Protestanten zu erwarten sei. Vgl. H. Stevens, *Toleranzbestrebungen im Rheinland während der Zeit der Aufklärung*, Diss. Bonn 1938, S. 70ff., 80. Vgl. dazu insgesamt den Aufsatz von S. Santoli, Wirtschaftliche Grundlagen des Josephinismus, in: *Österr. Archiv f. Kirchenrecht* 13, 1962, S. 213–232.

91. Dem Problem der Sicherung des persönlichen Eigentums als Ausgangspunkt einer kapitalistischen Entwicklung ist der Band 37 der Veröffentlichungen des Max-Planck-Instituts für Geschichte, *Eigentum und Verfassung. Zur Eigentumsdiskussion im ausgehenden 18. Jahrhundert*, hrsg. v. R. Vierhaus, 1972, gewidmet.

92. Vgl. K. Osterloh (wie Anm. 33), S. 83f. Zu diesem Ergebnis gelangt auch die Arbeit von J. Schasching, *Staatsbildung und Finanzentwicklung*, 1954, S. 86f.

93. Vgl. K. Osterloh (wie Anm. 33), S. 87.

94. Vgl. R. Rozdolski (wie Anm. 80), dem S. 90f. der Nachweis gelungen ist, daß sich beide Förderungsmaßnahmen ergänzten und nicht etwa das Ergebnis divergierender Wirtschaftsanschauungen Merkantilismus–physiokratisches Denken waren.

95. Mit Recht hat Mitrofanov, der Biograph Josephs II., daher die Formel »Alles für das Volk, nichts durch das Volk« in »Alles für den Staat und nichts durch das Volk« verändert. P. v. Mitrofanov, *Joseph II. Seine politische und kulturelle Tätigkeit*, 1910, S. 81.

96. R. Rozdolski (wie Anm. 80), S. 125. – S. Santoli (wie Anm. 90) bringt auf S. 217 das eindrucksvolle Beispiel einer Neuorganisation der Industrien 1772, bei der durch Überreglementierung in Österreich ganze Industriezweige zugrunde gingen.

97. Vgl. J. Schasching (wie Anm. 92), S. 99.

98. Die bürgerliche Seite der Aufklärung und die davon ausgehende Aushöhlung der absoluten Stellung des Herrschers ist von R. Koselleck (wie Anm. 43) dargestellt worden.

99. A. J. Awrech (wie Anm. 20), S. 175.

100. P. Hoffmann (wie Anm. 87), S. 29.

101. Vgl. R. Rozdolski (wie Anm. 80), S. 111.

102. Vgl. N. M. Družinin (wie Anm. 22), S. 324, 331.

103. Vgl. H. Rosenberg (wie Anm. 74), S. 190f.

104. *Staka Vortr.* 236, Haus-, Hof- und Staatsarchiv Wien. Vortrag undatiert, wohl September 1797. Zu dem Eindringen Bürgerlicher in die hohe österreichische Ministerialbürokratie vgl. R. Rozdolski (wie Anm. 80), S. 107ff.

105. Zu diesem Vorgang vgl. R. R. Palmer (wie Anm. 5), S. 407f., der die Maßnahmen Josephs in einen größeren Zusammenhang stellt. Im einzelnen R. Rozdolski (wie Anm. 80), S. 73f.

106. Über die insgesamt gesehen doch bemerkenswerten Erfolge bei der Ablösung der Fronlasten vgl. F. Lütge, Robot-Abolition unter Kaiser Joseph II., in: *Wege und Forschungen der Agrargeschichte, Festschrift G. Franz*, 1967, S. 162ff.

107. Vgl. R. R. Palmer (wie Anm. 5), S. 427f. Insbesondere R. Rozdolski (wie Anm. 80), S. 136ff., und H. Conrad (wie Anm. 39), S. 36.

108. Vgl. R. R. Palmer (wie Anm. 5), S. 428.

109. Dazu gehörte insbesondere ihr Kampf gegen die sog. Urbarialregulierungen, durch die die Rechte der Grundherren gegenüber den Untertanen genauer definiert und ablösbar gemacht werden sollten. Vgl. R. Rozdolski (wie Anm. 80), S. 93–122.

110. Die These von der Adelsrevolte als Ende des Aufgeklärten Absolutismus bei R. R. Palmer (wie Anm. 5), S. 394, 425, 495. Den Gegensatz, den er S. 428 zwischen Joseph und Leopold konstruiert, als wenn Joseph sich gegen den Adel gestellt habe, während Leopold sein Regierungssystem auf Konzessionen gegenüber den alten feudalen Kreisen aufgebaut habe, wird der Persönlichkeit Leopolds nicht gerecht.

111. Daher kommt P. Hoffmann (wie Anm. 87), S. 17, zu der Behauptung, der Absolutismus habe sich nie wirklich vom feudalen Machtapparat trennen können.

112. Vgl. dazu H. Conrad, Staat und Kirche im Aufgeklärten Absolutismus, in: *Der Staat* 12, 1973, S. 52f.

113. Vgl. R. R. Palmer (wie Anm. 5), S. 404f.

114. Lhéritier (wie Anm. 6), S. 614.

115. Dies ist das Ergebnis der Forschungen von Ferdinand Maaß, *Der Josephinismus. Quellen zu seiner Geschichte in Österreich, 1760–1850*, 5 Bde., 1951–1961.

116. Es ist nicht ohne Ironie, daß die Inquisition in den Händen von Aufklärern in Portugal und Mailand wegen ihrer großen Vorrechte ein ideales Instrument der Reform wurde. Vgl. den

hier abgedruckten Beitrag von J. A. Franca, »Die Bourgeoisie und das gesellschaftliche Leben nach 1755«, S. 306.

117. Vgl. dazu das Kapitel »Les potestades pontificia y realen el pensiamento regalista del siglo XVIII«, in: A. de la Hera, *El regalismo borbonico en su proyeccion indiana*, 1963, S. 59ff.

118. Vgl. H. Rieser, *Der Geist des Josephinismus und sein Fortleben*, 1963, S. 3–10, der anhand dieser »Häresien« den wenig überzeugenden Versuch unternimmt, den häretischen Charakter des Josephinismus zu belegen. R. R. Palmer (wie Anm. 5), S. 404, weist darauf hin, daß die protestantische Wurzel des Josephinismus meist von den katholischen Autoren besonders hervorgehoben wird. Er knüpft daran die geistreiche Bemerkung, daß es sich sozusagen um einen negativen Protestantismus, d.h. um die Übernahme von Zuständen ohne religiöse Substanz gehandelt habe.

119. Vgl. K. O. v. Aretin, *Heiliges Römisches Reich, 1776–1806*, Bd. 1, 1967, S. 48f.

120. A. Wandruszka, Ems und Pistoja, in: *Festschrift für Max Braubach*, 1964, S. 629, bezeichnet die Synode von Pistoja als das eigentlich theologische Ereignis des Aufgeklärten Absolutismus.

121. Wie Anm. 38, S. 239, 241.

122. Leopold an Joseph II., 5. 12. 1786, veröffentlicht in: A. Arneth, *Joseph II. und Leopold von Toskana. Ihr Briefwechsel*, Bd. 2, 1872, S. 48f.

123. Joseph II. an Leopold, 14. 12. 1786, veröffentlicht ebenda, S. 55.

124. Dies ist das Thema des hier teilweise abgedruckten Aufsatzes von Ettore Passerin d'Entrèves (wie Anm. 38). Er ist trotz seiner Länge hier wiedergegeben, weil er, wie mir scheint, ein zentrales Thema des Aufgeklärten Absolutismus behandelt, das im österreichischen Josephinismus nicht so deutlich gemacht werden könnte.

125. Vgl. N. M. Družinin (wie Anm. 22), S. 327.

126. Vgl. P. Hoffmann (wie Anm. 21), S. 356. Er spricht von einer auf äußere Wirkung bedachten Politik Katharinas.

127. F. Valjavec (wie Anm. 70), S. 277.

128. Vgl. E. Walder (wie Anm. 6), S. 113.

129. Etwas von dieser Geringschätzung ist noch in den Beiträgen von Lousse und Lefèbvre zu spüren.

130. Man muß daher die Forderung der Physiokraten nach einem aufgeklärten Despoten in der richtigen Relation sehen. Für Frankreich sahen auch sie in ihm bestenfalls einen Übergang. Vgl. H. Holldack (wie Anm. 69), Abschnitt b, S. 776f.

131. Vgl. K. E. Born, Vom Aufgeklärten Absolutismus zum Liberalismus. Die politischen Ideen des französischen Reformministers Turgot, in: *Festschrift Peter Rassow*, 1961, S. 67ff. Vgl. auch Holldack (wie Anm. 69), S. 543ff.

132. Vgl. dazu R. Reichardt (wie Anm. 53) und die dort angegebene Literatur.

133. R. Stadelmann, Deutschland und die westeuropäischen Revolutionen, in: *Deutschland und Westeuropa*, 1948, S. 22ff.

134. Zu diesem Schluß kommt auch F. Valsecchi (wie Anm. 41), S. 210.

135. Auf diese Feindschaft macht besonders I. Mittenzwei (wie Anm. 16), S. 1169, aufmerksam. Da sie die gegenläufige Entwicklung jedoch nicht berücksichtigt, ist ihr der Konflikt ein weiterer Beweis für die von Anfang an reaktionäre Grundhaltung Friedrichs und des Aufgeklärten Absolutismus.

136. Vgl. V. P. Atard (wie Anm. 43), S. 291. Hierher gehört auch die Unterscheidung des aufgeklärten Pragmatikers F. C. v. Moser von der guten und der bösen Aufklärung, vgl. seinen

Beitrag »Wahre und falsche politische Aufklärung«, in: Neues Politisches Archiv in Deutschland 1, 1792, S. 527–36.

137. Vgl. F. Valjavec (wie Anm. 70), S. 285.

138. Auf diesen Unterschied zwischen Aufklärung und Aufgeklärtem Absolutismus weist V. Palacio Atard (wie Anm. 43), S. 285, hin.

139. Vgl. E. Walder (wie Anm. 6), S. 103ff.

140. Vortrag Kaunitz über den Charakter der Französischen Revolution vom 20. 5. 1792, *Staka Vortr.* 226, Wien. Daher geht auch die Bemerkung von L. Gershoy, *From Despotism to Revolution*, 1944, S. 105, in der Joseph als der Herold der revolutionären Ideen des französischen Bürgertums bezeichnet wird, am Problem vorbei.

141. Vgl. F. Valjavec (wie Anm. 70), S. 289.

142. Vgl. V. Palacio Atard (wie Anm. 43), S. 291.

143. Es ist hier unmöglich, diese Frage in aller Breite zu diskutieren, zumal in den vorhergehenden Abschnitten dieses Problem mehrfach berührt worden ist.

144. Vgl. F. Maaß, *Der Frühjosephinismus*, 1969, S. 117f.

145. Vgl. H. P. Liebel, *Enlightened Bureaucracy versus Enlightened Absolutism in Baden 1750–92*, 1965. Zur deutschen Entwicklung vgl. auch F. Schnabel, Der Aufgeklärte Absolutismus, in: Propyläen-Weltgeschichte, hrsg. v. W. Götz, Bd. 6, S. 234f.

146. R. Leroux, *La théorie du despotisme éclairé chez Karl Theodor von Dalberg*, 1932.

147. N. M. Družinin (wie Anm. 22), S. 336f.

148. Hier wird der Unterschied zwischen der rein abstrakt zu konstruierenden Bedrohung, wie sie Friedrich im Antimachiavellismus anklingen läßt und I. Mittenzwei (wie Anm. 16) zu so falschen Schlüssen verführte, und der sehr realen Bedrohung nach 1792 deutlich.

149. E. Lousse (wie Anm. 11), S. 93ff.; L. Just, Stufen und Formen des Absolutismus, in: *Hist. Jb.* 80, 1961, S. 149.

150. F. Valsecchi (wie Anm. 41), S. 219f., sieht darin bereits das wesentliche Ergebnis des Aufgeklärten Absolutismus für Spanien.

151. Vgl. P. Klassen (wie Anm. 3), S. 126.

ERSTER TEIL

Zur Problematik des Aufgeklärten Absolutismus

Der Aufgeklärte Absolutismus

FRITZ HARTUNG

Der Kirchenvater Augustin hat einmal gesagt: »Si nemo ex me quaerat, scio; si quaerenti explicare velim, nescio.« Ebenso ist es den Historikern mit dem Aufgeklärten Absolutismus gegangen. Als ich mich vor rund 40 Jahren im Zusammenhang mit einer Vorlesung über allgemeine Verfassungsgeschichte der Neuzeit zum ersten Mal genauer mit ihm befaßte, durfte ich ihn als einen klaren und eindeutigen Begriff ansehen. Denn er war die einzige »Stufe«, die in der Kontroverse über die Gliederung des monarchischen Absolutismus kaum umstritten worden war. Sah man näher zu, so konnte freilich schon damals deutlich werden, daß die Übereinstimmung nur an der Oberfläche haftete; z. B. rechnete Roscher, der erste, der sich über die Periodisierung des Absolutismus Gedanken gemacht und den Aufgeklärten Absolutismus als besondere Stufe bezeichnet hatte, schon Friedrich Wilhelm I. von Preußen zu den aufgeklärten Monarchen, während Koser, der etwa 40 Jahre später Roschers Einteilung einer eindringlichen Kritik unterzog, ihn wohl mit Recht nicht mit dem Prädikat »aufgeklärt« auszeichnen wollte.

Es ist deshalb nicht verwunderlich, daß eines Tages die Frage nach dem Wesen des Aufgeklärten Absolutismus aufgeworfen wurde; eher ist man erstaunt, daß es erst 1928 geschah. Auf dem internationalen Historikerkongreß in Oslo nahm der französische Historiker M. Lhéritier diesen unbestimmten und wirren (»vague et confuse«) Begriff unter die kritische Lupe. Er hatte bei seinen Forschungen über die Intendanten des ausgehenden Ancien Régime in Frankreich festgestellt, daß es keine eigene, dem Aufgeklärten Absolutismus gewidmete Studie gebe. Als dringlichste Aufgaben erschienen ihm die Zusammenstellung einer Bibliographie und die Klärung der Herkunft des Ausdrucks »Aufgeklärter Absolutismus«. Als Generalsekretär des kurz vorher gegründeten Verbandes der Geschichtswissenschaften forderte er die Forscher aller an diesen Fragen interessierten Länder auf, sich um die Beantwortung zu bemühen [1].

Was er selbst auf dem beschränkten Raum eines Kongreßvortrags zur Klärung des Problems beitrug, geht begreiflicherweise ganz von den französischen Verhältnissen aus. Hier ist der Aufgeklärte Absolutismus in den sechziger Jahren des 18. Jahrhunderts als ein theoretisches Reformprogramm im Zusammenhang mit der Lehre der Physiokraten entstanden und hat nach Lhéritier eine besondere Bedeutung dadurch erlangt, daß er nicht nur in Frankreich Anhänger, darunter Turgot, den bekannten Reformminister Ludwigs XVI., fand, sondern durch seine führenden Köpfe auch mit manchen Fürsten der Zeit, darunter Katharina II. von Rußland, in Verbindung trat und ihre Regierungspraxis beeinflußte.

Das mußte freilich auch Lhéritier zugeben, daß die meisten der Fürsten, die als die

Historische Zeitschrift 180, 1955, S. 15–42.

eigentlichen Vertreter des Aufgeklärten Absolutismus gelten, von dieser Theorie nicht berührt worden sind, daß ihr Wirken zum guten Teil vor dem Aufkommen der Lehre vom »despotisme éclairé« liegt. Trotzdem glaube er gemeinsame Züge zwischen den Theoretikern und Praktikern feststellen zu können, allgemein in dem Streben nach Fortschritt, nach »Aufklärung« im engeren Sinne des Wortes, im besonderen in der Durchführung der religiösen Toleranz, in Reformen des Erziehungs- und Schulwesens, in der Verbesserung der Rechtspflege, in der Rationalisierung und Zentralisierung der Verwaltung, in der Hebung der unteren Volksklassen, zumal der Bauern, und in der Pflege der Wirtschaft.

Zu einem wirklich befriedigenden Ergebnis ist Lhéritier nicht gelangt. Das zeigt sich z. B. darin, daß Friedrich der Große, der allgemein als der typische Vertreter des Aufgeklärten Absolutismus angesehen wird, nur sehr bedingt in dieses Schema einzugliedern ist, mehr noch, sobald man versucht, den so charakterisierten Aufgeklärten Absolutismus als eine historische Erscheinung zeitlich abzugrenzen. Dabei stellt man nämlich fest, daß viele Reformen, die Lhéritier dem Aufgeklärten Absolutismus zuschreibt, bereits von früheren, nicht aufgeklärten Regierungen eingeleitet worden sind. Man könnte ja nun meinen, daß zu den entscheidenden Kennzeichen des Aufgeklärten Absolutismus eine aus den zwingenden Schlüssen des aufgeklärten Denkens entspringende Energie in der Durchführung der Reformpläne gehöre; dem steht aber die Tatsache gegenüber, daß auch der Aufgeklärte Absolutismus bei manchen seiner Reformanläufe auf Hindernisse gestoßen ist, die er nicht hat überwinden können, und daß erst die Revolutionszeit viele der bereits vom Aufgeklärten Absolutismus gesteckten Ziele erreicht hat. Deshalb ist Lhéritier geneigt, Napoleon I., der die Ergebnisse der Revolution endgültig gesichert hat, zu den Aufgeklärten Absolutisten zu rechnen, obwohl damit die zeitliche Grenze, die im allgemeinen dem Zeitalter des Absolutismus und der Aufklärung gezogen wird, überschritten wird. Er wirft sogar die Frage auf, ob nicht auch in Napoleon III. und in einigen der seit dem Ersten Weltkrieg aufgekommenen Regierungssysteme ein Stück des Aufgeklärten Absolutismus zu finden sei. Damit würde allerdings der Aufgeklärte Absolutismus als historische Periode sich ganz verflüchtigen.

Das sind insofern keine Einwände gegen Lhéritier, als er seinen Vortrag nicht als endgültiges Ergebnis, sondern als Diskussionsgrundlage vorbrachte und selbst vorschlug, zur weiteren Erforschung des Problems eine Kommission zu bilden. Diese Anregung wurde in Oslo bereitwillig aufgenommen, die Kommission kam zustande und hat in den zehn Jahren bis zum Kongreß in Zürich (1938) gründliche Arbeit geleistet und in zwei Umfragen ein reiches Material zutage gefördert.

Allerdings ist der skeptische Zweifel von F. Meinecke, ob sich die Forscher so genau an den Plan halten würden, wie man Pferde an den Wagen spannt, nur allzu berechtigt gewesen [2]. Überblickt man die in den Bänden 5 und 9 des Bulletins des internationalen Komitees der Geschichtswissenschaften zur Frage des Aufgeklärten Absolutismus veröffentlichten Aufsätze, so ist der erste Eindruck wohl der, daß dadurch eher eine Verwirrung als eine Klärung erzielt worden sei. Wenn Lhéritier die zeitliche Grenze bis in die Gegenwart vorverlegt hatte, so haben andere Forscher sie weit zurückgeschoben. Die Principi der italienischen Renaissance und die bilderstürmenden Kaiser von Byzanz sind uns ebenso als Vertreter des Aufgeklärten Absolutismus hingestellt worden wie Marc Aurel und Perikles oder – das war freilich mehr eine ironische Bemerkung während der Diskussion in Zürich als eine ernstgemeinte wissenschaftliche Behauptung – der weise Salomo. Auch der geographische Rahmen ist stark erweitert worden, indem außer den von der Forschung bisher allein berücksichtigten europäischen Monarchien auch die republikanische Schweiz, ja sogar Staaten, die dem europäischen Kulturkreis des 18. Jahrhunderts ganz fern lagen, wie die Türkei, Indien und China, in die Betrachtung einbezogen worden sind. Ferner ist der Inhalt des Begriffs durch die Untersuchungen so erweitert worden, daß der Aufgeklärte Absolutismus sein bisheriges Wesen als eine Periode der Geschichte oder wenigstens der Verfassungsgeschichte zu verlieren und zu einem Abschnitt aus der Geschichte der Aufklärungsphilosophie zu werden drohte.

Das alles zeigt die Grenzen einer nach Ländern aufgeteilten Gemeinschaftsarbeit auf dem Gebiet der Geschichtswissenschaft. Es ist wohl möglich, die Bereitstellung des Materials zu organisieren, aber ein Ergebnis kann nicht einfach durch Addition der Einzelarbeiten erreicht werden. Das hat gerade der zusammenfassende Aufsatz gezeigt, mit dem Lhéritier [3] die Studien der Kommission vorläufig abgeschlossen hat; er ist bei dem begreiflichen und für den Generalsekretär eines internationalen Verbandes entschuldbaren, vielleicht sogar löblichen Bestreben, keinem wehe zu tun, in Allgemeinheiten steckengeblieben.

Unter diesen Umständen ist es vielleicht berechtigt, wenn ich, der ich selbst an den Arbeiten der Kommission teilgenommen habe, den Versuch mache, zur Klarheit über das Wesen des Aufgeklärten Absolutismus zu kommen [4]. Wenn ich zunächst ein Wort über den Namen sage, so stütze ich mich dabei auf die Ergebnisse einer von mir angeregten, noch ungedruckten Dissertation von H. Reclam (Berlin 1943). Von den Fürsten, die wir als die Hauptvertreter des Aufgeklärten Absolutismus anzusehen gewohnt sind, hat keiner diesen Ausdruck verwendet. Wohl aber findet sich die Bezeichnung »Despotisme éclairé« oder »Despotisme légal« in der physiokratischen Literatur seit den sechziger Jahren des 18. Jahrhunderts. Der erste, der ihn in seinen Briefen gebraucht hat, ist Diderot gewesen, in die Öffentlichkeit hat ihn zuerst Th. G. Raynal gebracht, der in seiner »Histoire philosophique et politique des établissements et du commerce des Européens dans les deux Indes« (Bd. 7, 1770, S. 202) erklärt: »Le gouvernement le plus heureux serait celui d'un despote juste et éclairé.« Aber diese Bezeichnung ist, als mit der Revolution das Interesse an den Physiokraten und am Absolutismus aufhörte, wieder abgekommen. In die wissenschaftliche Terminologie hat W. Roscher in einem der Gliederung des Absolutismus gewidmeten Aufsatz aus dem Jahre 1847 den »Aufgeklärten Absolutismus« eingeführt. Daneben hat sich, vielleicht in Anlehnung an die physiokratische Lehre, auch der Ausdruck »Aufgeklärter Despotismus« eingebürgert; ihn brauchen z.B. sowohl R. Koser wie H. v. Treitschke gleichbedeutend mit »Aufgeklärtem Absolutismus«, und ihnen ist die deutsche Geschichtsschreibung ohne klare Unterscheidung gefolgt. Ich halte es allerdings für zweckmäßig, nur die Bezeichnung »Aufgeklärter Absolutismus« zu verwenden, denn das entspricht dem älteren, in ganz Europa üblichen Brauch, den Absolutismus als eine zwar von ständisch-parlamentarischen Einrichtungen befreite, sich aber freiwillig an Gesetze bindende und Rechte der Untertanen anerkennende Regierungsform vom Despotismus als der schrankenlosen Willkür klar zu unterscheiden[5].

Will man sich über das Wesen des Aufgeklärten Absolutismus klar werden, so darf man nicht vom landläufigen Sinn des Wortes Absolutismus abweichen, das heißt also, wie eben schon angedeutet, eine monarchische Regierung, die in der Ausübung ihrer Gewalt nicht an die Mitwirkung oder Zustimmung einer Landesvertretung oder anderer autonomer Körperschaften gebunden ist. Es ist nicht zweckmäßig, auch Oligarchien oder gemäßigte Aristokratien in die Betrachtung einzubeziehen, ebensowenig paßt eine demokratische Tyrannis, mag sie in diktatorischer oder in cäsaristisch-monarchischer Form aufgetreten sein, in sie hinein. Deshalb spreche ich hier nicht von England, dem Lhéritier den Ruhm, eine aufgeklärte Regierung gehabt zu haben, nicht rauben wollte und deshalb einen Sitz in der Kommission einräumte, das freilich in dem stolzen Bewußtsein, den monarchischen Absolutismus schon vor der Aufklärung überwunden zu haben, sich an deren Arbeiten nicht beteiligt hat. Ebensowenig werde ich die Schweiz berücksichtigen, denn sie hat nach den Ergebnissen ihres Vertreters in der Kommission Liebeskind mit dem Aufgeklärten Absolutismus nichts zu tun gehabt[6].

Wenn wir uns darüber klar sind, daß wir am monarchischen Absolutismus als einem wesentlichen Merkmal des Begriffs festhalten müssen, so bedarf nur noch der Zusatz »aufgeklärt« einer genaueren Bestimmung. Die Arbeiten der Kommission haben deutlich gezeigt, daß wir ins Uferlose geraten, wenn wir alle Reformversuche, hinter denen die Autorität eines absoluten Monarchen gestanden hat, zum »Aufgeklärten Absolutismus« rechnen. Das Streben nach Steigerung der staatlichen Macht durch Ausbau des Verwaltungsapparats, durch Ausgestaltung des Heeres, durch Vermehrung der Einkünfte und eine darauf abzielende Pflege des Wirtschaftslebens, wie sie der Merkantilismus betrieben hat, ist eine so häufige und so natürliche Begleiterscheinung des Absolutismus, daß darin noch kein Kennzeichen des Aufgeklärten Absolutismus erblickt werden kann, es sei denn, daß man bereit ist, nicht nur Friedrich Wilhelm I., sondern mit Wittram[7] auch Peter den Großen zu den aufgeklärten Monarchen zu rechnen oder gar mit Lefèbvre[8] die ganze Politik des Absolutismus seit dem 15. Jahrhundert als »une esquisse du despotisme éclairé« zu behandeln. Zu einer brauchbaren Abgrenzung werden wir nur dann kommen, wenn wir auch das Wort »aufgeklärt« in dem Sinne verwenden, den es im gewöhnlichen Sprachgebrauch der Geschichtswissenschaft hat, wo jeder weiß, was er unter der Aufklärung zu verstehen hat. So möchte ich den »Aufgeklärten Absolutismus« als eine von der Philosophie, insbesondere von der Staatslehre der Aufklärung stark beeinflußte Regierungsweise bezeichnen. Damit ist zugleich gesagt, daß die Untersuchung der Theorie allein nicht genügt. Das ist schon bei der Diskussion über den allzusehr auf die französischen Physiokraten zugeschnittenen Vortrag Lhéritiers in Oslo eingewendet worden, besonders von dem sowjetrussischen Vertreter

Pokrowski; dieser hat insbesondere auf den geringen Einfluß hingewiesen, den die aufgeklärten Ideen Katharinas II. auf ihre Regierungspraxis zumal in den späteren Jahren ausgeübt haben. Auch das unabhängig von den Arbeiten der internationalen Kommission 1929 veröffentlichte Buch von P. Klassen über die Grundlagen des Aufgeklärten Absolutismus zeigt die Unzulänglichkeit der einseitigen Berücksichtigung der theoretischen Schriften. Das gilt nicht nur, weil noch so schön ausgedachte Vorschläge von Gelehrten selten die Welt geändert haben, sondern auch darum, weil es zum Wesen des Aufgeklärten Absolutismus gehört, daß er nicht bei theoretischen Erwägungen stehengeblieben ist, vielmehr den Versuch gemacht hat, die Wirklichkeit auf Grund seiner neuen Erkenntnisse zu verbessern, daß also die Staatspraxis ein untrennbares Stück von ihm ist.

Indem wir den Aufgeklärten Absolutismus in feste Verbindung mit der Aufklärung des 18. Jahrhunderts bringen, gewinnen wir nicht nur eine klare Begrenzung seines geistigen Gehalts, sondern auch eine feste chronologische Bestimmung, ohne die wir in der Geschichte nun einmal nicht auskommen. Darüber hinaus gelangen wir damit auch zu einem festen sozialen und wirtschaftlichen Unterbau für seine geschichtliche Erscheinung. Er gehört in das Endstadium der ständisch gegliederten Gesellschaftsordnung, wie sie noch aus dem Mittelalter überkommen war, er zweifelt bereits an der Rechtmäßigkeit und Zweckmäßigkeit der überlieferten Scheidung des Volkes in Geburtsstände, einen privilegierten Adel, ein im Vergleich zu diesem zwar zurückgesetztes, aber im übrigen freies Bürgertum und einen unfreien Bauernstand, er bemüht sich um Abmilderung der Mängel und Härten dieses Systems, aber er findet nicht den Mut, die vollen Konsequenzen seiner Theorien zu ziehen und die ganze bestehende Gesellschaftsordnung über den Haufen zu werfen.

Lediglich auf Erscheinungen dieser Zeit werden sich die folgenden Ausführungen beziehen. Was die Theorie anbetrifft, so soll natürlich nicht bestritten werden, daß die besondere Lehre vom »Despotisme éclairé« sich in Frankreich während der sechziger Jahre des 18. Jahrhunderts entwickelt hat als die staatstheoretische Ergänzung der Wirtschaftslehre der Physiokraten. Der Grundgedanke der Physiokraten ist schon im Namen ausgedrückt, sie stellen der gekünstelten und unnatürlichen Wirtschafts- und Gesellschaftsordnung, wie sie im damaligen Frankreich mit seiner merkantilistischen, die Industrie auf Kosten der Landwirtschaft einseitig begünstigenden Wirtschaftspolitik bestand, eine natürliche Ordnung entgegen. Deren Grundlage ist die Freiheit des einzelnen, vor allem auf dem Gebiet der Wirtschaft, die Freiheit der Berufswahl, die Freiheit der wirtschaftlichen Betätigung, die Freiheit und Sicherheit des Eigentums. Jede Störung des natürlichen Ablaufs des Wirtschaftslebens durch staatliche Maßnahmen, zumal die Regulierung des Getreidehandels, überhaupt jeder Eingriff des Staates, wird grundsätzlich verworfen, denn er verstößt nicht allein gegen das natürliche Recht des einzelnen auf Freiheit, sondern ist zugleich wirtschaftlich schädlich. In den viel zitierten Worten »Laisser faire, laisser passer« hat Gournay, einer der weniger bekannten Physiokraten, das Programm dieser Schule kurz zusammengefaßt. Und von ihrem Begründer Quesnay, dem Leibarzt Ludwigs XV., wird erzählt, daß er Ludwig auf die Frage, was er als König tun würde, geantwortet habe:

Nichts. Und auf die weitere Frage, wer dann regieren würde, soll die Antwort gewesen sein: Les Lois.

Allerdings ist dabei vorausgesetzt, daß die natürliche Ordnung der Physiokraten bereits besteht. Da sie aber seit Jahrhunderten gestört ist, kann sich der Staat mit dem laisser faire nicht begnügen. Vielmehr bedarf es zu ihrer Wiederherstellung, zur Beseitigung aller der freien Entfaltung der produktiven Kräfte entgegenstehenden Hemmungen, zur Überwindung der von den Interessenten der alten Ordnung ausgehenden Widerstände einer despotischen Gewalt. Diese darf freilich nicht willkürlich sein, sondern muß »legal« sein, und das Gesetz, nach dem sie sich zu richten hat, ist das Gesetz der Logik, die logische Evidenz, die Übereinstimmung zwischen dem aufgeklärten Denken und den geplanten Maßnahmen. Dieses Gesetz hat auf dem staatlichen Gebiet die gleiche zwingende, also despotische Gewalt wie die Gesetze Euklids auf dem mathematischen. Die Aufgabe des aufgeklärten Despoten ist also nur »de reconnaître, de proclamer et de faire respecter le droit naturel et d'assurer l'ordre naturel«. Zur Durchführung dieser Aufgabe muß die Staatsgewalt ungeteilt in der Hand eines Monarchen liegen; das Vertrauen auf die sieghafte Kraft der Aufklärung ist bei den Physiokraten so groß, daß sie sich uneingeschränkt für die Erbmonarchie aussprechen. Jede Einengung der monarchischen Gewalt, etwa durch die seit Montesquieu vielerörterte Teilung der Gewalten oder durch parlamentarische Kontrolle, wird energisch abgelehnt. Wohl aber wird die Freiheit der geistigen Diskussion gefordert.

Auch auf die Außenpolitik erstreckt sich der »despotisme éclairé«, indem er das Idealbild einer neuen friedlichen, auf der Brüderlichkeit der Menschen und Völker beruhenden Ordnung unter den Staaten entwirft.

Diese Theorie ist bei den Physiokraten nicht ganz ohne Widerspruch geblieben. Das Gefühl, daß in den sechziger und siebziger Jahren des 18. Jahrhunderts die Propaganda für einen Despotismus, selbst wenn er als aufgeklärt bezeichnet wurde, nicht eben leicht war, ist in ihren Briefen wiederholt ausgesprochen worden. Aber die Wortführer des Despotismus beriefen sich demgegenüber auf Herrscher wie Friedrich den Großen und vor allem Katharina II., die zu Beginn ihrer Regierung durch die Einberufung einer großen Reformkommission und durch die Anknüpfung persönlicher Beziehungen zu führenden Physiokraten große Hoffnungen erweckt hatte.

Neben dieser französischen Lehre, die sich ausdrücklich zu einem aufgeklärten Despotismus bekennt, verdient aber auch die deutsche Verwaltungslehre des 18. Jahrhunderts Beachtung in der Geschichte des Aufgeklärten Absolutismus. Sie kennt zwar diesen Begriff nicht, aber in ihren Grundsätzen steht sie durchaus auf seinem Boden. Sie tritt allerdings dem bestehenden Staate nicht mit so umwälzenden Forderungen gegenüber wie die Physiokraten, sondern begleitet gemäß ihrer geschichtlichen Entwicklung aus der deutschen Kameralwissenschaft des 16. und 17. Jahrhunderts das allmähliche Werden des deutschen Territorialstaats bis in die Zeit des aufgeklärten 18. Jahrhunderts.

Christian Wolff ist der erste gewesen, der in die bisher meist aus der Praxis abgeleiteten und an biblischen Vorschriften orientierte deutsche Verwaltungslehre Gedanken der Aufklärung hineingetragen hat. Seine 1721 zum ersten Mal veröffentlichten »Vernünftigen Gedanken vom gesellschaftlichen Leben der Menschen« enthalten bereits die Hauptpunkte des Programms, das für den Aufgeklärten Absolutismus in Deutschland maßgebend werden sollte. Sie stehen auf dem Boden der Aufklärung, indem sie vom Individuum ausgehen und ihm sogar besondere »Menschenrechte« zuerkennen. Demgemäß leiten sie den Staat aus einem freiwilligen Vertrag der Menschen ab und bezeichnen als Staatszweck »die Beförderung der gemeinen Wohlfahrt und Sicherheit«. Zugleich sind sie absolutistisch, indem sie dem Individuum keine Möglichkeit geben, die Einhaltung seiner Rechte durch den Staat zu erzwingen. Im Gegenteil, der Staat hat wohl die Pflicht, »zur Beförderung der gemeinen Wohlfahrt und Sicherheit diensame Mittel« zu erdenken und die zur Ausführung nötigen Anstalten zu machen, aber zugleich das Recht, die Untertanen zur Befolgung seiner Anordnungen anzuhalten, wobei ausdrücklich hervorgehoben wird, daß die Untertanen verbunden sind, alles dasjenige willig zu tun, was die Obrigkeit für gut befindet. Für die praktische Durchführung dieser Grundsätze hat Wolff ein eingehendes Programm aufgestellt, das Dilthey[9] treffend als Musterbuch des allmächtigen Polizeistaates bezeichnet hat: »Es war seit Platon und den Verkündern sozialistischer Ideale die stärkste Anspannung und Ausdehnung der Staatsgewalt«, abgeleitet aus der Pflicht des Staates zur Realisierung des allgemeinen Wohls.

Die deutsche Staatslehre des 18. Jahrhunderts, insbesondere die sich auf Wolff aufbauende Polizeiwissenschaft, die die Verwaltung von den engen Fesseln der vom Interesse der landesherrlichen Finanzen beherrschten Kameralistik zu befreien unternahm, hat diese Gedanken im einzelnen ausgestaltet, ohne wesentlich Neues hinzuzusetzen. Man spürt bei ihren Hauptvertretern wie Justi, Sonnenfels und Martini wohl eine mit dem zunehmenden Einfluß der Aufklärung wachsende Reformneigung, aber diese bleibt verbunden mit der Überzeugung, daß der Mensch noch unmündig sei und zu seinem Wohl gezwungen werden müsse. Gegen Ende des Jahrhunderts erreicht diese Richtung ihre höchste Steigerung und versucht, die Untertanen von der Wiege bis zum Grabe, ja, bis ins Grab hinein, durch obrigkeitliche Vorschriften zu bevormunden. So stellt der Hallische Professor G. F. Lamprecht in seinem »Versuch eines vollständigen Systems der Staatslehre« (Berlin 1784), dem er das Wort Ciceros: »commodum et felicitas populi prima omnium legum« zum Motto gegeben hat, dem Staat die Aufgabe, »die Bürger in allem Betracht gesitteter, gesünder, aufgeklärter, wohlhabender, sicherer zu machen, ihnen Bequemlichkeiten und Annehmlichkeiten des Lebens zu verschaffen«. Wie weit er bei diesem humanen Programm in der Reglementierung des Lebens geht, mögen einige seiner Vorschläge zeigen: so empfiehlt er, die Städte möglichst gleich groß zu machen, rechtwinklige Straßenkreuzungen vorzuschreiben, das Färben der Ostereier zu verbieten und den Müttern das Stillen ihrer Kinder zur Pflicht zu machen. Immerhin ist bei ihm das Wohl der Untertanen und die »Beförderung ihrer Glückseligkeit« als oberstes Ziel noch erkennbar. Dagegen treibt Th. Kretschmann in seinen Schriften den Absolutismus auf die Spitze, wenn er wenigstens für seine Zeit, »wo Vernunftmäßigkeit noch nicht zur allgemeinen Handlungsweise erhoben ist« und wo »die Individualität widerstrebt, sich der Gattung zu opfern«, den Staat als »Zuchtanstalt« darstellt und ihm die Aufgabe zuschreibt, »den Menschen mit Aufopferung aller seiner Individualität auf eine höhere Stufe der Entwicklung zu fördern[10]«.

Die Praxis des Aufgeklärten Absolutismus ist freilich nicht so radikal gewesen. Die Physiokraten sind über Anläufe zur Verwirklichung ihrer Lehre nicht hinausgekommen. Wohl hat es einer ihrer Vertreter, Turgot, bis zum Generalkontrolleur der Finanzen und damit zugleich zum Leiter der Wirtschaftspolitik Frankreichs gebracht, aber er hat es nicht vermocht, nennenswerte Teile ihres Reformprogramms gegen die Widerstände der privilegierten Stände, zu denen in diesem Falle auch das kapitalbesitzende höhere Bürgertum gehörte, auf die Dauer durchzusetzen, und der König, Ludwig XVI., war zu seinem und seines Landes Unglück alles eher als ein aufgeklärter Despot. Von den andern Monarchen der Zeit hat Markgraf Karl Friedrich von Baden mit führenden Physiokraten in Briefwechsel gestanden und ihre Theorien zu verwirklichen unternommen. Als dauerndes Ergebnis ist die Aufhebung der Leibeigenschaft in Baden zu verzeichnen, während der Versuch mit der Grundsteuer als einziger Steuer gemäß der Lehre vom »impôt unique« gescheitert ist. Bei der Kleinheit des Landes hat das Experiment keine allgemeine Bedeutung erlangt.

Wichtiger hätte die Verbindung werden können, die Katharina II. von Rußland mit den französischen Aufklärern, darunter auch Vertretern der Lehre vom »Despotisme éclairé«, unterhalten hat. Aber sie hat sich auf ihre Regierungspraxis so gut wie gar nicht ausgewirkt. In Einzelheiten, z.B. der Gründung einer ökonomischen Gesellschaft 1765, ist wohl ein physiokratischer Einfluß zu spüren. Aber die berühmte Instruktion für die Deputiertenversammlung von 1767, die in ihren Grundzügen von Katharina selbst verfaßt worden ist, entspricht keineswegs den Theorien des Despotisme éclairé, stützt sich vielmehr in großen Teilen auf Montesquieu, wenn sie auch seine beschränkte Monarchie den russischen Verhältnissen entsprechend ablehnt und am Absolutismus festhält; ihr Gedankengang ist allgemein aufklärerisch, nicht physiokratisch. Das gleiche gilt von den Reformen, die die Kaiserin z.B. auf dem Gebiete der Verwaltung durchgeführt hat.

So ist die französische Lehre vom Despotisme éclairé wohl ein interessantes Spiel der Gedanken, aber ihre praktische Wirkung bleibt unbedeutend. Auch den unmittelbaren Einfluß der oben erwähnten deutschen Verwaltungswissenschaft des 18. Jahrhunderts möchte ich nicht hoch einschätzen. Wohl mag ein Teil der Beamten aus den Vorlesungen, die sie auf der Universität gehört hatten, Anregungen für ihre Verwaltungstätigkeit empfangen haben, ohne daß diese in den Akten einen nachweisbaren Niederschlag fanden. Aber es muß auch mit der Möglichkeit gerechnet werden, daß manche der in den Lehrbüchern aufgestellten Reformforderungen aus der Praxis abgeleitet worden sind. Deshalb wird man über die theoretische Grundlage des Aufgeklärten Absolutismus, wie er in vielen Staaten Europas während der zweiten Hälfte des 18. Jahrhunderts, zumal in den Friedensjahren von 1763 bis 1792 geherrscht hat, kaum mehr sagen dürfen, als daß er auf der weiten Verbreitung des Gedankenguts der Aufklärung beruht. Mehr ist aber auch gar nicht erforderlich. Denn mit Recht hat H. Pirenne [11] darauf hingewiesen, daß er ja gar nicht schlechthin etwas Neues ist, daß man in ihm vielmehr die alte Auffassung des Fürsten als Landesvater finde, dessen Verhalten nun freilich nicht mehr vom Herzen, sondern vom Verstand bestimmt werde.

An die Spitze der Monarchen, die als typische Vertreter des Aufgeklärten Absolutismus anzusehen sind, möchte ich freilich – um von Peter dem Großen ganz zu schweigen – nicht Friedrich Wilhelm I. von Preußen stellen. Gewiß darf man seine Beziehungen zur Wissenschaft nicht allein nach der groben Kabinettsorder an Christian Wolff beurteilen, mit der er ihm bei Strafe des Strangs befahl, Preußen zu verlassen. Aber man sollte die geistigen Fäden, die von dem Werk Friedrich Wilhelms zu Wolff und von Wolff zu Friedrich Wilhelm führen, auch nicht überschätzen. Die geringe Achtung, die Friedrich Wilhelm der Wissenschaft entgegenbrachte, hat er ja nicht nur in der zornigen Aufwallung dieser Kabinettsorder bekundet; auch die Akademie der Wissenschaften hat sie zu spüren bekommen. Sie spricht auch aus dem Stolz, mit dem der König in der Instruktion für das Generaldirektorium betont, er habe seine wirtschaftspolitischen Grundsätze nicht aus Büchern, sondern aus der »Experience« erworben.

Deshalb scheint es mir auch heute noch richtig zu sein, die Reihe der aufgeklärten Absolutisten mit Friedrich dem Großen einzuleiten. Seine Anschauungen vom Staat sind schon so oft und gründlich erforscht worden, daß darüber kaum noch etwas Neues gesagt werden kann. Ich verzichte deshalb auf eine Erörterung, zumal da Friedrichs Theorie mit der Ableitung des Staates aus dem Staats- und Herrschaftsvertrag der ursprünglich freien und gleichen Menschen keineswegs originell ist. Auch die viel zitierte Bezeichnung des Fürsten als des ersten Dieners des Staates [12] läßt sich bis in die Antike zurückverfolgen. Aber Friedrich ist der erste Monarch, der diese Grundsätze nicht nur ausgesprochen, sondern auch in seiner ganzen Regierung praktisch betätigt hat. Auch hier ist es nicht nötig, die Einzelheiten zu behandeln, es genügt ein kurzer Überblick. Wenn ich dabei zuerst an die Kirchenpolitik erinnere, die mit der Verweltlichung und Entkonfessionalisierung des Staates Ernst machte und jeden nach seiner Fasson selig werden ließ, so tue ich es deshalb, weil gerade sie zum Ruhme Friedrichs bei seinen aufgeklärten Zeitgenossen beigetragen hat, weit mehr als seine Kriegstaten. Auch seine Stellung zur Rechtspflege beruhte ganz auf dem aufgeklärten Denken. Natürlich war er auf diesem Gebiet für die praktische Durchführung mehr als auf anderen vom Rat und von der Unterstützung von Fachleuten wie Cocceji und Carmer abhängig. Aber schon die Ausführungen seiner politischen Testamente über diese Fragen beweisen, daß er sich eingehend mit ihnen befaßt hatte und das Recht der Untertanen auf eine prompte und unabhängige Rechtsprechung anerkannte. Ebenso zeigt seine Finanzverwaltung deutlich die Einwirkung aufgeklärten Denkens, nicht nur in Einzelheiten, z. B. indem er recht im Gegensatz zum Vater das Interesse der königlichen Kasse hinter dem Gesamtinteresse des Landes zurücktreten läßt, sondern auch in der wiederholten Anerkennung des Grundsatzes, daß der König nicht Eigentümer, sondern nur Verwalter des Vermögens seines Landes sei und darum nicht nach Belieben darüber verfügen dürfe. Der Gegensatz dieser

Auffassung zu den Anschauungen seines Vaters wird besonders deutlich, wenn man das Domänenedikt Friedrich Wilhelms I. von 1713 mit den Sätzen des Allgemeinen Landrechts über die Domänen vergleicht. Für Friedrich Wilhelm I. waren die Domänen ein Bestandteil des Fideikommisses des Hauses Hohenzollern [13], das Allgemeine Landrecht dagegen bezeichnet die Domänen als Staatseigentum, aus dem der Monarch lediglich »gewisse Einkünfte und Nutzungen« beziehe. Der Staat als die dauernde Organisation der Individuen wird der sterblichen Person des Monarchen bewußt übergeordnet.

Das ist allerdings nicht schlechthin etwas Neues. Die landläufige Meinung, daß der moderne Staat, weil er als Schöpfung des Herrschers erwachsen ist, zunächst nur als Angelegenheit des Herrschers betrachtet worden sei, daß der »stato« seit Macchiavelli nur den Fürsten und seinen Anhang bezeichnet habe und daß erst der Aufgeklärte Absolutismus den Staat als die Monarch und Volk zur Einheit zusammenfassende Gemeinschaft aufgefaßt habe, ist in dieser Allgemeinheit nicht haltbar. In den kleinen deutschen Territorien hat sich wohl ein Staatsgedanke nicht entwickeln können, er spielt auch, wie ich in meinem Aufsatz über die politischen Testamente der Hohenzollern [14] schon 1913 in einer mir auch heute noch als zutreffend erscheinenden Weise ausgeführt habe, weder für den Großen Kurfürsten noch für Friedrich Wilhelm I. eine Rolle. Aber in Frankreich hat man schon im 16. Jahrhundert sehr genau zwischen den »ordonnances des rois« und den »ordonnances du royaume« unterschieden, und in der kritischen Zeit von 1589 hat sich Bodin ausdrücklich als »procureur du publicq et de l'estat royal et non du roi« bezeichnet. Diese Auffassung vom Staat ist in Frankreich wohl gelegentlich im 17. Jahrhundert durch die Theorie vom göttlichen Recht des Königtums verdunkelt, aber niemals beseitigt worden. Selbst Ludwig XIV., so sehr ihm auch die Opposition vorwarf, daß für seine Politik der König alles und der Staat nichts bedeute, hat nicht nur das Wort »L'Etat c'est moi« nicht ausgesprochen, sondern sich auf dem Totenbett in einer erst neuerdings bekanntgewordenen Äußerung [15] ausdrücklich zu diesem Staatsgedanken bekannt: »Je m'en vais, mais l'Etat demeurera toujours.«

Trotzdem bleibt das Verdienst Friedrichs bestehen, daß er den Gedanken des Staates für sich gefunden und mit ihm zugleich dem höheren Beamtentum Preußens eine feste Norm für seine Arbeit gegeben hat. So konnte dieses, auch nachdem mit dem Tode Friedrichs die monarchische Führung aufgehört hatte, die absolutistische Regierungsweise noch bis 1848 fortsetzen.

Die Unterordnung des Monarchen unter den Staat bedeutet allerdings keine Abschwächung der absoluten Gewalt der Krone. Auch für das Allgemeine Landrecht sind alle Rechte und Pflichten des Staates im Monarchen vereinigt, und weder in der Gesetzgebung noch in der Steuererhebung ist dieser durch ständische Einrichtungen beschränkt. Und er macht von seinen Rechten Gebrauch durchaus im Geiste des bevormundenden Polizeistaates, der sich vorbehält, die äußeren Handlungen aller Einwohner dem Staatszweck gemäß zu leiten. Wenn auch dabei »die natürliche Freiheit und Rechte der Bürger nicht weiter eingeschränkt werden dürfen, als es der gemeinschaftliche Endzweck erfordert«, so erreichen wir hier doch die Grenze, die der Aufgeklärte Absolutismus Friedrichs nicht zu überschreiten gewagt hat. Sie besteht nicht so sehr in der Tatsache der obrigkeitlichen Leitung; daß sie mindestens bis zu der Zeit, wo der unmündige Bürger die Mündigkeit erreicht habe, bestehen bleiben müsse, das gaben ja auch die meisten Theoretiker zu. Entscheidend ist, daß diese Leitung im Allgemeinen Landrecht sowohl wie in der praktischen Betätigung die geburtsständische Gliederung der Gesellschaft nicht anzutasten wagte. Zwar läßt auch das Allgemeine Landrecht erkennen, daß sie durch die Entwicklung des modernen Staates überholt war; es erklärt ausdrücklich, daß die Gesetze »alle Mitglieder des Staates ohne Unterschied des Standes, Ranges und Geschlechts« binden und daß jeder Einwohner den Schutz des Staates für seine Person und sein Vermögen zu fordern berechtigt ist. Aber damit hält es das Landrecht für durchaus vereinbar, dem Adel besondere Vorrechte vor den andern Ständen zuzubilligen, das gesamte Handels-, Wechsel-, See- und Versicherungsrecht im Titel »Vom Bürgerstande« abzuhandeln und zuletzt die persönlichen und dinglichen Bindungen des Bauernstandes in vollem Umfang aufrechtzuerhalten.

Dieser Widerspruch zwischen der aufgeklärten Theorie und einer veralteten Praxis ist bei Friedrich gewiß zum guten Teil durch das zwingende Gebot der Machtpolitik bedingt gewesen. Die Lage Preußens als der jüngsten und schwächsten der an der großen Politik Europas beteiligten Mächte war zu gefährdet, als daß der König seinen Staat den Erschütterungen hätte aussetzen dürfen, die ein radikaler Bruch mit der hergebrachten, auf der Erbuntertänigkeit aufgebauten Agrarverfassung heraufbeschwören mußte. Denn nicht nur die Finanzen, auch die Heeresverfassung war eng damit verflochten.

Aber neben diesem »Imperativ der Staatsnotwendigkeit«, wie Meinecke sich ausgedrückt hat, wirkt bei Friedrich doch auch noch ein persönliches Moment mit, das ihn vor den Konsequenzen seiner aufgeklärten Staatslehre Halt machen läßt. Es tritt selbst auf Gebieten in Erscheinung, die diesem Imperativ nicht eigentlich unterliegen, z.B. in der Schulpolitik. Dilthey hat sie einst mit warmen Worten gepriesen: »Es ist ein Anblick ohnegleichen in der Geschichte, wie jetzt in diesem preußischen Staate alles begeistert zusammenarbeitet, König, Beamte, Prediger, Lehrer und Schriftsteller, an dem einen gemeinsamen Ziel: das Volk zu erziehen, indem man es aufklärt [16].« Aber es läßt sich nicht leugnen, daß der persönliche Anteil Friedrichs an der Pflege des Schulwesens in Preußen auch nach 1763 sehr gering gewesen ist, und zwar nicht etwa aus Mangel an Zeit. Um die Aufklärung der großen Masse des Volkes hat er sich kaum gekümmert. Es gibt wohl einzelne Sätze in seinen Schriften, die sich grundsätzlich zur Verbreitung der Aufklärung bekennen oder wenigstens die Ansicht ablehnen, es sei leichter, ein unwissendes Volk zu regieren. Aber im Grunde seiner Seele war er doch völlig unberührt von dem frohen Optimismus der Aufklärung, die sich von der Ausbreitung des Wissens und der Bekämpfung von Vorurteilen einen moralischen Fortschritt der Menschheit erhoffte. Vielmehr befestigte sich bei ihm je länger je mehr die Überzeugung von der unverbesserlichen Schlechtigkeit der »maudite race« der Menschen. So ist sein Verdienst um die Entwicklung des geistigen Lebens in Preußen während der zweiten Hälfte seiner Regierung nicht so sehr in einer unmittelbaren Förderung zu sehen wie vielmehr in dem Gesamtimpuls, der von ihm ausging, und in der Tatsache, daß er ihm keine Hindernisse in den Weg legte, so daß Berlin zeitweilig der Mittelpunkt der deutschen Aufklärung werden konnte[17].

Unverkennbar hemmend wirkte sich dagegen Friedrichs persönliche Stellung auf dem Gebiete der Wirtschaftspolitik aus. Er hatte wohl einige eigene Gedanken darüber; besonders modern berührten seine Ausführungen im politischen Testament von 1768 über eine progressive Einkommensteuer. Aber daß er systematische Studien über die Wirtschaft je getrieben habe, ist nicht anzunehmen, und von den neueren Anschauungen der Physiokraten hat er wohl gar keine Kenntnis mehr genommen, wie er ja – das hat A. Philippson in einer ungedruckten Berliner Dissertation von 1945 im einzelnen nachgewiesen – in seiner Lektüre sehr konservativ war und sich um neuere Erscheinungen kaum kümmerte. Seine Praxis jedenfalls blieb ganz auf dem Boden des Merkantilismus stehen, wie er ihn vom Vater übernommen hatte; er hat sie etwas verfeinert, aber nicht wesentlich verändert. Das hieß, daß er bei dem Prohibitivsystem blieb, das ihm als das einzige Mittel erschien, seine Untertanen zu zwingen, das selbst zu erzeugen, was sie nicht von anderswo beziehen konnten. Die Frage, ob die veränderte Zeit nicht andere wirtschaftspolitische Maßnahmen erfordere, hat er sich anscheinend kaum gestellt, obwohl die allgemeine Anwendung merkantilistischer Grundsätze den gegenseitigen Handel allmählich so erschwerte, daß alle geschädigt wurden. Und wenn seine Minister die Frage vorsichtig aufwarfen, konnte er sie wohl, ohne ihre Gründe auch nur zu würdigen, mit verletzender Schärfe abweisen.

Besonders auffallend ist das Verhalten Friedrichs in der Bauernfrage. Er ist sich über den Widerspruch zwischen seiner Theorie der ursprünglichen Gleichheit der Menschen und der wirklichen Lage der Bauern zwar durchaus klar gewesen, hat aber nichts getan, um ihn zu beseitigen oder auch nur fühlbar zu mildern. Selbst auf den Domänen beschränkten sich die Reformen, wenn man von der schärferen Aufsicht über die Pächter absieht, auf die Umwandlung des unerblichen Besitzrechts der Bauern in erbliches (1777). Für die ritterschaftlichen Bauern aber geschah, da die Kabinettsorder von 1763 über die Abschaffung der Leibeigenschaft in Pommern allen starken Worten (»absolut und sonder Räsonnieren«) zum Trotz nicht ausgeführt worden ist, überhaupt nichts. Denn der monarchische Bauernschutz, der den Gutsherrn die Einziehung von Bauernstellen untersagte, schützte wohl im Interesse der Rekrutierung der Armee den Bauernstand als Ganzes, nicht aber den einzelnen Bauern.

In dieser starken Zurückhaltung gegenüber den Bauern kommt, wie mir scheint, das persönliche Moment, das Friedrich in seiner Politik mitbestimmt, stark zum Ausdruck. Die Geringschätzung der breiten Masse der Bevölkerung verband sich bei ihm mit einer ausgesprochenen Vorliebe für den Adel. Mit ihr ist der preußische Absolutismus von der Linie abgewichen, die er seit seinen Anfängen unter dem Großen Kurfürsten eingehalten hatte, der Zurückdrängung der adligen Ansprüche. Gewiß war der Kampf gegen den Adel, den noch Friedrich Wilhelm I. mit der ganzen

Energie seines Wesens geführt hatte, entbehrlich geworden, seitdem der Adel sich dem Absolutismus gefügt und willig die Pflicht des Offizierdienstes übernommen hatte. Aber auf die Dauer ist die Bevorzugung des Adels, wie sie seit Friedrich von fast allen preußischen Königen betätigt wurde, für den Staat verhängnisvoll geworden.

So ist Friedrich bei aller Aufklärung doch für seinen Staat nicht der Wegbereiter in die Zukunft geworden, sondern steht am Schluß des monarchischen Absolutismus. Damit soll die positive Bedeutung seiner Regierung keineswegs bestritten werden. Auf die Außenpolitik möchte ich in diesem Zusammenhang nicht eingehen, sie würde vom Thema zu weit abführen, zumal da sie angesichts der vielen durch die Katastrophen von 1918 und von 1945 aufgeworfenen Streitfragen mit ein paar Worten nicht abgetan werden könnte. Wenn ich bei der Betrachtung der Innenpolitik vor allem auf die Grenzen der fridericianischen Staatspraxis hingewiesen habe, so erkenne ich ihre bleibenden Leistungen trotzdem an. Die merkantilistische Wirtschaftspolitik hat wohl auf die Dauer mehr und mehr als Hemmnis gewirkt und ist als solches von vielen empfunden und kritisiert worden; aber gerade das ist der Beweis, daß sie ihr eigentliches Ziel erreicht hat, Kräfte zu wecken und zu erziehen. Und wenn Friedrich nicht erkannt hat, daß dieses Ziel erreicht war und daß es nunmehr darauf ankam, diesen Kräften Raum zur Betätigung zu gewähren, so erklärt und entschuldigt sich das mit seinem Alter, das von dem neuen Leben keine Notiz mehr nahm. Auch das vielgeschmähte Beamtentum war doch nicht in allen seinen Vertretern bürokratisch verhärtet und erstarrt; es kam freilich unter dem alten König nicht mehr zu Wort. Eine neue Zeit war heraufgekommen, sie lehnte nicht nur den willkürlichen Absolutismus, sondern auch und gerade den aufgeklärten, wohlwollenden, bevormundenden Absolutismus ab; es genügt, an Kant und W. von Humboldt zu erinnern. Die Leistung Friedrichs bleibt unbestritten, ebenso aber auch das Urteil, daß mit ihr der Absolutismus seine Aufgabe erfüllt hatte.

Zu einem ähnlichen Ergebnis kommen wir, wenn wir den Aufgeklärten Absolutismus in den deutschen Kleinstaaten betrachten. Lange Zeit hat die Neigung bestanden, das Vorbild Friedrichs auf seine fürstlichen Zeitgenossen und seine Wirkung auf ihre Regierungsweise sehr hoch einzuschätzen. Der Unterschied zwischen dem vom jugendlichen Friedrich im Antimacchiavell gebrandmarkten Typus der deutschen Kleinfürsten der ersten Hälfte des 18. Jahrhunderts, von denen jeder es Ludwig XIV. gleich zu tun bestrebt war, seine Maintenon küßte, sein Versailles baute und eine Armee unterhielt, und den tüchtigen, um das Wohl ihrer Länder bemühten Fürsten geistlichen und weltlichen Standes, wie sie die Zeit von 1763 bis zum Ausbruch der Revolutionskriege, ja, bis zum Zusammenbruch des Reiches, in großer Zahl aufwies, ist gewiß sehr erheblich. Aber gerade da, wo wir eine Einwirkung Friedrichs quellenmäßig feststellen können, wie bei dem Fürstenspiegel, den er für Herzog Karl Eugen von Württemberg verfaßt hat, da stoßen wir auf einen Mißerfolg. Auch sind die Aufgaben, vor die sich die deutschen Fürsten in jener Zeit gestellt sahen, so grundverschieden von denen des preußischen Staates, daß man dem Beispiel Friedrichs schwerlich mehr als einen allgemeinen Impuls, als eine Mahnung zum Dienst am

Staate wird entnehmen können. Entscheidend war doch wohl die allgemeine geistige Bewegung, wie sie in Deutschland im Zeitalter der fortschreitenden Aufklärung herrschte. Diese Strömung vor allem zur Hebung des geistigen und sittlichen Niveaus ihrer Untertanen nutzbar zu machen, das war eine Aufgabe, die gerade die Tüchtigeren unter den damaligen Fürsten zu reizen vermochte und zur Erneuerung des Pflichtbewußtseins führte, das aus religiöser Wurzel erwachsen im 16. Jahrhundert für das deutsche Fürstentum kennzeichnend gewesen war. Von einem Einfluß der speziellen Doktrin des Aufgeklärten Absolutismus ist kaum etwas zu spüren, abgesehen von dem Markgrafen Karl Friedrich von Baden, dessen Beziehungen zu den Physiokraten bereits erwähnt worden sind.

Die Regierungsform bleibt der Absolutismus, wie er sich, häufig in gemäßigter Form, sogar ohne Beseitigung der landständischen Einrichtungen, seit etwa 1648 entwickelt hatte. Neu war nur der Geist, der ihn beseelte: als »benevolent despotism« hat W. H. Bruford ihn gut gekennzeichnet [18]. Dieser wohlwollende Absolutismus ging von der Überzeugung aus, daß der Staat das Recht und damit auch die Pflicht habe, den unmündigen Untertan durch eine Fülle von genauen Vorschriften zu einem vernünftigen, ihm selbst wie der Allgemeinheit nützlichen Lebenswandel anzuhalten. Er warnte vor dem Ergreifen überfüllter Berufe und mühte sich, unnötigen Aufwand zu unterbinden, etwa durch Festsetzung der für Beschaffung von Trauerkleidung und von Kränzen zulässigen Ausgaben. Eine weitergehende Sorge für das wirtschaftliche Gedeihen des Landes wurde den aufgeklärten Fürsten erschwert durch die Enge des Raumes. J. Möser hatte nur allzusehr recht, wenn er schrieb, daß die kleinen Staaten aus lauter Grenzen bestünden. Infolgedessen fehlte für eine intensive Förderung von Handel und Gewerbe im Sinne des Merkantilismus jede Grundlage. Selbst der Ausbau des Straßennetzes stieß nur allzu rasch auf die Landesgrenzen, und häufig war der Nachbar nicht nur nicht bereit, die Straße fortzusetzen, sondern legte bewußt dem Handelsverkehr alle denkbaren Schwierigkeiten in den Weg. So lag der Schwerpunkt der wirtschaftlichen Reformtätigkeit auf der Landwirtschaft. Hier wurde mancherlei erreicht, etwa in der Auflockerung der althergebrachten Dreifelderwirtschaft, die sich immer mehr als unzulänglich erwies, durch Einschränkung der Brache und Anbau von Futterkräutern, die zugleich der Verbesserung der Viehzucht dienten. Aber an der Rückständigkeit der Agrarverfassung wurde kaum etwas geändert; die bereits erwähnte Aufhebung der Leibeigenschaft in Baden blieb isoliert. Selbst die Ablösung der Frondienste ist nur vereinzelt erfolgt.

Mehr geschah auf den Gebieten, auf denen der Fürst eines kleinen Staates sein eigener Herr war. Vor allem erfreute sich das Schulwesen der wohlwollenden Aufmerksamkeit der Regierungen, wenn auch die finanziellen Mittel in der Regel nicht ausreichten, um all die schönen Pläne der Erhöhung der Lehrergehälter und der Verbesserung der Lehrerbildung durch Errichtung von Seminaren auszuführen. Die dem Geist der Aufklärung gemäße Toleranz gegenüber den christlichen Konfessionen, etwa die Anstellung von katholischen Beamten in protestantischen Ländern und umgekehrt, stieß häufig noch auf den Widerspruch der Bevölkerung, wurde aber mit der Zusicherung, daß es sich um einen Einzelfall handeln solle, in der Regel durchgesetzt. Auch der Verbesserung der Rechtspflege wurde viel Sorgfalt gewidmet. Eine Kodifikation des geltenden Rechts, wie sie in Preußen und später auch in Österreich geleistet wurde, ging allerdings über die Kraft der kleinen Staaten hinaus. Aber auf dem Gebiet der Strafrechtspflege konnten manche Mängel abgestellt werden. Und schärfere Aufsicht über die Gerichte trug zur Verbesserung des Rechtsschutzes für die Untertanen bei.

Deren Wohl war überhaupt der Leitgedanke der ganzen Reformen in den deutschen Kleinstaaten unter dem Aufgeklärten Absolutismus. Dem entspricht es, daß die Wohlfahrtspflege überall eine große Rolle spielte. Man wollte den Untertan »frei, opulent und gesittet« machen, und zwar nicht nur im Geiste der alten Landesordnungen des 16. Jahrhunderts durch Verbote, die ihn vor Schaden und unnützen Ausgaben bewahren wollten, sondern durch positive Maßnahmen. Unter ihnen erscheinen als etwas Neues die Versicherungen gegen allerhand Schäden des alltäglichen Lebens. Von ihnen haben sich damals freilich nur die Versicherungen der Gebäude gegen Brandschaden als lebensfähig erwiesen. Hier konnten die Staaten, indem sie alle Hauseigentümer zum Beitritt zwangen, eine ausreichend breite Basis schaffen und zugleich die Zahlung der Entschädigungssummen sicherstellen, da diese jeweils auf alle Versicherten umgelegt wurden. Dagegen fehlten für die Krankenkassen und erst recht für die Pensionskassen für Witwen und Waisen noch die genügenden Erfahrungen, um sie auf eine haltbare Grundlage zu stellen. Deshalb sind derartige, auf freiwilligem Beitritt beruhende Kassen in der Regel rasch zusammengebrochen. Einen Beitrittszwang auszuüben, fühlte sich aber der Aufgeklärte Absolutismus nicht befugt. Die gleiche Scheu vor dem Eingreifen in die private Lebenssphäre des einzelnen tritt auch bei den Anfängen einer staatlichen Gesundheitspflege hemmend in Erscheinung; bezeichnend dafür ist das Gutachten der medizinischen Fakultät in Jena vom Jahre 1801, das den Impfzwang als unvereinbar »mit der jedem Hausvater zukommenden unbestreitbaren Freiheit« ablehnte und von der Weimarischen Regierung gebilligt wurde[19].

Diese Zurückhaltung des Staates, die in merkwürdigem Gegensatz zu der theoretisch in Anspruch genommenen Obervormundschaft über die Untertanen steht, ist einer der Hauptgründe dafür, daß die Wirkung der Reformen an der Oberfläche blieb. Keiner der aufgeklärten »Despoten« hat ernstlich den Versuch gemacht, die Konsequenzen der aufgeklärten Staatslehre zu ziehen und die als hemmend empfundenen Schranken der bestehenden Gesellschaftsordnung zu durchbrechen oder auch nur beiseite zu schieben. Selbst bei den beschlossenen und befohlenen Reformen ließen es die meisten Fürsten an dem nötigen Nachdruck fehlen. Infolgedessen war die Ausführung oft mangelhaft, denn das Beamtentum war in der Mehrzahl wenig geneigt, sich mit neuen Aufgaben zu belasten und die Bevölkerung zur Durchführung anzuleiten. Die Frage eines badischen Beamten in 1786 anonym erschienenen »Briefen über die Verfassung der Markgrafschaft Baden«: »Was helfen die schönsten Verordnungen, wenn sie nicht befolgt werden?« war nur allzu berechtigt.

Das Nachlassen der staatlichen Energie war nun keineswegs eine Besonderheit der deutschen Kleinstaaterei, sondern ist kennzeichnend für die ganze Zeit. Auch in Preußen ist es seit 1786, zumal seit dem Regierungsantritt des wohlwollend aufgeklärten Friedrich Wilhelm III., bis 1806 deutlich zu spüren. Es scheint, als ob der ehrlich empfundene Wunsch, die Untertanen glücklich zu machen, den Mut zur kraftvollen Durchsetzung gelähmt hätte, als ob die schöpferische Kraft des Absolutismus erloschen wäre.

Trotzdem ist die Zeit des Aufgeklärten Absolutismus für die deutschen Staaten nicht bedeutungslos geblieben. Schon die Tatsache, daß eine große Anzahl von Fürsten darauf verzichtete, in mißverstandener Nachahmung Ludwigs XIV. nur ihrem Vergnügen zu leben und die Mittel ihres Landes zu vergeuden, und statt dessen sich ernsthaft um das Wohl und Wehe ihrer Untertanen bekümmerte, hat viel zur Befestigung der Monarchie in Deutschland beigetragen. Nur bei den Gebildeten fanden die Schlagworte der Französischen Revolution von Freiheit und Gleichheit Widerhall, die breite Masse der Bevölkerung blieb davon unberührt; ihr fehlte, so hat es neuerdings J. Droz [20] formuliert, jeder Ehrgeiz, es dem dritten Stande Frankreichs nachzumachen und »un tout« zu werden.

Nur *ein* deutscher Fürst fällt ganz aus diesem Rahmen des durch Wohlwollen in seiner Tatkraft gelähmten Absolutismus heraus: Joseph II. Deshalb verdient seine Regierung, auch abgesehen von der Größe und Bedeutung seines Staates, eine besondere Betrachtung. Er war ganz erfüllt von den Gedanken der Aufklärung und verfolgte sie bis in ihre letzten Konsequenzen, bis sie, wie namentlich Valsecchi betont [21], ins Revolutionäre umschlugen. Und er beschränkte sich nicht darauf, seine Gedanken nur auf dem Papier zu entwickeln, vielmehr sah er seine Aufgabe als Regent darin, ihnen in seinen Ländern Geltung zu verschaffen und damit seine Völker glücklich zu machen. Nach langer, mit Ungeduld ertragener Wartezeit als Mitregent neben Maria Theresia fand er nach ihrem Tode für ein knappes Jahrzehnt endlich Gelegenheit, sein Programm auszuführen.

Er ging dabei ganz als Absolutist vor. Die Souveränität bedeutete für ihn die uneingeschränkte oberste Gewalt, von der er nach seinem Gutdünken, so wie es ihm »le bon sens et la réflexion« eingaben, Gebrauch zu machen befugt war. Die geschichtlich überkommenen Bindungen, »les thèses tirées du siècle passé et d'un usage de cent années«, ließ er nicht gelten, die besonderen Verfassungen der einzelnen Erblande erkannte er nicht an, demgemäß unterließ er auch die Krönung zum König von Ungarn. Zwar betonte er sehr stark die Unterordnung des Monarchen unter den Staat und seine Verpflichtung zur korrekten Verwaltung der dem Staat, nicht ihm selbst gehörenden Finanzen. Aber eine Rechenschaftspflicht gab es für ihn nur vor Gott, eine Einmischung der Stände duldete er nicht.

Sowohl seinen politischen Grundsätzen als auch seinem persönlichen Wesen entsprach es, daß er die oberste Leitung seines Reiches ausschließlich in seiner Person zu konzentrieren suchte und daß er die Verwaltung möglichst gleichmäßig ohne alle Rücksicht auf die alten Ländergrenzen und die Verschiedenheiten der einzelnen Länder organisierte, wobei zugleich die herkömmliche Selbstverwaltung der Bezirke und Städte aufgehoben wurde.

Es erscheint nicht nötig, der Regententätigkeit Josephs auf allen ihren Wegen zu folgen. Nur auf die Hauptgebiete sei kurz hingewiesen. An erster Stelle steht die Kirchenpolitik. Zwar ist neuerdings[22] nicht ohne Berechtigung darauf hingewiesen worden, daß diese keineswegs die persönliche Leistung Josephs gewesen, sondern bereits unter Maria Theresia vor allem von Kaunitz eingeleitet worden ist. Aber Joseph geht doch weit darüber hinaus, sowohl indem er ganz dem Geist der Aufklärung getreu den Protestanten Toleranz gewährte als auch indem er der katholischen Kirche gegenüber die unbedingte Oberhoheit des Staates zur Geltung brachte. Diese zeigte sich nicht nur in der Anpassung der äußeren Organisation der Kirche an die staatlichen Grenzen, sondern auch in tiefeinschneidenden Maßnahmen gegenüber den kirchlichen Anstalten, zumal den Klöstern. Dieser sogenannte Josephinismus hat für die Geschichte Österreichs eine lange nachwirkende Bedeutung erlangt.

Auch die Bauernbefreiung gehört zu den bleibenden Erfolgen Josephs, wenngleich sie sich auf die Aufhebung der persönlichen Bindungen der Leibeigenschaft beschränkte und die Dienstpflicht zwar regulierte und für ablösbar erklärte, aber bestehen ließ.

Aber schon bei diesen Reformen stieß Joseph auf Widerstand, und noch mehr war das der Fall bei den Versuchen zur Umgestaltung der Verfassung und Verwaltung des Staates. Joseph war nicht imstande, sich auf die Dauer gegen diesen Widerstand durchzusetzen. Das lag zum guten Teil an seinem persönlichen Wesen. Im Bestreben, die oberste Leitung selbst auszuüben, überlastete er sich mit Einzelheiten; auch verstand er es nicht, sich seiner Behörden zweckmäßig zu bedienen, vielmehr durchbrach er immer wieder den geordneten Instanzenzug durch Sonderaufträge. Vor allem war er zu ungeduldig, fing zu viele Dinge gleichzeitig an und konnte nicht warten, bis ein Erfolg herangereift war. Einwendungen nachzugeben, war er unter keinen Umständen bereit, vielmehr hielt er mit starrem Eigensinn, der schon von den Zeitgenossen mit der Politik der Stuarts verglichen worden ist, an seinen einmal gefaßten Entschlüssen fest.

Entscheidend aber ist, daß sein aufgeklärter Absolutismus die Ziele und Möglichkeiten der staatlichen Einwirkung überspannte. Es widersprach nicht nur dem Herkommen, wenn Joseph aus seinen Staaten »une province égale dans toutes les dispositions et charges« machen wollte, sondern der inneren Struktur des habsburgischen Staatswesens. Darum wurde die Opposition nicht nur von den privilegierten Ständen getragen, die sich in ihrer Vorzugsstellung bedroht fühlten, sondern fand Rückhalt auch bei der breiten Masse des Volkes. Diese Opposition ist nicht nur Reaktion, sondern es ist gleichsam das erste Erwachen der Nationalitäten, wenn Ungarn sich gegen die anbefohlene deutsche Amtssprache auflehnt und sich zum Kampf für seine alte Verfassung anschickt.

Die Berechtigung dieses Widerstandes hat Joseph nicht anerkannt. Für ihn war es vielmehr ein Beweis für die Torheit der Völker, daß die Stände von Brabant gegen ihn revoltierten, weil er ihnen eben das geben wollte, was das französische Volk zur gleichen Zeit stürmisch verlangte[23]. Aber gerade die Tatsache, daß der Aufgeklärte Absolutismus in seiner letzten Phase sich über alle Schranken der Tradition hinwegsetzte und zur revolutionären Umgestaltung des staatlichen Lebens zu führen drohte, gab dem Widerstand gegen Joseph II. seine innere Kraft. Die Zeiten waren vorbei, wo die Untertanen willenlos allen Befehlen der Obrigkeit sich fügten; gegenüber der Vielgeschäftigkeit ihres Kaisers, der sie in dem Jahrzehnt seiner Alleinregierung mit mehr als 6000 Gesetzen und Verordnungen überschüttete, um ein abstraktes Zweckmäßigkeitsideal zu verwirklichen, versteiften sie sich auf ihre liebgewordenen Gewohnheiten und Gebräuche und verteidigten ihre alten Rechte, die ihnen als Schutz gegen die absolute Gewalt der Regierung um so unentbehrlicher erschienen, als der Aufgeklärte Absolutismus, der jetzt von einem wohlwollenden Monarchen vertreten wurde, keine Gewähr dagegen bieten konnte, daß er nicht eines Tages zu absoluter Willkür führen würde.

Unter dem Druck der Unruhen in den Niederlanden und Ungarn und des unglücklichen Türkenkrieges, zu dem sich sein rastloser Ehrgeiz hatte verleiten lassen, hat Joseph noch kurz vor seinem Tode die meisten seiner Reformmaßnahmen widerrufen müssen. Sein Lebenswerk war gescheitert und ist auch von seinen Nachfolgern nicht wieder aufgenommen worden. Trotzdem scheint es mir übertrieben zu sein, wenn man ihn als »Enfant terrible« oder als Karikatur des Aufgeklärten Absolutismus bezeichnet [24]. Eher möchte ich von der Tragik seines Schicksals sprechen. Sie hat Moltke empfunden, wenn er 1831 meinte [25]: »Das Resultat, das die Französische Revolution auf langjährigem blutigem Wege erzielt . . . das wollte kraft seiner Machtvollkommenheit dieser österreichische Kaiser, dem die Weltgeschichte noch eine große Ehrenerklärung schuldig sein dürfte.« Die Tragik sehe ich nicht nur darin, daß er einen Staat vorfand, der noch nicht weit genug entwickelt war, um seine Reformen auszuhalten, sondern zugleich darin, daß sein persönliches Wesen der Aufgabe, die er sich gestellt hatte, nicht gewachsen gewesen ist.

Auf die andern europäischen Staaten, die den Aufgeklärten Absolutismus kennengelernt haben, soll hier nicht im einzelnen eingegangen werden. Wesentlich neue Züge gegenüber den Darstellungen, die sie im Bulletin erfahren haben, werden sich kaum ermitteln lassen. In den wichtigsten Teilen Italiens, in der Lombardei und Toscana, trägt der Aufgeklärte Absolutismus ähnliche Züge wie in den anderen habsburgischen Ländern. Deshalb ist auch das Ergebnis wenigstens in dem unmittelbaren Machtbereich Josephs ähnlich dem Gesamtergebnis der Regierung Josephs, eine durch die Überspannung des staatlichen Machtstrebens hervorgerufene Entfremdung zwischen dem Herrscherhaus und den Beherrschten, die für das Risorgimento Bedeutung erlangen sollte [26]. Selbst die wesentlich vorsichtiger vorgehende Regierungsweise Leopolds von Toscana, die in ihrem Verfassungsplan bereits moderne, ins 19. Jahrhundert weisende Züge trägt, ist von den Italienern nach Valsecchi als etwas Fremdes, als kalter Wind aus dem Norden empfunden worden. Bei Leopold erhebt sich freilich der Zweifel, ob er mit seiner Überzeugung, daß die Zeit des Absolutismus vorbei sei und daß es ein bankrottes Geschäft sei, Fürst zu sein, überhaupt noch zum Aufgeklärten Absolutismus gerechnet werden kann.

Auch bei den Staaten der Pyrenäenhalbinsel hat der Aufgeklärte Absolutismus während der zweiten Hälfte des 18. Jahrhunderts Eingang gefunden und vor allem in Portugal durch Pombals energischen Kampf um die Durchsetzung der Staatshoheit gegen die katholische Kirche eine besondere Note erlangt, während die Bemühungen auf wirtschaftlichem Gebiet keine nachhaltigen Erfolge erzielt haben. Ebensowenig könnte die Betrachtung der skandinavischen Staaten das bisher gewonnene Bild wesentlich bereichern; am stärksten war wohl Dänemark vom Aufgeklärten Absolutismus berührt, sowohl in der kurzen Ministerzeit Struensees als auch unter den Bernstorffs.

So kann jetzt der Versuch gemacht werden, abschließend über die Leistung und Bedeutung des Aufgeklärten Absolutismus zu urteilen. Die Ansichten gehen, auch wenn wir von den Forschern absehen, die wie G. Lefèbvre ihn überhaupt nicht als besondere Phase des Absolutismus anerkennen, weit auseinander. Roscher hatte die von ihm unterschiedenen Stufen des Absolutismus als eine Steigerung dargestellt, deren höchsten Grad der Aufgeklärte Absolutismus bildete, weil der erste Diener des Staates weit ungenierter Gut und Blut des Volkes in Anspruch nehmen könne als ein Monarch des höfischen Absolutismus. Diese Beurteilung des Aufgeklärten Absolutismus findet auch bei modernen Forschern noch Zustimmung; zuletzt hat F. Valsecchi ihn als »culmine di parabola« bezeichnet [27]. Für Koser dagegen wird der höchste Gipfel des Absolutismus bereits mit der zweiten Stufe, dem grundsätzlichen, erreicht, eine Steigerung ist darüber hinaus nicht denkbar. Folgerichtig ist für ihn der Aufgeklärte Absolutismus eine »Rückbildung« durch den »Verzicht auf die einseitige Betonung seiner Rechte, durch die Voranstellung der Pflichten vor den Rechten und durch die Anerkennung des Naturrechts als Grundprinzip der Monarchie an Stelle des geoffenbarten göttlichen Rechts, in welchem der Absolutismus des 17. Jahrhunderts seine Beglaubigung gesehen hatte«. Eine Abschwächung des staatlichen Machtanspruchs gibt Koser allerdings nicht zu. Er sagt vielmehr ausdrücklich: »In der eifersüchtigen und mißtrauischen Wahrung der Vollgewalt gegen jede Mitwirkung der Untertanen bei der Entscheidung ist der Absolutismus Friedrichs II. in nichts von dem Ludwigs XIV., der aufgeklärte Despotismus in nichts von dem unaufgeklärten zu unterscheiden.«

Abseits von diesen Darstellungen steht die marxistische Beurteilung des Aufgeklärten Absolutismus, wie sie neuerdings G. Schilfert und H. Krüger gegeben haben [28]. Für sie ist er nur die letzte Etappe in der Entwicklung des Feudalstaats, der »Versuch des sterbenden Feudalabsolutismus, sich weiterhin durch Ausnutzung der bürgerlichen Lehren und Errungenschaften zu behaupten und die Herrschaft der Feudalklasse zu bewahren«.

Wenn man sich nur an die Schriften der reinen Theoretiker, sei es der französischen Vertreter des Despotisme éclairé, sei es der oben charakterisierten deutschen Spätkameralisten, hält, kann man wohl den Eindruck gewinnen, als habe Roscher den Aufgeklärten Absolutismus mit Recht als die höchste Steigerung des Absolutismus geschildert, von der aus der Umschlag ins Revolutionäre geradezu mit der logischen Evidenz der Physiokraten erfolgen mußte.

Aber schon wenn man die Theorie eines handelnden Staatsmanns wie Friedrichs des Großen betrachtet, gelangt man notwendig zu einer Einschränkung. Gewiß, er hat am unkontrollierbaren Absolutismus festgehalten, aber die rationale Ableitung dieses Absolutismus aus dem Staats- und Herrschaftsvertrag bedeutete nicht allein eine Bindung der Selbstherrlichkeit der Monarchen, sondern vor allem eine Entzauberung der Monarchie von Gottes Gnaden, wie F. Schnabel mit Recht bemerkt hat [29]. Wenn der Staat ein von den Menschen freiwillig geschaffenes Gebilde war, so war jeder Mensch berechtigt, über ihn und seine Verbesserung sich Gedanken zu machen. Und es war nur folgerichtig, wenn die Berliner Monatsschrift 1785 die Ansicht vertrat, daß ein Fürst, der seinen Gesetzen eine wenn auch nicht ewige, so doch ungewöhnliche Dauer verschaffen wolle, seinem Staate eine Verfassung geben müsse, »wodurch es seinen Nachfolgern unmöglich wird, die von ihm eingeführten Gesetze willkürlich zu ändern. Er muß bewirken, daß von nun an keine Gesetze anders als mit Einwilligung des ganzen Staates gegeben werden können; mit einem Worte, er muß den Staat in eine Republik verwandeln, in welcher das Haupt der regierenden Familie den bloßen Vorsitz hat [30]«. Diesen Gesinnungen entsprach es, wenn um die gleiche Zeit das hohe Beamtentum in Preußen den Anspruch erhob, im absoluten Staat gleichsam die Verfassung zu ersetzen, und daraus die Forderung ableitete, daß seine Stellung durch besondere Rechtsgarantien gegen Willkürakte des Monarchen gesichert werde.

Verstärkt wurde die Entzauberung der Monarchie durch das bewußt einfache Auftreten von Monarchen wie Friedrich II. und Joseph II.; Goethe hat rückblickend den »Sansculottismus« als die Folge dieses Verhaltens bezeichnet [31], und es kann schwerlich bezweifelt werden, daß die Heiligkeit der Monarchie als einer von Gott eingesetzten Institution darunter litt.

Zu dieser Abschwächung des Absolutismus durch die weltlich aufgeklärte Staatslehre kam nun noch das Erlahmen der schöpferischen Energie der Fürsten hinzu, von dem bereits die Rede gewesen ist. Es war immer eine Schwäche des Absolutismus gewesen, daß er in seinen Leistungen von der persönlichen Eignung der Monarchen oder ihrer Minister abhing. Aber das allgemein festzustellende Nachlassen der Tatkraft und der Ergebnisse der Arbeit der Fürsten und ihrer Beamten beruht nicht bloß auf zufälligen Schwächen einzelner Persönlichkeiten, deutet vielmehr auf eine Schwäche im System. Mit der Methode der Bevormundung der Untertanen war nicht mehr weiterzukommen. Mit ihr hatte sich der Aufgeklärte Absolutismus in Widerspruch gesetzt zu dem allgemeinen Wesen der Aufklärung, das in Kants klassischer Formulierung die Befreiung des Menschen aus seiner selbstverschuldeten Unmündigkeit sein sollte. Und darum stieß er wenigstens bei den tieferen Denkern auf wachsende Ablehnung, die sich freilich mehr in Abkehr vom Staat als in aktivem Kampf für geistige und politische Freiheit äußerte. Diesen Widerspruch durch einen energischen Schritt vorwärts aufzulösen, fand der Aufgeklärte Absolutismus nicht mehr die Kraft.

Deshalb möchte ich ihn nicht als den Höhepunkt der absoluten Monarchie bezeichnen. Er erscheint mir vielmehr – darin möchte ich Koser folgen – als Abschwächung, als die Endphase. Daß er trotzdem vor allem für die deutsche Staatenwelt eine große Bedeutung besessen hat, ist unbestreitbar. Freilich, das »devoteste Vertrauen auf deutschen Menschenverstand, auf immer steigende wahre Aufklärung«, mit dem A. L. Schlözer, gewiß kein kritikloser Bewunderer der deutschen Fürsten seiner Zeit, »in Deutschland alles, was geschehen muß, bloß von sachten Reformen ohne Revolution über kurz oder lang sicher erwarten« zu dürfen glaubte, war unberechtigt[32]. Auch die kühne Behauptung des preußischen Ministers Struensee aus dem Jahre 1799, daß die heilsame Revolution, die die Franzosen von unten nach oben gemacht hätten, sich in Preußen langsam von oben nach unten vollziehen werde, ging nicht in Erfüllung. Es wird wohl gelegentlich als ein Verdienst des Aufgeklärten Absolutismus in Deutschland bezeichnet, daß er Deutschland vor einer Revolution bewahrt habe; aber das ist doch nur formell richtig. Eine Revolution von unten hat Deutschland in der Tat nicht erlebt. Statt dessen ist sie von außen gekommen, und unter dem Druck der Macht Napoleons haben sich Preußen und die Rheinbundstaaten zu den Reformen entschließen müssen, zu denen sie sich aus eigener Kraft nicht haben aufschwingen können.

Man könnte freilich versucht sein, den napoleonischen Absolutismus als letzte und höchste, von allen Hemmungen befreite Phase des Aufgeklärten Absolutismus aufzufassen. Und doch scheint er mir etwas ganz anderes zu sein nicht nur als dieser, sondern überhaupt als der ganze »klassische« Absolutismus vom 16. bis zum Ende des 18. Jahrhunderts. Er hat die große Französische Revolution zur Voraussetzung. Sie gibt ihm die gewaltige, allen historischen Ballast bedenkenlos über Bord werfende Energie, deren Fehlen als Schwäche der Aufgeklärten Absolutisten wiederholt hervorgehoben ist. Aber sie hat ihm zugleich die Legitimität geraubt, die Selbstverständlichkeit einer ererbten Herrscherstellung, auf die gestützt die alten Dynastien auch schwere Schicksalsschläge hatten überstehen können, ohne eine Revolution befürchten zu müssen. Und damit fehlt dem bonapartistischen Kaisertum – denn diese Sätze gelten ebenso von dem ersten wie von dem dritten Napoleon – die innere Sicherheit; es muß immer mit der Möglichkeit eines neuen Umsturzes rechnen. Gegen diese Gefahren sucht es sich mit scheindemokratischen und scheinparlamentarischen Einrichtungen, die den Absolutismus verhüllen sollen, zu schützen. Zugleich wird die ganze Politik bewußt in den Dienst der Befestigung der Herrschaft gestellt; außenpolitische Erfolge sind das Mittel, mit dem Napoleon I. um die Gunst der Massen wirbt, während Napoleon III., ohne auf dieses Mittel zu verzichten, durch soziale Maßnahmen die Gefahr des Umsturzes zu bannen sucht. Deshalb ist dieser napoleonische Absolutismus, wenn er auch manche Formen der alten absoluten Monarchie übernommen hat und in manchen Zügen geradezu als ein Stück des Aufgeklärten Absolutismus erscheint, doch etwas Neues, eine Erscheinung des durch die Französische Revolution heraufgeführten Zeitalters der bürgerlichen Demokratie, und ich halte es deshalb für sachlich durchaus berechtigt, ihn als »Cäsarismus« von der alten absoluten Monarchie im allgemeinen und vom Aufgeklärten Absolutismus im besonderen zu unterscheiden.

ANMERKUNGEN

1. Vgl. M. Lhéritier, Le rôle historique du despotisme éclairé particulièrement au 18e siècle *(Bulletin of the international committee of historical sciences,* Bd. 1, 1928, S. 601–612).

2. Vgl. *Bulletin,* Bd. 2, S. 536.

3. Vgl. *Bulletin,* Bd. 9, S. 181–225.

4. An Untersuchungen über das Gesamtproblem des Aufgekl. Abs. ist seit Lhéritiers obengenanntem Gesamtbericht nur wenig erschienen. Hervorgehoben seien G. Lefèbvre, Le despotisme éclairé (in diesem Band S. 77ff.) und Ch. Morazé, Finance et despotisme, essai sur les despotes éclairés *(Annales-Economies-Sociétés-Civilisations,* Bd. 3, 1948, S. 279–296). Natürlich wird der Aufgekl. Abs. auch in allen Gesamtdarstellungen des 18. Jahrhunderts behandelt, z.B. von C. Hinrichs in Rassows Sammelwerk *Deutsche Geschichte im Überblick* (1953), von L. Just in dem von O. Brandt und A. O. Meyer begonnenen, jetzt von Just herausgegebenen *Handbuch der Deutschen Gesch.* Band II, Abschnitt 4, mit dessen Definition des Aufgekl. Abs. als einer »Übergangserscheinung zwischen dem Zeitalter der unbeschränkten Fürstenmacht, wie sie Philipp II. und Ludwig XIV. verkörpern, und dem Aufkommen der Nationalstaaten« ich mich aber nicht einverstanden erklären kann, weil sie kein einheitliches Einteilungsprinzip hat, und von R. Mousnier und E. Labrousse, Le XVIIIe siècle, Teil 5 der *Histoire générale des civilisations* (1953).

5. Die gleiche Ansicht vertritt R. Mousnier in seinem Rapport über die Absolute Monarchie, der für den bevorstehenden internationalen Kongreß in Rom vorbereitet worden ist.

6. Vgl. W. A. Liebeskind, La Suisse et le despotisme éclairé *(Bulletin,* Bd. 9, 1937, S. 116–121).

7. Vgl. R. Wittram, Formen und Wandlungen des europäischen Absolutismus (*Glaube und Geschichte, Festschrift für Fr. Gogarten,* 1948, S. 278–299).

8. Vgl. G. Lefèbvre, Le despotisme éclairé (in diesem Band S. 77ff.).

9. Vgl. W. Dilthey, *Gesammelte Schriften,* Bd. 12, 1936, S. 183 und 195.

10. Vgl. die von ihm herausgegebene und fast ausschließlich verfaßte Zeitschrift *Hof und Staat* (3 Bde., 1808/10).

11. Vgl. *Bulletin,* Bd. 2, S. 545.

12. Da Friedrich gelegentlich, z.B. im Antimacchiavell, auch vom »premier domestique du peuple« gesprochen hat, ist in der nationalsozialistischen Zeit, die an dem abstrakten und rational gewonnenen Staatsbegriff Friedrichs Anstoß nahm, wiederholt versucht worden, daraus eine Weiterentwicklung des friderizianischen Staatsdenkens zu dem Volksgedanken abzuleiten. Mit Recht hat E. Schmidt, *Staat und Recht in Theorie und Praxis Friedrichs d. Gr.* (1936), dagegen Stellung genommen.

13. Vgl. dazu O. Hintze in den *Forschungen zur brandenburg. u. preuß. Gesch.,* Bd. 18 (1905), S. 298, und *HZ,* Bd. 122 (1920) S. 517.

14. Gedruckt in den *Forschungen zur brandenburg. u. preuß. Gesch.,* Bd. 25, 1913.

15. Auf dieses Wort wurde ich durch den Rapport von R. Mousnier für den bevorstehenden Kongreß in Rom aufmerksam gemacht. Einen gedruckten Hinweis ohne nähere Quellenangabe gibt Fr. Olivier-Martin, *Hist. du droit français,* 1948, S. 314.

16. Vgl. Dilthey, *Ges. Schriften,* Bd. 3, 1927, S. 135.

17. Vgl. dazu H. Brunschwig, *La crise de l'Etat prussien à la fin du XVIIIe siècle,* Paris 1947.

18. Vgl. W. H. Bruford, *Germany in the 18th century,* 1935, S. 11ff.; er rechnet allerdings bereits Friedrich Wilhelm I. dazu, weil er nicht für sein persönliches Belieben oder für seinen Hof gearbeitet habe.

19. Vgl. F. Hartung, *Das Großherzogtum Sachsen unter der Regierung Carl Augusts*, 1923, S. 101.

20. J. Droz, *L'Allemagne et la Révolution*, Paris 1949.

21. Vgl. Fr. Valsecchi, *L'assolutismo illuminato in Austria e in Lombardia*, Bd. 1 und 2, 1. Hälfte, 1931/34; mehr ist anscheinend nicht erschienen.

22. Vgl. hierüber: F. Maass, *Der Josephinismus, Quellen zu seiner Geschichte in Oesterreich 1700–1790*, Bd. 1, 1951.

23. Als Mitteilung Pirennes angeführt von M. Lhéritier im *Bulletin*, Bd. 1, S. 609.

24. Von »enfant terrible« spricht Valsecchi, Bd. 1, S. 141, »fast eine Karikatur« nennt ihn F. Wagner, *Europa im Zeitalter des Absolutismus*, 1949, S. 321.

25. Bei R. Stadelmann, *Moltke und der Staat*, 1950, S. 67.

26. Vgl. F. Valsecchis Übersicht über den »despotismo illuminato« in dem von E. Rota herausgegebenen Sammelwerk *Questioni di storia del Risorgimento e dell' unità d'Italia*, 1951.

27. Vgl. Valsecchi a.a.O., S. 34.

28. Vgl. G. Schilfert in der *Zeitschrift für Geschichtswissenschaft*, Jahrgang 1, 1953, S. 784, und H. Krüger, ebenda, Jahrgang 1954, S. 796ff.

29. F. Schnabel, *Deutsche Geschichte im 19. Jahrhundert*, Bd. 1, S. 51.

30. Ich entnehme das Zitat P. Schwarz, *Der erste Kulturkampf in Preußen um Kirche und Schule 1788–1798*, 1925, S. 11.

31. Vgl. das erst 1908 bekannt gewordene Diktat von 1810 bei F. Meinecke, *Die Idee der Staatsräson*, 1924, S. 421.

32. Vgl. A. L. Schlözer, *Allgemeines Staatsrecht*, 1793, S. 166.

Der aufgeklärte Despotismus

GEORGES LEFEBVRE

I.

Der Ausdruck stammt aus dem 18. Jahrhundert, doch hatte er bei den Physiokraten und Philosophen nicht die gleiche Bedeutung wie in der Regierungspraxis der Herrscher, und diese Widersprüchlichkeit wirkt sich gelegentlich auch heute noch aus.

»Wenn die Wilden in der Gegend von Louisiana Früchte haben wollen«, schreibt Montesquieu, »so fällen sie erst den ganzen Baum und pflücken dann die Frucht. Das entspricht dem despotischen Herrschaftssystem.« Dies mag stimmen. Aber tatsächlich hat in dem Maße, wie der Mensch sich zu einem vernünftigen Wesen entwickelte, das eigene Interesse die Willkür gezügelt. Der Sklavenhalter verfügte mit gleichem Recht über die Schar seiner Leibeigenen wie über die Haustiere nach freiem Belieben: dennoch beschränkte er seine Launen, um sein Hab und Gut sorgsam zu wahren. Zur Zeit des Feudalismus erkannte der Herr – wenn er besonnen war –, daß durch eine humane Behandlung der eigenen Bauern er sich die flüchtigen Leibeigenen zu sichern vermochte und, wenn er die Bewohner des Marktfleckens zu freien Bürgern machte, eine freie Stadt schuf oder den Messehändlern vollen Schutz zusicherte, er auf diese Weise seine Einkünfte mehren konnte. Aus dieser Sicht erweist sich der aufgeklärte Despotismus als eine tief gründende Einrichtung, die – laut Montesquieu – ganz und gar dem Wesen der Dinge verhaftet ist.

Um uns an Westeuropa zu halten: Kaum daß sich dort aus dem feudalistischen Chaos feste Staaten gebildet hatten, strebten die Könige danach, alle Formen der Macht in ihrer Hand zu vereinigen, öffentliche Dienste in möglichst einheitlicher und gestraffter Form zu schaffen, aus ihren Besitzungen die Mittel für den Unterhalt einer Armee zu gewinnen, die in Unterstützung der Diplomatie die territoriale Expansion – höchstes Ziel der Herrscher – erlauben würde. Man kann geltend machen, daß die Wiedergeburt des Staates gerade zu dem Zeitpunkt offenbar wird, als wieder Steuern erhoben wurden und sich die Möglichkeit staatlicher Anleihen bot. Voraussetzung dafür war allerdings eine nicht zu geringe Menge kursierender Münze. So ist es denn auch kein Zufall, daß man in Frankreich – schon vor der Wiedereinführung von Steuern als Folge einer Gewichtsverlagerung der Handelsbeziehungen mit dem Orient (zwischen Okzident und Islam) Prägung und Umlauf des Goldes wieder auftauchen sah, was übrigens den Historiker Michelet zu einer berühmt gewordenen Seite seines Werkes anregte. Der Verbrauch des Edelmetalls war immerhin enorm, vor allem zum

Annales historiques de la Révolution française 21, 1949, S. 97–115. Auf die Wiedergabe von Abschnitt IV, der sich nur summarisch mit den Reformen in Preußen, Rußland und Österreich befaßt, konnte hier verzichtet werden. Der Abdruck erfolgt mit freundlicher Genehmigung von Albert Soboul; aus dem Französischen übersetzt von Nelda Michel-Lauchenauer.

Ankauf der von Hof und Adel immer heißer begehrten Luxuswaren, die aus dem Orient – und bald auch aus Italien – eingeführt wurden. Es lag nahe, diesen Handel zu fördern, der einen greifbaren Reichtum einbrachte. Doch kamen die Fürsten schließlich auf den Gedanken, die Herstellung dieser Güter im eigenen Lande anzustreben, um solchermaßen nicht nur den Import zu vermeiden, sondern schließlich selber exportieren zu können. Besonders Ludwig XI. setzte sich – nicht ohne Erfolg – dafür ein.

Sollte diese Politik, die eine wirtschaftliche Unabhängigkeit des Staates beabsichtigte, vor allem die Macht des Fürsten heben, so bot sie gleichzeitig den Untertanen Arbeit und den Bürgern Verdienst, wie denn auch die Unterwerfung der Feudalherren, die Einführung des inneren Friedens und eines königlichen Gerichts- und Polizeiwesens den Menschen des Dritten Standes und ihrer Werktätigkeit Sicherheit versprachen. Das war ein Entwurf für den aufgeklärten Despotismus, der jedoch nur einen einzigen Gesichtspunkt der allgemeinen Entwicklung der europäischen Zivilisation darstellt: die Wiedergeburt des Staates in einer territorialen Einheit, eines Staates, der seine Autorität zu erhalten weiß und ein Erwachen des Nationalbewußtseins bedingt; einen wirtschaftlichen Aufschwung, den der Staat schon allein durch seine Existenz sicherte, ohne den er jedoch seinen administrativen und militärischen Apparat nicht hätte aufbauen können. Geburt und Aufstieg eines Kapitalismus, der lange Zeit auf dem Handel, später auf der Produktion gründete und das Entstehen einer neuen Gesellschaftsklasse, des Bürgertums, das mit seinen sämtlichen Interessen der monarchischen Autorität verbunden war, bildeten zwei Triebkräfte der Revolution, die beide auf die Zerstörung der Feudalgesellschaft gerichtet waren, wobei die eine sie ganz heimlich durch das Ferment des Geldes untergrub und die andere die Festung des Herrentums schleifte. Schon Ludwig XI. nimmt in gewisser Hinsicht die Züge eines Bürgerkönigs an.

Die Revolutionen des 16. Jahrhunderts beschleunigten richtunggebend die Evolution. Auf die Gegenreformation folgte eine heftige Reaktion der weltlichen Macht gegen den Widerstand des Adels und die Gärung im Volk. In Frankreich führte sie zur absoluten Monarchie Ludwigs XIV., der mit den Intendanten einen unbestreitbaren Fortschritt in der Konzentration und Rationalisierung des Verwaltungswesens erzielte. Lange Zeit diente dies den Herrschern in Europa als Modell. Die Entdekkungen auf dem Seeweg räumten andererseits dem wirtschaftlichen Faktor eine bis dahin nie erreichte Wichtigkeit ein. Der Zustrom von Edelmetallen aus Mexiko und Peru festigte die Vorherrschaft Spaniens, dessen Rivalen durch den wachsenden Geldvorrat in Unruhe gerieten. Danach brachten der Verkehr mit Asien und die koloniale Ausbeutung Amerikas den Kolonial-Kapitalismus zu einem unerhörten Aufschwung und das Bürgertum investierte Teile seiner Gewinne in die industrielle Produktion. Durch deren Zusammenlegung wuchs die Manufaktur, die ihrerseits eine Rationalisierung der Produktion ermöglichte. Doch war sie weiterhin auf staatlichen Schutz angewiesen und der Staat wiederum war bestrebt, sie seinen Handelsmonopolen unterzuordnen. So erwuchs die Doktrin des Merkantilismus, die ihre Verbindung stärkte und in Colbert einen so bemerkenswerten Vertreter fand, daß man sie seither stets als *Colbertismus* bezeichnete. Ihm schrieb man auch – ohne es allzu genau zu nehmen – den erstaunlichen Stand zu, den die Armee Ludwigs XIV. und schließlich die Eroberungen des Grand Roi erreicht hatten. Es versteht sich von selber, daß den Menschen des anbrechenden 18. Jahrhunderts diese Ergebnisse keineswegs mehr befriedigend schienen. Nicht nur, daß es dem Fürsten einzig und allein um die Macht ging; ganz offensichtlich ließ er sich durch seine uneingeschränkte Befugnis auch zu persönlichen Launen verführen, die sich über das wohlbekannte Interesse des Staates hinwegsetzten.

In Frankreich forderten die Verschwendungssucht, die Prachtbauten, die reinen Prestigekriege und die bedauerlichen Auswirkungen der Revocation (Aufhebung des Ediktes von Nantes) zu kritischen Überlegungen auf.

II.

Diese Charaktereigenschaften entsprachen nicht dem Bilde des idealen Königs von Salente, das Fénelon in seinem Telemach zeichnete. Im Prinzip hatte das Christentum tatsächlich eine andere Auffassung von den Aufgaben eines Fürsten, als Fénelon sie sah. Theologen des Mittelalters hatten sich nicht damit begnügt, den Fürsten an seine moralisch-religiösen Verpflichtungen zu erinnern; sie scheuten sich auch nicht, unter Berufung auf den gesunden Menschenverstand ein »Naturrecht« zu errichten, das die Bedeutung von Gesellschaft und deren Regierung als einen Vertrag zwischen den Individuen erklärte und so den Herrscher stillschweigend dazu verpflichtete, beim Regieren nur das Wohl der Gemeinschaft im Auge zu behalten. Diese Auffassung stand – als weit zurückgreifender Ursprung des aufgeklärten Despotismus der weltlichen Regierung des 18. Jahrhunderts – in offenem Gegensatz zu der vollends realistischen Handhabung durch die Potentaten. Sie begnügte sich jedoch mit der moralischen Ermahnung und sah als ihr letztes Ziel das Heil der Menschen im Jenseits, nicht aber ihr zeitliches Wohlergehen.

Ohne diese Betrachtungsweise auszuschließen, gab der neuzeitliche Rationalismus, dessen Initiator im 18. Jahrhundert Descartes war, der jedoch über zwei Jahrhunderte brauchte, um seine eigentliche Bedeutung klar zu offenbaren, dem irdischen Dasein nach und nach seine ursprüngliche Wichtigkeit wieder, die er im ständigen Tun und Denken der meisten Menschen überhaupt nie verloren hatte.

Descartes behauptete, daß die Erscheinungen der wahrnehmbaren Welt, der »Natur« und der »Materie« sich unveränderbar nach »Gesetzen« richteten und daß der Verstand sie erfassen und damit zum Vorteil des Menschen lenken könne. Er setzte vor allem auf die Mathematik. Doch gewann das 18. Jahrhundert aus der Schule der Engländer und hauptsächlich durch Newton die Überzeugung, daß es einzig und allein durch Beobachtungen und Experimente möglich sei, den Genauigkeitsbeweis rationaler Folgerungen zu erbringen; indem er sich des Empirismus bediente, wurde somit der Rationalismus experimentell. Descartes hatte seine Methode nicht auf das wirtschaftliche und politische Leben bezogen: auf diesen Gebieten schien ihm das

Verhalten des Menschen durch seine freie Entscheidung ständig der Zufälligkeit unterworfen und somit kein geeignetes Objekt zur Formulierung der letzten und ewigen Wahrheiten zu sein.

Aber Physiokraten und Philosophen kamen zu dem Schluß, daß auch Ökonomie und Politik – ebenso wie die Natur – Regeln unterworfen seien, die zu entdecken wären: erinnern wir einmal mehr ans Montesquieus »L'Esprit des lois«. Die grundlegende Maxime des Rationalismus *die Welt erkennen, um sie verändern zu können*, gewann somit ihre volle Bedeutung. Von daher ließ sich die Freiheit der Forschung ableiten, während die Kritik am Merkantilismus und an der monarchistischen Willkür, wie auch die Interessen des kapitalistischen Bürgertums im gleichen Sinne und im Namen des sozialen Nutzens daraus folgerten: laßt tun, laßt geschehen, schafft die Knechtschaft ab und achtet die Person, verzichtet auf die Intoleranz, die euch um wertvollen Wettstreit bringt, unterdrückt die Privilegien zugunsten der Gleichheit aller Bürger und erkennt, daß nur das eigene Verdienst den Zutritt zur Führung von Gesellschaft und Staat rechtfertigt; erst dann werden die individuelle Initiative und der durch Gewinnaussichten stimulierte Konkurrenzkampf den allgemeinen Wohlstand und die Zivilisation auf den höchstmöglichen Stand bringen.

Auf welchem Wege ließen sich diese Reformen verwirklichen? Englands Revolutionen waren auf Kosten der konstitutionellen Regierung erfolgt. Obschon Locke, der diese Regierung unter Berufung auf das Naturrecht rechtfertigte, für ganz Europa zum Propheten der Freiheit geworden war, dachten die Physiokraten und Philosophen zumindest bis Rousseau keineswegs daran, auch den Gesellschaftsvertrag (contrat social) zu propagieren und die Übernahme der politischen Einrichtungen Großbritanniens zu befürworten – einschließlich Montesquieu, der diese Institutionen immerhin lobte. Um die neue Welt zu schaffen, erschien ihnen die Autorität des Königs notwendig. Dank seiner Allgewalt sahen sie im Despoten den einzig fähigen, die unwissende und abgestumpfte Menge in neue Bahnen zu lenken. Indem er dabei auf die Physiokraten und Philosophen hörte, sollte er sich nach den von diesen entdeckten Naturgesetzen richten und sich den von ihnen formulierten rationalistischen Folgerungen anschließen; in einem Wort, der Despotismus sollte zu einem *aufgeklärten* Despotismus werden. Dem Gesetz und dem gemeinen Wohl verpflichtet, wäre der Fürst fortan nicht mehr der Eigentümer des Gemeinwesens, sondern der erste seiner Diener.

In Holland, wo die Regierung bei dem oberen Bürgertum lag, in England, wo das Bürgertum mit dem Adel verbunden war, um im Einverständnis mit dem König zu regieren, hatte diese Konzeption keinen Sinn. Sie entsprach der Situation der kontinentalen Staaten Westeuropas, wo das Bürgertum, das bislang laut Gesetz in eine untergeordnete Stellung gedrängt und von der Regierung ausgeschlossen war, sich zwar seiner Kraft bewußt wurde, ohne jedoch die Gelegenheit zur eigenen Befreiung wahrzunehmen, noch die Kühnheit, sie zu ergreifen.

III.

Der aufgeklärte Despotismus der Physiokraten und Philosophen bot den Herrschern Anregungen, die sich mit ihrer traditionellen Politik vereinbaren ließen, solange sie ihnen zur Bereicherung ihrer Staaten und zur Ausdehnung ihrer Macht geeignet schienen. Aber er konnte ihnen im Grunde genommen ebensowenig behagen wie die Vorschriften der Theologen: Es stand dem absoluten Monarchen nicht zu, sich mit der Bekanntgabe der »Naturgesetze« zu begnügen; man gab sich einer Utopie hin, wenn man glaubte, daß seine persönlichen Launen sich dem Interesse seiner Untertanen anpassen würden. In seinem Bemühen, sich den Gehorsam der Aristokraten zu sichern, dachte er in keiner Weise daran, den dritten Stand diesen gleichzustellen: der Kastengeist versagte es ihm, denn er fühlte sich als der erste Edelmann seines Reiches. Noch mehr bestimmte ihn die Vorsicht, sie nicht zu einem Aufstand zu drängen oder sich – nach einer Niederlage des Adels – nicht dem Volkswillen ausgeliefert zu sehen. Dieser neue Geist bemächtigte sich eher einiger Minister und einer größeren Anzahl ihrer Untergebenen. Er führte vor allem in Frankreich zur Bildung jener befähigten und erfahrenen Führungsschicht, die in ihrem Erneuerungseifer, wie Turgot im Limousin, die Initiative zu technischen Verbesserungen ergriff und unter den Hindernissen litt, die ihnen eine Vielzahl von Privilegien und die Mißstände des Verwaltungsapparates in den Weg legten. In der zweiten Hälfte des Jahrhunderts verzichtete die Regierung in Frankreich auf Religionsverfolgungen, bewies den Schriftstellern gegenüber eine gewisse Großzügigkeit und zeigte eine deutliche Neigung für wirtschaftliche Freiheit. In Italien erfolgten ebenfalls einige kleinere Verbesserungen, vor allem bei den Habsburgern in der Toskana. Das war auch der Fall in Spanien, doch vermochte dort die Toleranz sich nicht durchzusetzen, im Gegenteil: die Inquisition zeigte auch weiterhin verheerende Wirkungen. Letzten Endes scheiterten in Frankreich die großangelegten Reformversuche am Widerstand der Aristokratie. Die Befreiung der Bauern von der Feudalherrschaft durch den König von Sardinien war eine bemerkenswerte Ausnahme.

Diese Staaten waren alle katholisch. So erklärt sich auch ein markanter Zug dieser Periode durch eine gewisse Ungunst, der in Frankreich die religiösen Orden preisgegeben waren. Die schwierige Lage entstand durch das Edikt von Machault über das Vermögen der Toten Hand, durch die Kommission zur Kontrolle der Ordensgeistlichen und schließlich durch die Unterdrückung der Jesuiten in Portugal wie in den Staaten der Bourbonen, die das Papsttum zur Aufhebung der Gesellschaft Jesu zwangen.

Die Gleichgültigkeit oder gar Feindseligkeit dem Klerus, überhaupt dem Katholizismus gegenüber hat zweifellos einen Teil der Meinungen dahingehend beeinflußt, solche Maßnahmen zu begrüßen. Aber abgesehen davon, daß diese bei den Herrschern keineswegs die Absicht einer Laisierung des Staates mit einbezogen, ist daran zu erinnern, daß das Zweckdenken Colberts die Mönche nicht gerade schätzte. Außerdem ist zu bedenken, daß die Könige dem Papst die weltliche Vorherrschaft streitig machten und die Jesuiten – von den Herrschern als die besten Repräsentanten des Ultramontanismus betrachtet – bei den königlichen Beamten und besonders bei den Parlamentariern Mißtrauen und Feindseligkeit erregten. In der Tat zeigte die Haltung der katholischen Despoten nur die eine Seite des Cäsaro-Papismus, der durch die zivilrechtliche Konstituierung des Klerus (1790) eine zugespitzte Deutung erfahren wird: die Kirche ist im Staat und nicht der Staat in der Kirche. Es steht dem Staat zu, die Kirche in allen Punkten, außer dem Dogma, zu bevormunden.

Im großen und ganzen unterschied sich die Regierungsweise im 18. Jahrhundert prinzipiell nicht von der früheren Form. Sie paßte sich bis zu einem gewissen Punkt den neuen, durch die wirtschaftliche und soziale Entwicklung begünstigten Bedingungen an. Indem sich der Despotismus gewissermaßen »aufklärte«, bemühte er sich mit mehr oder weniger Nachdruck und Erfolg um die Festigung der Staatsmacht, d. h. der des Monarchen. Die gesellschaftliche Struktur erfuhr zwar durch den Aufstieg des Bürgertums eine Wandlung, doch hatte der Aufruf der Philosophen die Rechtsverhältnisse nicht verändert. Sie legten also keinen Wert darauf, daß sich ihre Auffassung vom aufgeklärten Despotismus in Westeuropa vollends durchsetze, zumal die bereits erwähnten Reformen sich häufig verzögerten. So erklärt sich teilweise der Irrtum, dem sie in ihrer Vorstellung unterlagen, sie hätten die Herrscher Mittel- und Osteuropas bekehrt.

V.

Im allgemeinen Zusammenhang besteht also nach unserem Dafürhalten die Leistung der östlichen Herrscher in der Ausweitung der westlichen Kultur nach dem Osten hin. Die Schaffung des Staates, die Übernahme von Methoden einer rationalistischen Verwaltung und Wirtschaft sowie die Aufstellung moderner Armeen deuten nur einen der Aspekte an. Ihre Originalität beruht auf einer differenzierten Anpassung sowie auf der Schnelligkeit ihrer Verwirklichung, die sich bis zu einem gewissen Grad durch eine direkte Entlehnung von Modellen erklärt, die bereits in den alten Monarchien nach und nach ausgearbeitet worden waren.

Man muß hinzufügen, daß sie ebenfalls zur Verbreitung der übrigen Bestandteile dieser Kultur beigetragen hat, zur Bildung eines aristokratischen Kosmopolitismus, in dem sich die Sprache, die Literatur, die Künste und Moden aus Frankreich meistens des Vorranges sicher sein konnten. Umgekehrt unterstützte der Einfluß des Rationalismus, der durch die Aufklärung auf zweckgebundene, meist alltägliche Vorschriften beschränkt wurde, den Despotismus und trat vor der Öffentlichkeit für ihn ein. Gleichermaßen wie im Westen bewog die Notwendigkeit, der Verwaltung und Wirtschaft eine festere Form zu geben und den entstehenden Kapitalismus zu schützen und zu fördern, die Herrscher dazu, mit dem Bürgertum gemeinsame Sache zu machen und dessen Wachstum zu begünstigen. Der »aufgeklärte« Despotismus war hier wie anderswo ein vermittelndes Stadium zwischen der unumschränkten Tyrannei und der bürgerlichen Monarchie.

Lange Zeit zollten die Philosophen dem »aufgeklärten« Despotismus fast uneingeschränktes Lob. In ihrem vornehmlichen Verlangen nach intellektueller Freiheit schätzten sie die Glaubenstoleranz, die relativ große Gedankenfreiheit zu philosophischen Spekulationen einräumte, und die Begünstigung wissenschaftlicher Forschungen. Friedrich II., der seine Korrespondenzen und Gespräche in französischer Sprache führte, der seine Verachtung für die deutsche Kultur deutlich zur Schau trug und dem religiösen Empfinden verschlossen war, schien unter ihr Banner geworben zu sein; das gleiche galt für Katharina, vor allem, als sie die Instruktionen für ihren berühmten Reformauftrag abfaßte. Noch überzeugender vermochten die preußischen Beamten, die Kameralisten, die Professoren, Pfarrer und Zeitungsleute zu verführen, denn ihre Ehrlichkeit schien keinerlei Vorsicht zu fordern. Weder Montesquieu noch Voltaire hätten mit Lob gespart, wenn sie den Entwurf zum Allgemeinen preußischen Landrecht gekannt hätten, den Carmer für Friedrich II. vorbereitete und dessen Nachfolger, Friedrich Wilhelm II., vorlegte. Er proklamierte darin, daß der Fürst dem Gesetz unterstehe, sicherte die individuelle Freiheit zu und sah für die Richter und die übrigen Staatsbeamten genau umrissene Garantien zum Schutz gegen willkürliche Amtsenthebung vor.

In Wirklichkeit bedeuteten diese humanitären Einrichtungen den Herrschern nichts als geistreiche Spielerei. In der hauptsächlichen Sorge um die Ausweitung ihrer Macht erwogen sie sorgfältig, was sie zum Vorteil ihrer Bestrebungen nutzen konnten und was sie besser fallenlassen sollten. Joseph II., dem man aufgrund seines ungestümen Erneuerungsdranges ideologische Züge hätte zuschreiben können, mißtraute vor allem den Philosophen und lehnte es als guter Katholik ab, auf seiner Reise nach Frankreich Voltaire zu treffen. Friedrich II. und Katharina sahen ihre Politik durch die Gunst der öffentlichen Meinung unterstützt. Wenn auch die Allianz zwischen Österreich und Frankreich gegen sie arbeitete, so waren die Lobreden der Philosophen, die ja die Unpopularität der Allianz nur noch verstärkten, keineswegs zu verachten.

Wenn die Philosophen sich dafür hergaben, so trug vor allem Eitelkeit und eigener Vorteil dazu bei, schließlich aber auch ihre Streitbarkeit. Indem sie sich mit nur mäßigem Erfolg bemühten, ihre Herrscher für ihre Doktrinen zu gewinnen und den Klerus auszubooten, hielten sie jenen mit Genuß die Potentaten des Ostens entgegen. Sie gaben dabei nicht zu, daß es Friedrich II. und Katharina, die dem Katholizismus nicht verpflichtet und Häupter ihrer nationalen Kirchen waren, leichter fiel, Toleranz zu üben. Sie sahen nicht ein, daß das Verhalten der Herrscher vor allem durch den Machtwillen, die natürlichen und geschichtlichen Gegebenheiten bestimmt wurde und nicht durch die philosophischen Propagierungen und die Sorge um den Fortschritt der Menschheit.

VI.

Man muß es mit Überraschung feststellen: die Philosophen waren sich überhaupt nicht bewußt geworden, daß die Sozialpolitik Friedrichs II. und Katharinas sich nicht weniger konservativ zeigte als die der Herren des Westens. Bei ihrem mäßigen Interesse für das Schicksal der Bauern und des »Plebs« der Städte beunruhigte es die Philosophen keineswegs, wie gering der Vorteil ausfiel, den der »aufgeklärte« Despotismus diesem Bevölkerungsstand einbrachte. Der Merkantilismus Friedrichs II. insbesondere, der vor allem auf den Export und nicht auf den inneren Konsum der Massen abzielte, verbesserte deren Existenz kaum. In Preußen gab es nicht weniger Elend in den Städten und nicht weniger Bettler und Vagabunden auf dem Land als in Frankreich. Zumindest die Lage des Bürgertums hätte einige Vorbehalte gerechtfertigt. Als Ausgleich für seine Dienste waren ihm einige Zugeständnisse gemacht worden: einige untergeordnete Ämter, Erhebung gar in den Adelsstand für alle, die sich für eine höhere Stellung auszeichneten, Zusammenschluß zu privilegierten Gruppen in den Städten, Befreiung vom Militärdienst, Anrecht auf persönlichen Erwerb von Grund und Boden und von eigenem Gesinde. Doch blieb der Stand des Bürgers weiterhin untergeordnet. Im Prinzip blieb das Bodenrecht Monopol des Adelsstandes, das gleiche galt in der Tat bald auch für die hohen Verwaltungsposten und die Militärführung. Das Schlimmste aber waren zweifellos die wirtschaftlichen Auswirkungen. Wenn sich auch der kapitalistische Unternehmer durch den Protektionismus begünstigt wähnte, so wurde sein persönlicher Elan – und das nicht nur durch die Gesetzesregelungen – empfindlich gebremst. Um sich in Preußen die *Akzise* zu sichern, verbot der König die Fabrikation und den Handel von steuerpflichtigen Waren außerhalb der Städte.

In Rußland wiederum waren die Bauern Leibeigene der Krone oder der Grundherren, und der Bürger durfte ihren Dienst nicht ohne Erlaubnis in Anspruch nehmen. Im Westen belegte der Handelskapitalismus durch Ausnutzung der am schlechtesten bezahlten und korporativ nicht kontrollierten Landarbeit das Handwerk mit Beschlag; viele der »Manufakturen« waren nichts anderes als die von einem städtischen Kaufmann besorgte Leitung von verstreut in Dörfern wohnenden Heimarbeitern. Indem die neuen Monarchien solche Ansätze untergruben, hemmten sie den Aufstieg des Bürgertums, wobei sie zugleich unbewußt den Erfolg ihres wirtschaftlichen Wirkens gefährdeten.

Die aufgeklärten Despoten sahen die Sozialstruktur genauso wie ihre »Kollegen« im Westen. Vor allem war es die Aristokratie, die ihnen geeignet schien, um die besten Helfer zu liefern. Durch den *Tschin* (čin)* hatte Peter der Große sie zum Staatsdienst genötigt und Friedrich II. hielt darauf, daß seine Offiziere normalerweise dem Adel angehörten. Seine Vorgänger waren bislang um die Unterwerfung des Adels bemüht gewesen und hatten diesem mißtraut; jetzt, da er gefügig geworden war, schenkte er ihm sein Vertrauen. Er billigte ihm eine gewisse administrative Autonomie zu. Der Landrat des Kreises war Angehöriger des Landadels und wurde dem König durch seine Mitstände zur Bestätigung vorgeschlagen. Dort, wo sich Kreisstände erhalten hatten, regierte die Aristokratie. Friedrich II. unterstützte die Junker sogar finanziell, indem er in einigen Provinzen auf Gegenseitigkeit beruhende Hypothekar-Darlehen einrichtete, ohne dabei an ähnliche Erleichterungen für die Bauern zu denken.

* Tschin (čin) = Rangordnung (Anm. d. Hrsg).

Katharina II. neigte noch viel stärker zur Vermittlung. Als gebürtige Deutsche wußte sie sich vom nationalen Gesichtspunkt her verdächtigt. Daß die Macht der Zaren durch die Verschwörung der Adligen und nötigenfalls auch durch Ermordung gemäßigt wurde, das erfuhr jedermann durch die Geschichtsschreibung und durch ihr eigenes Beispiel. Hatte sie ja selbst ihren Mann entthront und seinen Tod befohlen oder doch gebilligt. Während die deutschen Herrscher ihrer Rechtmäßigkeit sicher waren und den Despotismus mit Härte und Strenge ausübten, betrachtete sie den »Favoritismus« als Garanten ihrer Sicherheit. Aber sie schonte auch die Adelsklasse und ließ schließlich eine Charta verbreiten, die den Adel in jeder Regierung als Körperschaft zusammenschloß, ihm das Recht auf Versammlungen und gewählte Vertreter sicherte und die Mitglieder einer besonderen Gerichtsbarkeit unterstellte. Diese aufgeklärten Despoten sicherten sich also durch einen stillschweigenden Kompromiß die Willfährigkeit und Unterstützung der Aristokratie.

Aber das bezeichnendste Merkmal dieser Übereinkunft war, daß die Sache auf Kosten der Bauern erfolgte. Die Historiker heben hervor, daß in Preußen die *Leibeigenschaft*, die den Bauern wie in Polen und Rußland zum Sklaven herabwürdigte, nur eine Ausnahme bildete. Im allgemeinen galt der Landbewohner als *Untertan* des Königs, an dessen Richter er sich wenden konnte. Tatsächlich aber war es eine illusorische Garantie. Der Untertan war von der grundherrlichen Rechtsprechung abhängig; der Junker hatte das Recht, ihm nach Belieben körperliche Züchtigung aufzuerlegen; der König zog durch dessen Vermittlung seine Steuer ein. Viele Bauern besaßen dabei nicht einmal einen Hof, sondern nur ein Ecklein Land aus Gnade und Barmherzigkeit. Für gewöhnlich war das Gütlein des *Bauern* nicht erblich und er verfügte nicht frei darüber. Der preußische Grundherr beutete ein beträchtliches Landgebiet auf direktem Wege aus und drängte darauf, die Höfe zusammenzulegen und die Bauern daraus zu verdrängen. Nicht nur, daß der Untertan Pacht abgeben mußte; er wurde außerdem zu irgendwelcher Fronarbeit zur Nutzung des Herrenlandes herangezogen und dazu gezwungen, einige seiner Kinder in den Hausdienst des Schlosses zu schicken: man nannte das den *Gesindedienst.* Schließlich durfte er nicht einmal ein Handwerk ausüben ohne die Erlaubnis des Herrn, der nicht nur die Mühle und den Backofen, sondern auch die Brauerei und die Schnapsbrennerei für sich monopolisierte.

Friedrich II. war durchaus der Meinung, die Ökonomen hätten recht mit ihrer Forderung nach Befreiung der Bauern, um sie zum Eigentümer oder Gehaltsempfänger zu machen, zumal der Anreiz des Verdienstes weit mehr als der Zwang ein fleißiges und gewissenhaftes Arbeiten garantiere. Er hob in seinen Besitzungen die Leibeigenschaft auf, ordnete die Festsetzung des Taglohnes an und sogar die Höhe des Erlöses und der Pacht. Aber er wagte es nie, sich selbst in die *Guts*wirtschaft des Adels einzumischen. Höchstens, daß er in einigen Provinzen die Grundbuchführung veranlaßte, um darin ein für allemal die Abgaben der Bauern festzusetzen; man gehorchte ihm jedoch bei weitem nicht überall. Der preußische Staat war vielmehr besorgt über die Verdrängung der Pächter, *Bauernlegen*, weil dadurch der Steuerertrag beeinträchtigt wurde und die Rekrutierung der *Kantonisten* gefährdet war. Er mußte sich indes mit deren Einschränkung auf den *Bauernschutz* begnügen und erreichte nie vollständig die Respektierung dieser Erlasse.

In Rußland war es noch schlimmer. Der Leibeigene hatte keinen Zutritt zu den Gerichtshöfen des Staates. Man konnte ihn von seinem Grund und Boden vertreiben und ihn von seiner Familie trennen, um ihn zu verkaufen oder zu deportieren. Es kam wohl vor, daß Katharina II. der Tyrannei irgendeines Lehnsherrn Einhalt gebot, der seine Leibeigenen gefoltert oder getötet hatte: das war jedoch alles, was sie unternahm. Sie verteilte sogar eine Anzahl Bauern des kaiserlichen Grund und Bodens an ihre Günstlinge, bei denen diese angeblich eine bessere Behandlung zu erwarten hätten. Dazu kam noch, daß sie nach Eroberung der Ukraine dort die Leibeigenschaft einführte.

Sollte der Kompromiß mit der Aristokratie für den aufgeklärten Despotismus in Preußen und Rußland einen wesentlichen Beitrag zu seinem Erfolg geleistet haben, so bot Joseph II. den gegenteiligen Beweis. Seine Verwaltungsreformen machten Schluß mit der Autonomie des Adels, indem die Landstände und vor allem in Ungarn die Zusammenarbeit der Comitate und der *Tables* aufgehoben wurden. Er schaffte auf den Gütern der Aristokratie sowie auf seinen eigenen die Leibeigenschaft ab. Bei der Neuordnung der Grundsteuer wagte er den Prozentsatz des Nettoeinkommens des Pächters zu bestimmen, den die Abgaben an die Grundherren nicht übersteigen durften. Natürlich nahmen die Feudalherren eine Widerstandshaltung ein, was Josephs II. Scheitern verursachte. Der Verzicht auf seine Finanzreform war dessen augenfälligstes Symptom, und im Laufe des Rückschlages, der seinem Tode folgte, fand dieses durch die Wiedererrichtung des Feudalwesens unverzüglich seine Bestätigung.

Wie die traditionsgebundene Politik der Fürsten im Westen, wenigstens derer, die über eine nüchterne Intelligenz verfügten, war auch der Despotismus der »aufgeklärten« Herrscher des 18. Jahrhunderts, der sich davon nicht wesentlich unterschied, in sich voller Widersprüche. Er führte zwar zur Festigung des Bürgertums. Doch wurde ihm ein voller Erfolg erst durch das Bündnis mit der Aristokratie zuteil, wogegen Joseph II. im Konflikt mit ihr scheitern mußte und Ludwig XVI. gezwungen war, die Generalstände einzuberufen.

VII.

Mehr als einmal hat man den aufgeklärten Despotismus der Französischen Revolution gegenübergestellt, um daraus zu schließen, daß der durch letztere herbeigeführte Umsturz nicht nötig gewesen sei, daß dagegen erstere Entwicklung mit weniger Aufwand analoge Resultate erzielt habe. Aus dem Vorangegangenen läßt sich freilich eine Zweideutigkeit solcher Behauptungen erkennen.

Denkt man an den aufgeklärten Despotismus der Philosophen, so läßt sich dieser unter der Voraussetzung unterstützen, daß sie die Fürsten davon überzeugt hätten, gleiches Recht für alle zu Lasten der Privilegien der Aristokratie zu gewähren. Dieser

Vorbehalt verleiht dem Despotismus einen fragwürdigen Zug, zumal kein einziger König den Versuch durchgeführt hat. Wenn man dagegen den aufgeklärten Despotismus der Herrscher meint, was offenbar der Fall ist, so ist es eine sophistische Behauptung, da sie dem eben aufgezeigten Widerspruch in keiner Weise Rechnung trägt.

Die Verwirrung entsteht schon bei der Auseinandersetzung, denn die Französische Revolution hat mit ihrer Wirkungsweise zum Teil nichts anderes zustande gebracht, als die Revolution weiterzuführen, welche die Monarchie, die ihrerseits den Widerstand der Privilegierten nicht zu brechen vermochte, offengelassen hatte. Das revolutionäre Bürgertum vervollständigte die nationale Einheit und brachte die Rationalisierung des Verwaltungsapparates zum Abschluß. Die inneren Schranken wurden niedergerissen. Eine geregelte Gebietsaufteilung ermöglichte es, daß überall die gleichen Verwaltungsorgane eingerichtet wurden. Nach Abschaffung der Privilegien waren alle Franzosen dem gleichen Recht unterstellt. Dadurch kam der aufgeklärte Despotismus gleichermaßen wie derjenige der Philosophen auf seine Kosten, und zwischen der Krone und dem Bürgertum herrschte ein dauerhaftes Bündnis. Es überrascht nicht, daß Kaiser Leopold und der Minister Hertzberg die Dekrete der »Constituante« im Hinblick darauf günstig aufnahmen. Wenn sie daraus einen Vorteil hätten ziehen können, wäre ihre Macht nur gewachsen, und in dieser Erkenntnis hat Tocqueville den Schluß zu ziehen gewagt, daß die Revolution, indem sie alle Hindernisse wegschaffte, die die zentrale Machtausübung unterbunden hatte, den Despotismus nur gestärkt habe.

Aber die Französische Revolution bedeutet auch den Aufstieg des Bürgertums. Ludwig XVI. wurde ein konstitutioneller Monarch, der einer gewählten Nationalvertretung unterstand. Die zentrale Regierungsgewalt selber wurde stark eingeschränkt, indem sie ebenfalls gewählten, regionalen und kommunalen Behörden zugeteilt wurde. Demzufolge war der aufgeklärte Despotismus der Philosophen überholt. In Anbetracht seiner Konzeption für die Begünstigung des Bürgertums stand der Triumph dieser Standesklasse jedoch nicht grundsätzlich im Widerspruch zu seinen Absichten und seiner geschichtlichen Bedeutung. Für den aufgeklärten Despotismus der Herrscher hingegen war es ein tödliche Schlag, und so verwundert es nicht, daß sie – nach gründlicher Überlegung – die Revolution verurteilt und bekämpft haben.

Das ist freilich nicht alles: die Revolution weist noch einen anderen, für den Großteil der französischen Nation weit bedeutenderen Aspekt auf. In der Nacht zum 4. August (1789) erfuhr die Proklamation der Gleichheit der Rechte ein widerhallendes Echo. Das Bürgertum hätte sich zweifellos mit dem juridischen Prinzip zufriedengegeben, doch die Bauern hatten dafür kein Gehör, und gleichzeitig stürzte das feudalistische System zusammen. Die Aristokratie verlor somit nicht nur ihre Vorrechte, sie wurde in ihrem sozialen Ansehen und in ihrem Vermögen getroffen. Der Verkauf der Güter des Klerus und später auch der Emigranten verschärfte noch ihre Verluste. Es ist begreiflich, daß der gegenrevolutionäre Kreuzzug noch mehr aristokratischen als despotischen Antrieb hatte: die Allianz zwischen dem Monarchen und dem Adel war somit besiegelt.

Es blieb Napoleon vorbehalten, den Herrschern des europäischen Binnenlandes zu zeigen, wie man es anstellen müsse, um die persönliche Macht unter dem Deckmantel der Konstitution auszuüben und derart dem Despotismus den ganzen Nutzen des einigenden Wirkens der Revolution zu sichern. Ihm kam es ebenfalls zu, die Aristokraten daran zu erinnern, daß die Gleichheit der Rechte ihnen den Vorrang in der Verteilung der hohen Staatsämter nicht streitig machte und ebensowenig verhindern sollte, nötigenfalls wieder einen Adelsstand und Majorate einzuführen. In dieser Hinsicht erteilte übrigens die britische Oligarchie schon seit langem die gleiche Lektion. Die Geschichte des 19. Jahrhunderts bezeugt es: diese Beispiele sollten nicht ohne Erfolg bleiben.

Absolutismus, Gottesgnadentum, Aufgeklärter Despotismus

EMILE LOUSSE

Der Absolutismus, wie er in der Neuzeit praktiziert wurde, ist eine Monarchie, in der die Autorität des Fürsten praktisch losgelöst *(absoluta)* ist von aller Kontrolle seitens einer höheren Autorität und seitens eines Organs der Volksvertretung. Er ist ein Typus der Autokratie, den es von anderen analogen oder ähnlichen Formen zu unterscheiden gilt, die geeignet sind, ihn zu stützen oder zu ergänzen: die Diktatur, die Tyrannei, die Alleinherrschaft, die Zentralisation von Regierung und Verwaltung. Man darf ihn jedoch nicht mit dem totalitären Staat verwechseln, der zur wirklichen Demokratie vielleicht in demselben Verhältnis steht wie der königliche Absolutismus zu der durch konkurrierende Stände gemäßigten Monarchie. Historisch, oder wenn man sagen kann genetisch, ist der Absolutismus eine Art Monarchie, in der die Standesunterschiede nicht aufgehoben sind, in der aber die Repräsentanten der Stände nicht mehr zu Rate gezogen werden. Der Absolutismus hat sich selbst zu rechtfertigen bemüht, einmal durch die Theorie des Gottesgnadentums, später dann durch die Konzeptionen des aufgeklärten Despotismus.

Der Absolutismus ist eine Form der Monarchie. Aristoteles unterschied zwischen dem Königtum spartanischen Typs, das, wie er sagt, faktisch nichts anderes war als das Regiment eines Heerführers, eine Art Militärdiktatur; dem erblichen und despotischen Königtum der Barbaren; der legalen, zeitlich begrenzten und natürlich despotischen Wahldiktatur; dem Königtum der Griechen zur heroischen Zeit, das erblich war und über weitreichende, aber begrenzte Vollmachten verfügte und in dem alle Vertreter der Macht nur Repräsentanten des Königs waren. Die Tyrannei, die laut Aristoteles nicht mit der Diktatur verwechselt werden darf, gründet sich auf Gewalt oder List; sie ist nur eine Entartung der Monarchie. Dies Argument ist nicht neu. Es genügt uns jedoch anzunehmen, daß der absolute Monarch nichts mit einem orientalischen Despoten, einem Tyrannen von Athen oder einem Diktator von Rom gemein hat. Sein Absolutismus setzt die Einhaltung, die Autorität der Gesetze voraus, nicht ihre Aufhebung oder ihre Mißachtung. Allerdings ist er nicht an die Gesetze seiner Vorgänger gebunden, ja nicht einmal an die Gesetze, die er selber macht; da er sich als »das lebende Gesetz« *(lex animata)*, als die »Quelle aller Gerechtigkeit« *(the fountain of justice)* betrachtet, wäre es ihm immer möglich, abzuändern, abzuschaffen oder zu ersetzen, was er vorher eingerichtet hat. Nun, seine Macht ist zeitlich nicht begrenzt, ungewöhnlich, außerordentlich; sie ist weder frei von der

Schweizer Beiträge zur Allgemeinen Geschichte 16, 1958, S. 91–106. Der Abdruck erfolgt mit freundlicher Genehmigung des Verfassers; aus dem Französischen übersetzt von Brigitte Classen. Der Aufsatz erschien in deutscher Übersetzung erstmals in *Grundbegriffe der Geschichte*, hrsg. vom Bertelsmann Verlag, 1964. Es lag eine veränderte Fassung zugrunde, die überdies den Abschnitt über den aufgeklärten Despotismus nicht enthielt.

Verpflichtung, die Grundgesetze des Landes zu achten, noch ist sie wirklich schrankenlos.

Der Absolutismus ist nicht notgedrungen »persönliches Regiment«, zumindest wenn man darunter jene Form der Regierung verstehen soll, die der Herrscher persönlich ausübt, wie etwa Ludwig XIV. nach dem Tode Mazarins, als er keinen Minister mehr dulden wollte, oder wie Philipp II., der gefürchtete *Cunctator* des Escorial. Jakob I. von England regierte durch Buckingham, Philipp IV. durch den Grafen von Olivares, Ludwig XIII. durch Richelieu, Ludwig XV. durch seine Günstlinge; dennoch kann man sie zweifellos zu den absoluten Monarchen zählen. Es ist sogar eher eine Schwäche des absoluten Monarchen gewesen, die Staatsgeschäfte Männern aus dem Gefolge zu übertragen. Nur die profiliertesten unter ihnen, wie Ludwig XIV., der Große Kurfürst oder König Friedrich Wilhelm I. und noch einige, haben anders gehandelt.

Der Absolutismus setzt nicht immer die Zentralisation der Regierungsgewalt und der Verwaltung voraus. Sicher begünstigt er sie, er bedient sich ihrer, und die Zentralisation geht mit seinen Interessen konform. Aber sie können ohne einander existieren. Der Absolutismus paßt sich hinreichend gut einem Föderalstaat an oder einem einfachen Staatenbund mit monarchischer Verfassung wie Spanien, Österreich und Preußen bis zum Ende des Ancien Régime; er fordert nicht notwendig den Einheitsstaat, wie wir ihn verstehen. Andererseits ist es nicht schwierig, den Gegenbeweis anzutreten und festzustellen, daß Zentralisation nicht unbedingt eine Randerscheinung des Absolutismus ist. Nur manchmal ist es der Fall, und zwar nur während einer bestimmten Epoche, daß wie in Frankreich Absolutismus und Zentralisation parallel laufen, sich fördern, sich stützen, sich wechselseitig dauernd stärken. Übrigens war in Frankreich die Verwaltungszentralisation nicht zur Zeit der absoluten Monarchie am schärfsten, sondern erst nach deren Verschwinden. Im Falle Frankreichs – vielleicht dem günstigsten Beispiel von allen – ist der königliche Absolutismus eine wichtige Zwischenstufe beim Fortschreiten der Zentralisation.

Die absolute Monarchie ist kein totalitärer Staat. Sie ist im Gegenteil ein recht gemäßigter Staat, sogar unter Ludwig XIV., wo sie im 17. Jahrhundert am ausgeprägtesten war. Dieser Staat »kann nicht dulden, daß man das Zepter des Herrschers antastet und seine Autorität teilt«, doch besteht er aus vielen Bereichen, an die sich die königliche Autorität nicht ohne Vorsicht heranwagt: dem Gebiet des Privatrechts zum Beispiel, in dem der König mit seinen Ansprüchen nicht zu weit gehen will, um die von ihm gewünschte Kodifizierung der Gesetze zu erreichen. Erst mit dem aufgeklärten Despotismus werden die Eingriffe der Zentralgewalt in die bis dahin unerforschten Bereiche häufig, in das Unterrichtswesen (besonders den Gymnasialunterricht), die Religion, die Verbesserung des Gefängniswesens, die Erleichterung des Strafrechts, die Redaktion der Gesetzbücher etc. Die absolutesten Monarchien der Neuzeit sind vielleicht weniger »totalitär« als die demokratischsten unserer derzeitigen Wohlfahrtsstaaten. Sie kennen überhaupt nicht die Verherrlichung des Volkes sozusagen als überindividuelle Einheit, wie sie unsere gesellschaftlichen – oder soziologischen? – Mystiker so meisterhaft hervorgebracht haben.

Positiv ausgedrückt, ist der Absolutismus eine Form der Monarchie. Die Monarchie läßt sich heute definieren als eine Form, ein Regierungssystem, in dem die oberste Gewalt ganz oder teilweise in den Händen eines einzelnen liegt, dem ein besonderer Titel zukommt. Sie sicherte 2000 Jahre das Gleichgewicht der zivilisierten Welt seit dem Siege Alexanders des Großen bis zur Abdankung der Romanow, der Hohenzollern und der Habsburger. Das Italien von 1939 war ein Königreich, nicht weil die Obergewalt in den Händen eines einzelnen, Benito Mussolinis, lag, sondern weil der Inhaber dieser Obergewalt den Titel König trug. Auf der anderen Seite ist die UdSSR formal keine Monarchie, sondern eine Republik, da der nominelle Staatschef den Titel Präsident trägt. Es gibt totalitäre Republiken; gewisse Republiken ließen sich in früherer Zeit mit Tyrannen oder *Condottieri* ein; aber hätten wir jemals von »absoluten Republiken« sprechen hören?

Wenn wir im positiven Sinne die Überlegungen fortführen – ohne Rücksicht auf die tatsächlichen Erscheinungen –, stellen wir die absolute Monarchie nicht der konstitutionellen Monarchie in der aktuellen Bedeutung des Begriffs gegenüber, sondern einer viel allgemeineren Form, der gemäßigten oder eingeschränkten Monarchie. Sagen wir also, daß der Absolutismus eine Monarchie ist, die eingeschränkt war, es aber nicht mehr ist. Es handelt sich um einen Staat, der auf einen gemeinsamen Ursprung zurückgeht. Und gerade dieser gemeinsame Ursprung, der in der eingeschränkten Monarchie des späten Mittelalters liegt, erklärt eigentlich noch am besten die Einheitlichkeit in der absolutistischen Staatsverfassung der Neuzeit. Der monarchische Absolutismus leitet sich her von der mittelalterlichen ständischen Monarchie, und zwar von einer Monarchie der Stände, in der die Ständeversammlungen nach dem Willen des Fürsten nicht mehr einberufen wurden und nie wieder einberufen werden, so daß die Macht künftig ohne ihre Mitwirkung ausgeübt wird. »Was der Fürst will, hat Gesetzeskraft.«

Die ständische Monarchie ist eine Regierungsform, in der die höchste oder souveräne Gewalt, die der Fürst innehat, in ihrer Ausübung begrenzt ist durch die Freiheiten, die den verschiedenen privilegierten Ständen des Staatskörpers *(communitas patriae* oder *regni)* zugestanden worden sind und durch die Rechte oder Pflichten der Hilfe und des Rats, die von den ordentlichen Repräsentanten der privilegierten Stände und vom ganzen Land wahrgenommen werden. Sie ist eine Monarchie, in der der Fürst unter der Mitwirkung und unter der Kontrolle der legitimen Vertreter der rechtmäßig privilegierten Stände regiert – der Geistlichkeit, des Adels, des dritten Standes der Bourgeoisie und hin und wieder des vierten Standes der Bauern. Sie werden regelmäßig zu einer Versammlung berufen, die sich entweder aus zwei Kammern oder drei Kurien zusammensetzt, die je nachdem Parlament *(parliament)*, Landtag (oder Provinziallandtag), *Reichstag* (oder *Riksdag)*, Generalstände (oder Provinzialstände), *Stati Stamenti, Ständetage*, Cortes, *Zemstvos* genannt werden. Diese Form der begrenzten Monarchie läßt sich praktisch in allen christlichen Staaten Europas am Ende des Mittelalters nachweisen. Und indem sie sich auflöste oder vielmehr zu Ende ging, sich langsam in einer bestimmten Weise veränderte, konnte die ständische Monarchie die absolute Monarchie hervorbringen, die man bis nach Rußland verfolgen kann. Im Osmanischen Reich trifft man sie jedoch nicht an.

Das labile Gleichgewicht der ständischen Monarchie hat nur zu drei Entwicklungen geführt: zu einem Ausschluß der Stände zugunsten des Fürsten, zu einem Ausschluß des Fürsten zugunsten der Stände oder auch zu einem Fortbestand der beratenden Versammlungen neben dem Fürsten, wobei die Vereinbarungen über die Zusammenarbeit laufend erneuert wurden. Wo der Monarch und die Versammlungen fortbestehen und sie trotz aller Krisen ein sehr wünschenswertes Gleichgewicht beibehalten oder wiederherstellen, sieht man, wie sich etwa in Großbritannien im 18. Jahrhundert eine Regierungsweise entwickelt, die anfangs außergewöhnlich ist, die sich aber nach kaum 200 Jahren überall in der Welt durchsetzen sollte. Der Fürst ist aus den Land- und Stadtkantonen der Schweiz verbannt, ebenso aus den Stadtrepubliken der Schweiz, Deutschlands und Italiens, ferner aus den Vereinigten Provinzen der Niederlande, den föderierten Republiken Cromwells und den Vereinigten Staaten von Amerika; die Vertreter des Volkes erweitern die Grenzen ihrer Freiheiten, indem sie sich die Macht aneignen. Schließlich siegt im dritten möglichen Fall der monarchische Absolutismus, wenn die Stände mattgesetzt sind.

Wenn ich nicht irre, wurden die Versammlungen der Stände oder privilegierten Stände zum letzten oder vorletzten Male abgehalten: 1592 im Königreich Aragon, 1614 in Frankreich, 1632 in den spanischen Niederlanden, 1642 im Königreich Neapel, 1699 in Sardinien etc. Nach diesen letzten oder vorletzten Zusammenkünften hat der monarchische Absolutismus den Sieg davongetragen. Gewiß hat er nicht die Standesunterschiede abgeschafft, nicht einmal die Legitimität der Repräsentation angefochten; er ist den Weg des geringsten Widerstandes gegangen, und der Monarch hat sich ohne Schwierigkeiten an uneingeschränktes Regieren gewöhnt: *ex legibus absolutus, absolute*.

»Der Fürst durch seinen Rat, das Volk durch seine Stände«; diese Formulierung einer bewunderungswürdigen Ausgewogenheit erwies sich in der Praxis allerdings als problematisch. Wie oft stießen nicht die wohlwollendsten und geduldigsten Fürsten bei der Verwirklichung nützlicher und dringender Pläne auf Widerstand. Selbst bei äußerster Gefahr hatte der Herrscher es häufig zu tun mit der Böswilligkeit, der Blindheit und der Halsstarrigkeit seiner Untertanen, auch eines einzelnen Bürgers einer Stadt in seinem Riesenreich.

So erging es Karl V., der immerhin ein Weltreich regierte, als Therouanne von ihm abfiel und Gent den Aufstand machte. Es ist ebenso falsch zu behaupten, daß bei der Herrschaft der Stände das Interesse des einzelnen niemals vorherrschte, wie zu behaupten, daß es immer über dem Interesse der Allgemeinheit gestanden hätte. Unter jeder Herrschaft, sei sie theoretisch auch die beste und besonders unter außergewöhnlichen Umständen ist es schwierig, jeden einzelnen von seinem eigentlichen Interesse zu überzeugen. Lassen sich doch die meisten Menschen gern von ihren Leidenschaften leiten. Das beste Mittel, das Interesse aller zu sichern, ist für den Herrscher vielleicht immer noch, nicht zu viele Leute zu häufig zu konsultieren.

Das Silber aus Mexiko und das Gold aus Peru waren der Verderb der Cortes von Kastilien und Aragon sowie zweifellos aller Ständeversammlungen der spanischen

Monarchie. Dagegen bezogen die Generalstände der Niederlande aus Indien sozusagen die Würze zu ihrer neuen republikanischen Freiheit. Und die Dauerhaftigkeit des britischen Parlamentarismus offenbart vielleicht einen Zustand von Schalheit und Unterernährung? Der Sinn für Freiheit und die Liebe zur Freiheit scheinen sich am lebhaftesten dort zu behaupten, wo materielle Einschränkung oder Elend herrscht wie auf den britischen Inseln, auf Island, in den skandinavischen Königreichen, in Polen, in Brandenburg, in Tirol, in den südlichen Niederlanden etc. Nur ein reiches Fürstenhaus kann absolutistische Politik über längere Zeit erfolgreich treiben. Ebenso bedürfen rebellierende Untertanen der materiellen Unterstützung. Das Gleichgewicht der Kräfte resultiert aus einer gewissen Gleichheit der Mittel wie der wechselseitigen Bedürfnisse, solange Fürsten und Stände einander nicht entbehren können.

Die absoluten Monarchen haben theoretische Rechtfertigungen für ihr Verhalten gesucht. Als Gläubige haben sie die alte Theorie des Gottesgnadentums umgeformt, um diese Form des Staates zu begründen, die einige Amerikaner heute »Staat des Barock« zu nennen vorschlagen. Indem sich die absoluten Monarchen den Philosophen des 18. Jahrhunderts darin anschlossen, daß sie zu Ungläubigen wurden, füllten sie die Staatsform des Absolutismus mit klassischem Rationalismus; man nennt es den Aufgeklärten Absolutismus. Sie haben das theologische Fundament verworfen, dabei aber hartnäckig versucht, den absoluten Charakter ihrer Macht zu wahren. Doch die Revolution, die sie damit auslösten, ging ihren Gang ohne sie, gegen sie, auf ihre Kosten, bis zur Proklamation der Volkssouveränität.

Absolutismus und Gottesgnadentum sind unserer Meinung nach nicht das, was man noch kürzlich darüber geschrieben hat: *»the twin doctrines of Divine Right and Absolutism«*. Die Theorie des Gottesgnadentums scheint uns wesentlich älter zu sein als die des Absolutismus; beide laufen nicht notwendigerweise parallel; der monarchische Absolutismus bedeutet weniger eine Doktrin als eine Praxis, ein Regierungssystem. Indes gehen die Betrachtungen über das Gottesgnadentum von der Natur der Sache aus; sie beziehen sich nicht auf irgendeine Offenbarung. Alle Gewalt, die über andere Menschen ausgeübt werden soll, stützt sich auf den Menschen oder auf seine Umgebung; eine dritte Lösung gibt es nur im Bereich der Spekulation. Sieht man von kurzen Zeitabschnitten in gewissen Republiken der Antike ab, so scheint der menschliche und rein rationale Ursprung der Herrschaft eher eine neue Erfindung zu sein; das Prinzip der Volkssouveränität und des Gesellschaftsvertrages erscheint spät als Folge der Autonomie der Vernunft. Dagegen liegt die Lösung der Alten, der Christen und Heiden im göttlichen Ursprung der Macht. Es ist nicht absurder, den Ursprung von Herrschaft theologisch zu erklären, als wenn man eine vertragliche Übereinkunft als Grundlage annimmt, was auch immer man seit Macaulay (1800–1859) gesagt hat. Er verdient noch immer unsere Beachtung. Man kann auch nicht sagen, er sei nie ernst genommen worden, trotz lächerlicher Übertreibungen seitens einiger allerdings sehr wohlmeinender Anhänger.

Absolutismus und Gottesgnadentum gehen also nicht immer, aber ziemlich oft, Hand in Hand. Man findet sie im alten Reich der Perser zugleich mit der Erblichkeit der Herrschaft. Denn das persische Reich ist erblich, wenngleich dieses Erbrecht einer religiösen Weihe bedarf. »Durch die Gnade Ahura-Mazdas«, sagt Darius, »bin ich König; Ahura-Mazda hat mir das Reich übergeben.« Xerxes und Artaxerxes äußern sich nicht anders. Während sie die Völker anderen Glaubens unterjochen, versichern die Könige der Könige, daß es ihnen von den Göttern der nunmehr unterworfenen Nationen selbst geschenkt wurde, solche Taten zu vollbringen: von Marduk für Babylon und von Rah für die Ägypter. Ihre Macht ist absolut und wörtlich festgehalten. Ihr Wille selbst ist Gesetz. Sie äußern sich gewöhnlich nur, nachdem sie Mitglieder des Adels und hohe Beamte konsultiert haben, und nehmen Rücksicht auf Sitten und Gebräuche der betreffenden Gegenden.

Der Kalif von Arabien ist ein Stellvertreter Allahs, der den Sterblichen unzugänglich ist und den Koran auf den Knien hält. Die geistlichen und weltlichen Herren der Christen dagegen haben sich damit begnügt, ihre Macht *»Dei gratia«* auszuüben, als Stellvertreter und Vikare *(vicarii Dei)*, als sichtbare Repräsentanten Gottes. Sie berufen sich auf ihr Gottesgnadentum, um die Grenzen ihrer Gewalt nach oben und unten auszudehnen auf Kosten des Lehnsherrn, des Königs, des Kaisers oder des Papstes (Hildebrandismus), wie auf Kosten ihrer persönlichen oder gemeinsamen Vasallen bzw. der Vertreter ihrer Vasallen. Gottesgnadentum bedeutet nicht Unabhängigkeit oder Absolutismus, sondern eine Vielzahl von Argumenten dafür. Wenn die Päpste den Anspruch erhoben, als Stellvertreter Jesu Christi ihre Oberhoheit über die Könige auszuüben, halten die Könige ihnen entgegen, daß sie ihre Macht auch Gott verdanken, da es ja keine menschliche Herrschaft gebe, die ihren Ursprung und ihre Legitimität nicht aus einer Art Auftrag von oben ableite. Dem Absolutismus der Könige und Priester setzt das Volk seinerseits Widerstand entgegen, indem es sich auf den unverletzlichen und heiligen Charakter seines natürlichen Rechts beruft. Zu jener Zeit war im Sprachgebrauch das Gottesgnadentum vielleicht gleichbedeutend mit dem guten Recht.

Die erste Ursache für das Gottesgnadentum liegt in der Geburt, im »Zufall« der Geburt, wie man behauptet hat. Man geht aus vom erblichen Charakter und von der patrimonialen Auffassung der Macht, um ihr bald, zumindest ohne große Verzögerung, einen heiligen Charakter zu verleihen. Die Formel *»Dei gratia«* ist übrigens nicht weltlichen Ursprungs, doch bedeutet sie eine erhebliche Stütze für jede Macht, die ohne sie vielleicht nur Schwindel wäre! *»Magna latrocinia«*, sagt der Heilige Augustin. Die Formel *»Dei gratia«* erscheint in der Titulatur der Bischöfe seit dem Konzil von Ephesus (431). Sie wird ziemlich schnell durch Zusätze vervollständigt, um zunächst zu *»Dei et Ecclesiae Gratia«*, später, vom 13. Jahrhundert an, zu *»Dei et Apostolicae Sedis Gratia«* zu werden. Die Karolinger übernehmen diese Formel, und seit Karl dem Großen taten es alle Kaiser, Könige, Herzöge, Grafen und die zahllose Menge der großen Lehensherren.

Die Könige beanspruchen nicht allein aufgrund ihrer Geburt in einer bestimmten Familie, sondern auch infolge ihrer Salbung das Gottesgnadentum. Zwar teilten ihre Brüder und Schwestern mit ihnen das Privileg des Erbrechts, die Salbung verleiht den Königen aber eine ganz individuelle, persönliche, unteilbare, ja unübertragbare

Würde, da das Zeremoniell der Weihe wie der Schwur bei jeder Krönung erneut erfolgen muß.

Nach der Salbung ist der König nicht mehr ein einfacher Weltlicher, nicht mehr »reiner Laie«, sondern »Haupt und Vornehmster der Geistlichkeit«, »erster Prälat« des Königtums, »Bischof außerhalb der Kirche« *(episcopus extra Ecclesiam)*. Er trägt ein unauslöschliches Zeichen *(rex et sacerdos)*, so daß alles Wasser des Meeres, wie Shakespeare bereits nach der Reformation schreibt, nicht ausreicht, das Mal abzuwaschen. Er dürfe auch die Beichte abnehmen, scherzte Napoleon I. auf St. Helena, wenn man dem General Gourgaud glauben darf. In England wie in Frankreich schrieb man dem König Heilkräfte zu; Kranke, die mitunter von sehr weit herkamen, wurden an seinem Wege niedergelegt; »der König berührt dich, Gott heilt dich.« Er wird höher als die Bischöfe verehrt und zu den Heiligen gerechnet. Der König wird von den Dienern der Kirche gesalbt; so hat der heilige Denis (muß heißen: Remigius, Anm. des Hrsg.) Chlodwig getauft, um ihn zu bekehren, zu gewinnen und besser zu beaufsichtigen. Als Chlodwig sich aber mächtig genug fühlt, beruft er sich auf die Salbung, um seine Unabhängigkeit von der Kirche zu erklären; er wendet sich gegen eben die Kirche, die ihm die Salbung verliehen hatte.

Die Theorie des Gottesgnadentums macht Fortschritte, erweitert sich, entwickelt sich. Sie festigt sich im stürmischen Zusammenfließen mehrerer Strömungen, aus denen die moderne Zivilisation hervorgegangen ist: dem Nominalismus, den Konzilsstreitigkeiten, der Erneuerung oder Einführung des römischen Rechts, der Steigerung der Souveränität, der Zentralisation der Verwaltung, der Renaissance, der Reformation, dem Cäsaro-Papismus etc. Henri de Bracton und der Autor des *Britton*, Jean de Paris, Dante und Marsilius von Padua und Wycliff, Martin Luther, Charles Dumoulin und Jean Bodin geben alle ihren Beitrag dazu. In England wird die Theorie in der Tudorzeit verbreitet; sie erreicht in diesem Land zweifellos ihren Höhepunkt in den polemischen Schriften zunächst von William Barcley, dann von König Jakob I. Stuart, ferner in den Schriften seines Erziehers George Buchanan und seiner anderen Vertrauten wie dem Burgunder Jacques de Saumaise und Sir Robert Filmer, als diese gegen ihre Gegner von rechts und links die Feder spitzten. In Frankreich konnten die bürgerlichen Abgeordneten der Generalstände von 1614 die Mitglieder der Parlamente der folgenden Generation belehren: unter ihnen Cardin Le Bret, Omer Talon und der Kanzler Lamoignon, der Herzog von Montlausier oder sogar La Bruyère, der mit seinem kritischen Blick im Fürsten das »lebendigste Bild« der Gottheit entdeckte.

Für den Sohn Ludwigs XIV. verfaßt Bossuet 1677 ein Lehrbuch des öffentlichen Rechts, *La Politique tirée des propres paroles de l'Ecriture sainte*, das allerdings erst 1709 nach seinem Tode veröffentlicht wurde. Es geht aus von dem Wort des Paulus: »Jedermann sei untertan der Obrigkeit, die Gewalt über ihn hat. Denn es ist keine Obrigkeit ohne von Gott; wo aber Obrigkeit ist, die ist von Gott verordnet.« Im Text fügt der große Gelehrte mit gallischem Geist seinen persönlichen Kommentar hinzu: »Gott setzt die Könige als seine Diener ein und regiert durch sie über die Völker . . . Die Fürsten handeln als Diener Gottes und seine Stellvertreter auf Erden . . .

Durch sie übt er seine Macht aus . . . Die Person der Könige ist geheiligt, sie anzugreifen, ist ein Sakrileg. Gott hat sie durch seine Propheten mit einem heiligen Öl salben lassen, wie er die Priester seiner Altäre hat salben lassen. Aber selbst ohne äußere Weihe sind sie geheiligt durch ihre Aufgabe als Repräsentanten der göttlichen Majestät und durch deren Fügung Abgesandte zur Ausführung ihrer Pläne . . . Der Fürst . . ist das Bild Gottes . . . Ihr stammt von den Göttern, das heißt, ihr habt in eurer Autorität, ihr tragt auf eurer Stirn ein Zeichen der Gottheit . . .« Einige Jahre später wendet sich die Universität von Cambridge an Karl II.: »We still believe and maintain, that our kings derive not their title from people, but from God . . .« 1686 beginnt eine Art Kult um die Statue Ludwigs XIV., die vom Marschall Herzog von La Feuillade auf der Place des Victoires in Paris eingeweiht wird. »Abgesehen von Weihrauch und Opfern war es fast die Apotheose, die der römische Senat verstorbenen Kaisern zubilligte . . .«

In diesem Moment erreichte die Synthese den Grad der Vollkommenheit; seitdem konnte sie nur gewaltsam zugrunde gehen! Als wirklich gültige Form souveräner Regierung (Souveränitätstheorie) kam nur die Monarchie in Frage (monarchisches Prinzip). Die Könige sind wirklich souverän, denn jegliche Tradition politischer Repräsentation ist nur ein Relikt aus alter Zeit, wo der Begriff Staat noch nicht gefestigt war und noch nicht richtig verstanden wurde. Die Könige erhalten ihre Macht ohne Vermittlung direkt von Gott, nicht durch das Volk, sondern durch ihre Geburt (Prinzip des Erbrechts und der Legitimität) und durch die Ölung (daher der weihevolle, heilige, feierliche Charakter des Königtums). Die Könige sind nicht verantwortlich, oder nur Gott verantwortlich. Daher ist ihre Macht absolut wie die Adams über die Natur (Absolutismus). Die Macht der Könige ist unveräußerlich. Die Untertanen haben die Pflicht, ihnen ohne Vorbehalt zu gehorchen, zumeist in einer aktiven Weise; manchmal müssen sie sich auch der Gewalt beugen und mit Langmut leiden, selbst wenn sie sich in einem solchen Fall sicher sagen können, daß man eher Gott gehorchen soll als den Menschen. »To obey the King who is God's lieutenant, is the same as to obey to God . . . we shall have no peace still we have absolute obedience.« Am Ende des 17. Jahrhunderts sind die verschiedenen Elemente der Theorie anscheinend so gut ineinander gefügt, daß praktisch unmöglich ist, eins herauszubrechen, ohne das ganze Gebäude ins Wanken zu bringen. In diesem Moment konnte es so scheinen, als hätten Absolutismus und Gottesgnadentum seit je und für immer im Bunde gestanden. »Prince have their power absolute and by Divine Right ever since Adam«: Locke selber zweifelte nicht daran.

Wir unsererseits kürzen gerne die endlose Liste ab. Es gab vor dem 16. Jahrhundert Monarchen, die sich auf das Gottesgnadentum beriefen, aber weder Absolutismus noch legitime Erbfolge, noch blinden Gehorsam forderten; es gab im 18. Jahrhundert andere Monarchen, die das Gottesgnadentum zurückwiesen ohne aufzuhören, absolut zu regieren. Die Verbindung von Absolutismus und Gottesgnadentum sollte dann von kurzer Dauer sein, zumindest in der Geschichte des Christentums: zwei bis vier Jahrhunderte, je nachdem, wie man sie einschätzt. Wir billigen die Ansichten unseres Kollegen J. Plamenatz aus Oxford: »Since the fall of the Roman empire absolute government was almost unknown in western Europe until, in the 14th century, tyrannies were established in many of the Italian republics. Outside Italy, during the 16th and 17th centuries, absolute governments were established with much greater difficulty, owing to the prolongued resistance of powerful feudal nobilities. England was the first of the great European states in which the monarch became so powerful as to be virtually an absolute prince. In early Tudor times, parliament was little more than an instrument of the royal power, but in the later years of Elizabeth's reign it had already become something a good deal more powerful. In France the final royal victory was not won until much later, and Louis XIV was probably the first French king to be as powerful in his country as Henry VIII had been in England. By 1700 most European states – Great Britain, Poland, and Holland being the most striking exceptions – were absolute monarchies, and this form of government predominated until the revolution of 1789 and 1848. The absolute monarchs had at their disposal so clumsy an administrative machine and were so often short of money that their effective power was far smaller than that of any modern civilized government.«

Das wären bisher die bedeutendsten Monarchen, die sich auf das Gottesgnadentum berufen: vielleicht alle Könige von Spanien, mindestens von Philipp II. bis zur Thronbesteigung Josephs I. (1808–1813), ferner die Könige von Portugal, ihre Zeitgenossen; mindestens die vier Könige aus dem Hause Stuart in England (1603–1648 und 1660–1688) und sehr wahrscheinlich schon die ersten Tudors; die Markgrafen von Brandenburg und die Könige von Preußen, von Friedrich Wilhelm I., dem Großen Kurfürsten (1640–1688) bis zu König Friedrich Wilhelm I. (1713–1740); mindestens Christian IV. (1588–1648) und Friedrich III. (1648–1670) in Dänemark, mindestens Michael Romanow in Rußland (1613–1645), alle Könige von Schweden, wenigstens Gustav Adolf bis zu Karl XII. (1611–1718). Ludwig XIV. wurde seit langer Zeit vorbereitet durch Ludwig XI., Franz I., Heinrich IV., Richelieu und Mazarin. Wahrscheinlich war er der größte König und diente vielen als Vorbild. Unter seiner Herrschaft, schreibt G. Lacour-Gayet, »genoß die Theorie des Gottesgnadentums . . . dieselbe Autorität wie unsere Theorien über die nationale Souveränität . . .« Aber in Frankreich bekam Ludwig XIV. keine Nachfolger seines Formats, und in den anderen Ländern Europas wurde der Absolutismus »von Gottes Gnaden«, der ein wenig lächerlich geworden war wie der »barocke« Stil, ersetzt durch dieses »klassische« System, das die Deutschen nicht zu Unrecht »aufgeklärter Absolutismus« nennen.

Man kann gut verstehen, daß Thomas Hobbes (1589–1679) für die Erhaltung des Absolutismus plädierte, aber das Gottesgnadentum abschaffen wollte. Es genügte ihm, wie die Alten vorzugehen, aber in entgegengesetzter Richtung, mit dem Auftreten eines Höflings, aber ein Skeptiker. Er erkannte sofort, versichert A. L. Smith, die Bedeutung der Religion für die Politik: »that the deepest question for the State is its relation to religion.« Nur lehnte er diese religiöse Basis für den königlichen Absolutismus ab, gegen den England sich erhob, während er *De Cive* (1642) und die neue Ausgabe desselben Werkes, *Elementa Philosophica de Cive* (1647) veröffentlichte. Als er 1651 die englische Übersetzung immer noch desselben Buches erscheinen ließ *(Philosophical Rudiments concerning Government and Society)* und ein ganz neues Werk herausgab, den *Leviathan*, erklomm Cromwell bereits die Stufen der Macht. Aber noch hatte die Diktatur nicht begonnen. Man konnte glauben, daß sich eine Republik herausbildete. Und wie es scheint, hat man zu Recht darauf aufmerksam gemacht, daß Thomas Hobbes nun versucht, über diese künftige Republik wieder das Bild eines Stuart zu setzen – vielleicht gemalt von van Dijck? Als Ausgangspunkt tritt bei ihm der Gesellschaftsvertrag an die Stelle des Gottesgnadentums. Aber die absolute Herrschaft, ja sogar die monarchische Form der Herrschaft bleibt bestehen, die die Individuen verpflichtet, sich zu unterwerfen, um nicht in die Anarchie zurückzufallen, die der Naturzustand darstellte: »Leviathan, our mortal God.« Hobbes hat recht. Er ist wirklich der Vater des monarchischen Despotismus in dieser glänzenden und eisigen Morgenröte des 18. Jahrhunderts; »Civil philosophy is no older than my own book *De Cive*«, pflegt er zu versichern, ganz als wolle er allein an einer persönlichen Entdeckung teilhaben und anderen Neugierigen den Zugang untersagen.

Despotismus bezeichnet eigentlich nicht die Regierung eines Despoten an sich (Despotie, Despotat), sondern eher die Art und Weise, wie ein Despot regiert. Als Reaktion auf Mißbrauch oder einfach infolge häufig gerechtfertigter Kritik hat der Begriff Despotismus den pejorativen Sinn angenommen, den er heute gewöhnlich hat. In der Aufeinanderfolge despotischer Regime nimmt der Aufgeklärte Absolutismus des 18. Jahrhunderts in Europa einen besonderen Platz ein.

Das griechische Wort *»despotès«* bezeichnet anfangs einen Herrn, einen Herrscher, den »Herrn des Hauses« oder den »Aufseher der Sklaven«. Ziemlich schnell wurde der Begriff anscheinend von den griechischen Demokratien auf die Monarchien Asiens ausgedehnt, die ihre geschworenen Feinde waren, und da schon taucht der pejorative Sinn des Wortes auf; man spricht noch heute von orientialischen Satrapen, von asiatischen Despoten oder Tyrannen. Während der Monarch den Gesetzen gehorcht, die ihm vorgeschrieben sind, sei es durch eine Verfassung, durch das Herkommen oder sogar durch das Gewissen, kennt der Despot angeblich kein anderes Gesetz als seinen Willen. Despotische Herrschaft ist demnach immer willkürlich, absolut, tyrannisch, unterdrückend; sie wird höchstens durch das Interesse des Despoten gemäßigt.

Seit dem Ende des 3. Jahrhunderts kam der Begriff Despot aus Asien zurück, der aus Gründen der politischen Ordnung übernommen wurde. Er bezeichnete zunächst den römischen Kaiser, später nur den Kaiser von Ostrom, noch später Würdenträger des byzantinischen und selbst des osmanischen Reiches. In Byzanz wurde schon sehr früh, nämlich seit Justinian, der Begriff Despot als Titel des Kaisers verwandt, und zwar vor allem auf den Münzen. Im 11. und 12. Jahrhundert bezeichnete der Begriff Despot die höchste Würde in der hierarchischen Ordnung von Byzanz und wurde nur noch auf die Mitglieder der kaiserlichen Familie angewandt. Der Titel Despot blieb folglich den Prinzen von Geblüt und den Eltern des Kaisers vorbehalten. Schließlich wurde der Titel auch auf fürstliche Vasallen des byzantinischen Reichs ausgedehnt. Die Despoten verknüpften mit ihrem Hofamt häufig die Verwaltung einer Provinz, genannt Despotat (Despotien); zum Teil wurden sie als Apanagen für die Prinzen der kaiserlichen Familie (Despotat von Morea) eingerichtet; im Zuge der Anarchie, die im byzantinischen Kaiserreich herrschte, wurden die weiteren Despotien als unabhängige Staatswesen geschaffen (Zypern, Epirus).

Die byzantinischen Despoten übten keine absolute Macht aus. Sie waren eindeutig die Vasallen des Kaisers und einige unter ihnen, zumindest von einer bestimmten Zeit ab, ebenfalls Vasallen des türkischen Sultans. In diesem doppelten Vasallitätsverhältnis genossen sie in der Verwaltung wie in der Gerichtsbarkeit Autonomie.

Sie waren die Befehlshaber des Heeres und sprachen Recht; sie wählten ihre direkten Mitarbeiter und beriefen und entließen die Beamten und Bezirksgouverneure. Aus Geldmangel bewilligten sie Privilegien und Immunitäten. Sie traten in direkte Beziehungen mit ausländischen Herrschern und Regierungen, mit dem Papst und den Repräsentanten kirchlicher Einrichtungen und ketzerischer Orden sowie mit den Häuptlingen von Stämmen, die nicht als Staaten konstituiert waren. Sie tauschten Botschafter aus, sie verhandelten als unabhängige Herren und einigten sich über Eheprojekte. Sie bewilligten auch Handelsprivilegien und wirtschaftliche Freiheiten.

Der Titel Despot findet sich noch gegen Ende des Mittelalters in Serbien; sicher handelt es sich um eine Nachahmung von Byzanz. Die Tendenz zum Despotismus und die daraus folgenden Exzesse sind seit der Zeit der primitven Völker durch die gesamte Geschichte der Menschheit hindurch allgemein verbreitet. Aber die europäischen Traditionen im Bereich des Denkens wie in der Praxis scheinen eher in entgegengesetzter Richtung gelaufen zu sein. Wir haben gesehen, wie Thomas Hobbes den Despotismus nach der Art Machiavellis verteidigte und wie er das Interesse des Monarchen zur obersten Norm erklärte. Aber im Lande Hobbes' wie in Frankreich und im ganzen Occident setzten sich die gegenläufigen Tendenzen unbestreitbar durch. Das Jahrhundert des aufgeklärten Despotismus sicherte gleichermaßen den Triumph der Ideen von Locke *(appeal to heaven)*, von Montesquieu *(séparation des pouvoirs)*, von Rousseau (*Contrat social*, 1762) und von Mirabeau (*Essai sur le Despotisme*, 1776) etc.

In Frankreich spricht man von »Despotisme éclairé«, in den deutschsprachigen Ländern vorzugsweise vom »aufgeklärten Absolutismus«; deutsche Historiker wollen die eine Erscheinung von der anderen trennen, wollen jeweils zwei Konzeptionen, zwei Wirklichkeiten und auch zwei Benennungen aufrechterhalten. Im Gegensatz dazu meinen wir, daß die Begriffe synonym zu verwenden sind und daß der *Despotisme éclairé bzw. der Aufgeklärte Absolutismus* hauptsächlich zwischen 1750 und 1850 ein in ganz Europa verbreitetes Phänomen gewesen ist. Dieses einzigartige, wenn auch in Veränderungen auftretende Phänomen muß vom Ende des monarchischen Absolutismus aus definiert werden, wovon es die letzte Ausdrucksform gewesen zu sein scheint, indem es nämlich mit der Philosophie der Aufklärung im Einklang stand. Wenn wir nicht irren, findet sich die Definition *»Despotisme éclairé«*, die sich im Niederländischen als *»Verlicht Despotisme«* und im Englischen als *»Enlightened Despotism«* (oder *»Benevolent Despotism«)* übersetzen läßt – überall und sehr genau in den beiden Wörtern des deutschen Begriffs: es handelt sich also einfach um den monarchischen Absolutismus, der vom theologischen Fundament des Gottesgnadentums losgelöst wurde und sich künftig theoretisch stützte auf das Denksystem der Philosophen des 18. Jahrhunderts, und zwar derjenigen von ihnen, die weniger fortschrittlich gewesen waren.

Aufgeklärte Despoten wären also, wie man von Friedrich II. sagt, »Philosophen auf dem Thron«, »Fürsten unter den Philosophen und Philosophen unter den Fürsten«. Friedrich II. selbst wäre nur ein Revolutionär gewesen – unbewußt vielleicht –, wenn er auf halbem Wege stehengeblieben wäre und alles seinen Gang hätte gehen lassen: »Alles für das Volk, nichts durch das Volk.« Der aufgeklärte Despotismus ist eine Form regierenden Unglaubens; es ist dabei leichter zu begreifen, daß es auf dem Thron Frankreichs keinen aufgeklärten Despoten gab, da man hauptsächlich unter Ludwig XVI. aufrichtig katholisch und religiös war, als die komplizierte Persönlichkeit Josephs II. von Österreich zu erklären, dem »kaiserlichen Philosophen« und »königlichen Meßdiener«, der von *l'Esprit des Lois* geprägt war und zum Vater des Josephinismus wurde. Die Reformen des aufgeklärten Despotismus gehen den Reformen der Französischen Revolution und des Liberalismus voraus. Das ist keineswegs zufällig so.

Die aufgeklärten Despoten könnten als Physiokraten der Kultur oder der Politik gelten und die Physiokratie genausogut als Erscheinungsform des aufgeklärten Despotismus; jedoch war die Physiokratie im Bereich der Ökonomie noch nicht Ausdruck des Liberalismus.

Unter den Repräsentanten des aufgeklärten Despotismus spielen sowohl Fürsten als auch Minister eine Rolle. Unter den Monarchen muß man neben Friedrich II. von Preußen (1740–1786) und Joseph II. (1765–1790) Katharina II. von Rußland anführen (1762–1796), ferner Karl III. von Spanien (1759–1788), Gustav III. von Schweden (1771–1792), Ferdinand IV. (1759–1825) und Maria-Karoline von Neapel, Leopold II. von Toscana und Österreich, Karl-Emmanuel III. (1730–1773) und Viktor Amadeus (1773–1796) von Sardinien. Die Premierminister und Staatsmänner, die dieselbe Richtung vertreten, sind unbestreitbar: Kaunitz in Österreich, Potemkin in Rußland, Pombal in Portugal, Aranda, Floridablanca und Godoy in Spanien, Tanucci in Neapel, Fossombroni im Großherzogtum Toscana, Choiseul, Necker, Turgot in Frankreich, die beiden Bernstorff und Struensee in Dänemark, alle »Kameralisten« der kleinen zentraleuropäischen Staaten etc. Es gibt ebenfalls Grenzfälle: Peter I. von Rußland wegen seiner Besuche im westlichen Europa, Napoleon I., König Wilhelm I. der Niederlande, Friedrich Wilhelm IV. von Preußen, William Pitt der Jüngere und alle britischen Premierminister bis 1832, selbst Bismarck? Wir meinen, daß der Einfluß des aufgeklärten Despotismus sich unter Verzögerungen bis nach Griechenland (Capo d'Istria und Ypsilanti) und in die Türkei (Mamud I.) ausdehnte.

Die Reformen, die man den aufgeklärten Despoten zuschreiben kann, hängen sichtlich an den Namen, die man vorher in der Liste erwähnte; die Grenzen sind für die Reformen jedoch noch schwieriger zu ziehen als für ihre Urheber. Mit Sicherheit sind folgende Punkte zu nennen: die Zurückweisung des Gottesgnadentums der Könige; die Verwerfung des Cäsaro-Papismus und die Anordnung, Toleranz zu üben; die Unterdrückung der Jesuiten in katholischen Ländern und ihre Aufnahme durch Friedrich II. von Preußen und Katharina II.; die Freimaurerei; die Rationalisierung der Verwaltung; die Reform des Rechtswesens, sowohl des Rechtsganges als auch des Strafrechts; die Veröffentlichung eines bürgerlichen Gesetzbuches, das direkt von der Schule des Naturrechts beeinflußt war; die Abschaffung körperlicher Strafen und der Folter; die ersten parlamentarischen, gegen Feudalwesen und Korporationen gerichteten Maßnahmen; die Unterdrückung des Sklavenhandels, der Sklaverei, der Leibeigenschaft und des Frondienstes; die Wohlfahrt und die philanthropischen Institutionen; die Tugendpreise; die Einrichtung der ersten öffentlichen Schulen; die Reform der Erziehungsmethoden (Rousseau, Pestalozzi); Ungläubigkeit, Brüderlichkeit, Humanität, Patriotismus, Vernunft, Kultur; mit einem Wort: das ganze Programm des Zeitalters der Aufklärung, aber eingebracht in Regierungsdekrete, je nach den Konzeptionen, Notwendigkeiten und Möglichkeiten der Stunde. Es war eine Revolution, doch wurde sie gemacht von Menschen, die mit Zuversicht und Nachsicht alle Möglichkeiten ins Auge faßten mit Ausnahme einer vielleicht; sie dachten nicht an die Möglichkeit ihres eigenen Sturzes aufgrund ihrer eigenen Ideen und, als deren logische Folge, aufgrund ihrer Neuerungen.

Die beiden ersten aller Reformen, die wir aufzählten, sind die wichtigsten. Die beiden ersten? Oder nur die erste, die die folgende und alle anderen im Prinzip und wie im Keim mit enthält? Obgleich sie auch weiterhin die äußeren Amtsgeschäfte verrichteten, wie sie der Cäsaro-Papismus ihnen vorschrieb, wollten die aufgeklärten Despoten in ihrer Ungläubigkeit die klassischen Sprichwörter auf ihre Art interpretieren. Als müsse das Sprichwort *»Salus populi suprema lex esto«* notwendigerweise ohne Gottesverehrung verstanden werden, und als forderte *»Commodum et felicitas populi prima omnium legum«* die Zurückweisung des Gottesgnadentums. In Wirklichkeit bestimmt die Ungläubigkeit Voltaires und seiner Parolen diese utilitaristischen und naiv-optimistischen Materialisten, wenn es darum geht, »das Naturrecht anzuerkennen, zu verkünden, ihm Respekt zu verschaffen und die natürliche Ordnung zu sichern«, »das Wohlbefinden, die Sicherheit, das Glück der größten Zahl zu befördern«, »die Bürger friedlicher, gesünder, aufgeklärter, reicher und gesicherter zu machen«, »ihnen alle Fähigkeiten des Menschen und alle Annehmlichkeiten verfügbar zu machen«. Im Laufe der Geschichte wurde das Ziel der Gesetze einmal mehr der Vorstellung gemäß abgeändert, die man sich vom Gemeinwohl machte, oder wie man es seitdem nannte, dem »allgemeinen Interesse«. Doch geschah es damals wohl zum allerersten Mal in diesem Sinne.

So folgern wir mit Prof. Dr. Fr. Hartung aus Berlin, daß der aufgeklärte Despotismus des 18. Jahrhunderts keinen neuen Fortschritt darstellt noch einen Höhepunkt, sondern schon den Niedergang des monarchischen Absolutismus: den Anfang des Endes. Nachdem er vom Papst gekrönt worden war, berief sich Napoleon Bonaparte vergebens auf Karl den Großen, »unseren berühmten Vorgänger«; er ist einfach nur der gute letzte in einer sozusagen ununterbrochenen Folge von 1000 Jahren: vom 25. Dezember 800 in Rom bis zum 2. Dezember 1804 in Notre-Dame in Paris. Was nützte es ihm schon, den Papst und die Kurie um Hilfe anzurufen? Ganz wie die englischen Revolutionäre von 1688–1689 verstanden die aufgeklärten Despoten auf ihre Weise, daß der Absolutismus »von Gottes Gnaden« überholt war. Sie versuchten ihn zu ersetzen, aber die Lösung, die sie vorschlugen, erwies sich als weniger fortschrittlich und weniger dauerhaft als die der Briten. Und wer weiß schließlich, ob der erste aufgeklärte Despot nicht Peter I., sondern ein Zeitgenosse dieses »Barbaren von Genie« war, nämlich der gekrönte Statthalter Wilhelm III. von Oranien und England, der unerbittliche Gegner des größten Monarchen von Gottes Gnaden.

Aufgeklärter Absolutismus und Revolution

ERNST WALDER*

Im September 1789 ließ die Regierung Josephs II. in den Niederlanden eine Broschüre veröffentlichen und verbreiten, in welcher die Reformpolitik des josephinischen Aufgeklärten Absolutismus mit den umwälzenden Augustbeschlüssen der französischen Nationalversammlung verglichen und die Gleichheit der verfolgten Ziele festgestellt wurde: »La vérité ou tableau comparatif des changements projetés par l'empereur et des points arrêtés par l'assemblée nationale en France.« Den belgischen Untertanen, deren Widerstand gegen die politischen Reformen Josephs II. unter der Einwirkung der revolutionären Vorgänge in Frankreich immer heftigere Formen annahm, sollte mit jener Gegenüberstellung begreiflich gemacht werden, daß die Vertreter des französischen Volkes größtenteils nichts anderes verlangten, als was der Kaiser schon längst gefordert hatte und in seinen Herrschaftsgebieten zu verwirklichen suchte. Im bewaffneten Aufstand, zu dem es trotz dieser amtlichen Aufklärung einige Wochen später in den Niederlanden gekommen ist, hat Joseph II. nur einen Beweis für die Unvernunft der Völker sehen können. Eine allgemeine Torheit scheine von allen Völkern Besitz ergriffen zu haben, so lautete das politische Fazit, zu dem er in einem Gespräch, das er am Ende des Revolutionsjahres mit dem Grafen von Ségur über die politische Lage führte, gelangte. Der Kaiser wies dabei – wie de Ségur in seinen Denkwürdigkeiten erzählt – auf das Beispiel der Niederländer hin: Die Brabanter erhöben sich, stellte Joseph II. bitter fest, weil er ihnen das habe geben wollen, wonach das französische Volk ungestüm verlangte (parce que j'ai voulu leur donner ce que votre nation demande à grands cris)[1].

Daß der Aufgeklärte Absolutismus und die Französische Revolution auf ein gleiches Ziel hinstrebten, diese Auffassung konnte man um dieselbe Zeit auch in Preußen, von seiten höherer und höchster Funktionäre des Staates, hören. Die aufgeklärte, unter Friedrich dem Großen zum Staatsdienst erzogene Beamtenschaft nahm gegenüber der Staatsumwälzung im Westen keineswegs eine abweisende Haltung ein. In ihren Stellungnahmen überwiegen die Äußerungen der Zustimmung durchaus. Man würdigte die Französische Revolution als ein Ereignis, das für Frankreich einen politischen Fortschritt bedeutete, sah in ihr die Verwirklichung von Grundsätzen, die seit der Regierung des großen Friedrich auch für den preußischen Staat maßgebend und wegleitend waren und sich hier, dank einer aufgeklärten Staatsleitung, bereits auf dem Weg der Realisierung befanden, denen deshalb nicht, wie in Frankreich, durch eine Revolution von unten zum Durchbruch verholfen werden mußte[2]. Es ist jene Auffassung oder jene Hoffnung, der noch 1799 der preußische Minister Struensee Ausdruck gegeben hat, als er in einem Gespräch mit dem französischen Geschäftsträger diesem versicherte: In Preußen werde die heilsame Revolution, wel-

Schweizer Beiträge zur Allgemeinen Geschichte 15, 1957, S. 134–156. Der Abdruck erfolgt mit freundlicher Genehmigung des Verfassers und des Verlages Herbert Lang & Cie., Bern.

che die Franzosen von unten nach oben gemacht hätten, sich langsam von oben nach unten vollziehen[3].

In diesen zeitgenössischen Kundgebungen, in denen der Aufgeklärte Absolutismus selber sich zur Frage über sein Verhältnis zur Französischen Revolution geäußert hat, erscheinen Augeklärter Absolutismus und Revolution als zwei auf ein gleiches politisches Ziel hinwirkende Mächte, das sie nur auf verschiedenen Wegen zu erreichen suchten: durch friedliche Umgestaltung von oben, auf dem Wege obrigkeitlicher Anordnung die eine, durch gewaltsamen Umsturz von unten, mit Hilfe der entfesselten Volkskräfte die andere. Es ist jene Vorstellung von den beiden Revolutionen, von der man die Mehrzahl der fortschrittlich und freiheitlich gesinnten Deutschen zu Beginn des Revolutionsjahrzehnts beherrscht sieht und die ihre zwischen Zustimmung und Ablehnung merkwürdig schwankende Haltung gegenüber der Umwälzung im Westen bestimmt hat. Schlözer, der »Erzvater des deutschen Liberalismus«, hat ihr am klarsten Ausdruck gegeben: Die Französische Revolution sei für Frankreich, wo die Regierung keine Ohren für Menschenrechte hatte und sich steif gegen ihr Zeitalter sperrte, notwendig gewesen, so hält er 1791 in seinen »Staatsanzeigen« fest. Aber: »Uns Deutsche bewahre der liebe Gott vor einer Revolution auf *die* Weise, wie sie in Frankreich erfolgt ist!« Verjährte Mißbräuche, Einbrüche in das unverjährliche Menschenrecht, Bedrückungen des größeren Teils durch den winzig kleinern müßten beseitigt werden; aber sie müßten und könnten ohne Einwirkung des Volkes behoben werden. Menschenfreundliche und aufgeklärte Regierungen hätten selber Hand an diese Verbesserung anzulegen. Ihm komme auch kein Volk in der Welt reifer zu solch ruhiger Wiedereroberung verlorener Menschenrechte vor als das deutsche, und zwar gerade wegen seiner von Unwissenden so oft verlästerten Staatsverfassung. »Langsam wird die Revolution freilich geschehen, aber sie geschieht! Die Aufklärung steigt, wie in Frankreich, von unten herauf, aber sie stößt auch oben an Aufklärung; wo gibt es mehr kultivierte Souveräns als in Deutschland? Dieses Aufsteigen läßt sich nicht durch Fünf-Kreuzer-Männer und Zwölfpfünder in die Länge hindern.« Es brauchten nur von den Schriftstellern, den Organen der öffentlichen Meinung, die Gebrechen im sozialen und politischen Körper »denunziert, untersucht, ins gehörige Licht gestellt werden«[4]. Schlözer, der erfolgreiche Publizist, war überzeugt, daß die Regierungen sich der Wirkung einer beharrlich von unten an sie herangetragenen Aufklärung auf die Dauer nicht würden entziehen können.

Das war ein Glaube, den die sogenannten Jakobiner in Deutschland freilich nicht geteilt haben; sie dachten anders.

Was damals, im Zeitalter der Französischen Revolution, eine politische Glaubensfrage und ein politischer Meinungsstreit war, stellt sich für den Historiker als ein höchst komplexes, in wissenschaftlicher Forschung und wissenschaftlicher Auseinandersetzung zu klärendes geschichtliches Problem dar. Als solches – als ein Grundproblem der neueren Geschichte – soll es hier ins Auge gefaßt und im folgenden kritisch erörtert werden.

In welchem Verhältnis stehen, geschichtlich betrachtet, Aufgeklärter Absolutismus und Französische Revolution zueinander? Was verbindet die beiden geschichtlichen Bewegungen miteinander? Wie verhält es sich, genau gesehen, mit dem, was Lucien Febvre einmal »le côté Joseph II de la Révolution« genannt hat[5] (als formelhafte Bezeichnung für das, was die Französische Revolution mit dem Aufgeklärten Absolutismus gemeinsam gehabt)? Worin bestanden und wie weit gingen diese Übereinstimmungen, und wie erklären sie sich? Man hat anderseits Joseph II. den »kaiserlichen Revolutionär«, den »Rebellen im Purpur« genannt[6]. Wie muß das verstanden werden? In welchem Sinne ist der Aufgeklärte Absolutismus revolutionär gewesen? Wie steht es endlich mit jener Übereinstimmung in den letzten Zielen, die zwischen Aufgeklärtem Absolutismus und Französischer Revolution bestanden haben soll, jener bewußt oder unbewußt vorhandenen Ausrichtung auf einen gleichen politischen Endzweck hin, den sie nur auf verschiedenen Wegen, mit verschiedenen Mitteln zu erreichen versucht hätten? Aus der Französischen Revolution ist der moderne Verfassungs- und Volksstaat hervorgegangen. Führten die dem Aufgeklärten Absolutismus innewohnenden Tendenzen, gewollt oder ungewollt, auf dieses selbe Ziel hin? Otto Hintze und Leo Just scheinen die Frage bejahen, Fritz Hartung sie verneinen zu wollen[7]. Welches waren die Möglichkeiten, die der Aufgeklärte Absolutismus in sich trug, welches die Grenzen, die ihm gesetzt waren, welches die Wirkungen, die er hatte? Wie ist er entwicklungsgeschichtlich einzuordnen?

Wenn wir so fragen, dann haben wir damit zugleich schon angegeben, daß wir hier nicht jenen erweiterten Begriff eines »despotisme éclairé« meinen und verwenden, den Michel Lhéritier im Auge hatte, als er 1928 auf dem Internationalen Historikerkongreß zu Oslo das Problem aufrollte, ob es sich beim Aufgeklärten Absolutismus nicht vielleicht um eine immer wiederkehrende oder jedenfalls nicht allein auf das 18. Jahrhundert beschränkte historische Erscheinung handeln würde[8]. Unter dem Aufgeklärten Absolutismus wird von uns hier ganz konkret jenes absolute Fürstentum im Zeitalter der Aufklärung – namentlich der zweiten Hälfte des 18. Jahrhunderts – verstanden, das, beeinflußt von der Geistesbewegung der Aufklärung und in seinem Wirken von ihr getragen und unterstützt, reformierend, neuernd, umgestaltend in die inneren Verhältnisse der Staaten eingriff.

Ein Hauptgebiet dieses Aufgeklärten Absolutismus war das deutsche Mitteleuropa, Preußen, Österreich, und neben den Territorien dieser beiden deutschen Großstaaten: deutsche Mittel- und Kleinstaaten, wie die Markgrafschaft Baden unter Karl Friedrich oder das Herzogtum Sachsen-Weimar unter Karl Augst. Er trat aber auch außerhalb Deutschlands auf, so, mit besonders reich ausgeprägten Zügen, in Italien. Hier ist er noch zu posthumer Wirkung gelangt, indem an diesen italienischen Reformabsolutismus des 18. Jahrhunderts – der im Herzogtum Mailand und im Großherzogtum Toskana durch die Habsburger und im Königreich Neapel-Sizilien und im Herzogtum Parma durch die spanischen Bourbonen vertreten wurde – im 19. Jahrhundert die gemäßigte Richtung innerhalb des italienischen Risorgimento angeknüpft hat. Vincenzo Gioberti spricht von ihm im ersten Teil seiner politischen Programmschrift »Über den geistigen und bürgerlichen Primat der Italiener« als von jenem wahrhaft königlichen Wettstreit, der damals, in der zweiten Hälfte des 18. Jahrhunderts, unter den Fürsten entbrannt sei, um das Los der Untertanen zu verbessern, die Gesetze zu vervollkommnen, Mißbräuche abzustellen, die Überreste der Feudalordnung zu beseitigen und die Errungenschaften des menschlichen Geistes für den Staat nutzbar zu machen, und er überschreibt diesen Abschnitt: »Anfänge eines Risorgimento im letzten Jahrhundert.« Durch den Einbruch der Französischen Revolution sei jene verheißungsvolle Entwicklung, welche die italienischen Verhältnisse nahmen, gestört und schließlich abgebrochen worden; an sie gelte es nun wieder anzuknüpfen [9]. Auch Cesare Balbo sieht in jenem von aufgeklärten Despoten heraufgeführten italienischen Zeitalter der Reform ein beginnendes Risorgimento Italiens – »quel risorgimento d'origine straniera« –, von dem die Erneuerungsbewegung des 19. Jahrhunderts nur die Fortsetzung sei: »Siamo nella continuazione dell'opera del secolo scorso, in quel risorgimento che parve, ma non fu arresto dall'invasione straniera . . .« Der Einstoß der Französischen Revolution habe jenes Erneuerungswerk stören, es aber nicht auf die Dauer wirklich aufhalten können [10]. Wir haben hier wieder, in abgewandelter Form, die Vorstellung von den beiden Revolutionen, der wir schon bei den gemäßigten Fortschrittsfreunden in Deutschland begegnet sind, und wiederum auf dem Hintergrund der Antithese von Aufgeklärtem Absolutismus und Französischer Revolution.

Wenn ich nun den Versuch unternehme, das Verhältnis dieser beiden geschichtlichen Mächte zueinander genauer zu bestimmen, werde ich mich bei dieser vergleichenden Betrachtung, was die erste der beiden Mächte betrifft, auf drei Hauptrepräsentanten aufgeklärt-absolutistischer Fürstenherrschaft beschränken: Friedrich den Großen, Joseph II., Peter Leopold von Toskana, die mir drei wesentliche Ausprägungen des europäischen Aufgeklärten Absolutismus zu verkörpern scheinen.

Ich gehe von der Frage nach den geistigen und ideologischen Beziehungen und Gemeinsamkeiten zwischen Aufgeklärtem Absolutismus und Französischer Revolution aus.

Da sich die drei genannten Fürsten in ihrer Reformtätigkeit zu Anschauungen und Grundsätzen der europäischen Aufklärung bekannt haben und die Französische Revolution ihrerseits Ideen und Postulate der Aufklärung verwirklicht hat, liegt es nahe, in erster Linie die Aufklärungsbewegung als das sie Verbindende zu betrachten. Das Dreierverhältnis Absolutismus–Aufklärung–Revolution böte Stoff für eine eigene umfangreiche Abhandlung. Ich greife einiges, was ich als wesentlich erachte, heraus.

Eine vor allem von französischen Historikern vertretene Richtung innerhalb der neueren Forschung ist geneigt, den Einfluß des Aufklärungsdenkens auf die Regierungstätigkeit der sogenannten aufgeklärten Despoten eher gering zu veranschlagen. Sie hebt die Kontinuität in der absolutistischen Regierungspraxis hervor und bestreitet, daß zwischen dem sogenannten Aufgeklärten Absolutismus und dem ihm vorausgehenden älteren Absolutismus ein Wesensunterschied bestehe, der auf die Einwirkung der Aufklärung zurückzuführen wäre. Am weitesten ist darin unzweifelhaft der dem Kreise der »Annales« angehörende Charles Morazé gegangen, der in dem von den aufgeklärten Despoten übernommenen Gedankengut der französischen Aufklärung nur einen schönen Firnis sehen will, »ce vernis dont Frédéric, Cathérine, Marie Thérèse ont paré leur attitude«. Es sei nicht so sehr das Frankreich des 18. Jahrhunderts, als vielmehr dasjenige des 17. gewesen, von dem sich diese Herrscher hätten anregen lassen. Alle seien sie dem Beispiel Ludwigs XIV. gefolgt, und die meisten hätten sich daneben den Luxus geleistet, sich gleichzeitig den Anschein zu geben, als ob sie sich von den französischen Modephilosophen inspirieren ließen. Den habsburgischen Kaiser betrachtet Morazé als einen Sonderfall. Ähnlich hat sich der Altmeister unter den französischen Revolutionshistorikern, Georges Lefèbvre, geäußert: Die Regierungspraxis habe sich im 18. Jahrhundert gegenüber früher in ihrem Wesen nicht geändert. Die humanitären Erklärungen der aufgeklärten Monarchen seien bloße »jeux d'esprit« gewesen. Das politische Verhalten dieser Fürsten sei durch den Willen zur Macht und durch die natürlichen und historischen Gegebenheiten, die sie in ihrem Herrschaftsbereich vorfanden, bestimmt worden, und nicht durch die Propaganda der Philosophen [11].

Die Aufklärung wäre danach für den Aufgeklärten Absolutismus von nur geringer Bedeutung gewesen. Eine solche Auffassung ist nur zu verstehen, und sie läßt sich, mit den nötigen Einschränkungen, nur vertreten, wenn man den Begriff der »Aufklärung« sehr eng faßt, das heißt, wenn man dabei einseitig die Bewegung der sogenannten Philosophen und Ökonomisten in Frankreich und die von diesen – den Voltairianern, Enzyklopädisten, Physiokraten usw. – verbreiteten neuen Anschauungen und vorgeschlagenen Rezepte zur Beglückung der Menschheit ins Auge faßt. Neben dieser französischen hat es aber noch andere Erscheinungsformen der Aufklärung gegeben, so namentlich auch eine deutsche Aufklärung, die nicht einfach eine Übernahme und ein Abklatsch der französischen war, sondern ihren besonderen Gehalt und Charakter besaß, und die mit ihren Anschauungen und Lehren ebenfalls auf das absolute Fürstentum in Deutschland gewirkt haben konnte und nachweislich auch gewirkt hat. Es genügt, die Namen Wolffs, Justis, Sonnenfels', Martinis, als der Hauptvertreter der auf einem säkularisierten Naturrecht beruhenden deutschen Staatslehre des 18. Jahrhunderts zu nennen.

Aber viel wichtiger ist noch etwas anderes. Die Aufklärung bedeutete ja nicht nur eine Summe neuer Ideen, bestimmter Denkinhalte, sondern darüber hinaus eine neue Denk*weise*, eine neue geistige Einstellung sowie ein bestimmtes, durch das allgemeine Gewoge neuer Vorstellungen, Gedanken, Losungen, Forderungen geschaffenes geistiges Klima in Europa. In diesem Allgemeinen – das wir mit einer abkürzenden Bezeichnung den »Geist der Aufklärung« nennen wollen –, nicht in der Übernahme bestimmter Aufklärungstheorien, wie gewisser physiokratischer Reformprojekte zum Beispiel, wird man das Aufklärerische im Absolutismus der aufgeklärten Despoten in erster Linie suchen müssen. Und da ist nun festzustellen, daß das Herrschertum Friedrichs des Großen, Josephs II. und Peter Leopolds gegenüber demjenigen Ludwigs XIV. Züge aufweist, die nur in jenem geistigen Klima der Aufklärung des 18. Jahrhunderts möglich gewesen sind und bei Ludwig XIV.

schlechterdings unvorstellbar wären. Wenn beispielsweise Joseph II. in einem Erlaß vom 4. Januar 1787 bestimmte, daß den Allerhöchsten Herrschaften weder die Hand geküßt noch vor ihnen künftig das Knie gebeugt werden solle, da eine solche Ehrenbezeugung mit der menschlichen Würde unvereinbar sei und Gott allein gebühre [12]; wenn alle drei Monarchen in ihren Anweisungen für die Erziehung der Prinzen immer wieder die Notwendigkeit betonten, den Zöglingen einzuprägen, daß alle Menschen gleich und sie selber nicht aus anderm Teig geknetet seien, daß sie deshalb die Ausnahmestellung, die sie unter ihren Mitmenschen einnahmen, nur dadurch rechtfertigen könnten, daß sie rastlos für das Wohl ihrer Untertanen tätig waren [13] – dann zeigt sich darin eine Auffassung vom Herrschertum, die dem älteren Absolutismus eines Ludwigs XIV. sehr fremd gewesen ist, die dagegen der Anschauungsweise, der Denkart der Aufklärung entsprach.

Dieselbe neue Auffassung vom Herrschertum – wie in diesen Erlassen – spricht sich auch im neuen fürstlichen Gehaben, etwa in jenem betont schlichten Auftreten der drei Herrscher, auf welches des öftern hingewiesen worden ist, aus. »Vorgang der Großen, zum Sansculottismus führend«, hat Goethe in einer stichwortartigen Aufzeichnung diese und ihr verwandte Erscheinungen genannt [14]. Es handelte sich dabei, allgemeiner gesprochen, um einen Teilaspekt dessen, was Fritz Hartung die »Entzauberung der Monarchie von Gottesgnaden« genannt hat [15]. Und diese Entzauberung, an welcher die Monarchen selber mitgewirkt haben, bildete ihrerseits nur eine Teilerscheinung eines allgemeineren Vorgangs, nämlich der von der Aufklärung mächtig weiter getriebenen Säkularisierung im Denken und Leben, die auch die politische Sphäre erfaßt hat. Sie bestand hier darin, daß das Herrschertum, im Gegensatz zu der sakralen Vorstellung vom Königtum und seiner transzendenten Begründung, wie sie im Zeitalter Ludwigs XIV. noch weithin wirksam waren, nun rein weltlich, als eine rein irdische und menschliche Einrichtung verstanden wurde. Ihren ideologischen Niederschlag fand sie in der durch die Aufklärung zum Sieg geführten naturrechtlichen Herleitung und Auffassung der Herrschaftsgewalt, in der im 18. Jahrhundert zu fast unbestrittener Geltung gelangenden naturrechtlichen Lehre vom Gesellschafts- und Herrschaftsvertrag als dem Ursprung und der Rechtsgrundlage aller staatlichen Gewalt [16]. Um welche der verschiedenen Spielarten der Lehre es sich auch handeln mochte: Wer sich zu ihr bekannte, anerkannte damit, daß es sich bei der staatlichen Obrigkeit, auch beim Königtum, um eine aus dem Volk hervorgegangene, vom Volk geschaffene Einrichtung handle; bei der von der Obrigkeit ausgeübten Herrschaft um einen Auftrag des Volkes; bei der von der Obrigkeit gehandhabten Herrschaftsgewalt um eine vom Volk verliehene Gewalt.

Friedrich der Große und Peter Leopold haben sich ausdrücklich zu dieser Anschauung bekannt. Friedrich schon als Kronprinz, 1738, in seinen Betrachtungen über den Zustand des europäischen Staatenkörpers: Der Rang, auf den die Fürsten so eifersüchtig sind, ihre Erhebung, sei nur das Werk der Völker. Von den Völkern seien sie mit ihrer Gewalt bekleidet worden, von ihnen hätten sie ihre höchste Würde erhalten, und deshalb müßten sie so regieren, daß sie in allem der Absicht ihrer Konstituenten entsprächen [17]; und noch in der Altersschrift »Über die Regierungsformen und die Pflichten der Herrscher« von 1777: Es hätten die Bürger einem ihresgleichen nur um der Dienste willen, die sie von ihm erwarteten, den Vorrang eingeräumt [18]. Und im genau gleichen Sinne hat sich Peter Leopold ausgesprochen: Die Fürsten müßten sich immer bewußt sein, daß sie Menschen seien; daß sie ihre Stellung nur einer Übereinkunft zwischen anderen Menschen verdankten, daß sie ihrerseits alle ihre Pflichten und Aufgaben erfüllen müßten, wie es die anderen Menschen mit Recht von ihnen erwarteten auf Grund der Vorteile, die sie ihnen eingeräumt haben [19]; und noch bestimmter im politischen Glaubensbekenntnis vom Januar 1790: »Ich glaube, daß der Souverän, wenn auch ein erblicher, nur ein Delegierter und Beauftragter des Volkes ist, für welches er da ist; daß er ihm all seine Sorge und Arbeit widmen muß ... Ich glaube, daß der Souverän nur durch das Gesetz herrschen darf und seine Konstituenten das Volk sind [20] ...«

Joseph II. hat nie von einem Auftrag des Volkes gesprochen. Aber er hat sein Herrschertum doch ganz wesentlich auch im Sinne jener Theorie, die aus dem Herrscher einen Beauftragten und Sachwalter des Volkes machte, aufgefaßt, nicht anders als Friedrich der Große. Sie klingt auch in gewissen Äußerungen des Kaisers an; so wenn er sich, in seinem berühmten Hirtenbrief von 1783, für die rechte Verwaltung der Staatsfinanzen jedem einzelnen Bürger gegenüber verantwortlich erklärte (... comptable à chaque individu de sa gestion ...) [21].

Das alles berührt sich sehr nahe mit der politischen Ideologie, mit welcher die Französische Revolution die alte Ordnung aus den Angeln heben sollte: mit dem von ihr verkündeten Dogma der Volkssouveränität und dem daraus abgeleiteten Satz, daß das legitime Gesetz Ausdruck des Volkswillens sei.

Wenn die Herrschaftsgewalt, wie das durch Friedrich den Großen und Peter Leopold geschah, als eine vom Volk verliehene Gewalt begriffen und die Ausübung der Herrschaft auf einen vom Volk erteilten Auftrag zurückgeführt wurde, dann bedeutete dies letztlich, daß der Rechtsgrund für die Herrschaft im Willen des Volkes zu sehen war.

Diese Folgerung, daß es nicht allein die aufgetragene Sorge um das Volks*wohl*, sondern daß es der Volks*wille* sei, was den Fürsten zur Herrschaft legitimiere, ist von einem der drei aufgeklärten Despoten, von Peter Leopold, tatsächlich gezogen worden. Wir besitzen von ihm und seinen Mitarbeitern aus den Jahren 1779 bis 1782 eine Reihe von Gutachten und Projekten für eine Verfassung, durch welche das Großherzogtum Toskana aus einer aufgeklärt-absoluten Monarchie in einen konstitutionellen Staat mit Volksvertretung hätte umgewandelt werden sollen [22], und in einem der Gutachten wird ausdrücklich auf das Prinzip der Volkssouveränität verwiesen: In ogni stato il potere sovrano risiede unicamente nel corpo della nazione, da lui solo emana ogni autorità legittima [23]. Im letzten Verfassungsentwurf, vom 8. September 1782 [24], wird die Regierung, die aus den Wirrnissen, unter denen der Thron der Medici errichtet wurde, hervorging, als völlig willkürlich und ungerecht bezeichnet, weil auf Gewalt gegründet und nicht auf die Zustimmung der Völker, welche allein ihre Einsetzung legitimieren könnten. Er, Peter Leopold, wolle allen Untertanen des Großherzogtums Toskana nun ihre volle natürliche Freiheit zurückgeben, damit sie dem gegenwärtigen Akt – einer verfassungsmäßigen Neubegründung des Staates – in gültiger Weise beiwohnen, ihm zustimmen und ihn in aller Form vollziehen könnten [25]. Der letzte Abschnitt der Präambel teilt den Beschluß der Fürsten mit, daß das Großherzogtum von einer Körperschaft freigewählter Personen repräsentiert werden solle.

Daß der Herrscher des Volkes Wohlfahrt und Glück zu fördern habe, nicht wie *er* es will, sondern wie *das Volk* es will und versteht (pas comme il veut lui, mais comme eux-mêmes le veulent et le sentent), da das Volk nie auf dieses unveräußerliche natürliche Recht habe verzichten oder durch stillschweigende oder erzwungene Zustimmung dieses Rechts habe entäußert werden können, das hat Peter Leopold noch in seinem politischen Glaubensbekenntnis von 1790 wiederholt [26].

Die Idee des auf das Natur- und Vernunftrecht und unverjährbares Menschenrecht gegründeten Aufgeklärten Absolutismus ist hier konsequent zu Ende gedacht worden. Das Ergebnis war die Selbstaufhebung des Absolutismus. Doch Peter Leopold hat diesen letzten Schritt nur gedanklich, nicht in der politischen Wirklichkeit getan. Die toskanische Verfassung wurde nicht eingeführt, obwohl der Großherzog noch 1790 – einige Wochen bevor er die Toskana verließ, um in Wien die Nachfolge Josephs II. anzutreten – seine feste Absicht kundtat, das fertiggestellte Grundgesetz verkünden zu lassen [27].

Die Konsequenz, zu welcher der Aufgeklärte Absolutismus Peter Leopolds von seinen naturrechtlichen Voraussetzungen aus in gedanklicher Folgerichtigkeit gelangt ist, war nur zu vermeiden, wenn die Grundannahme, daß dem Fürsten die Herrschaftsgewalt vom Volk verliehen und er dessen Beauftragter sei, durch die weitere Annahme ergänzt wurde, daß jene Übertragung als einmalig, vorbehaltlos und unwiderruflich angesehen werden müsse. Indem Friedrich der Große so dachte, indem sowohl er als auch Joseph II. das Bestehen unveräußerlicher und unverjährbarer Menschenrechte im *politischen* Bereich nicht anerkannten, konnten sie das fürstlich-absolutistische Prinzip, das sie nicht preisgeben wollten, behaupten. Für beide Fürsten stand es wohl fest, daß der Herrscher sein Amt so führen müsse, wie wenn er jeden Augenblick vor seinen Mitbürgern über seine Regierungstätigkeit Rechenschaft ablegen müßte. Aber ein Recht dieser Mitbürger, den Fürsten zur Verantwortung zu ziehen, anerkannten beide nicht [28]. Der Fürst hatte nur seiner eigenen aufgeklärten Einsicht zu folgen. Nicht was das Volk als sein Glück ansah – »comme eux-mêmes le veulent et le sentent«, wie Peter Leopold meinte –, sondern was der Fürst für das Glück und das Wohl des Volkes als notwendig und richtig erkannt hat, mußte er ausführen. Friedrich anerkannte, daß er einen Auftrag des Volkes zu erfüllen habe und daß er in allem den Absichten seiner Auftraggeber zu entsprechen habe [29]. Aber er hielt unbedingt daran fest, daß er, der Souverän, allein zu bestimmen habe und allein bestimmen könne, worin jener Auftrag bestehe, worauf jene Absichten zielten, was das Wohl von Volk und Staat verlangte.

Das war auch die Überzeugung Josephs II., die er schon als Vierundzwanzigjähriger, in seiner Denkschrift von 1765 über den Zustand der österreichischen Monarchie, mit aller Deutlichkeit ausgesprochen hatte. Es müsse verlangt werden, »que dans toutes les affaires concernant l'Etat l'on se soumette aveuglement et voie du même point de vue tout ce que le souverain décide«. Es sei besser – heißt es im gleichen Schriftstück weiter –, die Öffentlichkeit auf einmal von seinen Absichten in Kenntnis zu setzen und, sobald man einen Entschluß gefaßt habe, keine Erwiderung zu dulden, vielmehr fest auf der Durchführung dessen zu bestehen, was man für gut befunden hat. Alle die, die nur Bruchstücke und nicht das Ganze sähen, könnten und sollten auch nicht darüber räsonieren[30].

Es war dies keine neue, sondern die alte politische Ideologie des Absolutismus, wie sie seit dem ausgehenden Mittelalter vor allem in Frankreich entwickelt worden ist und die besagte, daß der Fürst gegenüber den Sonderinteressen der Landschaften und Stände das Gesamtinteresse des Landes vertrete und daß der Fürst allein dieses wahrnehmen könne, da er, der über sämtliche Provinzen, Stände, Körperschaften und Einzelpersonen gestellt war, als einziger das Ganze im Auge hatte und somit allein in der Lage war, festzustellen, was das Wohl der Gesamtheit verlangte.

Auf das Gemeinwohl, vor dessen unbedingtem Gebot alle Sonderinteressen schweigen und die Sonderrechte weichen müßten, haben sich alle Absolutisten, nicht erst die aufgeklärten Despoten, berufen. Damit ist zugleich gesagt, daß allem Absolutismus, nicht erst dem Aufgeklärten, eine revolutionäre Tendenz innewohnte, eine revolutionäre Tendenz, die dann freilich im Zeitalter der Aufklärung, da zum Gemeinwohl sich das Naturrecht und das Recht der Vernunft als weitere Berufungsinstanzen gegen geschichtlich begründetes, überliefertes und geltendes Recht anboten, einen verstärkten Anreiz erfahren mußte. In welche Richtung aber wies diese revolutionäre Tendenz? Wies sie auf dieselben Ziele hin, welche die Französische Revolution verfolgt hat?

Die Freiheit, Gleichheit und Brüderlichkeit hatte diese selber als ihr Leitziel erklärt. Welchen dieser drei Leitsterne nun die von uns eingangs zitierten Repräsentanten eines Aufgeklärten Absolutismus im Auge hatten, wenn sie von gemeinsamen Zielen mit der Französischen Revolution sprachen, darüber haben sie selbst uns nicht im Zweifel gelassen.

Eine Revolution von oben glaubte der Minister Struensee für Preußen deshalb voraussagen zu können, weil der König – Friedrich Wilhelm III., der Demokrat auf seine Weise sei – unablässig an der Beschränkung der Adelsprivilegien arbeite und darin den Plan Josephs II. verfolgen werde, nur mit langsamen Mitteln, indessen so, daß es in wenigen Jahren in Preußen keine privilegierte Klasse mehr geben werde[31]. Wenn anderseits Joseph II. in einem Schreiben vom 25. August 1789 von der durch die Etats généraux beschlossenen »Constitution« als von einem an ihm begangenen Plagiat spricht – »une grande partie de ces choses avait déjà été imaginée et introduite par moi pour le bien public« –[32], dann konnte es sich bei dieser »Verfassung« nur um die Dekrete vom 6. bis 11. August handeln, welche die Beschlüsse der Opfernacht vom 4. August in gesetzmäßige Form gebracht haben, also um das Abbauwerk der Assemblée nationale: die Abschaffung des Feudalsystems, die Aufhebung der Privilegienordnung, der historischen Sonderrechte der Provinzen, Landschaften, Stände und Personen, die Beseitigung aller bestehenden Vorrechte sowohl bei der Besteuerung als auch bei der Besetzung der geistlichen, zivilen und militärischen Stellen, die Herstellung der Gleichheit mit einem Wort[33]. Und darin konnte nun freilich Joseph II. Geist von seinem Geist erkennen.

Daß die überlieferte Feudalordnung keine Daseinsberechtigung mehr habe, galt ihm für ausgemacht, und er hat sie, bei seinen Bemühungen um die volle Verstaatlichung der Justiz, um die Bildung einer zentralistisch-bürokratischen Verwaltung und um die Lösung der Bauern aus feudaler Abhängigkeit, rücksichtslos bekämpft. Daß alle Staatsangehörigen bei der Besteuerung und vor dem Gesetz auf gleichen Fuß gestellt werden müßten, hat er immer wieder ausgesprochen und die Verwirklichung dieses Grundsatzes unbeirrbar durchzusetzen versucht. Daß im ganzen staatlichen Bereich Einförmigkeit herrschen müsse, bildete den Hauptartikel seines politischen Glaubensbekenntnisses[34]. Durch Zentralisation und Vereinheitlichung der Administration, durch Beseitigung von Privilegien und Immunitäten aller Art zu einer rationalen Organisation der Verwaltung und einer rationalen Nutzung der Hilfsquellen des Staates zu gelangen und dabei gleichzeitig das staatliche Hoheitsrecht auch gegenüber der universalen Kirche und deren Herrschaftsansprüchen durchzusetzen: das war für ihn das unverrückbare Ziel, dem er in seiner inneren Politik während der ganzen Regierungszeit gefolgt ist.

Das gleiche Streben kennzeichnet den Aufgeklärten Absolutismus seines Bruders, Peter Leopolds von Toskana.

Eine ausgleichende, nivellierende, vereinheitlichende Politik lag nun freilich in der Richtung des Absolutismus überhaupt, nicht nur des Aufgeklärten. Doch ist festzustellen, daß diese Politik nun von der Aufklärung her einen neuen Impuls, eine neue Begründung und Rechtfertigung erhalten hat: durch den von Joseph II. übernommenen Gedanken von der natürlichen Gleichheit der Menschen zum Beispiel[35] sowie durch die von ihm ebenfalls übernommene individualistische Denkart der Aufklärung, die sich etwa darin zeigte, daß Joseph II. nicht bloß, wie die alten Absolutisten, vom »bien commun«, das er wahrzunehmen habe, spricht, sondern vom »bien du plus grand nombre«, dem Wohl der größten Zahl[36]. Einer der schwersten Vorwürfe, den Maria Theresia ihrem Sohne machte, war der, daß er auf »die Zernichtung der jetzigen Großen, unter dem speziosen Vorwand, den mehreren Teil zu konserviren«, ausgehe[37]. Man erinnert sich bei diesen Worten, daß sich der Hinweis auf den »mehrern Teil« – als ein Hauptargument gegen die privilegierte Stellung des Adels – auch in der Flugschrift eines der Hauptapostel der Revolution, in der Schrift »Qu'est-ce que le Tiers état?« des Abbé Sieyès findet[38].

Für die Durchführung einer solchen ausgleichenden und vereinheitlichenden Politik bot von den drei Ländern aufgeklärter Fürstenherrschaft, die wir im Auge haben, die Toskana die günstigsten Voraussetzungen. Hier stellte der Feudalismus kein eigentliches Problem mehr dar, da hier die Feudalordnung in der Zeit der freien Kommunen durchbrochen, ja weitgehend aufgelöst, und die feudalen Gerechtsame bis auf wenige Überreste von den kommunalen Gewalten vernichtet oder aufgesogen worden waren. Anders lagen die Dinge in den preußischen Provinzen und den meisten Gebieten der Habsburger Monarchie, wo der gutsherrliche Adel mit seiner wirtschaftlichen und sozialen Machtstellung ein ernstzunehmendes Hindernis entgegensetzte. Joseph II. nahm von seinem Gleichförmigkeitsprinzip aus und unter Berufung auf das Wohl des Staates und der größten Zahl den Kampf auf und unterlag. Das Ergebnis seiner Reformpolitik war die drohende Auflösung der Monarchie; vor seinem Tode hat er die meisten seiner Neuerungen widerrufen müssen. Friedrich bewahrte seinen Staat vor ähnlichen Erschütterungen, indem er das aufklärerische Gleichheitsprinzip, zu dem er sich in der Theorie bekannte, der Staatsräson zum Opfer brachte. Er beließ den Adel in seiner privilegierten gutsherrlichen Stellung gegenüber erbuntertänigen Bauern und verlieh ihm darüber hinaus auch in Heer und Verwaltung eine bevorrechtigte Position, die ihn, nach Friedrichs Worten, zur tragenden Säule des Staates machen sollte [39].

Der Aufgeklärte Absolutismus wollte, sofern er sich selber treu blieb, die Gleichheit, und er konnte ihr die Bahn bereiten. Läßt sich das auch von der Freiheit sagen, dem andern von den drei Werten, welche die Französische Revolution als Richtziele aufgestellt hat? [40]

Ein italienischer Untertan Josephs II. und zugleich einer der bedeutendsten Vertreter der Aufklärung in Italien, Graf Pietro Verri, versicherte in einem Brief von 1777, er glaube, daß die bürgerliche Freiheit in jedem Lande in dem Maße wachse, als die Gewalt in einem einzigen konzentriert werde. Diese beim ersten Anhören merkwürdige Behauptung findet ihre Erklärung, wenn daneben eine zweite Behauptung Verris gestellt wird, seine Feststellung, es brauche einen Diktator, um Reformen durchzuführen, nicht einen Senat [41]. In den Augen Verris wie der vielen andern, die im Jahrhundert der Aufklärung gleichzeitig sich zur Freiheit bekannt und den Aufgeklärten Absolutismus bejaht haben, hatte dessen Reformtätigkeit, um derentwillen sie den Fürsten im Besitz einer absoluten Gewalt wissen wollten, vor allem einen negativen Sinn, wie Salvatorelli mit Recht hervorgehoben hat [42], nämlich: niederzureißen, Privilegien zu beseitigen, alte Einrichtungen zu vernichten, Hemmnisse wegzuräumen, Fesseln zu zerreißen, Autoritäten zu entthronen, mit einem Wort: die Bahn frei zu machen [43]. Daß der Aufgeklärte Absolutismus in diesem Sinne wirken konnte und auch gewirkt hat, ist nicht zu bestreiten; wir erkannten aber auch die Schranken, die ihm dabei gesetzt waren. Vor allem aber ist zu fragen, für wen er denn bei diesem Abbauwerk die Bahn tatsächlich frei gemacht hat.

Das allgemeine Wohl, das allgemeine Beste wurde als das Ziel genannt. Das allgemeine Beste aber war, nach der politischen Ideologie des friderizianischen und des josephinischen Aufgeklärten Absolutismus, allein durch den Fürsten wahrzunehmen. Frei, von keinen Schranken gehemmt, sollte der Fürst für das Wohl der größten Zahl wirken können – so verstand es Joseph II. Gewiß, auch die Untertanen sollten mit allen ihren Kräften für dieses allgemeine Beste wirken. Unablässig forderte Joseph II. sie dazu auf, und es finden sich in diesen Ermahnungen Anklänge an die dritte Parole der Französischen Revolution. »Que tous les citoyens de la monarchie doivent s'efforcer comme frères à se devenir réciproquement utiles«, verlangte er in dem bereits erwähnten Hirtenbrief von 1783[44]. Dasselbe Ideal verbindender Brüderlichkeit ließ auch Friedrich der Große in seiner Schrift über die Vaterlandsliebe von 1779 aufleuchten[45]. Aber beide Fürsten hielten daran fest, daß dieses brüderliche Zusammenwirken für das gemeine Beste nur nach den Angaben, unter der Anleitung und Führung eines absolut gebietenden Herrschers erfolgen könne. Paragraph 1 des österreichischen Zivilgesetzbuches von 1786 weist dem Monarchen die Aufgabe und die Befugnis zu, den Untertanen ihre Rechte festzusetzen und ihre Handlungen so zu leiten, daß sie dem gemeinen Wohle und dem der einzelnen zum Besten gereichten[46]. Und Friedrich II. wies dem Fürsten ausdrücklich dieselbe Stellung und Aufgabe im Staate zu: »Il doit voir, penser et agir pour toute la communauté[47].«

Als 1789 sich das französische Volk gegen die alten Ordnungen und die alten Gewalten erhob, da stellte es dieser Ansicht die neue Auffassung entgegen, daß die Völker ihr Schicksal in die eigene Hand zu nehmen hätten.

ANMERKUNGEN

* Die erste Studie über das Verhältnis von Aufgeklärtem Absolutismus und Revolution wurde vom Verfasser als Antrittsvorlesung an der Universität Bern vorgetragen. Das weitschichtige Thema war in einem dreiviertelstündigen Referat zu behandeln. Wir geben indessen den gesprochenen Text ohne Erweiterungen wieder und fügen bloß, in den Anmerkungen, die Belege hinzu. Was im Vortrag nur unvollständig ausgeführt, nur angedeutet oder überhaupt nicht zur Sprache gebracht werden konnte, wird Gegenstand einer Reihe weiterer Studien sein. Einen ersten solchen Exkurs, über den Staatsbegriff der aufgeklärten Despoten, bietet die (in diesem Band S. 123–136, Anm. des Hrsg.) abgedruckte zweite Studie über den Aufgeklärten Absolutismus.

1. Hans Schlitter, *Geheime Korrespondenz Josefs II. mit seinem Minister in den österreichischen Niederlanden, Ferdinand Grafen Trauttmansdorff, 1787–1789*, Wien 1902, S. 721, Anm. 649 (mit Verweis auf die im *Recueil des représentations, protestations et réclamations faites . . . par les . . . états . . . des Pays-Bas autrichiens*, Bd. XIV, S. 237ff., abgedruckten »Observations sur une petite brochure intitulée: La vérité ou tableau comparatif des changements projetés par l'empereur, et des points arrêtés par l'assemblée nationale en France. Brochure répandue à pleines mains par les émissaires du gouvernement des Pays-Bas, en septembre 1789«). Der Verfasser der Broschüre soll der Abbé Sabatier de Castres gewesen sein. – Schreiben Josephs II. an Trauttmansdorff, vom 25. August 1789 (H. Schlitter, a.a.O., S. 363). – De Ségur, *Mémoires ou souvenirs et anecdotes*, 3. Auflage, Bd. 3, Paris 1827, S. 473ff. De Ségur kehrte gegen Ende des Jahres 1789, nach fünfjährigem Auslandsaufenthalt, nach Frankreich zurück. Am 11. Oktober verließ er Petersburg. Die Reise führte ihn über Warschau nach Wien, wo er vom Kaiser, der ihn von früher her kannte, empfangen wurde. Über die Unterredung berichtet de Ségur im 3. Band seiner Erinnerungen: » . . . Il se plaignit des obstacles opposés à la quadruple alliance. ›Elle aurait prévenu, me dit-il, bien des malheurs. Vos ministres ont trop craint la guerre; si elle avait eu lieu, vos parlements n'auraient pu refuser de l'argent au roi, et l'ardeur française se serait jetée dans les camps. Au reste, qui pourrait savoir ce qui serait arrivé? Une folie générale semble s'être emparée de tous les peuples; ceux du Brabant, par exemple, se révoltent, parce que j'ai voulu leur donner ce que votre nation demande à grands cris.‹ Alors, il s'arrêta, se tut,

et resta quelques instants plongé dans une sombre rêverie.« – Zu Josephs II. Politik in den Niederlanden und dem belgischen Aufstand in ihrem Verhältnis zur Französischen Revolution siehe Henri Pirenne, *Histoire de Belgique*, Bd. 5, Brüssel 1920, insbesondere S. 456ff., Bd. 6, Brüssel 1926, die Einleitung, sowie Pirennes Referat »Le despotisme éclairé et la Révolution française«, in: *Bulletin de la Société d'Histoire moderne*, 5e série, no. 4bis, 28e année, avril 1929, p. 8–10.

2. Vgl. dazu Jacques Droz, *L'Allemagne et la Révolution française*, Paris 1949, S. 78ff., das Kapitel »La Prusse et la Révolution française« (mit Quellen und weiterer Literatur).

3. Zitiert bei Otto Hintze, *Die Hohenzollern und ihr Werk. Fünfhundert Jahre vaterländischer Geschichte*, 7. Auflage, Berlin 1916, S. 427.

4. *Schlözers Staatsanzeigen*, Heft 64, Band 16, Göttingen 1791, S. 457; und Heft 61, Band 16, Göttingen 1791, S. 96.

5. *Revue de Synthèse historique* 45, 1928, S. 102.

6. »Der revolutionäre Kaiser« wird Joseph II. im Titel der bekannten Biographie von S. K. Padover genannt: *The Revolutionary Emperor. Joseph the Second. 1741–1790*, London 1934. Ins Französische übersetzt von M. Soulié: *Joseph II. L'empereur révolutionnaire. 1741–1790*, Paris 1935. Als den »Herold der Ideen des revolutionären französischen Bürgertums« bezeichnet ihn Leo Gershoy, *From Despotism to Revolution*, New York/London 1944 (S. 105: »Joseph was a self-conscious royal revolutionary, the herald of the ideas of the revolutionary French bourgeoisie.«).

7. Hintze kennzeichnet den Aufgeklärten Absolutismus – in seinem Buch *Die Hohenzollern und ihr Werk* – als »die Vorstufe unseres modernen Rechts- und Verfassungsstaates« (a.a.O., S. 400), Just (Der Aufgeklärte Absolutismus, in: *Handbuch der deutschen Geschichte*, begründet von O. Brandt, fortgeführt von A. O. Meyer, neu herausgegeben von L. Just, Bd. II, Abschnitt E, S. 87) nennt ihn eine »Übergangserscheinung zwischen dem Zeitalter der unbeschränkten Fürstenmacht, wie sie Philipp II. und Ludwig XIV. verkörpern, und dem Aufkommen der Nationalstaaten, das durch die Französische Revolution eingeleitet wird«. Demgegenüber stellt Hartung fest, daß Friedrich der Große bei aller Aufklärung für seinen Staat nicht der Wegbereiter in die Zukunft geworden sei. (Der Aufgeklärte Absolutismus, in diesem Band S. 66). Für Hartung bildet der Aufgeklärte Absolutismus den Abschluß einer geschichtlichen Entwicklung: »die Endphase« der absoluten Monarchie (in diesem Band S. 73 und namentlich S. 58).

8. ». . . si le despotisme éclairé n'est pas de toutes les époques, ou si du moins il n'apparaît pas à différentes périodes de l'histoire« (Michel Lhéritier, Le rôle historique du despotisme éclairé, particulièrement au XVIIIe siècle. Das Referat ist abgedruckt in: *Bulletin of the International Committee of Historical Sciences* I, Nr. 5, 1928, S. 601–612; die zitierte Stelle: S. 612).

Lhéritier wollte mit seinen Ausführungen nicht feste Resultate vortragen, sondern dazu anregen, das von ihm aufgeworfene Problem des »despotisme éclairé« auf breitester Basis zu diskutieren, und er schloß deshalb sein Referat mit dem Vorschlag, zur weiteren Erforschung des Problems eine internationale Kommission zu bilden. Diese ist, als »Commission pour l'étude du despotisme éclairé«, am 15. August 1928 wirklich ins Leben gerufen worden und bildete seither eine der sogenannten »äußeren Kommissionen« des Comité International des Sciences historiques. Der vom ersten Präsidenten der Kommission, dem Spanier Altamira, in einem Sechspunkteprogramm aufgestellte Arbeitsplan formulierte die Fragen, die von den Historikern der verschiedenen Nationen je für ihr eigenes Land untersucht werden sollten. (Abgedruckt im *Bulletin* II, Nr. 9, 1930, S. 534/35). Altamiras Fragenreihe erschöpfte das Problem des Aufgeklärten Absolutismus sicherlich nicht, konnte indessen dazu dienen, eine allgemeine Bestandsaufnahme durchzuführen, das heißt zunächst einmal das Material zusammenzutragen, sämtliche Fakten, die sich unter der Bezeichnung »Aufgeklärter Absolutismus« zusammenfassen ließen, zu verzeichnen und für eine vergleichende Betrachtung bereitzustellen. Die von der Kommission veranlaßten Untersuchungen haben auch wirklich ein reiches und wertvolles Material ergeben, das man in den Jahrgängen 1933 und 1937 des *Bulletin of the International Committee of Historical Sciences* vereinigt findet. *(Bulletin* V, Nr. 20, 1933, S. 701–779; IX, Nr. 34, 1937, S. 3–121, Nr. 35, 1937, S. 135–180. Der zusammenfassende Bericht von Michel Lhéritier, Le despotisme éclairé, de Frédéric II à la Révolution française: *Bulletin* IX, Nr. 35, 1937, S. 181–225). Fritz Hartung, der selber Mitglied der Kommission war und 1938 zu ihrem Sekretär gewählt wurde, fand freilich, daß durch diese internationale Gemeinschaftsarbeit eher eine Verwirrung als eine Klärung erzielt worden sei. (Fritz Hartung, Der Aufgeklärte Absolutismus, in diesem Band S. 54.) In der Tat hat gerade die Ausweitung des Untersuchungsfeldes dazu geführt, daß die Konturen der historischen Erscheinung »Aufgeklärter Absolutismus« in zunehmendem Maße undeutlich wurden. Der Begriff ist zerdehnt worden, indem der zeitliche und der geographische Rahmen, innerhalb dessen es einen Aufgeklärten Absolutismus geben sollte, ganz beträchtlich erweitert worden ist: zeitlich über das 18. Jahrhundert hinaus, einerseits bis zur Gegenwart hin, anderseits bis ins Altertum zurück; geographisch über den europäischen Kulturkreis des 18. Jahrhunderts hinaus, indem auch Staaten wie die Türkei und selbst Indien und China in die Betrachtung einbezogen worden sind. Vgl. dazu den bereits erwähnten ausgezeichneten Aufsatz Hartungs von 1955, der uns einer der wesentlichsten Beiträge zur Klärung des Begriffs zu sein scheint.

9. Vincenzo Gioberti, *Del primato morale e civile degli italiani,* 4. Auflage, Neapel 1848, S. 93/94: »Questa benefica mutazione fu specialmente opera di alcuni principi naturali; fra i quali sorse nell'età passata un mirabile zelo e una emulazione veramente regia e civile per migliorare le sorti dei loro soggetti e in ispecie delle classi più infelici, perfezionare le leggi, correggere gli absui, abolire le reliquie degli ordini feudali, e volgere a profitto dello stato i trovati e gli acquisti dell'umano ingegno . . . Niuno può immaginare il segno di prosperità, a cui saremmo pervenuti, se l'opera saviamente riformatrice dei nostri principi non fosse stata intorbidata, poi interrotta e in fine annullata, prima dagli scandali, poi dalle insidie e dalle armi forestiere . . .«; S. 95: »Egli è adunque giunto il tempo propizio per ripigliare sotto più lieti e sicuri auspizi le prudenti riforme del secolo preceduto . . .« Tavola e sommario, S. XLIII: »Principii di risorgimento nel secolo passato, e riforme civili fatte dai principi nostrali. – Interrotto dalla rivoluzione francese, ora è il tempo opportuno di ripigliarle.« (Gioberti hat sein Buch dem Andenken Silvio Pellicos gewidmet; die dem Werk vorangestellte Widmung ist vom 5. November 1842 datiert.)

10. Cesare Balbo, *Delle speranze d'Italia. Edizione quinta, con appendici inedite*, Florenz 1855, S. 65 ff.; die zitierten Stellen: S. 69, 72. (Das Buch ist Vincenzo Gioberti gewidmet; Dedica prima: November 1843; Dedica seconda: 5. Juli 1844.)

11. Charles Morazé, Finance et despotisme. Essai sur les despotes éclairés. In: *Annales* 3, 1948, S. 279 ff. S. 279: »Nous sommes bien persuadé de l'importance capitale des pensées philosophiques qui ont enrichi notre XVIIIe siècle. Pourtant, nous ne pensons pas, en l'occurrence, qu'elles aient joué, dans le développement du despotisme éclairé de l'Europe centrale et orientale, le rôle qu'on leur attribue généralement. Les souverains, en effet, sont d'abord soucieux de leur métier . . . Un poète admire un poète, un philosophe un philosophe, mais l'admiration d'un souverain va, de par les conditions mêmes de sa vie, d'abord à un souverain. De la France, c'est bien davantage l'exemple de Louis XIV qui leur paraît à retenir, et c'est sur les causes de

son succès qu'ils méditent. De l'Angleterre, c'est la création des richesses qu'ils apprennent . . . Ils bénéficient des expériences que la France et l'Angleterre ont déjà faites. Ils n'ont qu'à copier les attitudes qui ont porté l'une au sommet de la puissance politique, l'autre au sommet de la richesse. Cette copie d'un passé qui a fait ses preuves les préoccupe bien plus que la création du monde, dont les philosophes français du XVIIIe siècle imaginent les perfections . . .« S. 294: »Tous ont bien suivi l'exemple du roi soleil. Tous ont été de dignes élèves – et la plupart ont pu, par-dessus le marché, s'offrir le luxe de paraître s'inspirer des philosophes à la mode en France . . . Car ne nous illusionnons pas: aucune réforme de l'Europe n'est due à la pensée philosophique. Frédéric II se moquait bien de Montesquieu, de Voltaire, de Rousseau ou des Physiocrates, quand il voulait des arsenaux, équipait des magasins de blé et distribuait cheptel et semences. Catherine coquetait seulement, et le bon Joseph, pour avoir pris leurs discours pour argent comptant, fut près de tout conduire à la ruine. Rien dans les institutions réelles, solides, de l'Europe, ne doit quoi que ce soit à la France du XVIIIe siècle: elles doivent presque tout à celle du XVIIe. – Et le reste à l'Angleterre«, fügt Morazé hinzu. Aber auch da handelte es sich, nach Morazé, nicht um die Aufklärungsphilosophie Englands, sondern um die in England ausgebildeten Finanzeinrichtungen, wie die Bank von England, die anregend auf die aufgeklärten Despoten gewirkt haben.

Georges Lefèbvre (in diesem Band S. 77 ff.) S. 103 (hier S. 82): »Dans l'ensemble, la pratique gouvernementale au XVIIIe siècle ne différa pas, quant au principe, de ce qu'elle était auparavant: elle s'adapta jusqu'à un certain point aux conceptions nouvelles qu l'évolution économique et sociale favorisait . . .« S. 109 (hier S. 83): »En réalité, pour les souverains, les déclarations humanitaires n'étaient que jeux d'esprit . . .« S. 110 (hier S. 83): »Ils (les philosophes) ne s'avisèrent pas que la volonté de puissance, les conditions naturelles et historiques réglaient la conduite des souverains et non la propagande philosophique et le souci du progrès humain.«

So auch Roland Mousnier in: *Histoire générale des civilisations,* V, Le XVIIIe siècle, Paris 1953, S. 173: »Voltaire fit la propagande de Frédéric II, Diderot celle de Catherine. Ils ne virent pas que les souverains n'avaient pris dans le programme de l'Encyclopédie que les points qui leur étaient utiles; ou plus exactement, que dans ce que les ›despotes éclairés‹ avaient fait et qui n'avait rien de bien nouveau, il y avait des mesures qui coïncidaient avec des points du programme encyclopédiste; ils ne virent pas que le but des souverains était seulement la puissance de leurs Etats pour dominer, envahir et démembrer, que toute cette ›philosophie‹ n'était qu'un leurre . . .« Die gleiche Meinung, daß der Aufgeklärte Absolutismus nichts wesentlich Neues enthalten habe, hat Mousnier auch in seinem für den 2. Internationalen Historikerkongreß von 1955 abgefaßten Bericht über das Problem der absoluten Monarchie vertreten (Quelques problèmes concernant la monarchie absolue. In: *Relazioni del X° Congresso Internationale di Scienze storiche,* Volume IV, Storia moderna, Florenz 1955, S. 17: »En somme, les ›despotes éclairés‹ ont fait ce que les autres souverains absolus avaient fait avant eux«).

12. Paul von Mitrofanov, *Joseph II. Seine politische und kulturelle Tätigkeit.* Aus dem Russischen ins Deutsche übersetzt von V. von Demelié. Mit einem Geleitwort von Hanns Schlitter, 2 Bde. (mit fortlaufender Paginierung), Wien und Leipzig 1910, S. 106.

13. Vgl. Friedrichs Instruktion von 1751 für den Major Borcke, der zum Erzieher von Friedrich Wilhelm bestimmt war *(Œuvres de Frédéric le Grand,* hg. von J. D. E. Preuss, Bd. IX, Berlin 1848, Luxusausgabe der Universitätsbibliothek Basel, S. 43) sowie die Kapitel über die Prinzenerziehung in Friedrichs politischen Testamenten von 1752 und 1768 *(Politische Korrespondenz Friedrichs des Großen,* Ergänzungsband: *Die politischen Testamente Friedrichs des Großen.* Hg. von G. B. Volz, Berlin 1920, S. 102 ff. und S. 231 ff.; namentlich S. 102, 108, 231, 235). Für Joseph II. und Peter Leopold: Adam Wandruszka, *Das Haus Habsburg. Die*

Geschichte einer europäischen Dynastie, Stuttgart 1956, S. 173f. Vgl. unten, S. 146, das Zitat aus Peter Leopolds Anweisung für die Erziehung seiner Kinder.

14. Nach dem Abdruck im *Goethejahrbuch* 1908, S. 11ff., zitiert bei Friedrich Meinecke, *Die Idee der Staatsräson in der neueren Geschichte*, 3. Auflage, München und Berlin 1929, S. 421: »Vorgang der Großen, zum Sanskulottismus führend. Friedrich sondert sich vom Hofe. In seinem Schlafzimmer steht ein Prachtbette. Er schläft in einem Feldbette daneben. Verachtung der Pasquille, die er wieder anschlagen läßt. Josef wirft die äußeren Formen weg. Auf der Reise, statt in den Prachtbetten zu schlafen, bettet er sich nebenan, auf der Erde auf eine Matratze. Bestellt als Kurier auf einem Klepper die Pferde für den Kaiser. Maxime, der Regent sei nur der erste Staatsdiener. Die Königin von Frankreich entzieht sich der Etikette. Diese Sinnesart geht immer weiter, bis der König von Frankreich sich selbst für einen Mißbrauch hält.«

15. *Historische Zeitschrift* 180, 1955, S. 40, im Anschluß an Franz Schnabel, *Deutsche Geschichte im 19. Jahrhundert*, 1. Band, Freiburg im Breisgau 1929, S. 51. – Vgl. dazu Otto Brunner, Vom Gottesgnadentum zum monarchischen Prinzip. Der Weg der europäischen Monarchie seit dem hohen Mittelalter. In: *Vorträge und Forschungen*, hg. vom Institut für geschichtliche Landesforschung des Bodenseegebietes in Konstanz, geleitet von Theodor Mayer, Bd. 3, Lindau und Konstanz 1956: Das Königtum. Seine geistigen und rechtlichen Grundlagen.

16. Vgl. dazu Robert Derathé, *Jean-Jacques Rousseau et la science politique de son temps*, Paris 1950; dazu die klassische Darstellung von Otto v. Gierke, *Johannes Althusius und die Entwicklung der naturrechtlichen Staatstheorien*, 4. Auflage, Breslau 1929.

17. Considérations sur l'état présent du corps politique de l'Europe (*Œuvres* VIII, S. 28/29: »Si les princes se défaisaient de ces idées erronées, et qu'ils voulussent remonter jusqu'au but de leur institution, ils verraient, que ce rang dont ils sont si jaloux, que leur élévation n'est que l'ouvrage des peuples . . .« »Qu'ils sentissent que la vraie gloire des princes ne consiste point à opprimer leurs voisins, point à augmenter le nombre de leurs esclaves, mais à remplir les devoirs de leurs charges, et à répondre en tout à l'intention de ceux qui les ont revêtus de leur pouvoir et de qui ils tiennent la grandeur suprême.«)

18. Essai sur les formes de gouvernement et sur les devoirs des souverains (*Œuvres* IX, S. 227: ». . . que les citoyens n'ont accordé la prééminence à un de leurs semblables qu'en faveur des services qu'ils attendaient de lui . . .«)

19. In den Anweisungen für die Erziehung seiner Kinder (zitiert von Adam Wandruszka, a.a.O., S. 173/174).

20. Leopold an Marie Christine, 25. Januar 1790 (*Leopold II. und Marie Christine. Ihr Briefwechsel* [1781–1792]. Hg. von Adam Wolf, Wien 1867, S. 84ff.).

21. Disposition de Sa Majesté Impériale et Royale, adressée aux chefs des départements, sur la manière de traiter les affaires publiques (*Recueil des ordonnances des Pays-Bas autrichiens.* Troisième série. 1700–1794. Tome douzième, contenant les ordonannces du 10 janvier 1781 au 23 décembre 1786. Par Paul Verhaegen. Bruxelles 1910. S. 333ff.), S. 336: ». . . Chaque individu ayant des biens provenant de ses ancêtres ou acquis par son travail ou son industrie, n'a compris et ne s'est rapporté à l'arbitrage du souverain de la monarchie, qu'avec la confiance aveugle, et de manière que chacun ne soit chargé ou contribuable que pour autant que les besoins indispensables de la considération et la sûreté, la justice, l'ordre intérieur et la prospérité ou l'accroissement du corps de l'Etat entier, dont chacun fait partie, l'exigent; d'où il résulte que le gouvernement doit diriger toutes ses dépenses vers ce but capital; faire le recouvrement de ses revenus de la manière la moins dispendieuse et la plus sûre, et s'occuper uniquement à bien servier l'Etat dans toutes ses parties; donc le monarque lui-même, comptable à chaque individu

de sa gestion, ne peut dans l'administration des fonds publics qui ne lui appartiennet pas, ni écouter sa prédilection pour personne, ni accorder des libéralités, même aux nécessiteux, à moins que le patrimoine, qu'il possède comme particulier, ne le mette en état de se procurer ce plaisir et d'exercer cette vertu, vraiment digne de tout homme qui est bien partagé du côté de la fortune.«

22. Abgedruckt in: Joachim Zimmermann, *Das Verfassungsprojekt des Großherzogs Peter Leopold von Toscana*, Heidelberg 1901, Anhang, S. 91 ff.

23. Punti diversi sugli stati (Zimmermann, Anhang Nr. 5, S. 178).

24. Editto diviso in tre parti cioè proemio, la costituzione e le ordinazioni per la formazione delli stati in Toscana rimessa dal Senatore Gianni li 8 Settembre 1782 (Zimmermann, Anhang Nr. 4, S. 125 ff. Neuer Abdruck bei: Renato Mori, *Le riforme leopoldine nel pensiero degli economisti toscani del '700*, Florenz 1951, S. 159 ff.).

25. Zimmermann, S. 125: »Appena assunti al trono volgemmo gli occhi sulla originaria fondazione del governo di Toscana, e quindi sulle vicende della sua legislazione, e con aborrimento vedemmo che per le infelicità dei tempi, e le turbolenze tra le quali fu stabilito il trono dell'estinta famiglia de' Medici, era sorto un governo senza veruna legge fondamentale, ed interamente arbitrario, ed ingiusto, perchè fondato sulla violenza, e non sul consenso dei popoli che soli possono legittimarne l'istituzione . . .« S. 128/129: »Con i sopraindicati sentimenti dell'animo nostro intendiamo adesso di restituire a tutti i sudditi del nostro granducato di Toscana la loro piena libertà naturale per intervenire validamente ad accettare e celebrare il presente atto, in tutte le sue parti, nonostante tutto ciò che direttamente o indirettamente potesse addursi in contrario in vigore delle loro obbligazioni stipulate e promesse fatte per mezzo di altri atti, o consensi tanto taciti che espressi, e così generali come particolari, e benchè autenticati dalle più solenni formalità di pubbliche o notorie funzioni: poichè renunziamo ad ogni diritto acquistato con tali mezzi e dichiriamo che nè i viventi nostri sudditi, nè i loro autori potevano mai essere spoglitai, nè essi spogliarsi di quelle facoltà legittime delle quali nacquero già investiti dalla natura nella società politica, o sia nello Stato che fu la loro patria.«

26. »Enfin, je crois que le souverain ne doit régner que par la loi, et que ses constituants sont le peuple, qui n'a jamais pu renoncer ni être privé par aucune prescription ou consentement tacite et forcé, à un droit imprescriptible qui est celui de nature, pour lequel ils ont consenti à avoir un souverain, c'est-à-dire, de lui accorder la prééminence pour qu'il fasse leur bonheur et félicité, pas comme il veut lui, mais comme eux-mêmes le veulent et le sentent . . .« (Vgl. oben, Anm. 20.)

27. Warum die Einführung der Verfassung unterblieb, ist aus den erhaltenen Quellen nicht eindeutig zu beantworten. Nach Holldack (Die Reformpolitik Leopolds von Toskana, in: *Historische Zeitschrift* 165, 1942, S. 46) mochte es »in der zögernden und unentschlossenen Natur Leopolds begründet sein, daß die 1782 fertiggestellte Urkunde nicht veröffentlicht worden ist, obwohl es gerade der Großherzog gewesen ist, der den entscheidenden Anstoß zu ihrer Ausarbeitung gegeben hat«. Zimmermann (a. a. O., S. 76 f.) weist auf die gegen die leopoldinischen Reformen, namentlich die kirchlichen Neuerungen gerichteten Volksunruhen hin, die sich nach dem Weggang Leopolds in der Toskana ereigneten und den Großherzog von seiner ursprünglichen Absicht abgebracht haben könnten.

28. Friedrich in seinem Essai von 1777 (*Œuvres* IX, S. 238): Der Fürst sei als der erste Diener des Staates verpflichtet, rechtlich, klug und gänzlich uneigennützig zu handeln, »comme si à chaque moment il devait rendre compte de son administration à ses citoyens« – wie wenn er jeden Augenblick Rechenschaft ablegen *müßte*. Ganz gleich drückte sich Friedrich in einem Schreiben an Pitt aus (*Politische Korrespondenz* 20, S. 508/509, Kunzendorf, 3. Juli 1761): Die

Ehre und das Interesse des Staates seien die beiden Prinzipien, von denen er sich leiten lasse, und deshalb gehöre es zu seinen Verhaltensregeln, »de ne jamais faire d'action dont j'eusse à rougir, si je devais en rendre compte à mon peuple«. Und wenn Friedrich in seinen »Mémoires pour servir à l'histoire de la Maison de Brandebourg«, von 1747, erklärt (*Œuvres* I, S. 142), daß der Fürst als der erste Diener und der erste Beamte des Staates diesem über die Verwendung der Steuern Rechenschaft schuldig *sei* (Un prince est le premier serviteur et le premier magistrat de l'Etat; il lui doit compte de l'usage qu'il fait des impôts), so war damit doch bloß in allgemeiner Weise die Verantwortlichkeit des Fürsten festgestellt, die Verantwortung, die er für den in seine Obhut gegebenen Staat trug. Den genau gleichen Sinn hatte es, wenn Joseph II. den Fürsten als »comptable à chaque individu de sa gestion« erklärte (vgl. oben, Anm. 21). In der »Apologie de ma conduite politique«, von 1757 (*Œuvres* XXVII 3, S. 303ff.), hält Friedrich ausdrücklich fest, daß niemand auf Erden die Könige zur Rechenschaft ziehen könne und daß dies insbesondere auch für die Stände ihrer Länder gelte: »Les états du pays n'ont pas l'autorité de les interroger sur les motifs de leurs résolutions.«

29. Vgl. oben, Anm. 17.

30. Anhang zu: *Maria Theresia und Joseph II.* Ihre Korrespondenz samt Briefen Josephs an seinen Bruder Leopold. Hg. von Alfred Ritter von Arneth, 3. Band, Wien 1868, S. 335ff. Die zitierten Stellen: S. 352, 360.

31. Otto Hintze, a.a.O., S. 427.

32. Hanns Schlitter, a.a.O., S. 363. Vgl. oben, Anm. 1.

33. Vgl. die Beschlüsse der Opfernacht vom 4. August 1789 in: Procès-verbal de l'Assemblée nationale, imprimé par son ordre, t. 2, No. 40bis, S. 40ff. – Die den Debatten vom 6. bis 11. August zugrunde gelegte Dekretsvorlage (Projet d'arrêté qui sera discuté dans l'Assemblée nationale, demain 6 août 1789): vierseitiger Druck, dem Procès-verbal Nr. 42, vom 6. August, beigeheftet (PV t. 2). – Die beschlossenen 19 Artikel, deren Text nach Art. 19 in alle Provinzen gesandt werden sollte, »pour y être imprimé, publié, même au prône des paroisses, et affiché partout où besoin sera«: siebenseitiger Druck, dem Procès-verbal Nr. 49, vom 13. August, beigeheftet (PV t. 3).

I: L'Assemblée nationale détruit entièrement le régime féodal . . . IV: Toutes les justices seigneuriales sonst supprimées sans aucune indemnité . . . VII: La vénalité des offices de judicature et de municipalité est supprimée dès cet instant . . . IX: Les privilèges pécuniaires, personnels ou réels, en matière de subsides, sonst abolis à jamais . . . X: Une constitution nationale et la liberté publique étant plus avantageuses aux provinces que les privilèges dont quelques-unes joussaient et dont le sacrifice est nécessaire à l'union intime de toutes les parties de l'Empire, il est déclaré que tous les privilèges particuliers des provinces, principautés, pays, cantons, villes et communautés d'habitants, soit pécuniaires, soit de toute autre nature, sont abolis sans retour, et demeureront confondus dans le droit commun de tous les Français. XI: Tous les citoyens, sans distinction de naissance, pourront être admis à tous les emplois et dignités ecclésiastiques, civils et militaires, et nulle profession utile n'emportera dérogeance.

34. Die »Josephiner« haben an diesem politischen Glaubenssatz über den Tod des Kaisers hinaus festgehalten. Die »A. u. Begutachtung der treugehorsamsten Obersten Justizstelle über die ständischen Desiderien und Beschwerden«, vom 26. Oktober 1790, hat sich wie folgt über Josephs II. »Grundsatz der Einförmigkeit« geäußert: Die treugehorsamste Oberste Justizstelle dürfe sich nicht erlauben, in die geheimen Absichten einzudringen, die in jenem vom verstorbenen Kaiser aufgestellten Grundsatze für die österreichische Monarchie lägen; daß aber dieser Grundsatz einem Staate Kraft und Festigkeit gebe, sei einleuchtend. Daher erachte man, diesen Grundsatz noch jetzt beizubehalten und sich von demselben nur soweit zu entfernen, als es

auffallend wäre, daß ganz besondere Verhältnisse für diese oder jene Provinz eine Ausnahme zur Notwendigkeit machten. (Zitiert bei Mitrofanov, a.a.O., S. 547.) Josephs Ziel war es – nach seinen eigenen, oft zitierten Worten – »qu'une bonne fois la monarchie ne fasse qu'une province égale dans toutes les dispositions et charges« (Schreiben an Leopold, vom 14. Januar 1786): »qu'une masse dirigée également« (Schreiben an Leopold, vom 14. Mai 1786) (*Briefwechsel*, hg. von Alfred Ritter von Arneth, Band 2, Wien 1872, S. 2, 17). Man vergleiche Abschnitt 8 des »Hirtenbriefs« von 1783 (in diesem Band S. 136, Anm. 35) mit Artikel 10 des Dekrets der französischen Nationalversammlung vom 11. August 1789 (in diesem Band S. 120, Anm. 33). – Mit der größten Entschiedenheit hat sich Joseph II. gegen das Steuerprivileg gewandt. So schon in seiner Denkschrift von 1765 (a.a.O., S. 345): ». . . que les charges soient égales, que le seigneur, le bourgeois et le paysan contribuent dans une juste proportion. Si l'on trouvait, comme cela pourrait être, par-ci par-là quelques individus trop à leur aise, il faudrait les égaliser avec les autres. La justice exige en revanche la même chose, s'il y en avait de trop chargés.« Aber nicht weniger bestimmt tat er es in der Zeit seiner Alleinherrschaft, während der von ihm betriebenen Steuerreform: A. h. Resolution zur a. u. Note des Hofkanzlers Grafen von Kolowrat, 30. Juli 1788 (Mitrofanov, S. 470): »Meine Grundsätze sind unerschütterlich: Jeder muß entsprechend seinem Einkommen zahlen und diese Grundsätze gelten so viel wie das Wort des Propheten; ich werde mich nicht damit abgeben zu überprüfen, was dem oder jenem zum Vorteile gereicht: wer gewinnt, dem wünsche ich vom ganzen Herzen Erfolg, ebenso wie ich diejenigen bedaure, die bei der neuen Ordnung verlieren.« – Die *Gazette des Gazettes* hat dem Kaiser, unter dem Datum des 25. Mai 1783, das Lob erteilt: »Jamais souverain n'a peut-être montré ni de plus saines notions sur la nature et l'effet des privilèges, ni une conduite mieux raisonnée ou plus ferme à cet égard que l'Empereur.« (Mitrofanov, S. 489.)

35. In seiner Denkschrift von 1765 (a.a.O., S. 353/54) wendet sich Joseph gegen das Vorurteil, »qui nous veut faire accroire que je vaux mieux, parce que mon grand-père a été déjà comte, et que j'ai un parchemin dans mon coffre, qui a été signé de Charles-Quint. Nous n'héritons en naissant de nos parents que la vie animale, ainsi roi, comte, bourgeois, paysan, il n'y a pas la moindre différence.«

36. Vgl. unten, S. 128f.

37. Maria Theresia an Joseph, Dezember 1775 (*Maria Theresia und Joseph II.* Ihre Korrespondenz samt Briefen Josephs an seinen Bruder Leopold. Hg. von Alfred Ritter von Arneth. Band 2, Wien 1867, S. 94/95).

38. In der kritischen Ausgabe von E. Champion, Paris 1888: S. 43ff. (mit dem Schluß: »Donc, en tout, il n'y a pas deux cent mille privilégiés des deux premiers ordres. Comparez ce nombre à celui de vingt-cinq à vingt-six millions d'âmes, et jugez la question.«)

39. Testament von 1752, Ausgabe von G. B. Volz, Berlin 1920, S. 29, 78.

40. Wir gehen hier nur auf einen der zahlreichen Aspekte des Problems kurz ein. Das vielschichtige Thema »Aufgeklärter Absolutismus und Freiheit« soll später in einer besonderen Studie behandelt werden.

41. Zitiert bei Luigi Salvatorelli, Il pensiero politico italiano dal 1700 al 1870, 5. Auflage, Turin 1949, S. 74.

42. A.a.O., S. 78.

43. So verstand es zum Beispiel auch Cesare Beccaria – auch er ein Untertan Maria Theresias und Josephs II. –, wenn er im 25. Kapitel seines berühmten Buches über die Verbrechen und die Strafen die aufgeklärten Monarchen seines Jahrhunderts pries. Wenn diese, so schreibt er, die gegen Natur und Vernunft verstoßenden Gesetze nicht sofort abschaffen, so rühre dies daher, daß es unendlich schwer sei, den hoch in Ehren gehaltenen Rost vieler Jahrhunderte, der

die Irrtümer zudeckt, wegzuräumen. Und dies sei der Grund für alle aufgeklärten Bürger, noch mehr als bisher die Steigerung der fürstlichen Macht zu wünschen. ([Cesare Beccaria], Dei delitti e delle pene. Edizione seconda rivista e corretta. In *Monaco 1764*, S. 75).

44. Vgl. in diesem Band S. 121, Anm. 34.

45. Lettres sur l'amour de la patrie ou Correspondance d'Anapistémon et de Philopatros (*Œuvres* IX, S. 243–278). Vgl. unten, S. 129ff.

46. Mitrofanov, a. a. O., S. 236.

47. Essai sur les formes de gouvernement et sur les devoirs des souverains (*Œuvres* IX, S. 229).

Aufgeklärter Absolutismus und Staat

Zum Staatsbegriff der aufgeklärten Despoten

ERNST WALDER

»Alles für das Volk und nichts durch das Volk«: Auf diese einprägsame Formel hat man die Summe der politischen Grundsätze und Bestrebungen, die den Aufgeklärten Absolutismus kennzeichnen sollen, zu bringen versucht. Reinhold Koser verwendet die Formel 1889 in seinem Aufsatz über »Die Epochen der absoluten Monarchie in der neueren Geschichte [1]«, um die Stelle anzugeben und zu charakterisieren, die der Aufgeklärte Absolutismus innerhalb der Gesamtentwicklung der neuzeitlichen Monarchie einnimmt. Es leuchte ein, stellt er in seinem Schlußurteil fest, »daß das Königtum nach Aufstellung des Gebotes ›Alles für das Volk‹ mit innerer Notwendigkeit früher oder später den weiteren Schritt tun und auf den noch beibehaltenen Grundsatz ›Nichts durch das Volk‹ verzichten mußte«. Paul von Mitrofanov, der Biograph Josephs II., spricht zwanzig Jahre später von der Formel bereits als von der allgemein bekannten Devise, mit der man gewöhnlich die Gesamtheit der Grundsätze kennzeichne, von denen sich in der zweiten Hälfte des 18. Jahrhunderts die Mehrzahl der Herrscher habe leiten lassen. Mit Mitrofanov meldet sich aber auch schon die Kritik: Stimmt die Formel wirklich? Der russische Historiker findet – und dafür will eben seine ausführliche Darstellung der politischen und kulturellen Tätigkeit Josephs II. den Beweis erbringen –, daß die Formel richtigerweise lauten sollte: »Alles für den *Staat* und nichts durch das Volk.« – »Denn – so begründet Mitrofanov seine Korrektur der Devise – Ruhm, Befestigung, Erweiterung und Gedeihen des Staates, das galt als Ziel der Regierungstätigkeit; die Untertanen waren bloß Glieder des Staatskörpers, die Wert und Daseinsberechtigung hatten, sobald sie mit allen ihren Kräften zur Erreichung jenes Zieles beitrugen. Von den Regierungen wurden sie keineswegs als Individuen angesehen, die eigene Rechte und Interessen besaßen, Freud und Leid empfanden, sondern vielmehr als eine lebendige Kraft, dazu bestimmt, die Staatsmaschine in Gang zu bringen und auch darin zu erhalten [2].«

Mit der Feststellung, daß die Regierungen nicht der Losung »Alles für das Volk«, sondern der Losung »Alles für den Staat« gefolgt seien, ist aber zunächst wenig gewonnen. Sie wirft die Frage auf, was die Regierungen denn unter dem »Staat« verstanden haben, dem alle ihre Sorge galt; was sie damit meinten, wenn sie von ihrem Staate sprachen und vom Staatsinteresse oder dem Staatswohl als dem obersten Gesetz. Der »Staat« der aufgeklärten Despoten erweist sich bei näherem Zusehen als ein sehr komplexer Begriff, und die folgenden Ausführungen möchten zeigen, daß es im Grund eine unangemessene Ausdrucksweise ist, von »dem« Staatsgedanken des Aufgeklärten Absolutismus zu sprechen, insofern nämlich als es für die aufgeklärten

Schweizer Beiträge zur Allgemeinen Geschichte 15, 1957, S. 156–171. Der Abdruck erfolgt mit freundlicher Genehmigung des Verfassers und des Verlages Herbert Lang & Cie., Bern.

Monarchen gerade kennzeichnend ist, daß in ihrem politischen Denken verschiedene Staatsbegriffe, verschiedene Auffassungen vom Wesen und Sinn des Staates nebeneinander hergingen, aufeinanderstießen und sich durchkreuzt haben.

Der Verfasser dieser Studie ist von der Frage ausgegangen, was die Monarchen selber, die gemeinhin als Vertreter eines Aufgeklärten Absolutismus angesehen werden – ein Friedrich II., ein Joseph II., ein Peter Leopold von Toskana –, als den eigentlichen Zweck und das letzte Ziel ihrer Regierungstätigkeit betrachtet haben, zu welchem Zweck sie die unbeschränkte Gewalt in Anspruch genommen, wozu sie diese brauchen wollten, und er ist dabei in den von ihm untersuchten Zeugnissen auf drei verschiedene Staatsbegriffe gestoßen. Es scheint – das ist der erste Eindruck – namentlich eine Spannung zwischen zwei einander polar entgegengesetzten Staatsauffassungen bestanden zu haben. Es findet sich auf der einen Seite *erstens die Auffassung des Staates als Anstalt, als einer Einrichtung, durch die das Glück des Menschen gefördert und gesichert, »das größtmögliche Glück der größtmöglichen Zahl« verwirklicht werden sollte.* Es ist die aus der Aufklärung hervorgegangene Staatsidee, die wir – im Anschluß an Meinecke – den humanitären Staatsgedanken nennen wollen, wobei mit dem Attribut »humanitär« zum Ausdruck gebracht werden soll, daß das politische Denken und der von ihm aufgestellte Staatszweck hier ganz auf den Einzelmenschen und auf sein individuelles irdisch-menschliches Glück bezogen sind.

»Das Glück war der Gral der neuen Zeit«, wie Paul Hazard in seiner geistvollen Darstellung des europäischen Denkens im Zeitalter der Aufklärung gesagt hat [3]. Das spezifisch Neue war dabei nicht das individuelle Glücksstreben an sich, das es zu allen Zeiten gegeben hat, sondern daß das natürliche menschliche Glücksverlangen nun als ein Rechtsanspruch auftrat, den der einzelne Mensch zu stellen hatte, ein Rechtsanspruch, der hier und jetzt, auf dieser Erde und in dieser Zeit verwirklicht werden sollte [4]. Man verstand diesen Anspruch als ein Menschenrecht, und das hieß als ein Recht, das unterschiedslos jedem Menschen zukam. Man sprach vom gleichen Recht auf Glück, das jeder habe (so Peter Leopold in einer seiner Denkschriften zum toskanischen Verfassungsprojekt, um 1780: alle besäßen »un egual diritto alla felicità«) [5], und man betonte deshalb, daß das Glück nicht das Vorrecht einzelner Schichten sein dürfe, sondern jedem einzelnen oder jedenfalls einer immer größeren Zahl aller dieser einzelnen zuteil werden müsse. Es ist jenes Postulat der Aufklärung, welches Bentham in die berühmte Formel »The greatest happiness of the greatest number« gefaßt hat. Das wurde die Forderung, die man auch an den Staat und an seine Regierung gestellt hat. Zu diesem humanitären Staatsgedanken nun, so läßt sich feststellen, haben sich auch die aufgeklärten Despoten bekannt. Wir begegnen ihm bei Peter Leopold von Toskana, der als den einzigen Zweck der Gesellschaften und Regierungen ausdrücklich das Glück der einzelnen bezeichnet hat [6]; bei Joseph II., der von allen Staatsdienern, vom untersten Beamten bis zum Herrscher hinauf, verlangte, daß sie kein anderes Ziel vor Augen haben sollten als »le bien-être du plus grand nombre« und daß sie ohne Unterlaß ihr Augenmerk darauf zu richten hätten, was zur Verbesserung des Loses und zum Wohlergehen ihrer Mitbürger, in deren Dienst sie stünden, beitragen könnte[7]; bei Friedrich II., der im Antimachiavel vom Herrscher forderte, das Wohl der von ihm Regierten jedem anderen Interesse vorzuziehen, und es als die Aufgabe des Herrschers bezeichnete, das Wohlergehen und das Glück der Untertanen zu mehren oder es ihnen zu verschaffen, wenn sie es nicht besäßen, und noch 1784: ». . . de rendre . . . les particuliers, depuis le noble au manant, plus aisés et plus à leur aise[8]«. Aber diese humanitäre Staatsidee, die den Menschen, die »das Wohlergehen des einzelnen und der vielen« im Auge hat, stieß nun bei Friedrich II. – wie auch bei Joseph II. – mit einem andern Staatsgedanken zusammen, mit einem andern politischen Denken, das nicht aus der Aufklärung stammte, in dessen Mittelpunkt nicht, wie im Denken der Aufklärer, der Mensch mit seinen individuellen Ansprüchen stand. Es ist *zweitens die Auffassung des Staates als Machtorganisation*, von der man beispielsweise Friedrichs des Großen politische Testamente von 1752 und 1768 beherrscht sieht, jene Auffassung, in welcher die Aufrechterhaltung und Festigung, der Ausbau und die Steigerung der Wirkungsmöglichkeiten der Herrschafts- und Machtorganisation »Staat« als *das* Ziel der gesamten Regierungstätigkeit erscheint und der Mensch und sein individuelles Wohlergehen nur als ein Mittel zu diesem Zweck. Es ist der überlieferte, ältere Staatsgedanke des neuzeitlichen Herrschertums, der sich mit der Fürstensouveränität ausgebildet und mit dem fürstlichen Absolutismus entwickelt hat und in welchem der »Staat« vornehmlich den vom Fürsten aufgebauten und gehandhabten Macht- und Herrschaftsapparat bedeutete, dessen der Fürst zur Erfüllung seiner Herrscheraufgabe bedurfte, und der nicht nur den fürstlichen Verwaltungs- und Militärapparat, mit Beamtentum und stehendem Heer, umfaßte, sondern – in immer stärkerem Maße – auch Land und Leute in sich schloß, die dem Fürsten untertan waren: die Untertanen, mit ihrer Wirtschafts- und Steuerkraft, mit ihrer physischen und geistigen Leistungsfähigkeit[9].

Diesen Charakter des Apparats, auf dessen Größe, Macht, Wirksamkeit und Reputation die ganze Sorge des Fürsten gerichtet ist, zeigt der Staat beispielsweise in der von Joseph II. Ende 1765 verfaßten Denkschrift über den Zustand der österreichischen Monarchie[10], etwa wenn der Kaiser darin, gleich am Anfang seines politischen Programms, vom »état politique«, dem »état des finances« und dem »état militaire« als den drei Hauptteilen der staatlichen Organisation spricht, und im Hinblick auf die Untertanen feststellt, er betrachte »comme premier objet, sur lequel tant l'état politique que celui des finances et même le militaire doivent régler toutes leurs démarches, la population, c'est-à-dire la conservation et l'augmentation des sujets«, weil sich daraus für den Staat der dreifache Vorteil ergebe, daß durch die Vermehrung der Untertanen seine Verteidigungs- und Expansionskraft gesteigert, sein Ansehen und seine Geltung unter den andern Mächten erhöht werde und er durch die natürliche Vergrößerung der Steuerzuflüsse an Reichtum – und damit wiederum an Macht – gewinnen mußte[11]. Die ganze Denkschrift hindurch ist nicht davon die Rede, wie der Staat in den Dienst des Menschen zu stellen sei, um dessen legitimen Anspruch auf Glück zu befriedigen, sondern umgekehrt, wie der Mensch in den Dienst des Staates zu stellen sei, wie die Fähigkeiten und Kräfte des Menschen für den Staat nutzbar zu machen seien, damit der Staat reich, mächtig und angesehen werde.

So wird in einem Abschnitt von Joseph dargelegt, was vorzukehren sei, »pour animer les gens à servir l'Etat«. Wer – sei es in der Verwaltung oder im Militär – dem Staate dient, solle künftig am Hofe gegenüber allen andern den Vortritt und Vorrang haben. In diesem Zusammenhang fällt das Wort von den »meubles inutiles à l'Etat«: »De même les femmes de ceux-là (die Frauen derjenigen, die sich im Staatsdienst nützlich machen) auraient des entrées et oseraient seules porter l'habit de cour les grands jours de gala, malgré bien d'autres, princesses même, dont les maris seraient des meubles inutiles à l'Etat.« Im folgenden Abschnitt wird ausgeführt, was zu tun sei, »pour conserver à l'Etat plus d'hommes de génie, capables de le servir«. Das Alter für den Eintritt in den geistlichen Stand soll heraufgesetzt werden, damit dem Staat nicht mehr so viele nutzbare Kräfte verlorengingen: »J'établirais, quoiqu'en pourrait dire le pape et tous les moines de l'univers, qu'aucun de mes sujets ne pût embrasser aucun état ecclésiastique avant l'âge de majorité de vingt-cinq ans accomplis.« Wenn jemand für den Staat nützlich ist, so wird in einem weiteren Abschnitt erklärt, dann muß und darf man selbst über Religion und Sitte hinwegsehen; denn Gott wolle, daß man diejenigen benutze, die er tüchtig gemacht hat: »que nous employons ceux, à qui il a donné les talents et la capacité pour les affaires, laissant à sa divine miséricorde la récompense des bons, et la punition des mauvaises âmes.«

Was den Verfasser der Denkschrift am Menschen allein zu interessieren scheint, das ist seine Verwendbarkeit und Nutzbarkeit für den Staat, ist der Beitrag, den er zur Erhaltung und zum Ausbau des politischen Herrschafts- und Machtapparates leisten kann. Diese gleiche politische Denkweise, bei welcher der Mensch und sein individuelles Wohlergehen nicht als der Zweck des Staates, sondern als ein Mittel für die Zwecke des Staates erscheint, läßt sich, wie bereits erwähnt, auch in den Staatsschriften Friedrichs des Großen feststellen. Mit besonderer Anschaulichkeit zeigt sie sich etwa an jener Stelle des politischen Testaments von 1768, an welcher der König die steuerzahlenden Untertanen und den Herrscher mit einer Herde Schafe und ihrem Hirten vergleicht, um warnend darauf hinzuweisen, daß der Hirt seine Schafe schere, ihnen aber nicht das Fell abziehe [12]. Wobei es ganz offensichtlich nicht in erster Linie die Sorge um das Wohlbefinden der Herde ist, die solche Rücksicht nehmen läßt: Der Zweck, um dessentwillen die Schafe ihre Wolle lassen müssen, ist nicht die Erleichterung, die den Geschorenen damit verschafft werden kann, sondern, wie im Testament von 1752 ausdrücklich erklärt wird, »die Stärkung des Staates und das Wachstum seiner Macht [13]«. Auf dieses gemeinsame Ziel – so wird von Friedrich immer wieder betont – hätten alle Maßnahmen der Regierung in Finanz- und Heerwesen, Außen- und Innenpolitik zu steuern: »l'affermissement de l'Etat et l'accroissement de sa puissance.« Hatte Friedrich im Antimachiavel von 1739, vom Humanitätsideal der Aufklärung aus, das Machtstreben der Fürsten verurteilt, so bekannte er im politischen Testament von 1752 nun, daß Machiavelli leider recht habe, daß – wie Machiavelli im Principe schrieb – eine selbstlose Macht, die zwischen ehrgeizigen Mächten steht, schließlich zugrunde gehen müsse. »Il faut nécessairement aux princes de l'ambition«: die Fürsten müssen den Willen zur Macht haben, wenn sie nicht Gefahr laufen wollen, durch das Machtstreben der andern erdrückt zu werden [14].

Neben der humanitären Staatsidee brachte sich so bei Friedrich II. wie bei Joseph II. [15] die Idee des Staates als fürstlicher Machtorganisation zur Geltung. Hat sie die humanitäre Staatsidee verdrängt oder diese sich irgendwie einzufügen versucht? In welchem Verhältnis standen die beiden Staatsgedanken zueinander?

Die Frage hat eine sehr verschiedene Beantwortung gefunden. Während Georges Lefèbvre in den menschenfreundlichen Erklärungen, den »déclarations humanitaires« der aufgeklärten Despoten nur »jeux d'esprit« sehen kann [16], hat Friedrich Meinecke in seinem Buch über »Die Idee der Staatsräson in der neueren Geschichte« das lebendige Nebeneinander der beiden Staatsgedanken im Preußenkönig betont. Die höchste Aufgabe, die Friedrich dem Herrscher und dem Staate gestellt habe, hätte nicht nur das umfaßt, was bisher das engere Ziel der Staatsräson gewesen war, die Sicherung und Stärkung seiner physischen Macht, sondern auch das Humanitätsideal der Beglückung und Aufklärung des Volkes. Er habe es bitter ernst und heilig genommen mit der Aufgabe, seinen Untertanen das höchste mit den Anforderungen seines Staates vereinbare Maß von irdischem Glück, materieller Wohlfahrt, Erweckung der Vernunft und sittlicher Tüchtigkeit zu verschaffen. Gewiß habe der Machtstaatsgedanke gegenüber dem humanitären bei Friedrich unbedingt den Vorrang gehabt; das sei nicht zu übersehen. Doch dürfe auch nicht übersehen werden, daß dieser Primat nie zu einer Vernichtung des humanitären Staatsgedankens geführt habe. An Belegen dafür fehlt es in der Tat nicht [17]. Als ein besonders sprechendes Zeugnis für das dauernde Nebeneinander der beiden an sich heterogenen Gedanken im Geiste Friedrichs können die von Meinecke angeführten Stellen der Altersschriften von 1777 und 1779 angesehen werden [18], an denen Friedrich eine Brücke zwischen den beiden Gedanken zu schlagen, sie miteinander in Einklang zu bringen versucht hat, indem er geltend machte, daß der Fürst, wenn er Provinzen verliere, nicht mehr wie bisher imstande sein würde, seinen Untertanen zu helfen [19], wo also der fürstliche Machtapparat und die fürstliche Machtpolitik als ein Mittel zur Sicherung des menschlichen Glücks der Untertanen begriffen und gerechtfertigt wurden. Die schwache Stelle dieses Versuches, zwischen den beiden Staatsgedanken eine Synthese herzustellen, ist schon von Meinecke aufgedeckt worden: »Konnte, wenn das humanitäre Motiv den Vorrang behaupten sollte, die bedrohte oder die beanspruchte Provinz unter einem andern Szepter nicht ebenso glücklich und friedlich leben? Dem reinen Aufklärer mußte es gleich sein, welchem Staate diese oder jene Provinz zugehörte, wofern er nur überhaupt für das Wohl seiner Untertanen sorgte [20].« Zwischen dem humanitären Staatsgedanken der Aufklärung, der nur den Menschen und sein individuelles Glück im Auge hatte, und dem überlieferten fürstlichen Machtstaatsgedanken bestand tatsächlich ein Gegensatz, der letztlich nicht zu überbrücken war.

Der von Meinecke formulierte Einwand ließ sich entkräften vom dritten Staatsbegriff her, zu dem das politische Denken der aufgeklärten Despoten gelangt ist. Es ist *drittens die Auffassung des Staates als einer politischen Gemeinschaft gleichstrebender Bürger.*

Wir gehen, um den Zugang zu dieser dritten Ansicht zu gewinnen, von Friedrichs berühmter Forderung aus, daß der Fürst der erste Diener sein müsse. Der erste Diener wessen? Wem sollte er dienen? In wessen Dienst sich mit seiner ganzen Kraft stellen?

Der Ausdruck läßt sich in Friedrichs Schriften an sieben Stellen nachweisen; zum erstenmal im Antimachiavel von 1739. Hier wird der Souverän »le premier domestique« (in Voltaires zweiter Ausgabe abgeschwächt: »le premier magistrat«) »des peuples qui sont sous sa domination« genannt [21]. Und in der ersten Fassung ist ferner beigefügt, daß die Fürsten »leurs sujets«, ihre Untertanen, nicht nur als ihresgleichen, sondern »à quelque égard comme leurs maîtres« anzusehen hätten [22]. An allen folgenden Stellen aber wird der Fürst nicht mehr als der erste Diener oder Beamte seiner Untertanen – des peuples qui sont sous sa domination – bezeichnet, sondern:

in den »Mémoires pour servir à l'histoire de la Maison de Brandebourg«, von 1747, als »le premier serviteur et le premier magistrat de l'Etat [23]«;

im politischen Testament von 1752 wiederum als »le premier serviteur de l'Etat [24]«;

in der »Apologie de ma conduite politique«, von 1757, als der erste Diener »des Volkes« (le peuple, dont il n'est que le chef ou le premier ministre) [25];

im Schreiben an die Churfürstin-Witwe Maria Antonia von Sachsen, von 1766, als der erste Beamte der Nation (leur institution les rend les premiers magistrats de la nation) [26];

und im Essai von 1777 endlich, an zwei Stellen, wieder als »le premier serviteur de l'Etat [27]«.

Es sind in diesen Äußerungen, wie man sieht, drei Größen, denen gegenüber der Herrscher sich verpflichtet weiß, denen sein Dienst gilt: erstens die einzelnen Untertanen (bezeichnet als »les peuples qui sont sous sa domination«, »les sujets«, oder auch – an andern Stellen – »les citoyens«, »mes concitoyens«, »les particuliers«); zweitens die kollektive Größe Volk oder Nation (»le peuple«, »la nation«; an andern Stellen auch: »la société«, »le corps de société«, »la communauté«); drittens der Staat (»l'Etat«). In der Einleitung zu den politischen Testamenten wird noch eine vierte Größe genannt: »Le premier devoir d'un citoyen est de servir sa *patrie;* c'est une obligation que j'ai tâché de remplir dans tous les états différents de ma vie [28] . . .«

Der einzelne – das Volk – der Staat – das Vaterland: das ist die Vierheit, auf welche man Friedrich seine Regierungstätigkeit beziehen sieht, und – so ist zu betonen – dauernd beziehen sieht. Alle vier Größen sind ständig, als ein beziehungsreiches Ganzes, im politischen Denken Friedrichs gegenwärtig. Die Frage kann nur lauten, auf welcher von ihnen jeweilen – oder dauernd – der entscheidende Akzent gelegen hat. Mit der einfachen Gegenüberstellung von Volk und Staat jedenfalls – wie die Antithese, von der unsere Untersuchung ausging, lautete – ist es nicht getan.

Es kommt nun allerdings bei Friedrich II. wie auch bei Joseph II. immer wieder zu einer solchen Gegenüberstellung zweier Größen. Aber sie heißen nicht »Volk« und »Staat«, sondern: »der einzelne« (»le particulier«, »l'individu«, »le citoyen« usw.) und »das, was mehr ist und mehr gilt als dieser einzelne« (das Volk, die Gesellschaft, der Staat, das Vaterland). Einander immer wieder gegenübergestellt werden auf der einen Seite das Einzel- und Sonderinteresse und auf der andern das Allgemeinwohl, das Gesamtinteresse, wobei immer wieder festgestellt wird, daß im Konfliktsfall das Einzelinteresse dem Gesamtinteresse zu weichen hat. So konstatiert Friedrich II. in seinem Testament von 1768: »Le particulier dans chaque pays ne pense qu'à son propre profit, mais un des devoirs d'un bon gouvernement est de combiner le bien général avec celui du particulier, et s'ils se trouvent en opposition, le bien général doit toujours l'emporter dans la balance[29].« Und ganz gleich Joseph II. in seinem Rundschreiben von 1783, in welchem er vorerst »le bien du plus grand nombre« den »bien de la généralité« gleichsetzt (». . . le bien ne peut être qu'un, savoir celui de la généralité ou du plus grand nombre . . .«) und dann erklärt, daß jeder Staatsdiener vom großen Grundsatz ausgehen müsse, »qu'il n'est qu'un seul individu de l'Etat, et que l'intérêt du plus grand nombre doit toujours l'emporter sur le sien, comme sur celui de tout autre particulier, et sur celui du souverain même, en tant qu'il n'est considéré que comme un seul homme. Chacun doit se pénétrer de l'idée, que, quoique son avantage particulier ne se présente peut-être pas d'abord dans ce qui est utile à la généralité, il doit neanmoins l'y trouver nécessairement dans la suite, vu qu'il est membre de cette généralité[30].«

Diese gleiche Idee, daß nämlich das Gesamtinteresse und das wohlverstandene Interesse des Einzelnen miteinander übereinstimmten, wurde auch von Friedrich vertreten, so an jener aufschlußreichen Stelle im politischen Testament von 1768, wo Staat und Einzelner einander gegenübergestellt werden. Friedrich wirft hier die Frage auf, ob man in Steuersachen das Wohl des Staates dem Wohl des Einzelnen voranstellen müsse: »Faut-il, en matière d'impôts, préférer le bien de l'Etat au bien des particuliers, ou quel parti doit-on prendre?« Seine Antwort lautet, daß der Staat sich aus lauter Einzelnen zusammensetze und daß deshalb – man erwartet: das Wohl des Staates und dasjenige des Einzelnen ein und dasselbe seien; doch Friedrich fährt fort: – daß es für den *Herrscher* und seine Untertanen nur *ein* Wohl gebe. »Je réponds que l'Etat est composé de particuliers, et qu'il n'y a qu'un bien pour le prince et ses sujets[31].«

Der Staat erscheint hier zunächst als die politische Zusammenfassung der Einzelnen, also ganz individualistisch gedacht: l'Etat est composé de particuliers. Dann aber wird sofort eines dieser Individuen von allen andern abgehoben und die neue Antithese von Herrscher und Untertanen eingeführt, denen gegenüber der Staat nun als das Dritte erscheint, das mehr ist als der Fürst und als seine Untertanen und in dem sich beider Interessen treffen: il n'y a qu'un bien pour le prince et ses sujets. Daß es für den Fürsten und seine Untertanen nur *ein* Wohl gebe, steht auch im Essai über die Regierungsformen von 1777, und hier wird ausdrücklich erklärt, um wessen Wohl es gehe. Es sei völlig falsch anzunehmen, daß die Interessen des Souveräns von denjenigen der Untertanen verschieden seien – que ses intérêts sont différents de ceux de ses sujets. »Il n'y a qu'un bien, qui est celui de l'Etat en général« – das Wohl des Staates. Und an der gleichen Stelle wird auch eine Antwort auf die Frage gegeben, in welchem Verhältnis denn nun Souverän, Untertanen und Staat zueinander stünden. »Le souverain représente l'Etat; lui et ses peuples ne forment qu'un corps, qui ne peut être heureux qu'autant que la concorde les unit.« Der Souverän und die

Untertanen bilden zusammen *einen* Körper, den Staatskörper, der vom Souverän repräsentiert wird. »Der Fürst – so wird das Bild weiter ausgeführt – ist für die Gesellschaft, die er regiert, was der Kopf für den Körper ist: er muß für die ganze Gemeinschaft sehen, denken und handeln, um ihr allen Nutzen zu verschaffen, den sie aufnehmen kann[32].« Für die Gemeinschaft, »la communauté«!

Es ist der Gedanke des Staates als politischer Gemeinschaft, der an dieser Stelle im Vordergrunde steht, jener Staatsgedanke, welcher den zwei Jahre später veröffentlichten Essai über die Vaterlandsliebe völlig beherrscht[33]. Der Staat wird hier als eine Gemeinschaft von Bürgern begriffen und dargestellt, die durch unauflösliche Bande unter sich und mit ihrer Regierung verbunden sind, innerlich zusammengehalten durch die Kraft des »pacte social«, das heißt die stillschweigende Übereinkunft, einander gegenseitig beizustehen, zu helfen, zu dienen, um mit vereinten Kräften das gemeinsame Wohl zu fördern. »Ils se doivent mutuellement des secours; leur propre intérêt le veut, le bien général l'exige, et sitôt qu'ils cesseraient de s'entr'aider et de s'assister, il s'ensuivrait d'une façon ou d'une autre une confusion totale, qui entraînerait la perte de chaque individu[34].«

Auch dazu, zu dieser Idee der Staats*gemeinschaft*, findet sich die Parallele in Josephs II. Rundschreiben von 1783, im achten Abschnitt, mit dem Hinweis, »que tous les citoyens de la monarchie doivent s'efforcer comme frères à se devenir réciproquement utiles[35]«. Aber die ausführlichste und vollkommenste Darstellung hat diese Idee doch in Friedrichs Essai von 1779 gefunden.

Um jene politische Gemeinschaft zu benennen, verwendet Friedrich vier verschiedene Bezeichnungen. Er nennt sie »la communauté«: die Gemeinschaft, der man angehört; »la société«: die Gesellschaft, in die man hineingeboren wurde; »la patrie commune«: das gemeinsame Vaterland; »l'Etat«: den Staat (der, wie im Essai von 1777, mit dem menschlichen Körper verglichen wird, die Bürger sind die Glieder, ihre Regierung ist das Haupt des Staatskörpers, als den sich ihre Gemeinschaft politisch darstellt).

Der ganze Nachdruck liegt auf der gegenseitigen Abhängigkeit aller Staatsangehörigen voneinander und auf der daraus sich ergebenden Identität zwischen dem Wohl des Einzelnen und dem Wohl der Gesamtheit. »Le bien de la société est le vôtre. Vous êtes si fortement lié avec votre patrie, sans le savoir, que vous ne pouvez ni vous isoler ni vous séparer d'elle sans vous ressentir vous-même de votre faute. Si le gouvernement est heureux, vous prospérez; s'il souffre, le contrecoup de son infortune rejaillira sur vous; de même, si les citoyens jouissent d'une opulence honnête, le souverain est dans la prospérité, et si les citoyens sont accablés de misère, la situation du souverain sera digne de compassion . . . Ce sont là . . . les liens qui vous unissent à la société: l'intérêt des personnes que vous devez aimer, le vôtre et celui du gouvernement, qui, indisolublement unis ensemble, composent ce qu'on appelle le bien général de toute la communauté.« Die Betonung liegt auf der Verpflichtung, die dem Bürger gegenüber seinen Mitbürgern, gegenüber der Gemeinschaft auferlegt ist, auf der Pflicht zum Dienst an der Gesamtheit, deren Gedeihen die Voraussetzung auch für das individuelle Wohlergehen ist. ». . . Il faut que chaque individu remplisse sa tâche pour que la masse générale prospère. Dès lors que devient cette heureuse indépendance dont vous vous faites le panégyriste, si ce n'est qu'elle vous rend un membre paralytique du corps auquel vous appartenez?« Alle sind verpflichtet, »à concourir avec une ardeur égale au bien général de la communauté. De là dérivent les devoirs des individus, qui, chacun selon leurs moyens, leurs talents et leur naissance, doivent s'intéresser et contribuer au bien de leur patrie commune.« Kein Staat kann bestehen »si tous les citoyens ne travaillent pas d'un commun accord au soutien de leur commune patrie . . .«

Die Staats*form* ist demgegenüber gleichgültig. Das Entscheidende ist jener Bürgersinn, das Bewußtsein und die Erfüllung der Pflicht gegenüber der staatlichen Gemeinschaft, der man angehört: ». . . Il est égal sous quel genre de gouvernement se trouve votre patrie; ils sont tous l'ouvrage des hommes, il n'en est aucun de parfait. Vos devoirs sont donc égaux; soit monarchie, soit république, cela revient au même.« Was insbesondere die absolute Monarchie – le gouvernement vraiment monarchique – betrifft, so war von Friedrich schon im Essai von 1777 festgestellt worden, daß sie die schlimmste oder die beste von allen Regierungen sei, je nachdem sie geführt werde[36].

Daß dem preußischen Staat, diesem Prototyp einer rein fürstlichen Schöpfung, die unumschränkte Monarchie am besten entsprach, davon war Friedrich allerdings überzeugt. Das zeigen seine beiden politischen Testamente aufs deutlichste. Diese lassen aber auch erkennen, daß die von Friedrich im Essai von 1779 entwickelte Idee des Staates als der Staats*gemeinschaft* nicht nur ein Gedankenspiel gewesen ist, sondern in ihm wirklich lebendig war. Die Einleitungen zu den beiden Testamenten – die nicht zur Veröffentlichung bestimmt waren und die es nicht mit einem abstrakten Staatswesen, sondern mit der Wirklichkeit des preußischen Staates zu tun hatten – sind ganz im Ton des Essais über die Vaterlandsliebe gehalten, gebrauchen die gleichen Ausdrücke und Wendungen, geben der gleichen Auffassung Ausdruck[37]. »Le devoir de tout bon citoyen est de servir sa patrie«, so beginnt das Testament von 1768. »Es ist Pflicht jedes guten Bürgers, seinem Vaterlande zu dienen und sich bewußt zu sein, daß er nicht für sich allein auf der Welt ist, sondern zum Wohle der Gesellschaft zu wirken hat, in die ihn die Natur gesetzt hat. Dieser Pflicht habe ich nach Maßgabe meiner schwachen Einsicht und meiner Kräfte zu genügen gesucht, seit ich nach dem Tode meines Vaters zum höchsten obrigkeitlichen Amt dieses Staates gelangt bin.« Dies habe ihm die Gelegenheit und die Mittel gegeben – so stellt er in der Einleitung zum Testament von 1752 fest –, »de me rendre utile à mes concitoyens«, sich den Mitbürgern nützlich zu erweisen. Der König bezeichnet sich hier, indem er den Ausdruck »concitoyens« verwendet, als Bürger unter andern Bürgern, als einer der Bürger, die in ihrer Gesamtheit jene politische Gemeinschaft bilden, für die alle zu wirken, der alle zu dienen hatten, und welcher der König mit gesteigerter Verpflichtung und Verantwortlichkeit zu dienen hatte: deren erster Diener er war.

Wenn sich Friedrich im gleichen Testament als der erste Diener des Staates bezeichnet, dann handelt es sich bei diesem nicht um den Staat in der engeren Bedeutung des politischen Apparats, des vom Fürsten organisierten und gehandhabten Machtapparats, sondern um jene höhere politische Einheit, die vom Herrscher und der Untertanenschaft gebildet wurde und zugleich mehr war und mehr galt als der einzelne Herrscher und die einzelnen Untertanen in ihrer augenblicklichen Summierung und wofür Friedrich als Synonyme die Bezeichnungen »corps de société«, »communauté«, »patrie« verwenden konnte.

Doch wenn der Staat für Friedrich auch mehr war als der politische Apparat eines Fürsten und seiner Dynastie, so bedeutete er anderseits doch noch nicht den echten, das heißt den vom Willen des Volkes getragenen und von ihm aktiv gestalteten Gemeinschaftsstaat. Indessen wies er doch auf diesen hin; das aber hieß: über den Aufgeklärten Absolutismus hinaus. Die Staatsauffassung Friedrichs des Großen bezeichnet die äußerste Grenze, zu welcher der Aufgeklärte fürstliche Absolutismus in seinem politischen Denken gelangen konnte, ohne sich selber – als aufgeklärten *Absolutismus* – aufzugeben.

ANMERKUNGEN

1. *Historische Zeitschrift* 61, 1889, S. 285.

2. Paul von Mitrofanov, *Joseph II. Seine politische und kulturelle Tätigkeit.* Aus dem Russischen ins Deutsche übersetzt von V. von Demelic. Mit einem Geleitwort von Hanns Schlitter. 2 Bde. (mit fortlaufender Paginierung), Wien und Leipzig 1910. Die zitierte Stelle: S. 81.

3. Paul Hazard, *La pensée européenne au XVIIIe siècle de Montesquieu à Lessing*, 1. Band, Paris 1946, S. 18. Der »Suche nach dem Glück«, von der die Zeit besessen war, ist das zweite Kapitel (S. 17–33) gewidmet.

4. Paul Hazard, a. a. O., S. 31: »Au lieu de: ›Suis-je juste?‹, cette autre question: ›Suis-je heureux?‹«

5. ». . . primieramente pare che in una ben composta società tutti e qualunque membro componente la medesima ebino un egual diritto alla felicità, ben essere, sicurezza e proprietà che consiste nel libero, tranquillo e sicuro godimento e dominio dei propri beni, e per conseguenza anche al potere invigilare alla medesima, ed all'influenza nella legislazione che deve obbligare tutti.« Joachim Zimmermann, *Das Verfassungsprojekt des Großherzogs Peter Leopold von Toscana*, Heidelberg 1901, Anhang Nr. 6, S. 182 ff., Idea sopra il progetto della creazione dei stati. Zur Frage der Verfasserschaft und der Abfassungszeit vgl. Zimmermann, S. 82/83.

6. Am Schluß seines politischen Glaubensbekenntnisses, im Schreiben an Marie Christine vom 25. Januar 1790: ». . . car l'unique but des sociétés et gouvernements est le bonheur de ses individus.« Der Herrscher sei allein dazu da, »pour qu'il fasse leur bonheur et félicité«. (*Leopold II. und Marie Christine. Ihr Briefwechsel [1781–1792].* Hrsg. von Adam Wolf, Wien 1867, S. 86.)

7. Im »Hirtenbrief« vom Dezember 1783. (Französische Fassung in: *Recueil des ordonnances des Pays-Bas autrichiens.* Troisième série. 1700–1794. Tome douzième, contenant les ordonnances du 10 janvier 1781 au 23 décembre 1786. Par Paul Verhaegen. Bruxelles 1910. S. 333–338: Disposition de Sa Majesté Impériale et Royale, adressée aux chefs des départements, sur la manière de traiter les affaires publiques). S. 334: »J'ai cherché à inspirer à tous les serviteurs de l'Etat, l'amour que je porte au bien général, et le zèle qui m'anime à le procurer; de là s'ensuit nécessairement, qu'à mon exemple, chacun ne doit avoir d'autre but dans toutes ses actions,

que l'utilité et le bien-être du plus grand nombre.« S. 335: ». . . qu'il dirige sans cesse son attention sur tout ce qui peut contribuer à l'amélioration du sort et au bien-être de ses concitoyens, au service desquels nous sommes tous appelés . . .«

8. Im Antimachiavel von 1739 steht der Ausspruch von den Fürsten, die nur dazu auf der Welt seien, um die Menschen glücklich zu machen (Les princes, qui ne sont dans le monde que pour rendre les hommes heureux . . .). In dieser Jugendschrift kommt auch zum ersten Mal bei Friedrich das Wort vom Fürsten als dem ersten Diener vor, und hier wird der Souverän nicht der erste Diener des Staates genannt und auch nicht der erste Diener des Volkes – des als ein Kollektivwesen gedachten Volkes –, sondern die berühmte und nicht immer richtig übersetzte Stelle lautet genau: »Il se trouve que le souverain, loin d'être le maître absolu des peuples qui sont sous sa domination, n'en est lui-même que le premier domestique, et qu'il doit être l'instrument de leur félicité . . .« Den Völkern, die unter seiner Herrschaft sind – den Märkern, Pommern, Preußen, Schlesiern, Friesen usw., wenn es sich beispielsweise um den König von Preußen handelt – hat der Fürst zu dienen, hat er »l'instrument de leur félicité« zu sein. Und so heißt es ganz entsprechend unmittelbar vorher: »C'est donc le bien des peuples (nicht »des« Volkes) qu'il gouverne qu'il doit préférer à tout autre intérêt, c'est donc leur bonheur et leur félicité qu'il doit augmenter ou le leur procurer, s'ils ne l'ont pas.« Was hier als Aufgabe und Zweck der Regierung festgestellt wird, erscheint, trotz der etwas anderen Ausdrucksweise als bei Peter Leopold, wie bei diesem durchaus auf die einzelnen bezogen, auf den Einzelmenschen und sein Glück. (Die zitierten Stellen: Réfutation du Prince de Machiavel, in: *Œuvres de Frédéric le Grand*, hg. von J. D. E. Preuss, Bd. VIII, Berlin 1848, Luxusausgabe der Universitätsbibliothek Basel, S. 190. – »Les princes, qui ne sont dans le monde que pour rendre les hommes heurex«: L'Antimachiavel, *Œuvres* VIII, S. 183. Die entsprechende Stelle in der Réfutation: ». . . que leur devoir serait de protéger et de rendre heureux«. Œuvres VIII, S. 335.)

Friedrich hat am humanitären Staatsgedanken, zu dem er sich im Antimachiavel bekannt hat, auch nach der Thronbesteigung von 1740 festgehalten. Man kann ihm in seinen Schriften immer wieder begegnen, so zum Beispiel in seiner Altersschrift von 1777, dem Essai über die Regierungsformen, an jener Stelle, da er vom Fürsten fordert, daß er sich oft an die Lage des armen Volkes erinnern solle, daß er sich an die Stelle eines Bauern oder eines Manufakturarbeiters setzen und sich alsdann sagen müsse: Wenn ich in der Klasse dieser Bürger, deren Kapital ihre Arme sind, geboren wäre, was wünschte ich dann, daß der Herrscher täte? Was der gesunde Menschenverstand dem Fürsten alsdann sagte, das durchzusetzen wäre seine Pflicht. (*Œuvres* IX, S. 234/235.)

In seinem letzten politischen Vermächtnis, den »Réflexions sur l'administration des finances pour le gouvernement prussien«, von 1784, weist Friedrich einmal mehr, wie in seinen früheren Testamenten, darauf hin, daß die Einkünfte des Staates nicht dem Fürsten gehörten, und bemerkt dann bezüglich des Zwecks, dem sie zu dienen hätten: ». . . cet argent n'a d'emploi légitime que celui qui procure le bien et le soulagement des peuples.« Le revenu de l'Etat »doit être sacré et envisagé comme uniquement destiné, en temps de paix, aux avantages des citoyens, soit pour défricher des terres, soit pour donner aux villes les manufactures qui leur manquent, soit enfin pour rendre tous les établissements plus solides et les particuliers, depuis le noble au manant, plus aisés et plus à leur aise.« (*Politische Korrespondenz Friedrichs des Großen*, Ergänzungsband: *Die politischen Testamente Friedrich des Großen*. Hg. von G. B. Volz, Berlin 1920, S. 252.)

9. Der Entstehung und Entwicklung dieses Staatsbegriffs ist Reinhard Höhn in seinem Buch *Der individualistische Staatsbegriff und die juristische Staatsperson*, Berlin 1935, nachgegangen.

Der Wert der Arbeit wird durch die Einseitigkeit der Blickrichtung beeinträchtigt. Es ist zum Beispiel ganz einseitig gesehen, wenn von Höhn in bezug auf Ludwig XIV. festgestellt wird, daß dieser den Begriff »Etat« vorherrschend in der Bedeutung des Apparats – des Macht- und Herrschaftsapparats – verwende und daß sein Staatsbegriff »nichts mit unsichtbarer Persönlichkeit, Staatsgebiet und Staatskörperschaft im heutigen Sinn zu tun« habe. Der Gedanke des Staates als des Machtapparats, der dem Fürsten dient, ist Ludwig XIV. sicherlich nicht fremd gewesen; er läßt sich überhaupt bei allen absoluten Monarchen der Neuzeit, auch bei den aufgeklärten des 18. Jahrhunderts, antreffen. Eine andere Frage ist, ob diese Idee das Ganze und Wesentliche ihres Staatsgedankens ausmachte. Ludwigs XIV. Staatsgedanke enthielt doch noch mehr als bloß diese Idee des vom Königtum geschaffenen, dem Königtum zur Verfügung stehenden und ihm als Mittel für seine Zwecke dienenden politischen Apparats. Wenn dieser »Etat«, in der engeren Bedeutung des politischen Apparats, von Ludwig auch durchaus als eine Angelegenheit des Fürsten, als res principis angesehen wurde, so doch nicht in dem Sinne, daß er ihn ausschließlich auf den Fürsten bezogen hätte. Er sollte, wie Ludwig immer wieder ausdrücklich erklärt hat, im Dienst der Allgemeinheit stehen, être utile au public. Der Gedanke des Staates als Apparat, der dem Fürsten dient, verband sich bei ihm mit der älteren, aber gerade durch den Absolutismus neubelebten Idee des Staates als der »chose publique« – »pour le bien de la chose publique« wurden die königlichen Ordonnanzen des 14. und 15. Jahrhunderts erlassen –, das heißt mit der Idee des Staates als des Inbegriffs der öffentlichen Interessen im Gegensatz zu allen Sonderinteressen. Die beständige Bezugnahme auf das bien public in Ludwigs »Mémoires pour l'instruction du dauphin« ist etwas ganz Auffälliges.

10. Abgedruckt als Anhang zum dritten Band des von Alfred Ritter von Arneth herausgegebenen *Briefwechsel zwischen Maria Theresia und Joseph II.*, Wien 1868, S. 335–361.

11. A.a.O., S. 344: »Du plus grand nombre des sujets résultent tous les avantages de l'Etat, car 1° il a plus d'hommes pour se défendre et même pour augmenter ses provinces et étendre ses confins; 2° il se fait par-là naturellement respecter de ses ennemis et rechercher par ses alliés; 3° il acquiert des richesses tant par une juste augmentation des impôts, que par la consommation, qui naturellement en augmente à proportion.«

12. »Les bergers tondent leurs brebis, mais ils ne les écorchent pas.« (*Testament von 1768*, Ausgabe von G. B. Volz, Berlin 1920, S. 129). Es ist jene Einstellung dem Untertan gegenüber, die ihren klassischen Ausdruck in der bekannten Mahnung des deutschen Merkantilisten Wilhelm von Schröder gefunden hat: »Wie ein Hausvater das Vieh mästen muß, das er schlachten will, und die Kühe wohl füttern muß, wann er will, daß sie sollen viel Milch geben, also muß ein Fürst seinen Untertanen erst zu einer guten Nahrung helfen, wann er von ihnen etwas nehmen will.« Vgl. Eli F. Heckscher, *Der Merkantilismus.* Autorisierte Übersetzung aus dem Schwedischen von Gerhard Mackenroth. 2 Bde., Jean 1932; Bd. II, S. 11. Heckscher weist darauf hin, daß ein späterer Herausgeber Wilhelm von Schröder als Motto auf das Titelblatt seines Buches das Bild einer Schafschur und dazu den folgenden Vers gesetzt hat: »Wenn eines klugen Fürsten Herden / Auf diesem Fuß genützet werden / So können sie recht glücklich leben / Und dem Regenten Wolle geben / Doch wer sogleich das Fell abzieht / Bringt sich um künftigen Profit.«

13. Ausgabe von G. B. Volz, S. 38.

14. A.a.O., S. 59.

15. Weniger auffällig und ausgeprägt bei Peter Leopold, dem Regenten des toskanischen Kleinstaates.

16. Georges Lefèbvre (in diesem Band S. 77ff.) S. 109 (hier S. 83): »En réalité, pour les souverains, les déclarations humanitaires n'étaient que jeux d'esprit; l'accroissement de leur puis-

sance les préoccupant essentiellement, ils distinguaient avec soin ce qui'ils en pouvaient tirer à l'avantage de leurs ambitions et ce qu'il importait d'oublier.«

17. Vgl. in diesem Band S. 133, Anm. 8.

18. Essai sur les formes de gouvernement et sur les devoirs de souverains (*Œuvres* IX, S. 229); Lettres sur l'amour de la patrie ou Correspondance d'Anapistémon et de Philopatros (*Œuvres* IX, S. 253).

19. 1777: »Si le prince perd des provinces, il n'est plus en état comme par le passé d'assister ses sujets . . .« 1779: »Ne comprenez-vous donc pas que si le gouvernement perdait ces provinces, il en serait affaibli, et que par conséquent, les ressources qu'il en a tirées venant à lui manquer, il serait moins en état de vous assister, si vous en aviez besoin, qu'il ne l'est à présent?«

20. Friedrich Meinecke, *Die Idee der Staatsräson in der neueren Geschichte*, 3. Auflage, München und Berlin 1929, S. 353/354, S. 385.

21. L'Antimachiavel, ou Examen du Prince de Machiavel, in: *Œuvres* VIII, S. 72.

22. Réfutation du Prince de Machiavel, in: *Œuvres* VIII, S. 190, 335. Vgl. S. 159, Anm. 55.

23. *Œuvres* I, S. 142: »Un prince est le premier serviteur et le premier magistrat de l'Etat; il lui doit compte de l'usage qu'il fait des impôts; il les lève, afin de pouvoir défendre l'Etat par le moyen des troupes qu'il entretient, afin de soutenir la dignité dont il est revêtu, de récompenser les services et le mérite, d'établir en quelque sorte un équilibre entre les riches et les obérés, de soulager les malheureux en tout genre et de toute espèce, afin de mettre de la magnificence en tout ce qui intéresse le corps de l'Etat en général.«

24. Ausgabe von G. B. Volz, Berlin 1920, S. 38: »Le souverain est le premier serviteur de l'Etat. Il est bien payé, pour qu'il soutienne la dignité de son caractère; mais on demande de lui qu'il travaille efficacement pour le bien de l'Etat, et qu'il gouverne au moins avec attention les principales affaires.«

25. *Œuvres* XXVII , S. 3030: »Il n'en est pas moins vrai qu'un bon prince, sans déroger à sa dignité, peut et doit instruire le peuple, dont il n'est que le chef ou le premier ministre, des raisons qui l'ont obligé de prendre un parti plutôt qu'un autre.«

26. *Œuvre* XXIV, S. 120: »Leur institution les rend les premiers magistrats de la nation, et leur devoir essentiel est de soutenir autant qu'il est en eux l'avantage de cette nation, s'entend la sûreté des possessions, qui est le premier droit de tout citoyen, ensuite de la protéger contre les entreprises des voisins qui tâchent de lui nuire, et enfin de la défendre contre la force et la violence de ses ennemis.«

27. Essai sur les formes de gouvernement et sur les devoirs de souverains, in: *Œuvres* IX, S. 225: ». . . ce fut l'origine des magistrats, que le peuple élut et auxquels il se soumit. Qu'on s'imprime bien que la conservation des lois fut l'unique raison qui engagea les hommes à se donner des supérieurs, puisque c'est la vraie origine de la souveraineté. Ce magistrat était le premier serviteur de l'Etat.« S. 238: »Il (le prince) n'en est que le premier serviteur de l'Etat, obligé d'agir avec probité, avec sagesse et avec un entier désintéressement, comme si à chaque moment il devait rendre compte de son administration à ses citoyens . . .«

28. *Testament von 1752*, Ausgabe von G. B. Volz, Berlin 1920, S. 1. – *Testament von 1768:* »Le devoir de tout bon citoyen est de servir sa patrie, de penser qu'il n'est pas uniquement pour lui dans le monde, mais qu'il doit travailler pour le bien de la société dans laquelle la nature l'a placé. J'ai tâché de remplir ce devoir selon mes faibles lumières et mes forces, depuis que je parvins, après la mort de mon père, à la première magistrature de cet Etat.« (A. a. O., S. 110.)

29. *Testament von 1768*, Ausgabe von G. B. Volz, Berlin 1920, S. 187.

30. Disposition de Sa Majesté Impériale et Royale, adressée aux chefs des départements, sur

la manière de traiter les affaires publiques, in: *Recueil des ordonnances des Pays-Bas autrichiens XII*, Bruxelles 1910, S. 338.

31. *Testament von 1768*, Ausgabe von G. B. Volz, Berlin 1920, S. 129.

32. Essai sur les formes de gouvernement et sur les devoirs des souverains, in: *Œuvres* IX, S. 229.

33. Lettres sur l'amour de la patrie ou Correspondance d'Anapistémon et de Philopatros. 1779 in Berlin, bei G. J. Decker, gleichzeitig französisch und deutsch erschienen. Wiederabdruck nach der Originalausgabe von 1779, in: *Œuvres* IX, S. 243–278.

34. *Œuvres* IX, S. 246. S. 260 die Definition des »pacte social«: »Je commencerai donc, avec votre permission, par vous expliquer ce que j'entends par le pacte social, qui est proprement une convention tacite de tous les citoyens d'un même gouvernement, qui les engage à concourir avec une ardeur égale au bien général de la communauté . . .«

35. *Recueil*, S. 335/336: »VIII. Comme le bien ne peut être qu'un, savoir celui de la généralité ou du plus grand nombre, et que les provinces de la monarchie ne faisant qu'un seul corps, ne peuvent de même avoir qu'un but unique, il faut nécessairement faire cesser toutes les jalousies, tous les préjugés, qui jusqu'ici ont causé tant de vaines écritures entre les provinces et les nations, et entre les départements respectifs; à cet effet on doit bien se pénétrer de l'idée, que dans un corps d'Etat comme dans le corps humain, le tout souffre lorsqu'un seul de ses membres est malade, que tous les autres doivent par conséquent contribuer à le guérir, même du moindre mal qu'il ressent; qu'à cet égard, il ne doit y avoir nulle différence de nation à nation, de religion à religion, et que tous les citoyens de la monarchie doivent s'efforcer comme frères à se devenir réciproquement utiles.«

36. »Pour le gouvernement vraiment monarchique, il est le pire ou le meilleur de tous selon qu'il est administré.« (*Œuvres* IX, S. 226/227.)

37. Vgl. in diesem Band S. 135, Anm. 28.

Der Physiokratismus und die absolute Monarchie

HEINZ HOLLDACK

I.

Begründung und Rechtfertigung der absoluten Monarchie sahen sich in der zweiten Hälfte des 18. Jahrhunderts vor eine unlösbare staatstheoretische Aufgabe gestellt, da sie stets auf die Gesellschaftsvertragslehre stießen, deren Konsequenzen sie nicht folgen konnten, ohne den bestehenden Verfassungszustand zu verurteilen. Die Stellung, die die Physiokraten in ihrer individualistisch-humanitären Staatsutopie der absoluten Monarchie zuwiesen, entsprach durchaus dieser schwierigen Situation. Es ist kein Zufall, daß die Vertragslehren im physiokratischen System nur unvermittelt hier und da auftauchen, gleichsam von außen übermächtig eingedrückt, ohne eine tragende Bedeutung gewinnen zu können. Die Physiokraten versuchten, das staatstheoretische Gebiet der Vertragslehren zu umgehen und in ihrem System der Monarchie eine gewaltige Funktionsbedeutung zuzuschreiben. Damit theoretisierten sie das Verhalten der Fürsten und handelnden Staatsmänner, die durch Betonung und Erfüllung ihrer Funktionen die Existenz der absoluten Monarchie zu rechtfertigen suchten, welche nicht mehr unerschütterlich auf dem Fundament einer religiösen Begründung ruhte. Die Physiokraten erkannten in ihrem naturrechtlichen System die funktionelle Bedeutung der absoluten Monarchie an und schufen dementsprechend konsequent auch eine Theorie der Machtzusammenballung, deren die Monarchie im Dienst der von ihnen gestellten Aufgaben bedurfte.

Aber eben das Fehlen einer eigentlichen Staatstheorie im staatsrechtlichen Sinne und die funktionelle Betrachtung der Monarchie, welcher der bestehende Zustand nur als Mittel zum Zweck erschien, führte nun bei den Physiokraten zu einer Beeinträchtigung der absoluten Monarchie, die von dem individualistisch-humanitären Aufklärungsdenken noch gefördert wurde. Le Trône stellte an die Spitze seines Selbstverwaltungsprojektes die Forderung, daß die Monarchie sich selbst beschränken müsse. Neben der Theorie des Aufgeklärten Absolutismus finden wir also in den physiokratischen Schriften auch Erkenntnis und systematische Zusammenfassung der Tendenzen zur Selbstauflösung, die der aufgeklärte Despotismus in sich trug; ja die Physiokraten schritten mit den Selbstverwaltungsplänen Le Trônes und Du Pont-Turgots zur praktischen Gestaltung dieser die Herrschaft der absoluten Monarchie erschütternden Gedanken.

Man muß die staatstheoretisch gefährdete Situation, in der sich der Absolutismus im Zeitalter der Aufklärung befand, im Auge behalten, um die Bedeutsamkeit des physiokratischen Systems ganz ermessen zu können. Denn wenn die Ökonomisten die praktische Wirksamkeit des absoluten Fürstentums auch dadurch noch einmal

Historische Zeitschrift 145, 1932, S. 517–549.

stark betonten, daß sie ihm einen großen und fest umrissenen Aufgabenkreis innerhalb ihrer naturrechtlichen, ökonomisch gewendeten Gesellschaftslehre zuwiesen, so zeigten sie eben in demselben System doch auch sehr entschieden die Grenzen des Wirkungsbereiches des absoluten Staates und der absoluten Monarchie auf. Nicht also allein als Theoretiker des aufgeklärten Despotismus sind die Physiokraten bedeutungsvoll – wie L'Héritier will [1] –, sondern sie gewinnen besonderes Interesse dadurch, daß sie in ihr System auch die gegen den herrschenden Absolutismus sich richtende, rationalistische Skepsis der Aufklärung aufnehmen. So zeigen ihre Schriften die beiden sich widersprechenden Entwicklungstendenzen des aufgeklärten Despotismus, von denen die eine auf eine immer stärkere Machtkonzentration in der Hand des einen Herrschers abzielte, während die andere von innen her dem in Jahrhunderten mühsam errichteten Bau die gedanklichen Grundlagen entzog.

II.

Der Ausgangspunkt der physiokratischen Gesellschafts- und Staatslehre war die Annahme des *ordre naturel*, d.h. einer natürlichen und vernünftigen Weltordnung, von deren Gesetzen allgemeingültig und »despotisch« alles menschliche Leben geregelt wird. Mit dieser Konstituierung eines weltbewegenden Prinzips erhoben die Physiokraten den Anspruch, eine umfassende Philosophie zu lehren [2], die sie selbst den großen Systemen der griechischen Philosophenschulen an Bedeutung gleichsetzten [3]. Keineswegs also begnügten sie sich damit, Handels- und Finanztheorien aufzustellen. »Als Ökonomist können Sie alle Gegenstände behandeln, die mit der Politik, dem Wohlergehen der Menschheit, der Moral und der Gesetzgebung zusammenhängen [4].« Die Annahme des *ordre naturel* als einer natürlichen Vernunftordnung ergab nun den utopischen Charakter der physiokratischen Lehre, deren Vertreter eine dem *ordre naturel* entsprechende, ideale Gesellschaft und einen idealen Staat als ihre politische Organisation konstruierten. Der Idealstaat wurde zum »Regulativ«, nach dem sich jede tatsächliche Gestaltung auszurichten hatte [5], und die Angleichung des bestehenden, mangelhaften Zustandes an die in der Vollkommenheit als unerreichbar anerkannte Idealkonstruktion blieb stets das letzte Ziel allen politischen Handelns [6]. Deutlich wird hier, wie in dieser Lehre aktive Bewegung zum politischen Prinzip erhoben wird; die Tendenz zur dauernden Annäherung an das Idealbild war ihr von Anfang an eingeboren und damit die politische Reformaktion. Gleichzeitig aber zeigt sich der rationalistische Grundzug der physiokratischen Lehre, in der die rationale Erkenntnis der Vernunftordnung zur Voraussetzung jeden vernünftigen, politischen Verhaltens wird.

Der dem rationalistisch-naturrechtlichen Aufklärungsdenken latent innewohnende Zug zur Utopie, der sich im 18. Jahrhundert an der Verherrlichung Chinas konkretisierte, steigerte sich in den Physiokraten zur Bildung einer sektiererischen Gemeinschaft der Wissenden. So verflüchtigte sich aus ihrem Denken jeder politische Wirklichkeitssinn. Diese wirklichkeitsfremde Richtung nun führte sie in einen Konflikt, der scharf die beiden Positionen politischen Denkens, die sich im 18. Jahrhundert gegenüberstanden, hervortreten ließ. Viele Gegner sind von verschiedenen Ausgangspunkten her den Physiokraten entgegengetreten: Rousseau, Mably, Necker. Niemand aber hat sie prinzipieller und schärfer bekämpft als Galiani, Galiani, der den Voraussetzungen seiner produktiven Geistigkeit und seiner umfassenden Bildung nach zu einer grundsätzlichen Widerlegung seiner Gegner befähigt gewesen wäre, wenn nicht von seiner skeptischen Weltanschauung[7] so viel Zynismus in sein persönliches Wesen geströmt wäre, daß er zu keiner großen Unternehmung mehr die innere Kraft besaß und sich deshalb mit gelegentlichen Angriffen, oft recht persönlicher Art, begnügen mußte. Galiani sprach lieber, als daß er schrieb, und daher schrieb er lieber Briefe als Bücher. Aber es waren nicht nur im persönlichen Wesen liegende Gründe, durch die er von einer systematischen Widerlegung der Physiokraten abgehalten wurde. Galiani, dem seine französischen Freunde den Beinamen Machiavellino gaben, bewies auch in verstreuten Äußerungen, daß er eine dem aufklärerisch-naturrechtlichen Denken entgegengesetzte und im 18. Jahrhundert – wie Meinecke gezeigt hat – fortbestehende, realistische Betrachtungsweise der Politik vertrat.

Solchem realistischen Denken, dessen Tendenz stets auf die Beobachtung konkreter Sachverhalte gerichtet war, fehlten nun aber nicht nur die Voraussetzungen zur Aufstellung einer systematischen Staatstheorie, sondern Galiani lehnte auch bewußt jede systematische Betrachtung von Staat und Politik ab und forderte statt dessen die auf Empirie gegründete Feststellung des konkreten politischen Details. Hierin liegt die Schwierigkeit, das dem aufklärerischen entgegengesetzte, politische Denken zu erfassen. Denn eben der Forderung nach induktivem, von der Beobachtung des Einzelfalls ausgehenden Erfassen politischer Zusammenhänge entsprechend, konnte Galiani seine politischen Gedanken nur in einer realistisch-historischen Beschreibung von Staaten und ihren inneren und äußeren Kämpfen niederlegen[8] – und seine ihn mit Machiavelli verbindende Geschichtsbetrachtung[9] zeigte durchaus den Charakter einer solchen politischen Geschichtsschreibung – oder in der Untersuchung realer, politischer Detailfragen. Galiani wählte den zweiten Weg in der Form wirtschafts- und finanzpolitischer Einzeluntersuchungen. In ihnen und in seinen Briefen spiegelt sich das System der Physiokraten wider, freilich nicht im einheitlichen Bilde, sondern gleichsam von Facetten in vielseitiger Brechung zurückgeworfen. Je mehr die Physiokraten die für das politische Denken der Aufklärung charakteristische Wirklichkeitsfremdheit in ihren utopischen Konzeptionen steigerten, desto schroffer mußte ihr Gegensatz zu Galiani sein, der sich zu einer empirisch-historischen Betrachtungsweise des Staates bekannte.

Galiani und sein Freund und vorgesetzter Minister Tanucci hatten von Montesquieu die relativierende Anschauung gelernt[10], die sich aus der Lehre vom Einfluß von Klima und Bodenbeschaffenheit auf die verschiedenartige Gestaltung der politischen Verfassungen ergab und die Montesquieu vertiefte durch die Relativierung des »Geistes« der Verfassungen. Von dieser Grundlage aus bekämpfte Galiani die universalistische Systematisierung des physiokratischen Idealstaates[11]. Aber wenn er so in die Nähe Montesquieus rückte im gemeinsamen Gegensatz zu den Physiokraten und mit Montesquieu den Vorwurf der Relativierung allen historischen und politischen Geschehens hinnehmen mußte, den die Ökonomisten gegen den Verfasser des *Esprit des lois* richteten [12], so übertrumpfte Galiani noch Montesquieus Relativismus [13].

Die Geschichtsbetrachtung der Physiokraten trug ganz den Stempel des Fortschrittsgedankens, den Voltaire [14] der Geschichtschreibung seines Jahrhunderts aufgedrückt hatte. Sie beobachteten in der Vergangenheit den Fortschritt zu derjenigen Höhe der Gesittung [15], die sie selbst erreicht zu haben glaubten, und bewerteten historische Erscheinungen danach, wie weit sie der eigenen Erkenntnis angenähert seien, und dementsprechend teilten sie ihre unbekümmerten Zensuren aus [16]. Im einzelnen kamen sie dabei, da ihrem auf das Wirtschaftliche gerichteten Denken eine gewisse Bildungsfeindlichkeit eigen war, zu Urteilen, die fremdartig von den allgemeinen Bildungstendenzen ihrer Zeit abstachen [17]. Es ist von Dilthey [18] darauf hingewiesen worden, wie dieser historische Fortschrittsgedanke nun durch Winckelmanns Anschauung von der Einmaligkeit und Unerreichbarkeit der griechischen Kunst durchbrochen wurde; die gleiche Wendung gegen den historischen Fortschrittsgedanken finden wir in Montesquieus Urteilen über die Bedeutung der römischen Staatseinrichtungen. »Man kann nie von den Römern abkommen; so geht man noch jetzt in ihrer Hauptstadt an den neuen Palästen vorüber, um Ruinen aufzusuchen; so sucht das Auge, das auf dem Schmelz der Weiden ruht, gern nach Felsen und Bergen [19].« Aber wenn Montesquieu, der Rechtshistoriker, von der Größe des römischen Staates so bezwungen wie der erste große Kunsthistoriker von der Erhabenheit der griechischen Kunst, so der Gefahr entging, die Vergangenheit von der Höhe des eigenen erreichten Standpunktes aus zu beurteilen [20], so schützte ihn seine relativierende Geschichtsbetrachtung doch keineswegs davor, in der Vergangenheit Analogien zu finden und die Geschichte als eine große Beispielsammlung zu benutzen. Indem er sich in seinen Grundsätzen immer stark fühlte, wenn er die Römer auf seiner Seite hatte [21], diente ihm die römische Geschichte als Beweisquelle seiner politischen Thesen. Zu solchen Argumentationen besaß gerade er die rechten Mittel, denn da das Zusammentreffen der »Ursachen«, wie er es in den »Betrachtungen über die Ursache der Größe und des Niedergangs der Römer« mit einer virtuosenhaften Vielseitigkeit kausaler Verknüpfungen beobachtete [22], sich stets wiederholen konnte, da die menschliche Natur immer die gleiche bleibt [23] und da endlich immer dieselben großen »Prinzipien« in adäquaten Staatsformen sich darstellen [24] und ein Element der Bewegung nur durch ihr Verschwinden und Wiederauftauchen und ihr Verhältnis zu den »äußeren Umständen« in die Geschichte kommt, erhielt Montesquieus Denken diesen mechanistisch-konstruktiven Einschlag, der es ihm ermöglichte, analoge Situationen zu komponieren und aus solchen Kombinationen Nutzanwendungen für die eigene Gegenwart zu ziehen. An Beispielen dafür sind die »Betrachtungen« und der »Geist der Gesetze« reich [25]. Und die gleiche Methode wendete Montesquieu nun auch auf das Gebiet der Politik an. Beruhte ja in der durchsichtigen, rationalen, mechanistischen Anordnung der Gewichte und Gegengewichte die Möglichkeit einer

Übertragung der Gewaltenteilungsverfassung überallhin und die unvergleichliche Wirkung seines Buches.

Sehr deutlich wird an dem Verhältnis Galianis zu Montesquieu die Stellung des großen Franzosen innerhalb der Aufklärung, mit der ihn zwar sein naturrechtliches, mechanistisches Denken verband, zu der aber sein historischer Relativismus im entschiedenen Gegensatz stand [26]. So nahm er denn auch zwischen den Physiokraten als den Vertretern des typischen politischen Denkens der Aufklärung und ihrem extremen Gegner Galiani eine Zwischenstellung ein.

Sosehr sich Galianis Wirklichkeitssinn von Montesquieus empirischem Realismus angezogen fühlte, so sehr verurteilte er doch dessen auf dem Boden des naturrechtlichen Aufklärungsdenkens erwachsenen, historisch-politischen Vergleiche und Analogien [27]. Darin folgte er ja Montesquieu ganz, daß auch er die auf Klima und Bodengestaltung gegründeten Besonderheiten in Geschichte und Politik anerkannte. Aber Galiani konnte, oder mußte vielmehr, in dieser relativierenden Anschauung weitergehen, weil er die großen Ideale seines Jahrhunderts, Humanität und Toleranz, verachtete [28]. Damit entglitt ihm nun aber auch der Fortschrittsgedanke; er konnte in der Geschichte kein stufenweises Ansteigen zur Höhe der eigenen Zeit sehen und er vermochte die Vergangenheit nicht in Verbindung zur Gegenwart zu setzen. Das Zusammentreffen von Montesquieus Relativismus und seiner eigenen höhnischen Mißachtung der Aufklärungsideale führten Galiani so zur Anerkennung des Eigenwerts jeder historischen Epoche und jeder historischen Persönlichkeit. »Alle Jahrhunderte und alle Länder haben ihre lebendigen Sprachen und alle sind in gleicher Weise gut. Jedes spricht seine eigene [29].« Die Geschichte sollte ihm den Beweis erbringen für »die Weisheit unserer Väter«, welche er nachahmen wollte; aber nur darin, das zu leisten, was das Jahrhundert verlangt [30]. Gleichwertig standen so die historischen Erscheinungen vor seinem Blick nebeneinander; gleichwertig, aber isoliert, denn Galiani konnte sie nicht durch einen Entwicklungsgedanken untereinander verknüpfen oder mit der eigenen Zeit in Verbindung setzen. Es war nur die negative Ablehnung der Aufklärungsideale, die ihn Einmaligkeit und Eigenwert in der Geschichte erkennen ließen [31]. Statt der Wertmaßstäbe der Aufklärungshumanität erhob er in seinem politischen Realismus den Erfolg zum historischen Wertmesser [32]. Hätte Galiani Geschichte geschrieben, es wäre eine Schilderung der Erfolgreichen in der Art Machiavellis geworden [33].

Politischer Wirklichkeitssinn war es, der ihn mit Machiavelli verband und dessen Voraussetzung die Ablehnung der Aufklärung war. Wenn Galiani das naturrechtlich-abstrakte System, mit dem die Physiokraten politische Gewalten zu bändigen und zu formen suchten, verspottete und dagegen Beobachtung und Kenntnis des konkreten Details verlangte, so kam hierin sein Sinn für Realitäten zum Ausdruck. Er selbst genügte dieser Forderung in seinen »Dialogen über den Getreidehandel«, in denen er die umfassende physiokratische Getreidefreihandelslehre dadurch widerlegte, daß er ihre schlimmen praktischen Folgen im einzelnen nachwies, gleichzeitig aber versicherte, daß er kein prinzipieller Gegner des freien Getreidehandels sei. Der gleiche realistische Utilitarismus wies nun auch kurzerhand die eifrige Aufklärungsmoral ab, die die Physiokraten zum Wohl der Menschheit in enthusiastischem Reformeifer betätigten, und wandte sich skeptisch gegen die aufklärerische Humanität als eine in der Politik irreale Größe. »Die Pest über den Nächsten! Es gibt keinen Nächsten! Sagt, was euch not tut, oder schweigt [34]!« An solchen Formulierungen läßt sich erkennen, wohin es führte, wenn sich die Ablehnung der Aufklärungsethik mit ihrer Gleichgültigkeit gegenüber dem überlieferten Christentum, die Galiani in Paris bei seinen Freunden aus dem Kreise der Enzyklopädie gesteigert haben mochte, verband. An Stelle der Aufklärungshumanität machte Galiani zur Richtschnur politischen Verhaltens die Befolgung des materiellen Interesses, den Eigennutz des einzelnen [35]. Hier zeigt sich, wie bei aller Ablehnung der Errungenschaften der Aufklärung Galiani doch ganz ihren Materialismus teilte. Auf dieser Grundlage wurde er zum Vertreter einer sehr materialistischen Interessenlehre. Frei von den Wertsetzungen der humanitären Aufklärungsethik bemaß er nüchtern die Bedeutung politischer Gewalten nach den wirtschaftlichen Interessenforderungen der mit ihnen Verbundenen. In diesem harten Wirklichkeitssinn fühlte sich Galiani mit Machiavelli verwandt, zu dessen Lehre er sich denn auch offen bekannte. »In der Politik lasse ich nur den reinen Machiavellismus zu, unverwässert, roh, scharf, in all seiner Kraft und Herbheit [36].« Es wäre eine Täuschung, wollte man annehmen, weil Galiani den Physiokraten vorwarf, daß sie, in ihre ökonomischen Abstraktionen eingesponnen, die politischen Erwägungen der realen Machtverteilung übersähen, daß sie »die Staatsraison, der jede andere Betrachtung weichen muß [37]« außer acht ließen, er hätte gegenüber der eminent wirtschaftlichen Richtung ihres Denkens eine grundsätzlich andersartige, etwa weniger ökonomische Betrachtung zum Ausdruck bringen wollen. Galiani dachte nicht weniger materialistisch als die Physiokraten; er brachte ebenso wie sie Wirtschaft und Politik in einen engen Zusammenhang [38]. Aber während für das naturrechtliche Denken der Ökonomisten politisches Handeln in der administrativen Exekutive der von einer vernünftigen Weltordnung diktierten ökonomischen Gesetze bestand, versuchte Galiani den Realzusammenhang zwischen wirtschaftlichen Interessengegensätzen und politischer Machtverteilung zu durchschauen. Aus der nüchternen Erkenntnis des Zusammenhangs von wirtschaftlich-sozialer Interessenlagerung und politischer Herrschaftsform konnte er den Physiokraten vorwerfen, daß ihre wirtschaftlichen Reformen unausweichlich eine politische Revolution nach sich ziehen müßten [39]. Dabei kommt es nicht darauf an, daß Galiani die Wirtschaftsmaßnahmen, die die Physiokraten forderten, oftmals falsch interpretierte. Sie waren weit davon entfernt, wirtschaftspolitische Revolutionäre zu sein mit ihrer Verherrlichung des Eigentumsrechts [40] und des Großgrundbesitzes. Galiani, der als pfründenbeziehender Abate in Paris und Neapel lebte, mochte sich durch ihren Feldzug gegen Landflucht und den Besitz der Toten Hand getroffen fühlen.

So war denn auch Galianis Stellungnahme zur absoluten Monarchie gegeben. Er bekannte sich zu ihr als zu derjenigen Staatsform, in der sein materielles Wohl am besten gesichert sei [41]. Damit erbrachte er eine Rechtfertigung der absoluten Monarchie, die in ihrer Zeit wohl einzigartig dastehen mochte. Sein materialistischer Realismus sah ab von einer staatstheoretischen Begründung der Monarchie, die gegenüber der Lehre vom Gesellschaftsvertrag wohl am Platz gewesen wäre und verknüpfte statt dessen die Existenz der bestehenden Verfassung mit der realen Größe der bestehenden Besitzverteilung.

Galiani hat uns vom eigentlichen Thema abgeführt. Aber die prinzipielle Bedeutung seiner Polemik gegen die Physiokraten rechtfertigt diese Abschweifung, in der mit der flüchtigen Skizzierung des Gegners auch der eigene Gegenstand beleuchtet wurde.

III.

Der individualistisch-naturrechtliche Charakter der physiokratischen Lehre zeigt sich deutlich in ihrer Begründung des Staates. Als oberstes Gesetz des *ordre naturel* nahmen die Ökonomisten das Recht der Individuen auf Selbsterhaltung an, aus dem sie das Eigentumsrecht ableiteten [42]. Zwar betrachteten die Physiokraten den Menschen als ein von der Natur zum gesellschaftlichen Zusammenschluß bestimmtes Wesen [43], das bereits vor der Konstituierung der im Staat organisierten, bürgerlichen Gesellschaft in einer stillschweigend anerkannten Gemeinschaft gelebt habe [44]. Aber erst die bürgerliche Gesellschaft ermöglichte die Bewahrung des Eigentumsrechts, zu der bei fortschreitender wirtschaftlicher Entwicklung das einzelne Individuum nicht mehr imstande war [45]. So wurde also die bürgerliche Gesellschaft zum Garanten des natürlichen Rechts auf wirtschaftliche Selbsterhaltung. Sie wurde demnach nicht als Gegensatz zum Naturzustand angesehen, sondern als seine staatliche Organisation, in der nicht eine Gefährdung und Minderung der angeborenen individuellen Rechte zu befürchten war, sondern im Gegenteil ihre Befestigung angenommen wurde. Die angeborene Freiheit des Menschen, die ihren Ausdruck in dem Recht auf Selbsterhaltung fand, erschien als bürgerliche Freiheit im organisierten, staatlichen Zustand wieder und äußerte sich hier als Eigentumsrecht. In schärfster Formulierung betonen alle physiokratischen Schriften, daß bürgerliche Freiheit und Eigentumsrecht gleichbedeutend seien und daß jede Regierung, die mit dem Eigentumsrecht die bürgerliche Freiheit antaste, willkürlicher Despotismus sei [46].

Aber dieser individualistisch-naturrechtliche Ausgangspunkt barg die Möglichkeit zu den verschiedensten Entwicklungen in sich. Je nachdem nämlich die Physiokraten das größere Gewicht auf den festen Ausbau des Staates als der umfassenden Schutzorganisation der individuellen Rechte oder auf die Bewahrung der individuellen Freiheiten selbst legten, d.h. das staatliche oder das individualistische Element stärker betonten, bemühten sie sich entweder um die Gestaltung des Staates als einer möglichst schlagkräftigen, ihren Angehörigen Schutz und Sicherheit verleihenden »Maschine«, oder suchten sie durch die Errichtung von verfassungsmäßigen Sicherungen den freien Wirkungskreis des Individuums vor dem Mißbrauch der staatlichen Gewalt zu schützen. Der zwischen diesen beiden Tendenzen klaffende Widerspruch durchzieht die gesamte physiokratische Gesellschafts- und Staatslehre. Auf dem ersten Wege gelangten die Ökonomisten zur Theoretisierung des bestehenden

Verfassungszustandes, der starken, absoluten Monarchie, auf dem zweiten gerieten sie – wenn auch vielleicht unbewußt und wider Willen – in den Bannkreis von Montesquieus »Garantismus[47]« der individuellen Freiheitsrechte. Immer aber gingen sie von jener individualistisch-naturrechtlichen Grundauffassung aus, in deren Übertragung auf das wirtschaftliche Leben ihr oft betonter Liberalismus liegt[48]. Dieser physiokratische Liberalismus, der von der beharrlichen Verfechtung des Eigentumsrechts – worin die Ökonomisten Locke folgten[49] – seinen Ausgang nahm, wirkte sich in der Anerkennung einer staatsfreien, individuellen Sphäre aus.

Wir werden also im folgenden zwei Strömungen in der physiokratischen Lehre zu verfolgen haben, von denen die eine auf die Ausgestaltung des starken, verwaltenden Staates ausging und auf diese Weise mit den allgemeinen Zeittendenzen der Machtstaaten sich berührte, während die andere den Charakter des staatsfeindlichen Individualismus trug, der dem Liberalismus des 18. Jahrhunderts eigen war.

Wenden wir uns zunächst der absolutistischen Richtung zu. Höchst bedeutsam für die physiokratische Staatslehre ist ihre vernunftrechtliche Grundlage: Alles menschliche Leben wird von den allgemeingültigen Gesetzen des *ordre naturel*, der vernünftigen Weltordnung, geregelt; die Gesetze des positiven Rechts sind nichts anderes als »Ausführungsbestimmungen« der naturrechtlichen Normen, die hier als Vernunftrecht gefaßt werden. So besteht die Tätigkeit des Gesetzgebers nur in der Umgießung des Naturrechts in das positive Recht[50]. Diesen Satz steigerten die Physiokraten bis zur völligen Leugnung einer schöpferischen, gesetzgeberischen Wirksamkeit[51]. Deutlich wird hier der rationalistische Charakter der physiokratischen Lehre, nach der Gesetzgeben rationales Erfassen des Naturrechts war. Wenn nun auch in dieser Auffassung der Träger der legislativen Gewalt zum Verkünder des Naturrechts, zum Organ der Vernunftordnung erhoben, »das Abbild Gottes[52]«, »der Statthalter Gottes auf Erden[53]« genannt wird, so halten die Physiokraten doch den Blick so fest auf die vernünftige Weltordnung gerichtet, daß ihnen am Ende ihr Organ, die staatliche Legislative, als eine Organisationsfrage gleichgültig werden konnte[54], d.h. es kam ihnen mehr auf die richtige Erkenntnis des *ordre naturel* und seiner Gesetze an, als darauf, wie nun die legislative Gewalt selbst praktisch gestaltet sei. Mably, der Kritiker und Gegner, erkannte sofort, daß sich aus der Annahme des *ordre naturel* Gleichgültigkeit gegenüber den Verfassungsfragen ergeben müsse[55]. Und Baudeau erklärte denn auch in diesem Sinne, es seien *questions secondaires*, in wessen Händen die Legislative liege[56]. Wenn er sich dann doch zur Anerkennung der Erbmonarchie als der präsumptiv geeignetsten Trägerin der Legislative bequemte, weil in ihr der unerforschliche Wille »der höchsten Vorsehung« zum Ausdruck komme[57], so beweist dies nur, daß er mit der bestehenden Staatsform paktieren wollte und daß er dazu durch die Annahme des *ordre naturel* sehr wohl in der Lage war. Und außerdem entsprang doch auch diese Rechtfertigung der Erbmonarchie dem gerade in der Zeit der Herrschaft der naturrechtlichen Vertragslehren empfundenen Bedürfnis, gegenüber den aus der naturrechtlich-rationalistischen Begründung der monarchischen Gewalt sich ergebenden Gefahren[58] die Monarchie wieder durch die mystische Weihe göttlicher Einsetzung fester in den Herzen zu verankern.

Aus demselben Bedürfnis leugneten die josephinischen Kirchenrechtler, die Gebler, Eybel, Martini, konsequenter und von anderen Voraussetzungen ausgehend, jegliche Vertragstheorie und betonten entschieden die theokratische Idee von der gottunmittelbaren Einsetzung der Monarchie[59]. Baudeau aber blieb diese Frage letztlich gleichgültig.

Aber wenn nun durch die Annahme des *ordre naturel* die Physiokraten zur Gleichgültigkeit gegenüber der Legislative geführt wurden, so bewirkte eben die gleiche Grundvoraussetzung die starke Betonung der Exekutive als des eigentlich bedeutungsvollen Elements der staatlichen Souveränität. Den Gesetzen des positiven Rechts Geltung zu verschaffen, war die wichtigste Aufgabe der souveränen Gewalt[60]. Indem die Physiokraten auf diese Weise die Notwendigkeit einer starken staatlichen Zwangsgewalt hervorhoben, erkannten sie Macht und Aktion als die wesentlichen Attribute der staatlichen Gewalt an[61]. Besondere Verstärkung erhielt diese Anerkennung des Staates als Machtstaat noch durch den Gedanken, daß es die Pflicht des Staates sei, die Rechte der Untertanen zu schützen[62]; auch unter diesem Gesichtspunkt mußten die Physiokraten eine möglichst schlagkräftige Gestaltung des Staates anstreben. Es ist darauf hingewiesen worden, daß Montesquieus Gewaltenteilungslehre mit ihrer mechanistischen, die politische Handlung lähmenden Zerteilung der Willensbildung den leidenschaftlichen Tatwillen Friedrichs des Großen, der hier als der eigentlich politische Mensch gegenüber dem apolitischen Liberalismus Montesquieus erscheint, habe abstoßen müssen[63]. Die Physiokraten taten dem Willen zur Tat genüge; Le Mercier, der Aktion und Kraft als Wesen und Inbegriff der Souveränität am stärksten hervorhob, lehnte denn auch Montesquieus Gewaltenteilung, »diese bizarre Idee«, schroff ab, und in diesem Punkt folgten ihm alle Ökonomisten. In diesen Gedanken lag das eigentlich »despotische« Element der physiokratischen Staatslehre. Die Überzeugung von der Notwendigkeit einer starken Staatsgewalt brachte ihre individualistisch-naturrechtliche Utopie in Berührung mit den realen politischen Zeittendenzen, die auf Steigerung und Konzentrierung der staatlichen Macht hindrängten.

Aber wie weit waren nun doch die Physiokraten davon entfernt, den Gebrauch der Macht in dem Sinne gutzuheißen, in dem sie von den großen Monarchien angewendet wurde. Nichts zeigt deutlicher, wie sehr entgegengesetzt die auf das Wohl des einzelnen bedachte, humanitäre Denkweise der Physiokraten der Machtpolitik des 18. Jahrhunderts war als ihre Beurteilung des Krieges. Die Durchführung der Schutzaufgabe, die sie dem Staat auferlegten, verlangte das Dasein von Armeen[64], aber dieses Machtmittel wollten die Ökonomisten nur in der Defensive anwenden[65]. Beim Anblick der europäischen Kriege mußte sich der Gegensatz zwischen den unpolitischen Postulaten der Aufklärungshumanität und der nüchternen Tatsachenpolitik einer großmächtlichen Staatsraison[66] vor den Augen dieser Hexenmeister besonders kraß auftun, die die realen Gewalten ihrer Zeit in ihre Theorie hineinzogen, um sie erst recht mit scharfen Waffen auszurüsten, und die dann ohnmächtig ihrem Handeln zusahen. Du Pont hat diesen zwiespältigen Zug in der Politik Josephs II. beobachtet und seine eigene Ratlosigkeit ausgesprochen. »Der Kaiser ist schwer zu beurteilen. Wenn man beobachtet, was er getan hat und was er täglich für sein Land leistet, so ist er ein Fürst von seltenstem Verdienst, vorwärtsstürmend mit dem Fluge des Adlers zu den größten Wohltaten, erhaben über Erschwerungen, die er bändigt, aufgeklärter Monarch, kühner Gesetzgeber, unerschrockener Held, seinen Untertanen ein wohltätiger Vater. Aber wenn man andererseits seine politische Haltung gegenüber seinen Nachbarn ins Auge faßt, seine Kriegslust, seine Vergrößerungsabsichten, die Teilung Polens, den Einfall in Bayern, die Anschläge gegen das türkische Reich, die geringe Achtung vor alten Verträgen, die Neigung, alles mit Gewalt zu entscheiden, dann ist der hochherzige Adler nur noch ein furchtbarer Raubvogel. Man muß diesen Fürsten bewundern, seine Kenntnisse schätzen und sein tätiges, heroisches und glänzendes Genie ehren. Aber erst nach seinem Tode werden wir erfahren, ob wir ihn lieben müssen, ob ihn die Güte des Himmels der Welt geschenkt hat oder ob er uns im Zorn gegeben wurde[67].«

Indem die Physiokraten so zunächst durchaus Verständnis für den Machtcharakter des Staates zeigten, ja gerade von ihrem individualistisch-naturrechtlichen Ausgangspunkt her die Notwendigkeit einer wirkungsvollen Organisation der staatlichen Macht befürworteten, schufen sie eine theoretische Rechtfertigung der Machtkonzentration, die sich in den absolutistisch regierten Staaten vollzog.

Erst recht aber führte sie nun die Begründung der absoluten Monarchie in ein enges Verhältnis zur bestehenden Verfassungsform. Ihre individualistische Staatsauffassung erlegte – wie wir sahen – dem Staat die Aufgabe auf, dem materiellen Wohl des einzelnen zu dienen; nur dieser Zwecksetzung verdankten die bürgerliche Gesellschaft und der Staat als ihre politische Organisation ihr Dasein[68]. Le Mercier, konsequent den Gedanken des Hobbesschen Urvertrages fortsetzend, leugnete nun weiterhin jede Einheit der Untertanen nach dem Zusammenschluß: Die Individuen standen sich isoliert gegenüber und bildeten eine Einheit nur in ihrem Untertanenverhältnis zum Fürsten[69]. Diese vereinzelten Individuen verfolgten ihre eigenen wirtschaftlichen Interessen, die einander entgegengesetzt waren[70]. Le Mercier war also so weit von der Harmonielehre der Übereinstimmung aller ökonomischen Einzelinteressen entfernt, daß er im Gegenteil zur Konzeption des Klassenkampfgedankens kam[71]. Erst durch die Existenz *eines* leitenden Willens, der einem einzigen, allen gemeinsamen Interesse folgt, wird die Vielheit von Individuen und einander bekämpfenden Einzelinteressen zur staatlichen Einheit zusammengefaßt. Dieser *eine* Wille und dieses *eine* Interesse kann nur *einem* angehören, dem erblichen Monarchen. Erst mit seiner Einsetzung wird die staatliche Gemeinschaft konstituiert. So wird in dieser Lehre die Zusammenziehung von Gesellschafts- und Herrschaftsvertrag wirtschaftlich motiviert.

Ein kurzer Überblick über die Begründung dieser ökonomischen Interessenidentität zwischen dem Einherrscher und der Gesamtheit der Untertanen möge genügen. Der landwirtschaftliche *produit net*, der einzige Reinertrag, den nach der physiokratischen Lehre menschliche Wirtschaftstätigkeit überhaupt abwirft, kann die alleinige Steuerquelle sein[72]. Vom *produit net* der einzelnen landwirtschaftlichen Unternehmung muß also ein Steueranteil ausgeschieden werden, da die Steuer gleichzeitig mit der im Staat organisierten, bürgerlichen Gesellschaft, die ohne sie nicht existieren könnte, eingerichtet worden ist [73]; dieser Steueranteil muß von vornherein vom Verkaufswert landwirtschaftlicher Grundstücke abgezogen werden [74]. So ist die Steuererhebung ein *partage amical* am landwirtschaftlichen Reinertrag zwischen Monarch und Grundeigentümer [75]; der Fürst ist Miteigentümer des *produit net* [76]. Es folgt hieraus, daß, je größer der landwirtschaftliche Reinertrag ist, desto höher auch die Steuersumme steigt und mit ihr der Anteil, den der Fürst persönlich an der Steuer hat. Nach dieser Lehre kann der Monarch seinem eigenen Vorteil nur nachgehen, indem er dem wirtschaftlichen Wohl der Gesamtheit dient und indem er den allgemeinen Wohlstand hebt, steigert er seine eigenen Einnahmen [77]. Auf diese Weise wird das Interesse des Fürsten mit den Interessen aller Staatsbürger unlösbar verbunden [78].

Weiterhin hängt es mit der Lehre vom *produit net* als der einzigen Reichtumsquelle zusammen, daß die landwirtschaftlichen Grundbesitzer als die einzige Staatsbürgerklasse betrachtet wurden. Hieraus erklärt es sich, daß die Physiokraten in einem Atemzug behaupten konnten, die Interessen des Fürsten seien mit denen der Gesamtheit identisch, der Fürst stehe über den sich bekämpfenden Gegensätzen, und gleichzeitig den Monarchen als den wahren Exponenten einer Klasse, eben der Grundbesitzer hinstellen und diese Klasse zur herrschenden im Staate erheben konnten. Für die physiokratische Anschauung lag hierin kein Widerspruch, denn für sie waren die Grundbesitzer nicht irgendeine Klasse, sondern die Staatsbürger schlechthin.

Aber aus diesem auf der Annahme des landwirtschaftlichen Reinertrages aufgebauten Steuersystem ergab sich nun doch bereits eine wichtige Einschränkung der monarchischen Vollgewalt. Wir sahen: Da der landwirtschaftliche *produit net* als die einzige Quelle von Reinerträgen angesehen wurde, mußte die Steuer direkt von ihm gespeist werden. Ausdrücklich lehnte Le Mercier indirekte Steuern ab, weil sie keinen Maßstab für die Höhe der Besteuerung böten, also jeglicher Willkür zugänglich seien [79]. Da ferner die aufzubringende Steuersumme stets in einem festen Verhältnis zur Gesamthöhe des *produit net* stehen sollte, dessen Ziffer ein für allemal festgelegt war [80], war die Höhe der Steuer nicht mehr vom Willen der politischen Regierung, also des Monarchen, abhängig, sondern vom Umfang des *produit net*, auf welchen der Fürst nur mittelbar einwirken konnte. Hier trafen nun die Physiokraten die großen Monarchien ihrer Zeit, deren Wirtschafts- und Finanzpolitik im Dienst der Kräftesteigerung nach außen hin stand, im Kern ihrer Machtstellung. Sie schrieben den Großmächten das Wirtschaftssystem eines sparsamen Hausvaters vor und verlangten, daß die staatliche Ausgabenwirtschaft durch Einnahmenwirtschaft ersetzt werde. »Nicht den vorgeschützten Staatsnotwendigkeiten darf die Steuer angemessen sein, sondern dem zur Verfügung stehenden Reichtum [81].«

Aber sehen wir hiervon zunächst ab, so war es doch die Annahme des *ordre naturel*, von der aus der Staat als das Exekutivorgan der vernünftigen Weltordnung angesehen wurde, und die Behauptung der Interessenidentität zwischen Fürst und Untertanen, die das absolutistische Element der physiokratischen Staatslehre ergaben. Da der physiokratische *ordre naturel* eine ökonomische Ratio war, deren Gesetze sich auf das wirtschaftliche Leben erstreckten und die als wichtigstes Menschenrecht das Recht auf wirtschaftliche Selbsterhaltung setzte, so stand die absolutistische Konstruktion einer starken, von dem Einherrscher gelenkten Staatsgewalt unter dem Zeichen dieser physiokratischen, spezifisch wirtschaftlichen Gesinnung: Der despotisch regierte Staat diente den Gesetzen einer ökonomischen Weltvernunft. Dieser wirtschaftliche Geist des Physiokratismus brachte die Ökonomisten in Verbindung mit dem Europa beherrschenden Absolutismus. Mit den Physiokraten teilte der späte Absolutismus den materialistischen Utilitarismus, der sich so deutlich etwa in der Regierung Josephs II. ausprägte. Eine nähere Betrachtung des josephinischen Regiments würde die gleiche geistige Haltung eines materialistischen Nützlichkeitsfanatismus, der den Physiokraten eigen war, zeigen: Die gleiche bewußte Ablehnung von Kunst und nicht angewendeter, im Staatsdienst nicht verwertbarer Wissenschaft, die gleiche Wendung gegen die nicht verstandenen Werte der Antike, die gleiche puritanische, genußfeindliche Lebenshaltung. Zwischen dem im Rokoko ausklingenden Barock als einer Gesamterscheinung mit bewußt gestuften, kulturellen Wertvorstellungen und dem heraufziehenden Klassizismus mit seinem neuen Bildungsideal standen die Physiokraten auf der Linie, auf der sich ein Teilstück der Aufklärung, ihr rationalistischer Materialismus, in das 19. Jahrhundert verlängerte. Im staatlichen Leben gelangte dieser Geist mit den »physiokratischen« Fürsten zur Herrschaft. Als Mably voller Entrüstung über den physiokratischen Wirtschaftsgeist sagte, ein Fürst, der nach den Prinzipien der Ökonomisten handele, werde geizig sein [82], kennzeichnete er, ohne es zu wissen, eine der hervorstechendsten Eigenschaften Josephs II.

IV.

Schon aus der vernunftrechtlichen Konzeption des *ordre naturel* ergaben sich – wie gezeigt wurde – Einschränkungen der absolutistischen, monarchischen Vollgewalt, aber sie wurden nicht staatstheoretisch als naturrechtliche Schranken verstanden [83], sondern vielmehr als von der Natur gezogene Grenzen der staatlichen Machtbefugnis aufgefaßt – im Sinne von Naturgesetzen. Aber als nun gegenüber der utopischen Annahme der monarchischen Infallibilität sich doch so viel Tatsachenbeobachtung in die physiokratische Lehre einschlich, daß kritische Zweifel an der Zulänglichkeit des Fürsten auftauchten, zeigte es sich, daß die Physiokraten der absoluten Monarchie keine eigengesetzliche Daseinsberechtigung zuerkannten.

Selbst Le Mercier [84], der entschiedenste Anhänger des Absolutismus unter den Ökonomisten, konnte nicht umhin, die Möglichkeit anzuerkennen, daß der Fürst persönlich nicht mehr imstande sei, die ihm in diesem rationalistischen System gestellte Aufgabe zu erfüllen, die in der Erkenntnis des *ordre naturel* bestand, oder daß er gar, von Ehrgeiz und Habsucht geleitet, Übergriffe in die vom *ordre naturel* geheiligte Sphäre der Individualrechte vornähme. Mit der Zulassung solcher Möglichkeiten widersprach nun Le Mercier freilich dem Grundcharakter des auf der optimistisch geglaubten »Evidenz« des *ordre naturel* aufgebauten, physiokratischen Systems. Er erkannte damit stillschweigend die Einwendungen Rousseaus [85] und Mablys [86] an, die gegenüber dem berechnenden Kalkül der Ökonomisten auf die irrationalen Kräfte in der Brust handelnder Staatsmänner hinwiesen. Der gleiche Widerspruch, dessen sich hier Le Mercier schuldig machte, zeigte sich noch ausgesprochener bei Le Trône, der der *autorité souveraine* Infallibilität zubilligte und konsequent jegliches Widerstandsrecht der Untertanen leugnete [87], dann aber trotzdem Umschau nach Sicherungen zur Verhinderung des Mißbrauchs der höchsten Gewalt hielt. Da aber nun solche Zweifel rege geworden waren, zeigte es sich, daß die Physiokraten die Monarchie nur als Spitze einer mit aller Macht ausgerüsteten Administration, gleichsam als oberste Verwaltungsinstanz der Exekutive des *ordre naturel* gelten ließen [88]. Die Tätigkeit dieser monarchischen Verwaltungsspitze stand im Dienst der ökonomischen Zwecke, um derentwillen die Gesellschaft begründet und der Staat organisiert worden war. Sie war nicht der Souverän selbst, sondern nur der Träger der Souveränität [89], weil sie als zweckentsprechende Organisationsform angesehen wurde.

Als wirksamste Gegenkraft gegen eine Ausartung der absoluten fürstlichen Gewalt betrachteten die Physiokraten die öffentliche Meinung [90]. Auf ihre Schulung und Ausbildung legten sie folglich den größten Nachdruck [91]. Es ist bekannt, daß in ihren Schriften die von dem starken Optimismus der Aufklärung getragenen Pläne einer Volkserziehung einen großen Raum einnehmen. Deutlich wird hier der rationalistisch-aufklärerische Zug des physiokratischen Denkens, der auf rationale Erkenntnis und Billigung den Bestand der politischen Regierung gründete [92]. Aus dieser Entdeckung der öffentlichen Meinung als einer Macht des politischen Lebens – Le Mercier nannte die öffentliche Meinung *Regina del mundo* [93] – erwuchs das Bedürfnis nach Publizität der Regierungsmaßnahmen, die Forderung von Pressefreiheit [94] und vor allem Veröffentlichung der Finanzgebarung der Regierung als der im Mittelpunkt des physiokratischen Interesses stehenden politischen Tätigkeit. So entsprachen die in dieser Zeit entstehenden Rechenschaftsberichte über Staatseinnahmen und Ausgaben diesem rationalistischen Drang nach Öffentlichkeit, Klarheit und Durchsichtigkeit [95], wenngleich sowohl Neckers *Compte rendu* als auch der Rechenschaftsbericht Leopolds von Toskana auch Elemente eines konstitutionellen, den Physiokraten fernliegenden Denkens enthalten.

Es ist auf die revolutionäre Wendung, die in der physiokratischen Lehre durch diese Betonung der öffentlichen Meinung angebahnt wurde, hingewiesen worden [96]: Als Träger der öffentlichen Meinung galt den Physiokraten das Volk in seiner Gesamtheit [97]. Und in der Tat läßt sich an den Wandlungen, die die Vertragstheorien bei den einzelnen Ökonomisten durchgemacht haben, erkennen, daß sie theoretisch vor der Anerkennung der Volkssouveränität nicht zurückscheuten. Jedoch kommt dieser Wendung keine sonderliche Bedeutung zu, denn der formal rechtliche Gedankenkreis der Vertragslehren spielt innerhalb der physiokratischen Lehre keine tragende Rolle. Dennoch ist ein kurzer Hinweis auf die Abwandlungen der Vertragslehre lohnend, weil er die Labilität der Physiokraten gegenüber der Herrscher- und der Volkssouveränität zeigt. Le Mercier hatte angenommen, daß erst durch die Einsetzung des über allen entgegengesetzten wirtschaftlichen Interessen stehenden, mit ihrer Gesamtheit identischen Einherrschers der Staat konstituiert werde [98]. Staatstheoretisch bedeutete dies die Annahme von Hobbes' Vertragslehre [99]. Aber wie nun die Physiokraten keineswegs Hobbes darin folgten, daß sie mit dem Abschluß des Unterwerfungsvertrages auch das Fortbestehen individueller, von Gesellschaft und Staat unantastbarer Rechte leugneten [100], sondern im Gegenteil Gesellschaft und Staat als Garanten und Diener des Eigentumsrechtes, als des wichtigsten Menschenrechtes ansahen, mußte sich die Lehre vom Unterwerfungsvertrag als ein Fremdkörper aus ihrem System verflüchtigen und eine Unterscheidung von Gesellschafts- und Herrschaftsvertrag eintreten, die die weitere Bewahrung und sogar Ausdehnung individueller Rechte erlaubte. So näherten sich die Physiokraten der Anerkennung der aus der Annahme eines besonderen Gesellschaftsvertrages herrührenden Verantwortlichkeit und Eingrenzung der fürstlichen Macht, wie wir sie bei Friedrich dem Großen finden [101]. Aber es war nun in dem eminent wirtschaftlichen Denken der Physiokraten begründet, daß sie nicht so sehr die ethischen Verpflichtungen des Fürsten gegenüber der Gesamtheit der Untertanen betonten, als vielmehr seine wirtschaftliche Verantwortung hervorhoben und es den Monarchen als ein lohnendes Geschäft ausmalten, den wirtschaftlichen Zwecken der Gesellschaft zu dienen. Indem nun an die Stelle des Unterwerfungsvertrages ein Gegenseitigkeitsvertrag zwischen Fürst und Volk trat, wurde aus der Einsetzung der Herrschergewalt ein riesiger Geschäftsvertrag [102], den beide Partner zu gegenseitigem Vorteil abschlossen und von dem im Nichterfüllungsfalle beide Teile zurücktreten konnten [103]. Den letzten Schritt zur Anerkennung der Volkssouveränität tat Turgot [104]. Unter dem mächtigen Einfluß von Rousseaus Lehre vom Gesellschaftsvertrag sank der Fürst herab zum obersten Geschäftsführer der Versicherungs- und Erwerbsgesellschaft, der von ihren Mitgliedern entlassen werden konnte, wenn seine Geschäftsführung den Absichten der Unternehmung nicht mehr entsprach oder sich gar bewußt gegen deren Interessen wandte [105].

Aber die Physiokraten benutzten die Voraussetzungen, die ihnen die Entwicklung der Vertragslehren bot, nicht, um eine verfassungsmäßige, konkrete Organisierung der öffentlichen Meinung im demokratischen Geiste der Volkssouveränität vorzunehmen. Noch schien ihnen die Aufklärung nicht weit und tief genug verbreitet zu sein. In diesem Skeptizismus gegenüber der Bildung des Volkes betrachteten sie tatsächlich doch nicht das ganze Volk, sondern die aufgeklärte Minderheit der »Philosophen« als die eigentlichen Träger der öffentlichen Meinung [106]. Indem eine solche bildungsaristokratische Haltung nun aber die Ökonomisten davon abhielt, die demokratische Konzeption einer öffentlichen Meinung in Anlehnung an Rousseau praktisch zu gestalten, blieb auch dieser entwicklungsfähige Gedanke wieder in der verdünnten Sphäre utopischer Gesichte. Dem politisch interessierten Literatentum, das uns die liebenswürdigste Gesellschaftsanalyse des *ancien régime* mit seiner Neugier, seinen Projekten, Prophezeiungen und Ansprüchen so lebendig geschildert hat [107] und als dessen Eigentümlichkeit Tocqueville [108] hervorhob, daß es fern der praktischen Politik lebte, diesen politisierenden Gebildeten sollte nun die Rolle des volksführenden Gelehrten zufallen. Selbst bei Turgot, dem handelnden Staatsmann und leitenden Minister, findet sich die für die Aufklärung so charakteristische Hochschätzung der politisch-publizistischen Tätigkeit des *homme lettré*. »Ich bin tief davon überzeugt, daß man durch gute Schriften tausendmal nützlicher wirken kann als durch alles, was man in einer untergeordneten Verwaltung leistet [109].« Auch in den physiokratischen Schriften klingt das alte utopische Motiv der Gelehrtenrepublik an.

Aber dies war nun eine Betrachtungsweise, bei der die Physiokraten nicht stehenbleiben konnten, da sich in ihrer Lehre immer das idealistisch-utopische Element mit realistisch-ökonomischen Gedanken mischte und sie so immer wieder von der Beschäftigung mit dem Idealstaat durch die Schwerkraft der realen wirtschaftlichen Tatsachen auf den Boden der konkreten Wirklichkeit hinabgezogen wurden. So konnte die Annahme einer *opinion publique* als der einzigen Gegengewalt gegen Irrtum und Willkür des Fürsten nicht genügen. Wenn einmal Zweifel an der Infallibilität und Güte des Monarchen aufgetaucht waren, so mußte es zu einer Organisierung der Individuen kommen, durch welche die Erreichung des Zieles, Sicherheit und Wohlstand, gewährleistet wurde. Aus dem Gefühl, daß eine solche Organisation nicht ohne Beschränkung der moralischen Vollgewalt zu errichten sei, erhob Le Trône die Forderung, die souveräne Gewalt müsse »sich selbst fesseln [110]«. Und dieses Mal handelte es sich nicht mehr um Abstraktionen aus dem *ordre naturel*, sondern Le Trône ging daran, seine Gedanken sehr gegenständlich in seinem Selbstverwaltungsprojekt zu verwirklichen.

Es ist in diesem Zusammenhang nicht nötig, näher auf die Selbstverwaltungsorganisationspläne von Le Trône [111] und Du Pont-Turgot [112] einzugehen, zumal diese Projekte neuerdings wieder im einzelnen dargestellt worden sind [113]. Hier kommt es nur darauf an, zu zeigen, daß beiden Selbstverwaltungsplänen der Gedanke der Einschränkung der absoluten Monarchie nicht fremd war. Der Ausgangspunkt sowohl bei Le Trône als auch bei Du Pont-Turgot war die Erkenntnis, daß die königliche Verwaltung nicht mehr in der Lage sei, alle Details der Administration zu übersehen und zu regeln, und daß sie daher unterstützt und entlastet werden müßte [114]. Man hat hieraus die Absicht der Physiokraten auf Stärkung der absoluten Monarchie gefolgert [115], indem man die geplanten Munizipalitäten als Stützen und Hilfsorgane der fürstlichen Verwaltung ansah. Es kann nicht bestritten werden, daß für die Physiokraten bei der Aufstellung ihrer Selbstverwaltungspläne die Herstellung einer gut funktionierenden Verwaltungsmaschine [116] eine besondere Bedeutung hatte und daß sie vor allem Steuerverteilung und Steuererhebung mit Hilfe der geplanten Selbstverwaltungsorgane verbessern wollten. Den geeigneten Apparat zur Verteilung und Erhebung der physiokratischen Grundsteuer zu schaffen, war der leitende Gedanke sowohl von Le Trône als auch von Du Pont-Turgot [117]. Aber möglich war gerade diese Organisation der Untertanen selbst doch nur geworden, weil der Zweifel an der Leistungsfähigkeit des absolutistisch mit einer zentralisierten Verwaltungshierarchie regierenden Fürsten die Voraussetzungen dazu geschaffen hatte. Der physiokratische Individualismus suchte im einzelnen Untertanen, was er im Monarchen nicht mehr fand: Die zugängliche Ratio. So entdeckten die Physiokraten das »interessierte Individuum« als Träger der Verwaltung. Als der Glaube an den die Evidenz des *ordre naturel* erkennenden und seine Gesetze exekutierenden Fürsten, dieses eigentliche Kernstück der absolutistischen Lehre der Physiokraten, zu wanken begann, da besannen sich die Ökonomisten auf ihren individualistischen Ausgangspunkt. Der einzelne kennt seine Interessen am besten [118]! Das war die Parole, unter der man nun zur Organisation der interessierten Individuen schritt. Praktisch aber konnte eine solche Organisation doch nur ausgeführt werden mit Hilfe des Repräsentativsystems, Montesquieus großer Entdeckung [119]. So kam es zur Repräsentation der physiokratischen Steuerzahler, d.h. der Grundbesitzer in den Versammlungen, die in den Munizipalitätenentwürfen vorgeschlagen wurden, denn »niemand ist an einer guten Verteilung der Steuer mehr interessiert als diejenigen, die sie zahlen [120]«.

Gewiß bedeuteten die Munizipalitäten keine verfassungsmäßige Einschränkung der Monarchie; auch die *grande municipalité* Du Pont-Turgots und der *conseil national* Le Trônes nicht [121]. Sie hatten kein Steuerbewilligungsrecht, keine irgendwie gearteten legislativen Befugnisse. Dennoch erschütterten beide Pläne die Stellung der absoluten Monarchie insofern, als das Volk nicht mehr nur als das Objekt der Regierungstätigkeit aufgefaßt wurde. Da man an der Möglichkeit zu zweifeln begann, daß der Monarch alle Interessen des Volkes überschauen könne, ging man daran, den Untertanen eine Mitwirkung bei der Verwaltung ihrer Angelegenheiten einzuräumen. Aber wenn die Physiokraten nun den Gedanken der Repräsentation von Montesquieu entlehnten, so übernahmen sie doch keineswegs von ihm die Gewaltenteilungslehre, und daher schränkten sie nicht verfassungsmäßig die Monarchie im konstitutionellen Sinne ein [122]. Es war ihr Gegner Necker, der mit Montesquieus nach England gerichtetem Blick Ansätze konstitutionellen Denkens zeigte [123]; und ihr schärfster literarischer Widersacher unter den Franzosen, der Abbé Mably, forderte, an der Durchführung seines agrarsozialistischen Programms verzweifelnd, die Gewaltenteilung, um wenigstens so auf dem Gebiet der politischen Verfassung die Folgen der wirtschaftlichen Ungleichheit unschädlich zu machen [124]. Allerdings nicht die Gewaltenteilung Montesquieus verlangte Mably, sondern die weitgehende Unterordnung der Exekutive unter die Legislative [125]. So stand er mit seinen unklaren Formulierungen zwischen Montesquieu und Rousseau, indem er gleich Rousseau aus Montesquieus Gewaltenteilungslehre die Trennung von Legislative und Exekutive entnahm [126] und die eine Gewalt der anderen unterordnete, dann aber doch zögerte, Rousseaus demokratischen Konsequenzen ganz zu folgen [127]. Es waren die Gegner der Physiokraten, die sich Montesquieu und Rousseau anschlossen; sie selbst lehnten, ohne doch gelegentliche Berührungen vermeiden zu können, die beiden, die Zukunft beherrschenden Theorien ab.

Fassen wir zusammen: Das rationalistische Ferment der physiokratischen Lehre führte zu einer inneren Aushöhlung der absoluten Monarchie, doch ohne daß diese verfassungsmäßig eingeschränkt worden wäre. Zwar finden sich Elemente von Montesquieus und Rousseaus Gedanken, aber die Physiokraten vermieden es, sich dem einen oder anderen anzuschließen. Die Beschränkungen der absoluten Monarchie, die sich aus der Annahme des *ordre naturel* ergaben, wurden nicht in den Formen, die die vorhandenen Staatstheorien boten, konkretisiert. Zu neuen verfassungsmäßigen Gestaltungen gelangten die Physiokraten vom Boden ihrer individualistisch-naturrechtlichen Grundvoraussetzungen her, indem sie – den Gedanken der Repräsentation von Montesquieu übernehmend – gegenüber dem ihrem kritischen Zweifel nicht mehr standhaltenden Fürstentum die interessierten Individuen in Versammlungen und Munizipalitäten sich repräsentieren ließen. Aber da sie weder die Gewaltenteilung Montesquieus annahmen, also den Versammlungen keinerlei legislative Befugnisse zuerkannten, noch sich Rousseau anschlossen, d.h. die Versammlungen als die Organe des souveränen Volkes auffaßten, blieben diese Versammlungen unvermittelt gegenüber dem absoluten Monarchen stehen und konnten schließlich nur als seine Helfer und Diener aufgefaßt werden. Doch bedeutete dies in dem vernunftrechtlichen physiokratischen System, das auf die intellektuelle Infallibilität des Monarchen als Organs und Mundes der transzendenten ökonomischen Ratio aufgebaut war, eine schwere Erschütterung. Dem utopischen Denken der Physiokraten lag an sich eine revolutionäre Wendung nahe in der steten Forderung nach Annäherung an den idealen Zukunftsstaat. Wir sahen, die Ökonomisten vermieden die Revolution im Sinne einer Veränderung der bestehenden Verfassungsverhältnisse. Sie predigten nicht die Revolution gegen die absolute Monarchie, sondern die Revolution durch die absolute Monarchie, die Revolution von oben. Aber da der Zweifel an der Fähigkeit der Monarchen erwacht war, war es nicht mehr die Reformtätigkeit der einsam herrschenden Fürsten, die die Physiokraten forderten, sondern mit den Monarchen gemeinsam riefen sie die repräsentierten Staatsbürger auf. In dieser Auflockerung beruhte die Leistung der Ökonomisten für eine zukünftige Verfassungsentwicklung. Was an vorrevolutionären Ansätzen zu einer den Absolutismus überwindenden Entwicklung in Richtung auf die konstitutionelle Monarchie in Europa vorhanden war, ging über den Physiokratismus hinaus und lenkte in die von Montesquieu gewiesenen Bahnen der Gewaltenteilung ein.

Deutlich zeigt dies das Verfassungsprojekt Leopolds von Toskana von 1782[128]. Mit den Physiokraten verzweifelten der Großherzog und sein bedeutendster Ratgeber an der Möglichkeit, die umfassenden Aufgaben des absoluten Fürstentums mit Hilfe einer zentralisierten, fürstlichen Beamtenschaft zu erfüllen und sie zogen daher in der lokalen Selbstverwaltung die »Interessierten« heran.

Ma un re sì grande
Tutto veder non può: talor s'inganna,
Se un malvagio il circonda;
E di malvagi ogni terreno abonda[129].

In den Trägern der absoluten Monarchie verblaßte das vom Optimismus der Aufklärung umflossene Fürstenbild Friedrichs, und skeptisch soll Leopold gesagt haben, es sei »ein bankrottes Geschäft, Fürst zu sein[130]«. Hier äußerte ein Monarch selbst die Zweifel, aus denen die Physiokraten zur Gestaltung der Selbstverwaltung gekommen waren. Die im Großherzogtum Toskana eingeführte lokale Selbstverwaltung [131] – geschaffen unter der leitenden Mitwirkung des Physiokraten Pompeo Neri – zeigt denn auch unverkennbar physiokratischen Einfluß. Ganz anders aber verhielt es sich mit den Verfassungsentwürfen [132], an deren Ausarbeitung Francesco Maria Gianni [133] den Hauptanteil hatte. Nur formal in der Unterbauung durch die Stufenfolge der Gemeinde-, Provinz- und Generalversammlung erinnert das endgültige Verfassungsprojekt von 1782 an die physiokratischen Programme [134]. Es unterscheidet sich jedoch von ihnen vor allem dadurch, daß der *assemblea generale* legislative Befugnisse zuerkannt wurden. Erst dadurch verdient diese nie ins Leben getretene *Costituzione* den Namen einer konstitutionellen Verfassung – im Zeichen Montesquieus.

Die physiokratische Staatslehre konnte, indem sie die Gesamterscheinung des aufgeklärten Despotismus mit all seinen widerspruchsvollen Zügen und zukunftsweisenden Tendenzen widerspiegelte, eben doch nur gedanklich leisten, was die praktische Aufgabe der absoluten Monarchie war, Wegbereitung und Auflockerung zu neuen Entwicklungen. Was darüber hinausging, stand im Gegensatz zur absoluten Monarchie und zu den Physiokraten, waren die Gedanken Montesquieus und Rousseaus.

ANMERKUNGEN

1. L'Héritier, *Le rôle historique du despotisme éclairé, particulièrement au XVIIIe siècle* i. *Bulletin of the International Committee of Historical Sciences.* Number 5, July 1928, besonders p. 601 und 604.

2. Aus der großen Literatur über die physiokratische Gesellschafts- und Staatslehre und ihre philosophischen Voraussetzungen, auf die hier nicht eingegangen werden kann, sei besonders verwiesen auf W. Hasbach, *Die allgemeinen philosophischen Grundlagen der von Fr. Quesnay und A. Smith begründeten politischen Ökonomie,* Leipzig 1882; B. Güntzberg, *Die Gesellschafts- und Staatslehre der Physiokraten,* 1907; und Léon Cheinisse, *Les idées des Physiocrates,* Paris 1914.

3. Vgl. *Karl Friedrichs v. Baden briefl. Verkehr mit Mirabeau und Du Pont*, hrsg. v. C. Knies, Heidelberg 1892, I, S. 43. Sehr ähnlich Nicolas Baudeau, *Première introduction à la philosophie économique ou Analyse des états policés.* Publ. par A. Dubois. Paris 1910, p. IV.

4. *Œuvres de Turgot et Documents le concernant.* Par G. Schelle. III, S. 484. Auch Du Pont i. *Correspondance avec I. B. Say.* Ed. Guillaumin, 1846, III, p. 397.

5. Vgl. über die »Utopie« der Aufklärung K. Mannheim, *Ideologie und Utopie*, Bonn 1929, S. 201.

6. Baudeau, a. a. O. p. 152. *Oui toute perfection absolue est chimere pour les hommes, si vous appellez chimere ce point idéal et métaphysique que la raison conçoit, et qui sert de regle primitif dans la spéculation et dans la pratique.*

7. L'Abbé F. Galiani, *Correspondance.* Nouv. ed. par L. Perey et G. Maugras, Paris 1881, I, p. 57. Vgl. auch B. Croce, *Saggio sullo Hegel.* Terza ed. riveduta, Bari 1927, p. 317f.

8. Tanucci, *Lettere a F. Galiani. Con introduzione e note die F. Niccolini.* Bari 1914, I, p. 177 . . . e la materia, nel politico, è sempre la storia.

9. Vgl. Croce, a.a.O., p. 325.

10. Galiani, *Dialogues sur le commerce des blés*, p. 121 und 475. (Zit. nach Nouv. ed. Berlin 1795.) *La bonne législation est toujours celle qui convient à la constitution, aux forces et à la nature de chaque Pays.* Tanucci, a.a.O. I, p. 13, und II, p. 300. *Le regole universali nel morale, e politico non ci sono; sorgono dalle circostanze delle terre e dei popoli.*

11. Galiani, *Correspondance*, I, p. 113f. und II, p. 179f.

12. Du Pont de Nemours, *De l'origine et des progrès d'une science nouvelle, 1768.* Ed. par Dubois. Paris 1910, p. 7, und Turgot, *Œuvres*, III, p. 471.

13. Die Ähnlichkeit zwischen dem Denken Galianis und Montesquieus überschätzen m.E. W. E. Biermann i. *Stieda-Festschrift*, Leipzig 1912, S. 154, und Louise Sommer i. *Ztschr. f. Volkswirtschaft u. Sozialpolitik*, NF Bd. V, 4.–6. Heft, 1926, S. 339.

14. Vgl. Dilthey, *Gesammelte Schriften*, III, S. 222f.; Masur, *Rankes Begriff der Weltgeschichte*, 1926, S. 22ff.; B. Croce, *Gesammelte Schriften* i. deutsch. Übertragung, 1. Reihe, 4. Bd., S. 205ff.

15. Du Pont i. Karl Friedrichs briefl. Verkehr. II, S. 10. *La morale offre les principes pour juger l'histoire.*

16. Vgl. die bei den Physiokraten immer wiederkehrende Panegyrik Sullys und die Verurteilung Colberts. Z.B. Le Trône, *De l'administration provinciale*, I, p. 55. (Zit. nach Ausg. Basel 1788.)

17. So Baudeaus im Zeitalter Montesquieus, Caylus' und Winckelmanns merkwürdig erscheinende Ablehnung der Antike. Baudeau, a.a.O. p. 27.

18. Dilthey, a.a.O. S. 259f.

19. *Esprit des lois.* Liv. XI, chap. 13. Übrigens war auch Montesquieu der Ansicht, daß in den Künsten die Griechen nicht zu übertreffen seien. Vgl. *Esprit des lois.* Liv. XXI, chap. 7.

20. *Esprit des lois.* Liv. XXX, chap. 14. *Transporter dans des siècles reculés toutes les idées du siècle où l'on vit, c'est des sources de l'erreur la plus féconde.*

21. *Esprit des lois.* Liv. VI, chap. 5.

22. Vgl. etwa *Considérations* p. 123. (Zit. nach Ausg. der *Œuvres*, 1827, Bd. I.)

23. *Considérations* p. 114.

24. *Considérations* p. 172.

25. S. etwa den Vergleich zwischen der römischen und der englischen Verfassung. *Considérations* p. 192f.

26. Vgl. hierzu auch Fr. Meinecke, *Bemerkungen über Montesquieus Geschichtsauffassung*, i. Sitzb. d. preuß. Akademie der Wissenschaft, Phil.-hist. Klasse, 1930, S. 682f.

27. Galiani, *Dialogues*, p. 176f., und *Correspondance*, II, p. 274f.

28. Galiani, *Correspondance*, I, p. 407f. *Ainsi le sermon sur la tolérance est un sermon fait aux sots et aux gens dupes, ou à des gens qui n'ont aucun intérêt dans la chose.*

29. Galiani, *Correspondance*, II, p. 311. Bei Galiani findet sich denn auch eine ganz andere Beurteilung Sullys und Colberts als bei den Physiokraten. Vgl. *Dialogues*, p. 227. *Sully guérit la France, Colbert l'enrichit; . . . Chacun des deux vint à propos pour son Siècle et pour son Maître.*

30. Galiani, *Dialogues*, p. 43.

31. Dies besonders betont von Croce, Saggio sullo Hegel p. 325.

32. Vgl. Gs. Urteil über die Römer i. *Correspondance*, I, p. 212f. Im Gegensatz dazu die Verurteilung von Römern und Griechen durch die Physiokraten eben vom Standpunkt der

aufklärerischen Humanität aus. Du Pont i. *Karl Friedrichs briefl. Verkehr* II, S. 29f. und 61f.

33. Vgl. seine Analyse des »Großen Menschen« i. *Dialogues*, p. 410f.

34. Galiani, *Correspondance*, II, p. 154f.

35. Galiani, ebda.

36. Galiani, *Correspondance*, II, p. 114. Den Zusammenhang zwischen dem politischen Denken Galianis und Machiavellis hebt Croce, a.a.O. p. 320, hervor.

37. Galiani, *Dialogues*, p. 60.

38. Galiani, *Dialogues*, p. 58f., und *Correspondance*, I, p. 149f.

39. Galiani, *Correspondance*, I, p. 196.

40. In der naturrechtlichen Anerkennung des Eigentumsrechts stimmte Galiani denn auch vollkommen mit den Physiokraten überein. Vgl. *Dialogues*, p. 373 und 432.

41. Galiani, *Correspondance*, II, p. 154.

42. Le Mercier de la Rivière, *De l'ordre naturel et essentiel des sociétés politiques*, 1767. Publ. par E. Depitre, Paris 1910, p. 9. Le Trône, a.a.O. I, p. 134. *La liberté civile ne differe de la liberté naturelle qu'en ce qu'elle est plus assurée: elles comprennent l'une et l'autre le droit de jouir sans réserve de ce qui est à soi, sans blesser la propriété d'autrui; celui de vendre et d'acheter dans un état de pleine concurrence, et de faire tout ce qui n'est pas défendu par les loix de l'ordre naturel.* Wie ernst es den Physiokraten mit der Anerkennung des Eigentumsrechtes war, geht aus Le Trônes vorsichtiger Haltung gegenüber den Feudalrechten hervor. Selbst vor dem von ihnen sonst so heftig bekämpften Feudalismus machten sie aus Achtung vor dem Eigentumsrecht halt. Vgl. Le Trône, a.a.O. II, p. 359f.

43. Le Mercier, a.a.O. p. 2. *Il est évident que l'homme – est destiné par la nature à vivre en société.*

44. Le Mercier, a.a.O. p. 13. *Société primitive.*

45. Le Mercier, ebda.

46. Le Mercier, a.a.O. p. 26; Le Trône, a.a.O. I, p. 366; Turgot, *Œuvres*, II, p. 507.

47. Dieser Begriff geprägt von G. de Ruggiero, *Geschichte des Liberalismus in Europa.* Deutsche Übers., München 1930, S. 50. Staatliche Garantie der individuellen Freiheiten in verfassungsmäßiger Form.

48. So neuerdings z.B. A. Gerbi, *La politica del settecento. Storia di un idea.* Bari 1928, p. 216f., und Ruggiero, a.a.O. S. 30ff.

49. Vgl. Hasbach, a.a.O. S. 48ff., 57ff., 66ff.

50. Le Mercier, a.a.O. p. 56, 86, 140.

51. Baudeau, a.a.O. p. 145, 150.

52. Le Mercier, a.a.O. p. 138.

53. Baudeau, a.a.O. p. 161.

54. Dies bereits hervorgehoben von Güntzberg, a.a.O. S. 94f., und G. Schelle, *Dupont de Nemours et l'école physiocratique*, Paris 1888, p. 2.

55. L'Abbé Mably, *Doutes proposés aux Philosophes économistes sur l'ordre naturel et essentiel des sociétés politiques.* La Haye 1768, p. 63f.

56. Baudeau, a.a.O. p. 151. *Peu importe donc sur quelle tête réside ce pouvoir secondaire et subordonné, qu'on appelle ordinairement législatif, peut importe qu'il soit entre les mains d'un ou de plusieurs hommes.*

57. Baudeau, a.a.O. p. 159.

58. Vgl. F. Meinecke, Idee der Staatsraison, S. 421. »Das war die schwere Frage: Verlor das Königtum, wenn es sich völlig rationalisierte, sich zum Organ der reinen Staatsraison erzog,

rein menschlich aber damit auf das Niveau der übrigen Staatsdiener herabstieg, nicht damit ein wesentliches und unentbehrliches Stück seines inneren dunklen Lebensgrundes?«

59. Vgl. hierzu Georgine Holzknecht, Ursprung und Herkunft der Reformideen Kaiser Josephs II. auf kirchlichem Gebiet, in *Forschung z. inneren Gesch. Österreichs,* Innsbruck 1914, besonders S. 17ff.

60. Le Mercier, a.a.O. p. 77ff.

61. Le Mercier, a.a.O. p. 99. *L'autorité, considérée dans l'action qui lui est prope, n'est que le pouvoir physique de se faire obéir, ce qui suppose une force physique supérieure.*

62. Le Mercier, a.a.O. p. 14, spricht von der *autorité tutélaire.*

63. Dilthey, a.a.O. S. 184.

64. Du Pont i. *Karl Friedrichs briefl. Verkehr,* II, S. 67. Turgot erhob im einzelnen unter wirtschaftlichen Erwägungen Einwendungen gegen die Milizmilitärdienstpflicht. Vgl. *Œuvres,* III, p. 607.

65. Baudeau, a.a.O. p. 25. Du Pont erkannte sogar die Berechtigung von Präventivkriegen an. Aber nicht mehr die von dynastischen Vorstellungen getragenen und von politischen Zweckmäßigkeitserwägungen angewendeten Erbverträge sollten in juristischer Argumentation den Berechtigungsnachweis zur Kriegführung erbringen, sondern die »Menschlichkeit«, die Aufklärungshumanität, war es, die in gewissen Fällen den Präventivkrieg forderte. Vgl. *Karl Friedrichs briefl. Verkehr,* II, p. 384.

66. Den Gegensatz zwischen den Notwendigkeiten der Staatsraison und den unpolitischen Forderungen der Aufklärung hat Meinecke aufgezeigt. *Idee der Staatsraison,* Kap. V. In teilweiser Anlehnung an Meinecke hat A. Gerbi, a.a.O., besonders p. 42f. den unpolitischen Charakter der Aufklärung hervorgehoben. Wie fruchtbar diese Anschauung für die Erkenntnis des aufgeklärten Despotismus sein könnte, zeigt ein kurzer Überblick über die historische Urteilsbildung über Joseph II. Noch ganz in der Legendenbildung vom Volksfreund Joseph befangen, schrieb Groß-Hoffinger in den dreißiger Jahren unter dem Druck des Metternichschen Systems, da man geneigt war, Josephs Regierung als die Befreiung von alten Banden zu verklären, seine große Panegyrik. Eben dem Dezennium des Bachschen Verwaltungsabsolutismus entronnen, der in manchem als Wiederbelebung des josephinischen Absolutismus erschien, erklärte Ottokar Lorenz 1862 den Kaiser für einen finsteren Despoten, vergleichbar mit Philipp II. von Spanien, und Lorenz gab das Stichwort: Die Aufklärungsphilosophie war nur ein verhüllender Mantel über dem Despotismus. Freilich blieb immer noch die erstgenannte Richtung, die die Legende vom guten Kaiser wissenschaftlich ausbaute, vertreten; so von Ramshorn (1861). Neben den farbloseren und sachlicheren Urteilen von Jaeger (1867) und Wendrinsky (1880) trat Lorenz' Betrachtungsweise wieder in den größeren Darstellungen von Mitrofanov (1912) und G. Holzknecht (1914) hervor. Zumal Mitrofanov verallgemeinerte das Urteil über Joseph, das von der Beobachtung der Inkongruenz zwischen der auch von Joseph bekannten Aufklärungsphilosophie und seinem tatsächlichen politischen Verhalten ausging, auf die gesamte Politik des aufgeklärten Absolutismus. Wenn diese Anschauungsweise gegenüber Friedrich, dank der in seinem literarischen Nachlaß zutage tretenden, stetigen, philosophischen Bemühungen um den Ausgleich zwischen den so entgegengesetzten Forderungen bisher kaum angewendet wurde, so hat hier Hegemanns »Königsopfer« neuerdings eine Lücke ausgefüllt, die allerdings weniger von einem sachlichen als von den persönlichen Bedürfnissen des Autors empfunden wurde.

67. Du Pont i. *Karl Friedrichs briefl. Verkehr,* II, S. 382f. Für Du Ponts Bewunderung für Joseph II. vgl. auch Schelle, a.a.O. p. 201.

68. Le Trône, a.a.O. I, p. 132, und Turgot, *Œuvres,* III, p. 637.

69. Le Mercier, a.a.O. p. 94.

70. So auch Du Pont, *De l'origine*, p. 29f.

71. Le Mercier, a.a.O. p. 94. *Mais entrez dans quelques détails; décomposez cette nation; suivez la distribution naturelle en différentes professions, en différents ordres des citoyens; interrogez chaque classe en particulier; vous les trouverez toutes désunies, et divisées par des intérêts opposés; alors vous verrez que chaque classe est un corps séparé, qui se subdivise à l'infini, et que cette nation, qui vous paroissoit n'être qu'un corps, en forme un multitude qui vondroient tous s'accroître aux dépens les uns des autres.*

72. Le Mercier, a.a.O. p. 185.

73. Le Mercier, a.a.O. p. 160.

74. Le Mercier, ebda.

75. Baudeau, a.a.O. p. 113.

76. Le Mercier, a.a.O. p. 114; Du Pont, *De l'origine*, p. 31; Le Trône, *De l'administration*, p. 349. Du Pont verglich das Verhältnis zwischen Fürst und Grundbesitzer mit dem zwischen Grundeigentümer und Pächter; er nannte den Staat ein großes Pachtgut. Vgl. Schelle, a.a.O. p. 84.

77. Der modenesische Physiokrat Antonio Cesi formulierte dieses Verhältnis: *La sola via, per cui un Sovrano arrivar possa all'ultimo gradio di prosperità è l'osservanza di quest'ordine fisico; ogni altra maniera di arrichirsi è distruttiva, e la di lui maggior richezza risulta da quella della nazione, perchè l'opulenza dei sudditi è la misura proporzionata di quella del Sovrano.* Zit. bei Gius. Ricca-Salerno, *Storia delle dottrine finanziarie in Italia*, Palermo 1896, p. 357. Ann. 3.

78. Die Physiokraten begründeten mit dieser Lehre von der Interessenidentität auch den Vorzug der Erbmonarchie vor der Wahlmonarchie. Der Erbmonarch ist ein wahrer *propriétaire* am gemeinsamen *produit net*, der Wahlmonarch dagegen nur ein *usufruitier*. Vgl. Le Mercier, a.a.O. p. 110ff.

79. Le Mercier, a.a.O. p. 186. Übrigens vertrat in der Beurteilung der direkten bzw. indirekten Steuern Montesquieu den entgegengesetzten Standpunkt. Er hielt direkte Besteuerung für ein Kennzeichen des willkürlichen Despotismus und betrachtete indirektes Besteuern als die Besteuerungsform von Staaten mit freiheitlicher Verfassung. Vgl. *Esprit des lois*, Liv. XIII, chap. 7 u. 14.

80. Le Trône, a.a.O. I, p. 123.

81. Du Pont, *De l'origine*, p. 25; Baudeau, a.a.O. p. 144; Le Trône, a.a.O. I, p. 29f.

82. Mably, a.a.O. p. 279f.

83. Dies von O. Gierke, *Johannes Althusius und die Entwicklung der naturrechtlichen Staatstheorien*, Breslau 1902, S. 300 hervorgehoben. Aber Gierke übersah, daß daneben die Physiokraten – eben im Gegensatz zu Hobbes – durchaus im naturrechtlichen Sinne Schranken der staatlichen Souveränität anerkannten. Beruht ja gerade darauf ihr »Liberalismus«.

84. Le Mercier, a.a.O. p. 71.

85. Vgl. den Brief Rousseaus an den älteren Mirabeau, zit. bei Lavergne, *Les économistes Français du dix-huitième siècle*. Paris 1870, p. 153f.

86. Mably, a.a.O. p. 297f.

87. Le Trône, a.a.O. I, p. 136. Dies war allerdings die Konsequenz der physiokratischen Lehre, und Mably (p. 72) warf es Le Mercier vor, daß er sie nicht gezogen habe.

88. Der Exekutivcharakter des physiokratischen Staates betont auch von W. Petzet, *Der Physiokratismus und die Entdeckung des wirtschaftlichen Kreislaufes*, Karlsruhe 1929, S. 37.

89. Vgl. hierzu Güntzberg, a.a.O. S. 92.

90. Baudeau, a. a. O. p. 138. *Ne voyez-vous pas dans cette instruction générale une contreforce naturelle opposée aux volontés usurpatrices et vexatoires, contreforce d'autant plus puissante que la conviction sera plus intime, la lumière plus vive, le sentiment plus enraciné?* Ähnlich Le Trône, a.a.O. I, p. 3, 138f., 195, und Turgot, *Œuvres*, III, p. 481f., 490.

91. Vgl. den Entwurf einer Nationalerziehung i. Du Pont-Turgots Munizipalitätenplan. Turgot, *Œuvres*, IV, p. 578ff.

92. Le Trône, a.a.O. I, p. 549. *La publicité de toutes les opérations est le meilleur appui et le garant, comme la clandestinité est un voile à l'abri duquel naissent et se multiplient dans le silence tous les abus possibles.* Ebenso Turgot, *Œuvres*, III, p. 268.

93. Le Mercier, a.a.O. p. 44.

94. Le Mercier, a.a.O. p. 120f.

95. Vgl. die Eingangsworte des großen Rechenschaftsberichtes, den Leopold am Ende seiner Regierung in Toskana veröffentlichen ließ. *Governo della Toscana sotto il regno di Sua Maestà il Rè Leopoldo II.* Venezia 1791, p. 3. *Sua Maestà è intimamente persuasa che il più efficace mezzo per sempre più consolidare la fiducia e la confidenza dei Popoli verso qualunque Governo, sia quello di sottoporre alla cognizione de ciascuno Individuo le diverse mire e ragioni che hanno servito di fondamento alle Ordinazioni e Provvedimenti prescritti secondo l'esigenza e l'opportunità delle circostanze, e di manifestare senza riserva e colla possibile chiarezza l'erogazione dei prodotti delle Pubbliche contribuzioni.* Vgl. auch die Ansicht Leopolds über Nekkers *Compte rendu* im *Briefwechsel Josephs II. und Leopolds von Toskana*, I, S. 23f., hrsg. von Arneth, Wien 1872.

96. Güntzberg, a.a.O. S. 112.

97. Le Mercier, a.a.O. p. 71.

98. Le Mercier, a.a.O. p. 14 und ähnlich p. 98.

99. Vgl. über Hobbes Vertragslehre O. Gierke, a.a.O. S. 86. Die Übernahme von Hobbes' Vertragslehre durch die Physiokraten nachgewiesen von Güntzberg, a.a.O. S. 68f.

100. Vgl. über die Unterbindung jeder Entwicklung in Richtung einer Ausbildung von Menschenrechten in Hobbes' *Vertragslehre*, Gierke, a.a.O. S. 113.

101. Friedrichs Anerkennung des Gesellschaftsvertrages i. *Essai sur les formes du Gouvernement. Œuvres*, IX, S. 195ff. und 215.

102. Du Pont i. *Karl Friedrichs briefl. Verkehr.* II, S. 317. *Important commerce.*

103. Du Pont ebda. *Ainsi les rois et les peuples dans l'échange de leurs services soumis à la loi naturelle qui règle tous les échanges, et leur contrat ne peut durer avec solidité qu'autant qu'il se fait à valeur pour valeur égale.* Diese Stelle zeigt eindeutig, wie die Physiokraten den Boden der Hobbesschen Vertragslehre sehr wohl verlassen konnten; eine Tatsache, die Petzet, a.a.O., S. 136, bestreitet.

104. Turgot, *Œuvres*, II, p. 660. *Et compterons-nous pour rien le contrat social? A la vérité, ce livre se réduit à la distinction précise du souverain et du gouvernement; mais cette distinction présente une vérité bien lumineuse, et qui me paraît fixer à jamais les idées sur l'inaliénabilité de la souveraineté du peuple dans quelque gouvernement que ce soit.* Freilich war Turgot kein unbedingter Anhänger der physiokratischen Lehren und lehnte insbesondere eben deren *déspotisme légal* ab. Vgl. *Œuvres*, III, p. 486f.

105. Vgl. etwa Turgot, *Œuvres*, III, p. 31 und 528.

106. Baudeau, a.a.O. p. 140f. und 162f. und Le Trône, a.a.O. I, p. 138.

107. Montesquieu, *Lettres persanes* i. zit. Ausg. d. *Œuvres*, VII, p. 346ff.

108. A. de Tocqueville, *L'ancien régime et la révolution*. Paris 1856, p. 211ff.

109. Turgot, *Œuvres*, III, p. 490.

110. Le Trône, a.a.O. I, p. 206. *Si l'autorité absolue est nécessaire pour vaincre la résistance et opérer une grande révolution, telle que celle d'une réforme générale, elle inspire la confiance et ne rend durable le plan qu'elle a exécuté, qu'autant qu'elle s'enchaîne elle-même, et s'ôte ensuite le funeste pouvoir de détruire son ouvrage, en l'affermissant par toutes les institutions propres à le maintenir.* Übrigens spricht dieser Satz für die Richtigkeit der Annahme von Ad. Wahl, *Vorgeschichte d. franz. Revolution*, I, S. 145, daß die Physiokraten die absolute Monarchie gestützt hätten, weil sie von ihr die Durchführung der von ihnen vorgeschlagenen Reformen erwartet hätten. Cheinisse, a.a.O. p. 130ff. weist darauf hin, daß Le Trônes Munizipalitäten als Repräsentativorgane der Untertanen als Sicherung gegen Übergriffe der fürstlichen Gewalt gedacht waren.

111. Le Trône, a.a.O. I, p. 551ff.

112. Originalabdruck i. *Karl Friedrichs briefl. Verkehr*, I, S. 244ff., und ebenso i. Turgot, *Œuvres*, IV, p. 574ff. Im folgenden nach *Œuvres* zitiert.

113. Du Pont-Turgot bei Ad. Wahl, *Annalen des deutschen Reichs*, 1903, S. 867ff. und *Vorgeschichte*, I, S. 248f. Hans Glagau, *Reformversuche und Sturz des Absolutismus in Frankreich*, 1908, S. 16ff. Gerh. Ritter, *HZ* 138, besonders S. 466ff. Hedwig Hintze, *Staatseinheit und Föderalismus im alten Frankreich und in der Revolution*, 1928, besonders S. 102ff. Bei Ritter und H. Hintze auch Besprechung von Le Trône.

114. Le Trône, a.a.O. I, p. 205, 528, 545f. Turgot, *Œuvres*, IV, p. 516, 620; auch *Œuvres*, II, p. 208. Vgl. auch Du Pont i. *Karl Friedrichs briefl. Verkehr*, I, S. 195.

115. Wahl, *Annalen*, S. 868, und *Vorgesch.* I, S. 250f. Glagau, a.a.O. besonders S. 13. Ritter, a.a.O. S. 478.

116. Du Pont i. *Karl Friedrichs briefl. Verkehr*, I, S. 195. Zit. auch bei Ritter, a.a.O. S. 478. Ritter untersucht die physiokratischen Munizipalitätenentwürfe im Hinblick auf Stein und betont ihren echt französischen, mechanistischen und staatsabsolutistischen Charakter im Gegensatz zum englischen *selfgovernment*. Auch H. Hintze widmet dem Verhältnis der physiokratischen Programme zu den Gedanken Steins besondere Aufmerksamkeit. (H. Hintze, a.a.O., S. 112.) Für unsere Fragestellung ist dieser Zusammenhang unwesentlich.

117. Daß auch bei Du Pont-Turgot die Steuerfrage im Mittelpunkt des Interesses steht, ist m.E. entgegen H. Hintze, a.a.O. S. 115, die nur für Le Trône diesen Gedanken feststellen zu können glaubt, zweifellos. Indem man die Stimmberechtigung an die selbst anzugebende Steuerleistung knüpfte, steigerte man mit der Höhe der Steuerleistung den Umfang der politischen Rechte. Der Entwurf preist es (IV, p. 588) als einen der größten Vorzüge, daß auf diese Weise die Steuerhinterziehungen ein Ende nehmen würden. Der gleiche Gesichtspunkt tritt bei der Gestaltung der nächsthöheren *assemblé* hervor (607f.). Ebenso bei der Zusammensetzung der *assemblé provinciale* und bei der Bildung der *grande municipalité.* Jedesmal wird die Schwierigkeit, zukünftig die Steuerkraft zu verbergen, hervorgehoben. Vgl. auch die besondere Betonung des Steuergesichtspunktes p. 614 und 617.

118. Turgot, *Œuvres*, II, p. 507. . . . *la faculté qu'a chaque individu de connaître ses intérêts mieux que tout autre.*

119. So bekennt sich Le Trône unumwunden zum Prinzip der Repräsentation. A.a.O. I, p. 540. *Oter à une nation le droit d'avoir des Représentans, c'est la dissoudre, c'est la réduire à n'être plus une société civile.* Vgl. über den Gedanken der Repräsentation bei Le Trône auch Cheinisse, a.a.O. p. 131. Auch Lotte Silberstein, Le Mercier de la Rivière und seine politischen Ideen, Berlin 1928, S. 93. Le Mercier über Repräsentation i. *Essai sur les maximes et les lois fondamentales de la monarchie française ou canevas d'un code constitutionel, 1789.*

120. Le Trône, a.a.O. II, p. 219.

121. Vgl. hierzu auch A. Esmein, *L'assemblée nationale proposée par les physiocrates* i. *Compte rendu de l'Academie des sciences morales et politiques.* Paris 1904, Vol. 62, p. 397ff.

122. Ganz anders wird das Verhältnis zwischen Fürst und Volk in dem Selbstverwaltungsprojekt des Marquis d'Argenson aufgefaßt. (D'Argenson, *Considérations sur le gouvernement ancien et présent de la France.* Zit. nach Ausg. Amsterdam 1765.) Wir haben die Besprechung d'Argensons nicht in den Gang der Untersuchung eingeschaltet, weil d'A. trotz zahlreicher Analogien im einzelnen doch nicht der physiokratischen Schule im eigentlichen Sinne angehört. (Vgl. hierzu A. Oncken, »Die Maxime *Laissez faire*«, Bern 1886.) Vor allem fehlt ihm die Lehre vom *produit net*, worauf bereits A. Alem, *Le Marquis d'Argenson*, Paris 1900, p. 67, hinwies. Zwar zeigt demgegenüber die 1784 veranstaltete Ausgabe von d'As. Buch unverkennbar physiokratische Leitgedanken (vgl. Ritter, a. a. O. S. 481), aber es erscheint als sehr unsicher, ob diese Änderungen von dem Marquis selbst stammen (vgl. hierüber H. Hintze, a. a. O. S. 611ff.). D'Argenson nahm nicht wie die Physiokraten die Interessenidentität zwischen Fürst und Volk an, sondern stellte fest, daß in gewissen Punkten ihre Interessen entgegengesetzt seien (p. 24f. und 27). Daher stellte d'A. die Selbstverwaltung und die königliche Verwaltung einander gegenüber. Da er aber andrerseits die Macht der Krone ungeschmälert erhalten wollte und die Gewaltenteilung bekämpfte (p. 125), weil er aus eingehender Beschäftigung mit der Verfassungs- und Sozialgeschichte Frankreichs die Erkenntnis gewonnen hatte, daß das starke Königtum eine sozial ausgleichende Macht gegenüber den Herrschaftsgelüsten privilegierter Schichten sei (p. 148: ... *la Démocratie est autant amie de la monarchie que l'aristocratie en est ennemie;* ähnlich p. 190) und er diese monarchische Aufgabe der Demokratisierung noch nicht für beendigt hielt (p. 212f.), bemühte er sich, die Selbstverwaltung in einer für die Monarchie ungefährlichen Form zu errichten. Aus diesem Grunde lehnte d'Argenson auch Generalstände ab, weil sie die Macht der Krone beeinträchtigen könnten (p. 30) und erklärte, Gemeindeversammlungen werde der König nach dem Grundsatz des *Divide et impera* (p. 219) stets beherrschen können. Demgegenüber krönten die Physiokraten die ganze Hierarchie von Munizipalitäten unbesorgt mit einer Reichsversammlung, da sie keine Befürchtungen vor einem Gegensatz zwischen dem Monarchen und den in den Munizipalitäten repräsentierten Untertanen hegten. So kommt in d'Argensons Projekt die einigermaßen unvermittelte Gegenüberstellung von königlicher und Volksverwaltung. Dem von anderen Ausgangspunkten herkommenden, royalistischen Marquis war es mit der Erhaltung der Krongewalt aus ganz prinzipiellen Gründen sehr ernst. Dies hat m. E. H. Hintze, a. a. O., S. 101, übersehen in der zu Unrecht vorgenommenen Konfrontierung d'Argensons mit den Physiokraten. Vgl. neben H. Hintze für d'Argensons Selbstverwaltungsentwurf auch G. Ritter, a. a. O. S. 454ff. u. 481ff.

123. Vgl. für Neckers Vorliebe für die englische Verfassung A. Wahl, *Studien zur Vorgeschichte der französischen Revolution*, 1901, S. 133ff.; Glagau, a. a. O. S. 137f. Vor allem O. Beckers vorsichtige Formulierung i. *Die Verfassungspolitik der französischen Regierung bei Beginn der großen Revolution*, 1910, S. 26f. u. 196.

124. Mably, a. a. O. p. 275.

125. Mably, a. a. O. p. 165 u. 234.

126. Vgl. für die Entlehnung von Gedanken aus der Gewaltenteilungslehre durch Rousseau Gierke, a. a. O. S. 203.

127. Mably, a. a. O. p. 213. *Je n'aime pas la démocratie, je sais à combien de vertiges et d'erreurs le peuple est sujet;* ...

128. Ich behalte mir vor, in einem anderen Zusammenhang auf die Regierung Peter Leopolds von Toskana, die hier nur gestreift werden kann, zurückzukommen.

129. Zit. i. der Gianni zugeschriebenen Schrift: La Toscana da' 25 marzo 1799 a' 20 maggio

1801, in: *Scritti di pubblica economia storico-economici e storico-politici del senatore Francesco Maria Gianni*, Firenze 1848. Aus Metastasios Themistocles. *(Opere drammatiche*, Ausg. 1757, III, p. 294.)

130. *Scritti editi e inediti di Gino Capponi. Per cura di M. Tabarrini.* Firenze 1877, II. p. 367.

131. Vgl. hierüber Antonio Anzilotti, *Decentramento amministrativo e riforma municipale in Toscana sotto Pietro Leopoldo.* Firenze 1910.

132. Letzte Literaturzusammenfassung über das Verfassungsprojekt bei Mario Aglietti, *La costituzione per la Toscana del Granduca Pietro Leopoldo* i. *Rassegna Nazionale.* Anno XXX. Vol. CLXIV. 1908, besonders p. 279ff. Die von Aglietti gegen Zimmermann – die einzig brauchbare deutsche Darstellung *(Das Verfassungsprojekt des Großherzogs Peter Leopold von Toskana*, Heidelberger Dissertation 1902) – erhobenen Vorwürfe betr. Publikation der Verfassungsurkunde v. 1782 und Außerachtlassung früherer Publikationen sind übertrieben.

133. Gianni war Gegner der physiokratischen Schule; und dies ist ebensowenig ein Zufall wie die Feindschaft Neckers gegen die Ökonomisten. Giannis Widerlegung der wirtschaftlichen Lehrsätze der Physiokraten i. *Scritti* Vol. I, p. 11ff. Vgl für die Gegnerschaft Giannis gegen die physiokratischen Wirtschaftstheorien auch H. Büchi, Finanzen und Finanzpolitik Toskanas im Zeitalter der Aufklärung, Berlin 1915, besonders. S. 208ff.

134. Dies hat richtig erkannt G. Ritter, a.a.O. S. 494, Anm. 5.

Aufgeklärte Regierung und ihre Kritiker im Deutschland des 18. Jahrhunderts

GERAINT PARRY

Die Auseinandersetzung zwischen »Rationalismus« und »Traditionalismus« und zwischen »Organisation« und »Gemeinschaft«[1], die ein so augenfälliges Merkmal des zeitgenössischen politischen Denkens ist, kann in ihrer modernen Form auf das 18. Jahrhundert zurückgeführt werden. Männer wie Voltaire, Diderot, Rousseau, Bolingbroke, Hume, Bentham und Burke erkannten die Relevanz dieser Auseinandersetzungen für die Theorie und Praxis und versuchten daher, die Komplexe durch die Erforschung der begrifflichen und praktischen Zusammenhänge zwischen rationalistischer Politik und der Theorie der Gemeinschaft miteinander zu verbinden. Die Probleme wurden natürlich weder in einem intellektuellen noch politischen Vakuum diskutiert. Der intellektuelle Zusammenhang wurde durch den Einfluß der Entdekkungen der Naturwissenschaften auf die Sozialforschung geschaffen. Die Erforscher sozialer Vorgänge hofften, hinter der offensichtlichen Verschiedenheit und Komplexität gegenwärtiger Gesellschaften ein Gerüst einheitlicher, konsistenter und vor allem klar erkennbarer Regeln zu entdecken analog zu den Gesetzen des Planetensystems.

Dem Studium politischer Ordnungen war es im Gegensatz zu den Naturwissenschaften bis dahin nicht gelungen, irgendeine solche Konsistenz aufzudecken. Dies erschien als ein ernsthafter Mangel politischer Untersuchungen, da, wie man meinte, Politik letztlich ein System einsichtiger Regeln liefern sollte, innerhalb derer auch die Aktivität des einzelnen – und insbesondere unternehmerische Aktivitäten – ihren Platz finden könnten. Wenn ein universelles Muster sozialen Verhaltens gefunden werden könnte, dann würden Regierung und Politik diesen Normen angepaßt werden. Seine Stabilität würde dieser politische »Überbau« in der Verankerung in einer sozialen, stets begreifbaren »Basis« finden. Die wissenschaftliche Untersuchung sozialen Verhaltens jedoch nahm einen eigenartigen Verlauf. Es gab die, die zu dem Schluß kamen, daß entweder »Vernunft« oder Einsichtsvermögen eine immanente »natürliche« soziale Ordnung hinter den zufälligen, zeitbedingten Gesellschaften erkennen könnten. In einer solchen Ordnung könnten auch Charakter und Zweck menschlicher Gesellschaft entdeckt werden, die, wie sie meinten, auf eine Auswahl von Prinzipien zu reduzieren war, geeignet, als Leitfaden in Richtung auf eine wissenschaftliche Politik zu dienen. Diese Annahme bildet den Kern der »rationalistischen« Position[2].

Andere jedoch fanden sich durch empirische »wissenschaftliche« Untersuchungen sozialer Aktion in eine unerwartete Richtung gedrängt. Anstelle einer immanenten

The Historical Journal 6, 2, 1963, S. 178–192. Der Abdruck erfolgt mit freundlicher Genehmigung des Verfassers und der Cambridge University Press, London; aus dem Englischen übersetzt von Gerhard Brunn.

Ordnung oder Einheit waren es die Verschiedenheit und Komplexität augenblicklicher und historischer sozialer und politischer Ordnung, die sie beeindruckte. Für diese Schriftsteller mußte sich die Politik in der Tat einer sozialen »Basis« anpassen, wobei dann freilich bereits die »Basis« höchst komplex war und gleichzeitig einem ständigen, wenn auch langsamen Wandel, der für jede Gesellschaft und Epoche individuell war, unterlag. Daraus ergab sich, daß jeder Gesellschaft auch das ihr angemessene empirische Studium wie der ihr eigene Stil politischer Aktivität zuzugestehen war, wobei dann freilich selbst für diese Schriftsteller die Versuchung, nach einem einzigen zugrundeliegenden und bestimmenden Faktor zu suchen, oft genug zu groß wurde, um ihr widerstehen zu können [3]. Aus dieser Denkrichtung entsprang die traditionalistische Politik im 18. Jahrhundert. Rationalisten und Traditionalisten stimmten darin überein, daß ernst zu nehmende Politik auf einem wissenschaftlichen Verständnis menschlichen Verhaltens beruhen müsse. Sie waren aber sowohl über die Methoden als auch über die Folgen des wissenschaftlichen Ansatzes verschiedener Meinung. Während die Rationalisten sich dem menschlichen Verhalten über die Sozialpsychologie näherten, indem sie Normen sozialen Verhaltens und politischer Aktion auf der Grundlage einer individualistischen nichtsozialen Psychologie entwickelten, näherten sich ihm die Traditionalisten mit Hilfe eines Konzeptes der Gesellschaft – also auf soziologischem Weg –, wonach die Gesellschaft als im Besitz bestimmter, die Entwicklung determinierender Grundregeln, die ihren Ursprung in nicht tendierten Folgen menschlicher Handlungen hatten, gesehen wurde [4].

Der politische Kontext der Auseinandersetzungen wurde geschaffen durch die Entwicklung mächtiger zentralisierter Staaten im 17. und 18. Jahrhundert, in denen in wachsendem Maße das Berufsbeamtentum zum Zug kam. Dies wurde zum Anlaß einer ausgedehnten Diskussion über die Techniken der Verwaltung und die politischen und moralischen Konsequenzen der Existenz eines hohen Grades an zentralisierter Macht bei einem gleichzeitig tiefen Abgrund zwischen Regierenden und Regierten. Die Konzentration, mit der sich Historiker politischer Ideengeschichte mit den Erörterungen politischer Philosophen über das eigentliche Ziel des Staates beschäftigten, hat vielleicht dazu geführt, dem weitverbreiteten Interesse von Schriftstellern des 17. und 18. Jahrhunderts an Techniken der Verwaltung und ihren politischen Folgen weniger Aufmerksamkeit zu widmen. Abgesehen von den recht gut erforschten Wechselbeziehungen zwischen den *Enzyklopädisten* und den aufgeklärten Despoten, drehte sich ein bemerkenswerter Teil des Denkens von Montesquieu, Hume, Rousseau [5] und Bentham um praktische Probleme der Verwaltung. Man sah, daß das Problem der Kontrolleure im Zeitalter der bürokratischen Staaten entschieden akuter geworden war.

Deutsches politisches Denken im 18. Jahrhundert über die Fragen von Rationalismus, Traditionalismus, Organisation und Gemeinschaft war Teil einer größeren europäischen Diskussion. Es gab, generell gesehen, zwei Gruppen von Wortführern. Zunächst eine Gruppe von Denkern, die eine »rationalistische« Theorie von Organisation entwickelten, die ich die Theorie »aufgeklärte Regierung« nennen werde; und dann die erklärten Kritiker »rationalistischer« Politik, die die entscheidende Bedeutung von Tradition und Geschichte in der Politik hervorhoben und eine Theorie der Gemeinschaft anstrebten. In etwa können die beiden Gruppen verschiedenen Herrschaftstypen im Deutschland des 18. Jahrhunderts zugeordnet werden. Die Theoretiker einer »aufgeklärten Regierung« standen im allgemeinen, wenn auch nicht immer, in Konnex mit den absolutistischen Territorialherren und im besonderen mit dem »aufgeklärten Despotismus« in Preußen und Österreich. Eine Linie der Reflexion über administrative Probleme, »Kameralismus« genannt, geht mindestens bis auf die Arbeiten von Osse und Obrecht im 16. Jahrhundert zurück. Im 17. Jahrhundert wurde er in Verbindung mit dem christlich-paternalistischen Absolutismus weiterentwickelt. Verwaltungstheorie ist eine der wenigen Betätigungsfelder für politisches Denken unter absolutistischen Regimen; einen weiteren Antrieb absolutistischen Ursprungs erhielt es durch die Errichtung von Lehrstühlen für dieses Gebiet in Halle und Frankfurt a. d. Oder, die genau aus dem Grunde geschaffen wurden, Beamte für die preußische Verwaltung heranzubilden. Die ersten Inhaber dieser Lehrstühle – Gasser [6] und Dithmar [7] – verfaßten selbst Arbeiten über Verwaltungstheorie. Einige der prominentesten Schriftsteller »aufgeklärter Regierung« standen in persönlichem Kontakt mit absolutistischen Regierungen. Veit Ludwig von Sekkendorff [8], der bedeutendste Vorläufer aufgeklärten Regierungsdenkens im 17. Jahrhundert, von Hornigke [9], F. K. v. Moser [10] und die beiden bedeutendsten Theoretiker des Aufgeklärten Absolutismus, J. H. G. von Justi [11] und Joseph von Sonnenfels [12], waren alle für Zeiten ihrer Laufbahn Beamte im Dienst absolutistischer Herrscher. Abgesehen von Justi und Sonnenfels, waren die systematischsten Verteidiger »aufgeklärter Regierung« Friedrich der Große selbst, Christian Wolff, der führende deutsche Philosoph in der Zeit zwischen Leibniz und Kant, und A. L. von Schlözer [13], der prominenteste Publizist im Deutschland des 18. Jahrhunderts, der eine konstitutionalistische Spielart der Doktrin entwickelte, die sich in ihren Grundzügen teilweise vom Aufgeklärten Absolutismus entfernte.

Die Kritiker »aufgeklärter Regierung« standen denjenigen politischen Gruppierungen im Deutschland des 18. Jahrhunderts nahe, die außerhalb des gängigen absolutistischen Trends deutscher Politik standen. Einige, wie J. J. Moser in Württemberg, ein Jurist und Vorläufer der historischen Rechtsschule, hatten Verbindungen mit Staaten, die einen langen und ergebnislosen Kampf mit den absolutistischen Territorialregenten führten [14]. Andere waren mit Territorien wie Osnabrück und Hannover verbunden, die, auch wenn sie indirekt von Großbritannien über die hannoversche Verbindung regiert wurden, ein gewisses Maß lokaler Bewegungsfreiheit und unabhängigen politischen Lebens genossen. Justus Möser, der bei weitem bedeutendste Verteidiger von Traditionalismus und Gemeinschaft gegen »aufgeklärte Regierung«, hatte die einflußreichste Position in der Osnabrücker Politik inne, sowohl als führende Persönlichkeit in der territorialen Verwaltung als auch als Repräsentant der Stände. Gegen Ende des Jahrhunderts gab die Rezeption Burkes in Deutschland den traditionalistischen Kritikern »aufgeklärter Regierung« einen beträchtlichen Auftrieb, im wesentlichen durch die Arbeiten von Rehberg und Brandes, beide Hannoveraner Politiker und ehemalige Studenten der Göttinger Universität, die zum wichtigsten Mittler des englischen politischen Einflusses auf Deutschland geworden waren [15].

Die Theorie der »aufgeklärten Regierung« war eine rationalistische politische Theorie, die viele ihrer Grundlagen von den Ideen der Aufklärung des 18. Jahrhunderts bezog. Obwohl gemeinhin unter der Doktrin des aufgeklärten Despotismus bekannt, ist es doch besser, den neutraleren Begriff »aufgeklärte Regierung« beizubehalten; denn die Doktrin ist nicht schon an sich absolutistisch und sie ist zudem in einer konstitutionalistischen Form ausgebildet worden. Dagegen ist die Theorie ausgesprochen »rationalistisch« insofern, als sie lehrt, politische Aktivität bestehe erstens darin, daß sich durch den Gebrauch der Vernunft einige Prinzipien oder Regeln entdecken lassen, die zwar unabhängig von der Aktivität existieren, dieser aber doch Ziel und Richtung weisen. Die zweite Aufgabe der Politik ist es dann, die Mittel zu bestimmen, die den Zweck, der aus den Prinzipien abzuleiten ist, erreichen lassen. Als drittes folgt die politische Handlung, womit dann die politische Diskussion in eine solche über Lösungen und Techniken übergeht.

Die Theoretiker der »aufgeklärten Regierung« sahen Sinn und Zweck des Menschen und somit auch der Regierung im Erreichen von »Glück«. Die Politik sollte diesem einzigen Ziel, das durch die Vernunft zu finden war, dienen. Zwar hat kaum einer der deutschen Schriftsteller das Schlagwort »das größte Glück für die größte Zahl« benutzt, trotzdem kamen einige der utilitaristischen Formel nahe [16]. Allein die Förderung allgemeinen Glückes oder Wohlergehens könne die Preisgabe der natürlichen Rechte des Individuums zugunsten des Souveräns rechtfertigen [17]. Einzuräumen ist, daß sie in spezifischen Ausdrücken über das, was das »allgemeine Wohl« ausmachte, sprachen. Insbesondere wurde die Sorge für die innere und äußere Sicherheit, die Zunahme der Bevölkerung [18], die Pflege der industriellen und landwirtschaftlichen Ressourcen, die Förderung der Exporte und Begrenzung der Importe wie die Bereitstellung einer ganzen Reihe von Wohlfahrtseinrichtungen einheitlich als die Ziele einer Regierung angesehen, die auf die Aufgabe »verpflichtet« war, das Glück ihrer Untertanen zu fördern.

Rationalistische Politik, die, wie jede andere Politik, die mehr auf die Erreichung eines einzigen Zieles oder auch auf einige wenige eng miteinander verknüpfte Ziele ausgerichtet ist als auf die Harmonisierung einer weitgefächerten Zahl von Zielen, gerät unweigerlich in die Gefahr, ihren politischen Charakter zu verlieren und zu einer Art Dienstleistung und Verwaltung zu werden. Regierung wurde als eine Maschine betrachtet, dazu da, Glück zu schaffen, und dies – gemessen in Begriffen der Ökonomie des Aufwands – mit einem Maximum an Effizienz. Regierungseffizienz war wünschenswert entweder, von liberalen *laissez-faire*-Theoretikern wie Locke her gesehen, um ein Minimum an Zwang in sozialen und wirtschaftlichen Angelegenheiten zu sichern oder, von den aufgeklärten Despoten her betrachtet, um den wirkungsvollen Gebrauch einer weitreichenden zentralisierten Regierungsmacht zu sichern, die als notwendig erachtet wurde, um die soziale Aktivität einer strengen Rangordnung von Prioritäten unterwerfen zu können. Die Analogie von Regierung und Maschine taucht im Denken über »aufgeklärte Regierung« häufig auf und hat weitreichende Konsequenzen für die Auffassung von Politik. Insbesondere Justi gebrauchte diese Analogie mit Vorliebe: »Ein wohl eingerichteter Staat muß vollkommen einer Maschine ähnlich seyn, wo alle Räder und Triebwerke auf das genaueste in einander passen, und der Regent muß der Werkmeister, die erste Triebfeder oder die Seele seyn, wenn man so sagen kann, die alles in Bewegung setzet [19].« Der Souverän, ob nun Monarch oder eine Versammlung, wird als außerhalb der Staatsmaschine stehend gezeichnet, zugleich in einer einzigartigen Position, die ihm ermöglicht, eine allgemeine Übersicht über die Maschinerie auszuüben und jeder Störung entgegenzuwirken. Dies war ein Ideal, das Friedrich der Große in der Praxis anstrebte und das er in seinen Schriften formulierte [20]. Die Analogie und das Ideal waren Gemeinplätze in der politischen Diskussion des 18. Jahrhunderts. Unter klarer Bezugnahme auf die Theoretiker des aufgeklärten Despotismus zieht Rousseau die Analogie mit einer Brillanz und mit einer Einsicht, die keiner seiner Zeitgenossen zu erreichen vermochte.

»So läuft der Wille des Volkes wie der Wille des Fürsten, die öffentliche Gewalt des Staates wie die besondere Gewalt der Regierung, kurz alles, auf eine und dieselbe Triebfeder hinaus, alle Hebel sind in einer Hand, alles schreitet demselben Ziel entgegen; es gibt keine entgegengesetzten, einander zerstörenden Bewegungen, und man kann sich keine Art von Verfassung denken, in der eine geringere Kraftäußerung eine größere Wirkung hervorzubringen vermag. In Archimedes, der ruhig am Ufer sitzt und ein großes Schiff ohne Mühe flott macht, erblicke ich das Bild eines geschickten Monarchen, der seine ausgedehnten Staaten von seinem Kabinette aus regiert und jede Bewegung hervorruft, obgleich er selbst regungslos scheint [21].«

»Aufgeklärte Regierung« offenbarte ihren rationalistischen Charakter insofern, als sie die bürgerliche Gesellschaft als eine *tabula rasa* ansah, der alles, was dem allgemeinen Wohl diente, aufgeprägt werden könne. Man nahm an, daß die gesellschaftliche Situation in keiner Weise durch die Geschichte geschaffen sei und daher auch nach Wunsch beeinflußt, gestaltet und umgestaltet werden könne. Die Wissenschaft von der Politik könne institutionelles Gerüst anbieten, das für jede bürgerliche Gesellschaft passe – auch dann noch, wenn das angebotene Modell vom monarchistischen Absolutismus bis zu einer gemischten Verfassung variiere. Ein Fehlschlag, die Gesellschaft zu ändern, könne seinen Grund nur im Fehlen eines technischen »know-how« haben, dem im Prinzip abzuhelfen sei. Nach Schlözer sollte man wünschen, sich der Vorteile, die ein starker Souverän bot, zu erfreuen, ohne die damit verbundenen Gefahren in Kauf nehmen zu müssen. »Man trennt die Gewalten des Souveräns: man mischt die Formen der Regierung, so wie der Arzt die Medizinen mischt, um den heftigen Wirkungen der einen durch die milderen Wirkungen der anderen zu begegnen [22].«

So wie die analogen Doktrinen des demokratischen und absolutistischen Benthamismus boten auch die konstitutionalistischen und absolutistischen Versionen »aufgeklärter Regierung« fast übereinstimmend dieselbe Herrschaftsphilosophie an. Sie unterschieden sich nur in ihren Auffassungen über den, der am besten geeignet sei, um die Maschine Staat zu ihrem Ziel des größten Glücks zu steuern. Verfassungsfragen selber stand die Theorie gleichgültig gegenüber. Sonnenfels verrät es, indem er die Beweisführung seines Werkes *Über die Liebe des Vaterlands* betont mit einem Vers von Pope abstützte: »For forms of government let fools contest, Whate'er is best administered is best.«

Justi legte ein Lippenbekenntnis für die Tugenden der gemischten Verfassung [23] ab, schrieb aber seine systematische Abhandlung über Verwaltungswissenschaft unter der ausdrücklichen Voraussetzung, daß er eine Monarchie behandle, die »nicht zu eingeschränkt [24]« sei, und widmete sie Maria Theresia. Schlözer pries die ausgewogene britische Verfassung als das universelle Modell für politische Ordnungen, sah aber im aufgeklärten Despotismus das zweitbeste.

Das Studium der Politik wurde zum Studium von Organisation, wie die gegebenen Ziele der Regierung unter größtmöglicher Ausnutzung des Aufwandes erreicht werden könnten. Die Theoretiker »aufgeklärter Regierung« betrachteten sich selbst als Verwaltungswissenschaftler, die sich dem Studium der Politik auf neuen, von Gelehrten bisher kaum begangenen Wegen näherten. Politik war eine Wissenschaft, die in der zu ihrem Verständnis notwendigen Sachkenntnis der Mathematik vergleichbar war [25]. Das Studium der Regierung mußte bis auf die ersten Grundbegriffe zurückgehen, wenn ihre Praxis erfolgreich sein sollte [26]. Die Theoretiker teilten die Verachtung der Rationalisten für praktisches Wissen und aus bloßer Erfahrung gewonnener Regeln. Der Verwaltungsfachmann, der sich auf »reine« Erfahrung verließ, war einem Arzt vergleichbar, der die Grundlagen der Medizin nicht kannte [27]. Weil praktische Erfahrung auf Präzedenz beruhte, war sie neuen Umständen gegenüber notwendigerweise unbeweglich [28]. Zu häufig war in der Vergangenheit praktische Erfahrung oder allenfalls eine juristische Ausbildung als eine genügende Vorbereitung für offizielle Stellungen angesehen worden, die eine Ausbildung in Verwaltungswissenschaft erforderten. Justi lobt das in dieser Hinsicht wachsende Verständnis im preußischen Dienst, wo, wie er sagt, Beförderungen davon abhingen, daß man eine Empfehlung Gassers, des ersten Professors für Verwaltung in Halle, erhalten hatte.

Die administrative Ausbildung für »aufgeklärte Regierung« zog ihre Bedeutung aus der zentralen Rolle, die die Verwaltung bei der politischen Aufgabe, eine disparate und unpolitisch regierte Masse zusammenzuhalten, spielte. Welches Maß an Einheit eine bürgerliche Gesellschaft auch immer besaß, sie kam nicht aus der atomisierten Masse von an der Regierung nicht beteiligter Untertanen, sondern wurde von der organisierten Verwaltung beigesteuert. Die Gesellschaft, argumentierte Friedrich der Große [29], hatte so festgefügt wie ein philosophisches System zu sein, das aber war nur möglich, wenn das System seinen Ursprung an einem Ort – im Souverän und seiner Verwaltung hatte. Um dieses rationalistische Ideal von Einheit und Uniformität zu sichern, wurde soziales Verhalten durch zentrale Planung auf seinen einzigen Inhalt »Glück« ausgerichtet. Das Erste und Wichtigste jeder weisen Regierung waren daher ein gut ausgearbeiteter Plan, der der Leitfaden für alle staatliche Betätigung zu sein hatte [30]. Doch wenn auch ein kühner Wohlfahrtsplan [31] wesentlich für das Glück einer Gesellschaft war, so war er doch nutzlos ohne die Verwaltung, die den Plan ausarbeitete und durchführte. Materielle Hilfsquellen, Größe der Bevölkerung oder des Territoriums waren nichts ohne Organisation. Verwaltung machte den eigentlichen Unterschied zwischen Stärke und Schwäche eines Staates[32].

Insbesondere Justi umriß die für eine solche Integration bürgerlicher Gesellschaft notwendigen administrativen Vorkehrungen. Indem er eher normativ als soziologisch argumentierte, nahm er in mancher Hinsicht das Webersche Bild von einer modernen Bürokratie vorweg. Justi befürwortete die Ernennung und Beförderung von Männern mit administrativer Ausbildung und ausschließlich nach Verdienst, eine Hierarchie von Ämtern mit streng spezialisierten Funktionen, klar definierten Bereichen administrativer Zuständigkeiten, festen Verfahrensweisen, dem Gebrauch und der Bedeutung von Akten und der Notwendigkeit für Geheimhaltung und für Loyalität zum administrativen System und seinen Spielregeln. Bürokratische Organisation würde die Schnelligkeit der Befehlsübermittlung und die Ausführung zentral getroffener Entscheidungen sichern[33]. Einheitliche und klare Verwaltungsregeln würden Eigenmächtigkeiten an der Spitze – in Form eines Eingreifens von seiten des Souveräns[34] – ausschließen, und am anderen Ende – auf seiten der von der Regierung betroffenen Untertanen – ein regelgerechtes Verhalten sichern. Diese Politik war nicht nur der Ausdruck einer *déformation professionelle* von Berufsbeamten. Für Justi und seine Kollegen, wie er Theoretiker »aufgeklärter Regierung«, reduzierte sich Politik aus sich selbst auf Organisation. Ihr politisches Vokabular war dann auch mit Ausdrücken gefüllt, die der Technik entnommen waren – Aufwand, Wirkung, Kraft, Mechanismus. Aber die Kritiker von »aufgeklärter Regierung« wiesen dann doch sehr schnell darauf hin, daß dieses Vokabular nicht neutral war. Es setzte eine wesentlich manipulative Konzeption von Politik voraus, die, nach den Kritikern, ausschloß, bestimmte Merkmale aktueller politischer Situationen und gewisse Ziele, die man im politischen Leben als erstrebenswert ansehen könnte, in Betracht zu ziehen.

Dem Rationalismus und der Bedeutung, die die Theorie »aufgeklärter Regierung« organisatorischen Notwendigkeiten beimaß, setzten die Kritiker eine Herrschaftsphilosophie entgegen, die traditionalistisch war und versuchte, Forderungen für ein besser integriertes Gemeinschaftsleben aufzustellen. Die Reaktion gegen das rationalistische Denken der Aufklärung, dem es nicht gelungen war, tiefe Wurzeln im kulturellen Leben Deutschlands zu schlagen, fand ihren Niederschlag zuerst in der deutschen Literatur und erst dann in der Historiographie und im politischen Denken. Kritiker »aufgeklärter Regierung« wie Herder und, am bedeutendsten, Justus Möser, standen in der vordersten Front des eng verbundenen Kampfes für eine Wiederbelebung deutscher Kunst und Literatur gegen das Übergewicht der rationalistischen französischen Kultur. Das herausragende Merkmal der traditionalistischen Position, im Gegensatz zu der Theorie aufgeklärter Regierung, war ihre Auffassung vom historischen Charakter der Gesellschaft und der Politik. Das empirische Studium der Gesellschaft[35] hatte die Kompliziertheit und Einmaligkeit historischer Situationen gezeigt, die alle aus früheren Situationen entstanden waren und so jeder Gesellschaft ein Element von Kontinuität verliehen. Man wußte in wachsendem Maß zu würdigen, daß im Politischen der Mensch kein unbeschriebenes Blatt war, sondern mit einer Ordnung behaftet war, in die er hineingeboren war, auch wenn er sie so nicht wollte.

Justus Möser, der anschaulichste der deutschen Kritiker »aufgeklärter Regierung«, machte dies zu einem zentralen Punkt seiner Ablehnung der rationalistischen Position. Für Möser war der Politiker in eine historisch gewordene Ordnung hineingeboren, die nicht niedergerissen werden konnte, ohne daß das Netz normaler Erwartungen, das soziale Aktionen überhaupt erst möglich machte, in Unordnung geriet. Möser erkannte, daß die Zugehörigkeit zu einer bürgerlichen Gesellschaft darauf beruhte, daß jedes Mitglied einen Kontrakt akzeptierte[36]. Aber Mösers Gesellschaftsvertrag war keineswegs jene »unhistorische« Erfindung, die schon Hume angegriffen hatte; er repräsentierte die Gesamtsumme historischer sozialer Verflechtungen, die jedes neue Mitglied einer Gesellschaft bedingungslos zu akzeptieren hatte, wenn es sich der Vorteile, die das Leben in einer Gemeinschaft brachte, erfreuen wollte. Politische Veränderungen hatten auf einem tiefen Verständnis der Komplexität und Verschiedenartigkeit der Sozialstruktur zu beruhen und sollten so unternommen werden, daß die Kontinuität politischer Ordnungen gewahrt blieb. Dabei erlag Möser, wie Hume und Montesquieu, freilich der Versuchung, soziologische Einsicht in eine höchst konservative politische Theorie umzuwandeln, indem er auf der allmählichen Lösung der überaus schwierigen Aufgabe bestand, Regierung und Gesetz einer komplizierten sozialen Situation, die selbst das Ergebnis eines langen Anpassungsprozesses an soziale und ökonomische Umstände war, anzupassen. Traditionalisten wie Möser erschien das rationalistische Ideal, die Gesellschaft auf ein einziges Ziel hin zu formen, ein flagranter Widerspruch zur Natur der Gesellschaft. Das Ideal sozialer Uniformität entstand aus der Anwendung einer akademischen Theorie auf die Politik – es war ein Versuch, mit Hilfe eines philosophischen Systems an Stelle von Erfahrung, wie sie das politische und soziale Leben vermittelte, zu regieren. Die Theoretiker »aufgeklärter Regierung« sahen im Gefüge der Gesellschaft nur das Material, das im Sinn einer vorgegebenen, in keiner Weise soziologisch fundierten Sichtweise, wie sie der »wahren Natur« der Gesellschaft entsprechen würde, zu ändern war. Politik sollte, anstatt »aus eigenem Antrieb handelnde« Aktivität zu sein, kraft außerpolitischer Beweggründe geführt werden. »Die Herren beim Generaldepartement«, sagte Möser, sich eindeutig auf die kameralistischen Beamten des aufgeklärten Despotismus beziehend, »möchten gern alles, wie es scheinet, auf einfache Grundsätze zurückgeführet sehen. Wenn es nach ihrem Wunsche ginge, so sollte der Staat sich nach einer akademischen Theorie regieren lassen[37]«. Möser argwöhnte, daß dies nicht allein die Folge eines vollständigen Mißverständnisses von Herrschaft war, sondern daß darüber hinaus administrative Routine von Belang wurde und anfing, die Politik zu dominieren. Schließlich machte die Simplizität uniformer Regeln das Verwalten leichter, wodurch sich die Leiter des Departements in die Lage versetzt sahen, »die einzige Triebfeder der ganzen Staatsmaschine zu sein[38]«.

Für die traditionalistischen Kritiker war ein politischer Stil, der versuchte, die Gesellschaft auf ein einziges Ziel hin zu formen, notwendigerweise ein tyrannischer.

Er versuchte die Gesellschaft in eine Zwangsjacke zu stecken, die von abstrakten Theoretikern erfunden worden war. Gesellschaft war nicht, wie die Rationalisten glaubten, ein Analogon zur Einheit und Konsistenz eines philosophischen Systems, sondern ein Komplex konkurrierender Kräfte und Gruppen, der einem ständigen Wechsel unterlag. Es war die »Natur« sozialer Phänomene, individuell und verschiedenartig zu sein – eine Sicht, die charakteristisch für konservatives Denken werden sollte. Indem man einer pluralistischen Gesellschaft uniforme und unveränderliche Gesetze auferlegte, was, wie die Theorie »aufgeklärter Regierung« annahm, weit von der »Nachahmung der Natur« entfernt war, entfernten wir uns nach Mösers Ansicht »von dem wahren Plan der Natur, die ihren Reichtum in der Mannigfaltigkeit zeigt, und bahnen den Weg zum Despotismus, der alles nach wenig Regeln zwingen will, und darüber den Reichtum der Mannigfaltigkeit verlieret[39]«.

Weitgehende Standardisierung, die von oben auferlegt wurde, brachte in die sozialen Angelegenheiten eine Starrheit, die die natürliche spontane und allmähliche Entwicklung sozialer Beziehungen stört und dadurch die Freiheit beeinträchtigt. Möser lobte Montesquieus generelle Aussage, die sowohl auf die absolutistischen als auch die konstitutionalistischen Versionen »aufgeklärter Regierung« anwendbar war, daß je einfacher und einheitlicher die Gesetze seien, desto despotischer die Regierung sei: »Diese *idées simples et uniques* markieren den klaren Weg zum monarchischen (und in derselben Weise auch zum demokratischen) Despotismus[40]«.

Auch wenn Gesetze in der Tat ein gewisses Maß an Reglementierung in sozialen Angelegenheiten zu verbürgen hatten, so war dies doch gänzlich verschieden von der zentralen Planung, wie sie vertreten wurde von Philosophen und Administratoren »aufgeklärter Regierung«, die versuchten, einheitliche Regeln aufzustellen, die Handel, Landwirtschaft und öffentliche Ordnung bis ins Detail regulierten. Wenn solche Entwürfe, den Schulbüchern der Theorie entnommen, in der Praxis dann »wahre, in jedem Falle zu befolgende Regeln abgeben, wenn sie brauchbar und zureichend sein, wenn sie dem Generaldepartement zur Richtschnur dienen sollen, um die Vorschläge, Berichte und Ausrichtungen der Lokalbeamten danach zu prüfen, zu beurteilen und zu verwerfen, sind [sie] mehrenteils stolze Eingriffe in die menschliche Vernunft, Zerstörung des Privateigentums und Verletzungen der Freiheit[41]«. Der antifreiheitliche Charakter »aufgeklärter Regierung« war für Möser inhärenter Bestandteil ihrer rationalistischen Herrschaftsphilosophie und ihrer Regierungspraktiken. Die Ursache der allgemeinen Klage, daß es zu viele generelle Verordnungen gab und zu wenige befolgt wurden, kam, wie er anmerkte, daher, daß zu viele Dinge nach einer einzigen Regel zu erledigen waren. Solche Regeln wurden von sozialen Voraussetzungen abstrahiert und je allgemeiner sie wurden, desto weniger wurden sie den Nuancen der aktuellen Situation gerecht. So stellte sich heraus, daß, wenn die Regeln in die Praxis umgesetzt wurden, sie niemals ganz auf den individuellen Fall paßten, sondern »Natur« – womit Möser die historisch gewordene Gesellschaft meinte –, »und Gesetze gegeneinander in Prozesse verwickeln[42]«, anstatt daß das Gesetz mit der »Natur« in Einklang gebracht wird. Die solchermaßen beklagte Diskrepanz von Theorie und Praxis hatte ihr Ursache in einer Herrschaftstheorie, die den Tatsachen des politischen und sozialen Lebens denkbar fernlag und die insbesondere nicht auf einem gediegenen Verständnis der Soziologie – der Vergangenheit und Gegenwart – der zu regierenden Gemeinschaft beruhte. Hierarchisch-bürokratische Verwaltungsmethoden, die dazu beitrugen, die Entfernung zu vergrößern, machten die Kluft nur noch tiefer. Die Problematik der Übertragung der rationalistischen *raison d'état* Theorie auf die überkommene Sozialstruktur des Preußens im achtzehnten Jahrhundert [43] schien Mösers harte Kritik zu bestätigen. Die von Möser zitierte Maxime Neckers [44], daß »je allgemeiner das Prinzip angenommen wird, desto größer die Entfernung zwischen demselben und dem Gegenstande wird, worauf es angewandt werden soll«, gibt in abgekürzter Form ein zentrales Thema der traditionalistischen Kritik an der Philosophie »aufgeklärter Regierung« wieder.

Die Kritiker »aufgeklärter Regierung« versuchten, die Verknüpfung von politischer Praxis und der Natur der bürgerlichen Gesellschaft neu zu formulieren. Politik sollte, anstatt groß angelegte Veränderungen im politischen Gefüge in Gang zu setzen, dazu beitragen, daß die Kontinuität der Gesellschaft durch Anpassung ihrer gesetzlichen Ordnung an langfristige soziale Erfordernisse gewahrt bleibt. Weit davon entfernt, der Gesellschaft ein Muster aufzuzwingen, sollte sich die Regierung selbst dem Muster anpassen, das die Gesellschaft selber spontan hervorbrachte [45] – der »Natur« der Gesellschaft. Die Normen, Bräuche, Gewohnheiten, Gruppierungen und Vereinigungen einer Gesellschaft waren genuine Antworten auf soziale Bedürfnisse, die politisches Handeln fördern sollte, dabei immer eingedenk, daß längst bestehende und durch Herkommen erprobte Ordnungen stets jedem unerprobten Projekt vorzuziehen waren. Mösers Neo-Burkes-Ausspruch »die Alten sind doch auch keine Narren gewesen [46]« ist typisch für den Ansatz, der allen deutschen traditionalistischen Kritikern eigen war.

Wenn die Politik der sozialen Situation angepaßt werden sollte, dann, so sahen es die Kritiker »aufgeklärter Regierung«, brauchten die Regierenden ein politisches Wissen, das sehr verschieden war von dem, das die Verwaltungswissenschaftler forderten [47]. Politik setzte eine Art praktischen Wissens voraus, das nicht aus den Lehrbüchern politischer Prinzipien zu holen war, da diese, der Natur der Sache nach, mit dem Hauptinhalt der Politik nichts mehr gemein hatten. Die Erkenntnis, daß dieses praktische Wissen nur aus der Erfahrung einer tätigen Teilnahme an den öffentlichen Angelegenheiten kommen konnte, führte die Opponenten der Politik der Aufklärung dazu, die Zusammenhänge zwischen der traditionalistischen Doktrin und der Theorie der Gemeinschaft zu erforschen. Politische Teilnahme verlangte eine andere Regierungsform als die hierarchisch-bürokratische Regierung aufgeklärter Despoten, in der politische Aktivität auf eine administrative Elite beschränkt war. Statt dessen mußte lokalen Vereinigungen und Gruppierungen gestattet werden, ein unabhängiges und eigenständiges politisches Leben in Antwort auf die erkannten Bedürfnisse der Gesellschaft zu entwickeln. Voltaire, so merkte Möser an, fand es töricht, »daß benachbarte Ortschaften ganz verschiedene Gesetze und politische Verfassungen haben sollen [48]«. Doch gerade das, weit entfernt davon, töricht zu sein, entsprach der wahren Natur der Gesellschaft. Jeder Ort und sogar jede Familie besaßen ihren eigenen, bereits fertig vorliegenden und jeweils verschiedenen Komplex von Gesetzen, Bräuchen und Gewohnheiten, die auf eigene Erkenntnis und Erfahrung zurückgingen. Ein einziger Unterschied in der ökonomischen oder sozialen »Basis« konnte und sollte zu einer Vielzahl von nuancierten Differenzierungen im gesetzlichen und politischen »Überbau« führen. Unter diesen Umständen waren allgemeine Gesetze unangemessen, da gerade ihre betonte Allgemeingültigkeit lokale Verschiedenheiten und Entwicklungen nicht gelten lassen konnte. Jede Stadt und jedes Dorf sollte sich selbst verwalten, um so ihren eigenen Bedürfnissen gerecht zu werden. Diese Art von Regierung verlangte ein hohes Maß an politischer Teilnahme von Personen, die bestens mit den feinen Unterschieden der örtlichen Verhältnisse – mit ihren Traditionen und ihrem augenblicklichen Zustand vertraut waren; sie brauchten das, was Möser *Lokalvernunft* nannte, die durch politische Erziehung im Sinn des Herkommens und der Traditionen ihres Gemeinwesens kultiviert werden sollte[49].

Stolz auf das eigene Gemeinwesen war der diffusen »Menschenliebe«, so charakteristisch für den Individualismus der modernen atomisierten Gesellschaft, vorzuziehen[50]. Im Gegensatz dazu schufen die Theoretiker »aufgeklärter Regierung«, anstatt selbst in die politische Praxis zu gehen, ganze Systeme abstrakter Prinzipien. Sie entwarfen Weltkarten, noch ehe sie weiter als bis zum eigenen Horizont sehen konnten. Während Möser durchaus zugestand, daß gewisse grundlegende politische Prinzipien, wie die Bewahrung der Freiheit, im Auge zu behalten waren, konnte der Politiker doch niemals von den Theoretikern, die von der reinen Vernunft ausgingen, lernen, wie und wann er diese Prinzipien anwenden sollte – eine vollständige Umkehrung der »rationalistischen« Haltung. Zu sagen, daß etwas »in der Theorie richtig ist, aber in der Praxis nicht taugt«, bestätigte nur, wie armselig die Theorie im Vergleich zur Erfahrung war[51]. In ihrem Versuch zu generalisieren, abstrahierte die Theorie stets von der Praxis[52], wobei sie dann vieles übersah, was für den Mann mit Erfahrung klar zutage lag. Es war das Kennzeichen des Empirikers, so glaubte Möser, daß bei ihm die Theorie niemals von der Praxis abwich. Charakteristisch für dieses praktische Wissen war die Bemerkung eines Generals im Siebenjährigen Krieg, daß er sehr wohl den Feind zu besiegen wisse, nicht aber, wie er einen *Plan* entwerfen solle, um das zu tun. Die Theorie wurde also, weit entfernt davon, der Praxis vorauszugehen, von ihr abgeleitet und auf sie rückbezogen in der Hoffnung, sie auf diese Weise erklären zu können.

Möser entdeckte die Quelle politischer Erfahrung in dem Wissen und in der Verantwortung, die sich aus Besitz von Eigentum ergaben, dem Eigentum, das als der hauptsächliche Gegenstand der Politik betrachtet wurde. Für Möser folgte daraus, daß ein Mann, der im Besitz von Eigentum war, auch einen Anteil am Staat hatte, oder, wie er sagte, eine Aktie von der *Aktiengesellschaft*, die der Staat war. Dabei entsprach der Sinn für politische Verantwortung und Engagement der Größe des Vermögens, was hieß, daß, je größer das Eigentum – der Anteil an der Gesellschaft – war, desto größer auch das Recht, die Politik der Gemeinde zu bestimmen. Das Beispiel eines politischen Verbandes war die Vereinigung zur Unterhaltung eines

Deiches. Die Eigentümer waren für die Zahlungen zu seiner Erhaltung verantwortlich, standen unter einer »Dienstverpflichtung« zur Wache und kontrollierten die Vereinigung. Die besitzlosen Klassen, die »nichts zu verlieren« hatten, hatten keine Verantwortung für den Deich und infolgedessen auch keine Möglichkeit, jene Erfahrung zu sammeln, die ihre Teilnahme an der Lenkung der Vereinigung rechtfertigen konnte.

Indem er politisches Mitspracherecht an den Besitz von Eigentum band, eine Theorie, die zum Teil von englischen Ideen herrührte[53], unterliefen Möser einige Irrtümer, die er seinen Opponenten »aufgeklärter Regierung« vorhielt. Der ausschließliche Anspruch von Eigentümern, in der Politik gehört zu werden, kann leicht dazu führen, die Gesellschaft beherrschen zu wollen, zu verformen und die Politik einmal mehr auf bloße Verwaltung nun zugunsten der Besitzenden zu reduzieren. Darüber hinaus bilden die besitzenden Klassen eine Elite, die das politische Leben unter Ausschluß der übrigen Bevölkerung monopolisiert und dadurch die Gefahr heraufbeschwört, daß jener örtliche Gemeinsinn, von dem nach Möser das politische Leben eines sich selbst regierenden Gemeinwesens weithin abhängt, zerstört wird. Verglichen mit Rousseau, dem größten Theoretiker der Gemeinschaft im 18. Jahrhundert, der, wie Möser, aber sehr viel klarer, die Folgen für die Freiheit und Autonomie des Individuums durch eine manipulative bürokratische Organisation sah, gelang es Möser nicht, die elitären Elemente, die mehr oder weniger den Prinzipien der Gemeinschaft widersprechen, auszumerzen. Auf der anderen Seite gelangte Möser über seinen Traditionalismus zu einer eingehenderen Darstellung jener Art von politischem Wissen, das eine Theorie der politischen Teilnahme voraussetzte. Im Vergleich dazu bestand Rousseau auf der rationalistischen Kenntnis von absoluten Prinzipien, die allein von Individuen, die insgeheim »ihre eigenen Gedanken denken«, entdeckt werden konnten. Indem jedoch Rousseau die Diskussion ausschaltete und die Bürger an der gegenseitigen Kommunikation hinderte, gelang es ihm nicht, die notwendigen Bedingungen für eine realistische und gut informierte politische Teilnahme zu schaffen. In dieser Hinsicht entsprach Rousseau dem Muster des politischen Denkens der Aufklärung, indem er nämlich dem Irrtum erlag, den Möser und die Traditionalisten im Rationalismus »aufgeklärter Regierung« fanden, daß er in die Politik eine Art von Wissen einführte, dessen Ursprung außerhalb der politischen Aktivität lag. Für einen Denker wie Möser, der traditionalistische Politik mit einer Theorie der Gemeinschaft verschmelzen wollte, hatte Politik autonom zu sein. Das verlangte Wissen entsprang ausschließlich der Aktivität selbst – der politischen Teilnahme am Meinungsstreit, am Wettstreit lokaler Verbände und an Versuchen des Ausgleichs von Interessengruppen, für Möser alles Dinge, die sich auf die Regelung von Eigentumsverhältnissen konzentrierten. Umgekehrt war ein so rundes Ganzes an politischer Betätigung nur in einer Gemeinschaft möglich, in der die strenge Unterscheidung zwischen der Administration und *les administrés* überwunden war und alle als teilnehmende Bürger in einem Verband lebten, der im Besitz der Tugenden von αυτονομία und αυταρκεια war.

Die Konflikte zwischen Rationalismus und Traditionalismus wie zwischen der

Notwendigkeit von Organisation und dem Erfordernis einer integrierten politischen Gemeinschaft sind wiederholt Gegenstand modernen politischen Denkens und auch der praktischen Politik gewesen, wenn auch die beiden Seiten des Streits nicht immer in der Art der deutschen Theoretiker des 18. Jahrhunderts miteinander verknüpft worden sind. Insbesondere in Deutschland haben Schriftsteller und Politiker seit dem Ende des 18. Jahrhunderts diese Streitfragen ausgetragen. Unter den Romantikern versuchte Adam Müller, die vehementeste der deutschen Nachfolger Burkes, den Sinn für Loyalität und den Gemeinsinn miteinander zu verbinden, indem er die Idee von der Gemeinschaft dem zentralisierten Nationalstaat zuordnete. Die Steinschen Verwaltungsreformen und insbesondere die, die sich auf die Wiederbelebung der lokalen Autonomie bezogen, können als ein Versuch angesehen werden, die Vorteile einer zentralen bürokratischen Verwaltung zu kombinieren mit dem Ziel einer weiteren Förderung der politischen Partizipation, des Bürgersinns und der Staatsgesinnung [54]. Ein ähnlicher Antrieb lag hinter dem Eifer, mit dem sich Stein [55], Vincke [56] und, später, Gneist [57] mit dem System der dezentralisierten Verwaltung (»local self-government«) in England befaßten.

Im Bereich des politischen Denkens ist das Spannungsverhältnis zwischen Organisation und Gemeinschaft von den großen deutschen Historikern und Soziologen des 19. Jahrhunderts erforscht worden. Gierke rang mit dem Problem, die zentralistischen und paternalistischen Tendenzen des modernen bürokratischen Staates mit der Spontaneität freier politischer Vereinigungen in Einklang zu bringen. Tönnies stellte die beiden extremen Typen von Gemeinschaft auf der einen und der individualistischen atomisierten Gesellschaft, die nur durch eine zentralisierte Regierung zusammengehalten wird, auf der anderen Seite einander gegenüber. Weber befaßte sich mit den Gefahren für die individuelle Autonomie unter modernen Bedingungen, wonach bürokratische Organisation eine der unausweichlichen Tatsachen des politischen Lebens zu sein scheint. Justi und Möser würden sofort den Ton wiedererkannt haben, der in manchen der neueren sozialen und politischen Theorien von diesen Schriftstellern und anderen, wie Mosca und Michels, die eine Soziologie der Organisation entwickelt haben, angeschlagen wurde. Insbesondere würde der konservative Pluralismus von Professor Shils, sieht man von seinem Mißtrauen ab, daraus ein politisches Engagement abzuleiten, Möser vertraut geklungen haben, nämlich Shils' beharrliche Betonung der Mannigfaltigkeit und Pluralität der Gesellschaft wie der totalitären Gefährdung durch die Auferlegung eines einseitigen Modells und eines einzigen Zwecks [58].

Die Auseinandersetzung im Deutschland des 18. Jahrhunderts zwischen den Theoretikern »aufgeklärter Regierung« und ihren Kritikern war nur ein Aspekt einer allgemeinen Diskussion der Beziehungen zwischen Regierung und Gesellschaft, die durch bedeutendere Persönlichkeiten wie Montesquieu, Hume, Rousseau, Ferguson, Millar und Burke geführt wurde. Auch wenn die deutschen Schriftsteller kleinere Geister waren, gehören sie doch zu den ersten, die über ein politisches Problem nachdachten, das mit dem Aufstieg des zentralisierten Staates verbunden war und dann ein Gegenstand der Diskussion vom 17. Jahrhundert bis auf den heutigen Tag bleiben sollte. Dabei war und blieb der strittige Punkt, wie weit der einzelne angesichts des Wachstums einer breit angelegten bürokratischen Organisation mit ihren offensichtlich unvermeidbaren oligarchischen Tendenzen noch Herr seiner selbst bleiben konnte. Das Verdienst von Justi und Möser und ihren Kollegen war, daß sie sowohl das Problem erkannten als auch das, was dann zu den bleibenden »Zügen« in der Diskussion werden sollte.

Der Disput zwischen Theoretikern »aufgeklärter Regierung« und ihren Kritikern erhellt zwei weitere Züge politischer Diskussion. Der historische Kontext, sowohl in intellektueller als auch in politischer Hinsicht, des Aufkommens eines Problems kann möglicherweise an die Kategorien heranführen, mit denen spätere Generationen das Problem angingen. In diesem Fall hat die Art der Entstehung der Soziologie die Diskussion um Organisation und Gemeinschaft beeinflußt. Selbst der offensichtliche Unterschied zwischen Soziologen, die in Begriffen von allgemeinen sozialen Gesetzen denken und denen, die sich auf mehr empirische Studien beschränken, kann auf die ursprünglichen Absichten und paradoxen Resultate der Suche des 18. Jahrhunderts nach einer Wissenschaft von der Gesellschaft zurückgeführt werden. Die Debatte des 18. Jahrhunderts ist darüber hinaus ein historisches Beispiel für die Art, wie eine Diskussion über politische Techniken und Verfahrensweisen zu einer grundsätzlichen Sache umgeformt werden kann, indem man Fragen vom Gesetz, von Ordnung, Berechenbarkeit, Freiheit und »eine Kette von Fragen dieser Größe« aufwirft, die dann selbst einen Verwaltungswissenschaftler zwingen, wie widerwillig auch immer, die »stillen, doch abgründigen Regionen« politischer Philosophie zu betreten.

ANMERKUNGEN

1. Für eine scharfsinnige Studie über Organisation und Gemeinschaft im politischen Denken des 19. und 20. Jahrhunderts siehe Sheldon S. Wolin, *Politics and Vision*, London 1961, Kap. 10, »Das Zeitalter der Organisation«.

2. In meiner Darstellung von »Rationalismus« folge ich den Argumenten von Professor Oakeshott in seinen Artikeln im *Cambridge Journal*, insbesondere »Rationalism and Politics«, Bd. 1, Nr. 2 und 3, November u. Dezember 1947; »The Tower of Babel«, Bd. 2, Nr. 3, November 1948 und »Rational Conduct«, Bd. 4, Nr. 1, Oktober 1950.

3. Harrington, Montesquieu und später Marx sind augenfällige Beispiele. Andere natürlich, so etwa Herder und Burke, konnten zumindest hinter diesem oder jenem historischen Vorgang einen göttlichen Plan entdecken.

4. Ich bin Mr. Jack Lively von der University of Sussex für seine Anregungen und Kritik zu diesem Punkt zu Dank verpflichtet.

5. Rousseau, *Der Gesellschaftsvertrag*, Buch 2, Kap. 9 und 10 mit den Erörterungen über die Größe von Staaten ist natürlich viel kommentiert worden; aber auch und insbesondere das 3. Buch ist dem Problem der Bewahrung der Autonomie des Individuums angesichts der Akkumulation von Macht in den Händen einer politischen oder administrativen Elite gewidmet.

6. Gasser (1676–1745), Professor in Halle. Autor von *Einleitung zu den ökonomischen, politischen und Cameral-Wissenschaften*, Halle 1729.

7. Dithmar (1678–1737), Professor in Frankfurt. Ebenfalls Autor einer *Einleitung in die Ökonomischen, Polizei- und Cameral-Wissenschaften*, Frankfurt 1731. 6. Aufl. 1768.

8. Seckendorff (1626–92). Sein Werk repräsentiert den Übergang von der christlichen Monarchie zum Aufgeklärten Absolutismus. Staatsrat im Verwaltungsdienst und Kanzler vom Herzogtum Gotha. Kanzler der neuen Universität in Halle 1692. Sein einflußreichstes Werk war *Teutscher Fürsten Stat* (1656), das anhand der Regierungspraxis in Gotha einen Überblick über Verwaltungsverfahren gab.

9. Philipp Wilhelm von Hornigke (1640–1712). Merkantilist. Autor von *Österreich über alles, wann es nur will* (1684). Staatsrat im Dienst des *Fürstbischofs* von Passau.

10. F. K. von Moser (1723–98). Ein Kritiker des Mißbrauchs despotischer Regierung in Deutschland, aber ein Verteidiger der Prinzipien des Aufgeklärten Absolutismus. Sein berühmtestes Werk ist *Der Herr und der Diener* (1759). Er war hoher Beamter in der österreichischen und Darmstädter Verwaltung.

11. Justi (1722–71). Professor für Kameralwissenschaft in Wien und Göttingen. Diente in der preußischen Bergwerksverwaltung.

12. Sonnenfels (1733–1817). Professor für Kameralistik in Wien von 1763 an. Ein einflußreicher Berater Maria Theresias und Josephs II. in sozialen, wirtschaftlichen und erzieherischen Reformen.

13. Schlözer (1735–1810). Historiker, Statistiker und Publizist. Professor in Göttingen und ein führender Vertreter der Göttinger Aufklärung.

14. Siehe F. L. Carsten, *Princes and Parliaments in Germany*, London 1959, insb. S. 123–48 und 422–44.

15. Siehe F. Braune, *Burke in Deutschland*, Heidelberg 1917.

16. Siehe z. B. Justi, *Gesammelte Politische- und Finanzschriften*, Kopenhagen und Leipzig 1761, I, S. 505; *Die Natur und das Wesen der Staaten*, Berlin usw. 1760, § 30.

17. Christian Wolff, *Vernünftige Gedanken von dem Gesellschaftlichen Leben der Menschen* (bekannt als die *Politik*), Halle, Auflage von 1756, § 223.

18. Das »Glück« einer Gesellschaft im Zusammenhang mit der Größe der Bevölkerung zu bewerten, war im 18. Jahrhundert gängig. Siehe auch Rousseau, *Der Gesellschaftsvertrag*, Buch 3, Kap. 9, Reclam-Univ.bibl. 1769/70. Stuttgart 1958, S. 126f. Hume, »Of the Populousness of Ancient Nations«, *Essays Moral, Political and Literary*, Hrsg. Green und Grose, London 1898, I, S. 384.

19. *Gesammelte Politische- und Finanzschriften* III, S. 86–87. Ebenfalls II, S. 16 und *Die Chimäre des Gleichgewichts von Europa*, Altona 1758, S. 47–48.

20. *Die politischen Testamente Friedrichs des Großen*, Herausgeber G. B. Volz, Berlin 1920.

21. *Der Gesellschaftsvertrag*, Buch 3, Kap. 6, S. 110.

22. *Allgemeines Stats-Recht und Stats-Verfassungs-Lere*. Göttingen 1793, S. 144.

23. *Die Natur und das Wesen der Staaten*, § 97.

24. *Staatswirtschaft*, Leipzig 1755, Bd. 2, Buch III, S. 658.

25. Sonnenfels, *Grundsätze der Polizey, Handlung und Finanz*, 5. Aufl. Wien 1787. Vorwort.

26. Sonnenfels, ebd. § 15–25.

27. Sonnenfels, ebd. § 15; Justi, *Staatswirtschaft*, S. XXV.

28. Justi, *Staatswirtschaft*, S. XXVI.

29. *Testament politique* (1752), *Die politischen Testamente Friedrichs des Großen*, Hrsg. Volz, Berlin 1920, S. 37.

30. Justi, *Gesammelte Politische- und Finanzschriften*, III, S. 75–76.

31. Siehe die äußerst aufgeklärten Vorschläge von Wolff über Gesundheit, öffentliche Grünanlagen, Versicherung, saubere Luft und andere Wohlfahrtsfragen, *Politik* §§ 377f.

32. Justi, *Gesammelte Politische- und Finanzschriften*, III, S. 55ff. Ebenso seine *Staatswirtschaft*, II, S. 635.

33. Justi, *Gesammelte Politische- und Finanzschriften*, III, S. 86.

34. Daß dieses auch das praktische Ziel der preußischen Zivilverwaltung war, wird von H. Rosenberg, *Bureaucracy, Aristocracy and Autocracy, the Prussian Experience*, 1660–1815, Harvard 1958, Kap. 8 (in diesem Band S. 182ff.) gezeigt. Eine interessante Studie zur Entwicklung eines Statusgruppe preußischer Bürokraten in dieser Zeit.

35. Diese Untersuchung wurde im 18. Jahrhundert zuerst in der Literaturkritik unternommen, besonders durch Blackwell, *An Enquiry into the Life and Writings of Homer* (1735); Lowth, *De sacra poesi Hebraeorum* (1753); Wood, *Essay on the Original Genius and Writings of Homer* (1769). Von der Literatur griff der historische Ansatz auf das Studium der Gesellschaft über, wo es durch die Werke von Vico, Montesquieu, Hume, Herder, Ferguson, Millar und Burke verfeinert wurde.

36. *Sämtliche Werke*, Hrsg. Abeken, Berlin 1842–43, 10 Teile in 4 Bänden. Die Verweise beziehen sich auf Teil und Seite – V, S. 177f.

37. Ebd. II, S. 20.

38. Ebd. II, S. 20.

39. Ebd. II, S. 21. Siehe auch Rehberg über Rousseau und die Physiokraten, *Untersuchungen über die Französische Revolution*, Hannover und Osnabrück 1792, S. 18–21 u. S. 21ff.

40. *Sämtl. Werke*, V, S. 180.

41. Ebd. II, S. 23.

42. Möser, *Sämtl. Werke*, II, S. 26.

43. Über die Schwierigkeiten, die diese Situation mit sich brachte, siehe insbesondere H. Brunschwig, *La crise de l'état prussien à la fin du XVIII*[e] *siècle*, Paris 1947.

44. Möser, *Sämtl. Werke*, V, S. 180.

45. Diese Auffassung wurde von Trevor-Roper am Beispiel von Hume treffend charakterisiert, als er von Humes Ansicht sprach, daß »Politik in die Lücken ausweicht, die soziale und wirtschaftliche Gesetze offenlassen«. »Hume as a Historian«, *The Listener*, 28. Dezember 1961.

46. Möser, *Sämtl. Werke*, V, S. 144.

47. Ebd. IX, S. 158ff.

48. Ebd. II, S. 23–24.

49. Mösers *Patriotische Phantasien, Osnabrückische Intelligenzblätter* und seine *Geschichte von Osnabrück* sollten diesen Dienst für sein eigenes Bistum leisten.

50. Möser, *Sämtl. Werke*, III, S. 69–70. Siehe Burkes Liebe zu »der kleinen Abteilung, zu der wir in der Gesellschaft gehören«.

51. Möser, *Sämtl. Werke*, IX, S. 166.

52. Für eine mehr verfeinerte Version dieser Sicht vergl. M. Oakeshott, Political Education, in: Laslett, Hrsg., *Philosophy, Politics and Society*, Oxford 1956.

53. Möser, *Sämtl. Werke*, III, S. 266.

54. Siehe H. F. C. vom Stein, *Ausgewählte Schriften*, Hrsg. K. Thiede, Jena 1929, S. 43.

55. Ebd. S. 140.

56. *Darstellung der inneren Verwaltung Großbritanniens*, Berlin 1815.

57. *Englische Verfassungsgeschichte*, Berlin 1882; *Self-government, Communalverfassung und Verwaltungsgerichte in England*, 3. Aufl., Berlin 1871.

58. *The Torment of Secrecy*, Glencoe 1956, besonders Kap. 6 und 11–13. Ebenfalls »Primordial, Personal, Sacred and Civil Ties«, *British Journal of Sociology*, Bd. 8, Nr. 2.

ZWEITER TEIL

Der Aufgeklärte Absolutismus in den einzelnen Staaten

Die Überwindung der monarchischen Autokratie (Preußen)

HANS ROSENBERG

I.

Wie alle absolutistischen Obrigkeitsstaaten, die sich auf eine groß und komplex werdende Verwaltungsorganisation und bürokratische Beamtenhierarchie stützten, nahm auch die Regierung der Hohenzollernmonarchie bis zu einem gewissen Grade unpersönliche Züge an. Die politisch-soziale Ordnung wurde daher nur in beschränktem Maße von den persönlichen Wesenszügen, den Leitideen, politischen Direktiven und Lenkungsmethoden des nominell unumschränkten Spitzeninhabers der öffentlichen Herrschaftsgewalt geprägt. Der souveräne königliche Oberbefehlshaber, der zum »ersten Diener« »seines« Staates geworden war, hatte sich im Räderwerk seines eigenen bürokratischen Apparates verfangen. Gleichgültig, wie der Alleinherrscher mit den führenden Persönlichkeiten des Verwaltungsdienstes verfuhr, es lag jenseits seiner Macht, den kollektiven Drang der bürokratischen Funktions- und Herrschaftsträger nach mehr Freiheit und Unabhängigkeit lahmzulegen.

In diesem nie ablassenden Kampf um Ablösung königlicher Willkürherrschaft und launenhafter persönlicher Einmischung durch allgemeine Rechts- und Verhaltensnormen saßen die »königlichen Bedienten«, wie die landesfürstlichen Berufsbeamten im Unterschied von ständischen, herrschaftlichen und gewissen städtischen Amtsinhabern damals bezeichnet wurden, am längeren Hebelarm. Nicht nur waren sie in einem relativ großräumigen Länderkomplex als eine ständige Verwaltungsbetriebspyramide etabliert, sie gewannen auch aufgrund radikaler quantitativer Veränderungen sehr erheblich an Gewicht. Die Verdreifachung des preußischen Staatsgebiets und die Vervierfachung der Bevölkerung und der königlichen Einnahmen in den Jahren von 1740 bis 1806; der bemerkenswerte Fortschritt in der ökonomischen Untermauerung der Regierungsmacht durch fiskalische Nutzung wirtschaftlicher Hilfsquellen und durch Förderung expansiver Entwicklungsmöglichkeiten; die Erweiterung und Konsolidierung der verwaltungsstaatlichen Eingriffe in die Verteilung des Sozialprodukts, alle diese Entwicklungsphasen wirkten sich vorteilhaft auf das Wachstum und den Aktionsbereich des königlichen Berufsbeamtentums aus[1]. Nahezu automatisch zog die Bürokratie beträchtlichen Nutzen aus der versachlichten Basis ihrer weitverzweigten Tätigkeit, aus ihrer großbetrieblichen Organisation, der Dauerhaftigkeit ihrer kollektiven Existenz, ihrer Unentbehrlichkeit als Mitträger der monarchischen Autorität und ihrem Monopol an verwaltungstechnischem Wissen und Können. Zu diesen objektiven Faktoren traten noch subjektive Auftriebskräfte:

Aus: *Bureaucracy, Aristocracy and Autocracy. The Prussian Experience 1660–1815*, 1958, S. 175–201. Der Abdruck erfolgt mit freundlicher Genehmigung der Harvard University Press, Cambridge/Mass.; aus dem Englischen übersetzt von Gerhard Brunn; vom Verfasser überarbeitete Fassung.

die Klärung des Selbstverständnisses, das Bewußtsein, einem elitären Berufsstand und einer autoritären Amtshierarchie anzugehören, deren Mitglieder mittels geduldig bohrender und versteckter Obstruktion erheblich mehr als königliche »Bediente« zu sein vermochten.

So konnten die Funktionäre des absolutistischen Polizeistaats, auch ohne es dabei auf Konspiration gegen die Krone ankommen zu lassen, ein hohes Maß an korporativer Selbstbestimmung erreichen, zumal sie den »Untertanen« keine Rechenschaft schuldeten. Schon die bloße Zahlenstärke machte eine wirkungsvolle Konzentration der Ämterpatronage und Überwachungsgewalt durch direkte Einmannkontrolle seitens des Königs unmöglich. Sogar Friedrich II. mußte sich im Bereiche der Personalverwaltung damit begnügen, nur gelegentlich in energischen Kraftakten persönlich einzugreifen.

Die Bürokratie ergänzte ihre Mitglieder im wesentlichen durch Kooptation und bekundete dabei eine starke Vorliebe für die altüberlieferte Praxis erblicher Übertragung von Stand und Macht. Zwar hatte sich der König das letzte Wort bei der Ernennung zu den höheren Ämtern und Würden vorbehalten sowie das Recht, jeden »Bedienten« mittels tyrannischer Methoden zu entlassen oder zu bestrafen. Aber außer einigen Armeeoffizieren – meistens schlecht ausgewählten und wenig erfolgreichen Persönlichkeiten, die Friedrich II. auf eigene Initiative in leitende Posten der Zivilverwaltung gebracht hatte – waren die »Außenseiter«, die er in Schlüsselstellungen berief, in Wirklichkeit fast ausnahmslos mit den von den Ministern vorgeschlagenen Kandidaten identisch [2].

Die Landräte, die für wert befunden wurden, zu Kammerpräsidenten befördert zu werden, wurden von Friedrich II. gewohnheitsmäßig unter sehr wenigen Anwärtern ausgesucht, die bereits das Plazet der Spitzen der Ministerialbürokratie hatten. Cocceji und seine Nachfolger wie auch de Launay, der Chef der Regie, besetzten ihre Behörden bis zur höchsten Rangklasse nach eigenem Ermessen, wenn auch im verstaatlichten Justizdienst Bestallungen von Bedeutung formal von der königlichen Zustimmung abhängig blieben [3]. Nach 1786 bestätigte Seine Majestät einfach routinemäßig die Bestallungs- und Beförderungsvorschläge, die von den einflußreichsten Höflingen und den führenden bürokratischen Postenverteilern, den Ministern der zentralen Verwaltungsbehörden und dem Großkanzler, d.h. dem Präsidenten des Justizdienstes, ausgingen [4].

Obskure und hinter der Gardine operierende Drahtzieher, die zu der winzigen, nichtadligen Schar sich ins Fäustchen lachender Kabinettsräte gehörten, hatten bei dem Bemühen, dem königlichen Herrn bei der Meinungsbildung behilflich zu sein, auch nennenswerte Erfolge aufzuweisen. Kabinettsrat Eichel, der Sohn eines Unteroffiziers, förderte Herrn von Jariges, und zwar nicht nur, indem er diesem intimen Freund sein eigenes großes Vermögen vermachte, das offensichtlich, wie nebenher bemerkt werden mag, nicht ausschließlich durch Ersparnisse von seinem Gehalt entstanden war, obwohl dasselbe eine ansehnliche Höhe erreicht hatte. Vorwiegend durch Eichels Einfluß sicherte sich Jariges, der Sohn eines adligen französischen Offiziers, seine Ernennung zum Großkanzler [5]. Eichels Kollege Galster brachte es fertig, nachdem er von Christoph von Görne bestochen worden war, dem König zu suggerieren, daß Görne das Zeug zum Minister habe. Aber das war um so mehr ein atypischer Fall, als Görne im Verlaufe seiner skandalösen Amtsführung sich als ein Betrüger und Fälscher von ungewöhnlichem Format erwies[6].

Im Bereich der regulären Personalverwaltung gelang es der friderizianischen Bürokratie mit hervorragendem Erfolg, königliche Kontrollvorkehrungen ihren eigenen Zwecken dienstbar zu machen. Im Laufe der Zeit konnte sie sie in Instrumente korporativer Autonomie und hierarchischer Selbstverwaltung umwandeln. Die absolute regulative Autorität der Krone wurde, sobald es um die strikte Befolgung der strengen Dienstvorschriften ging, durch Trägheit, Sabotage oder Täuschungsmanöver der Verwaltungsbehörden unterhöhlt. Die »königlichen Bedienten« lernten – während der Ressortstreit, persönliche Reibereien und gesellschaftliche Spannungen untereinander weitergingen – durch leidvolle Erfahrungen, daß das Leben unerträglich zu werden drohte, wenn sie sich nicht selbst gegen übermäßige Reglementierung schützten. Zwischen Kooperation und passivem Widerstand gab es keine scharfe Grenze. Wie sich die Dinge im täglichen Leben abspielten, zeigt die Reaktion des Ministers von Münchow auf eine königliche Verfügung, die ihn aufforderte, seine Untergebenen zu größeren Anstrengungen anzuhalten. Münchow legte diese Anweisung seinem Stab in Breslau vor, fügte aber eine abschwächende Auslegung hinzu: »Ich bitte ein hochlöbliches Collegium und dessen membra, welche nach dem Zeugnis, so ich ihnen bei Sr. Kgl. Maj. auf meine Pflicht und Gewissen geben muss, ganz anders als bei anderen Collegiis arbeiten, wollen sich hierüber nicht im geringsten allarmiren, massen diese Ordre gewiss ein Circulare, so an alle übrigen Kammer gehet, ist es dahero aus Versehen anhero mit expediret worden[7].«

Die Spitzenbeamten usurpierten nicht nur durch eigenwillige Manipulation des behördlichen Innenbetriebs nichtautorisierte Machtbefugnisse; darüber hinaus beschnitten sie auch sehr wirkungsvoll die reale Macht des Autokraten, indem sie eifersüchtig über die Hauptwege der Personalrekrutierung und Beförderung wachten. Die Einführung von obligatorischen Zulassungsprüfungen und Befähigungsnachweisen sowie die gleichzeitig erfolgende Einrichtung der sogenannten Oberexaminationskommission im Jahre 1770 waren Marksteine im Wachstumsprozeß korporativer Unabhängigkeit und Gruppenexklusivität. Mit diesen Reformen glich man sich den wesentlich erschwerten Fachbildungs- und Vorbereitungsdienstvorschriften und Bewährungsproben an, die Cocceji und Jariges im Justizdienst eingeführt hatten[8]. Mit Hilfe dieser Auswahlmethoden war die Justizbürokratie verjüngt und ihre berufliche Vitalität und ihr öffentlicher Einfluß verstärkt worden. Es entbehrt nicht der Ironie, daß der Anstoß, das Bildungsniveau und die Fachschulung des höheren Verwaltungsbeamtentums zu verbessern, vom Minister von Hagen ausging, einem Manne, der nicht gerade im Rufe stand, an höherer Bildung ernsthaft interessiert zu sein.

Hagen und seine Mitarbeiter gaben vor, ausschließlich um die Verbesserung der Integrität und Leistungsfähigkeit bemüht zu sein, da die bisherige Erfahrung bewiesen habe, »daß die Besetzung der Bedienungen im Finanz- und Cameralfache nicht überall so geschehen ist, als es der Zweck und das solide Interesse des Landesherrn sowie die Konservation aller Stände erfordert hat«. Die Reformer beklagten, daß unter den Stellenanwärtern »vielleicht die Mehresten bei alledem nicht willens sind, fleißig zu arbeiten, denn das kömbt jetzt aus der Mode«, und daß sich bisher »hin und wieder Leute einzuschleichen gewußt, denen es an der dazu erforderlichen Fähigkeit, Wissenschaft und gründlichen Beurteilungskraft gefehlet [9]«.

Äußerer Druck beschleunigte die Institutionalisierung der Prüfungsverfahren. Der nervenaufreibenden Hochspannung des Siebenjährigen Krieges folgten zunächst eine wirtschaftliche Depression und ergebnisarme Versuche, die Wunden des Krieges zu heilen. Während dieser Zeit der Sorgen, die Friedrich über sich und sein blutendes Volk gebracht hatte, entwickelten sich in den Beziehungen zwischen dem halsstarrigen Autokraten und seiner Bürokratie starke Spannungen. Die neu ernannten Herren an der Spitze der Zentralverwaltung – fast alle alten Minister waren während des Krieges gestorben – hatten gute Gründe, nach wirkungsvollen Mitteln zu suchen, um ihre Untergebenen fester in den Griff zu bekommen.

Unter dem Drucke der Kriegsverhältnisse hatten weitverbreitete Korruption, »Kollaboration« mit den Besatzungsmächten, Schlamperei in der Amtsführung und nichtautorisierte Machtanmaßung auf allen Ebenen des Staatsdienstes um sich gegriffen [10]. Die Minister handelten im eigenen wie auch im Interesse des Monarchen, als sie die zahlreichen Kammerräte in den Kollegialbehörden, wie auch die Steuerräte und Landräte, hart rügten, die sich angewöhnt hätten, ihre Obliegenheiten zu vernachlässigen »oder gar über die an sie ergehende Verfügungen critisiren und sich independent machen wollen« und »ein eigenwilliges Verfahren, Widersetzlichkeit und Ungehorsam« bekunden [11].

Der steile Verfall von Disziplin, Loyalität, Leistungsfähigkeit und Dienstmoral hatte die Autorität und das Prestige der selbstgerechten und streitsüchtigen Spitzenbeamten zu einer Zeit entscheidend geschwächt, als sie in harten Auseinandersetzungen mit ihrem »Arbeitgeber« standen. Denn Friedrich machte sie für alles verantwortlich. Er bezichtigte seine als »Canaillen-Protecteur« bezeichneten Hauptmitarbeiter »niederträchtiger Passion«, »krimineller Trägheit«, »hartnäckiger Tücke« und »infamer« Interessenwirtschaft. Er gratulierte dem Generaldirektorium dazu, »weder dem Lande noch dem Staat im geringsten mehr was nutze« zu sein, und er »beruhigte« die Abgekanzelten, indem er ihnen lebenslängliche Festungshaft androhte [12]. Mißtrauen und Rachsucht des Königs drückten sich auch in der Einrichtung der Regie aus, die die offizielle Stellung und die Reputation der regulären Verwaltungsbürokratie als Gesamtorganisation noch weiter gefährdete. Eine aus eigener Initiative erwachsende gewisse Wiederbelebung von innen heraus war unerläßlich, um einen Teil des verlorenen Terrains zurückzugewinnen. Es mußte etwas geschehen, um einen guten Eindruck zu erwecken und eine schrittweise Verbesserung der beruflichen Qualität und Verläßlichkeit der Beamtenschaft zu sichern.

Die Verschärfung und Vereinheitlichung der Zulassungsvorschriften und die Wiederbekräftigung des Prinzips, daß Beförderung nur nach Verdienst erfolgen solle, übten eine tiefe Wirkung auf die Bürokratie als soziale Standesgruppe und als politische Machtelite aus. Welcher Art die Motive und angeblichen Ziele der Initiatoren der reformbedürftigen Personalverwaltung auch gewesen sein mögen, die neuen Ausleseverfahren entwickelten sich in den Händen der adligen Spitzenbürokraten zu einem glänzenden Mittel, ihre Kontrolle über die Personalrekrutierung zu festigen und sich von königlichen Belästigungen auf diesem entscheidenden Gebiet freier zu machen.

In einem neuen Gewande wurden strikte Barrieren gegen das Eindringen unerwünschter Neulinge errichtet. Der freie Wettbewerb bei den Examen galt im wesentlichen nur auf dem Papier. In Wirklichkeit erfüllten die reformierten Zulassungs- und Beförderungsmethoden das überkommene Modell der Chancenungleichheit mit neuem Leben, indem sie die alten Praktiken des Nepotismus und der Günstlingswirtschaft verfeinerten. Anstatt den freien Wettbewerb zu stärken, engte das neue System die bereits beschränkten Wettbewerbsmöglichkeiten für Angehörige der untergeordneten Sozialschichten weiter ein.

Die revidierte Ordnung der Personalergänzung, wie sie lange Zeit in der Praxis interpretiert wurde, bevorzugte Universitätsabsolventen, die aufgrund ihrer gesellschaftlichen Stellung und Vermögenslage als besonders qualifiziert galten. Automatisch ausgeschlossen von der Bewerbung war die zahlreiche Gruppe der jungen Akademiker, die weder die nötigen Beziehungen noch die finanziellen Mittel hatten, um in den unbesoldeten vorbereitenden Verwaltungsdienst als »Auskultatoren« eintreten zu können und um die hohen Examensgebühren zu bezahlen, die den künftigen Räten auferlegt wurden. Wer an finanzieller Unterernährung litt, konnte als Lehrer oder Pfarrer »Karriere« machen, die Verwaltungslaufbahn blieb ihm verschlossen.

Immerhin war Regimentsquartiermeistern, Auditeuren und Subalternbeamten die Tür zum höheren Dienst auch fernerhin keineswegs völlig verschlossen, sofern sie von hohen Vorgesetzten als Examenskandidaten vorgeschlagen wurden. Diese hochgestellten Gönner hatten die heikle Aufgabe, die gesellschaftlich nicht als einwandfrei geltenden Bewerber in bezug auf Charakter, persönliche Tauglichkeit, Gewohnheiten und Lebensstil zu begutachten [13]. Wie in der Vergangenheit, blieben ungewöhnlich befähigte Kanzleibeamte nicht immer an ihre Stellung als Schreiber, Konzipienten oder expedierende Sekretäre gefesselt. Sogar in der Zeit der adligen Reaktion konnte man »die Art nicht entbehren«, wie Präsident von Schön es formulierte, »weil für hochadlige Räte, welche zur Arbeit nicht tauglich waren, die Arbeit doch getan werden mußte [14]«. Aber auch vom Standpunkt eines Verteidigers der adligen Ansprüche auf angeborene Vorzüglichkeit aus gesehen, erschienen derartige Aufstiegschancen bis zu einem gewissen Grade wünschenswert: »Überall sieht man nehmlich in den Kollegien und Dikasterien, daß der Chef, der Präsident und Direktor ein Edelmann sein muß, weil die Bürgerlichen bloss zu arbeiten, nicht aber zu regieren verstehen. Daher vertreten diese in dem Staatsbienenstocke die Stelle der Arbeitsbienen, während die Edelleute die Stelle der Drohnen einnehmen. Man macht sogar bürgerliche Räte, in der weisen Absicht, den adelichen Räten die Arbeit zu erleichtern, und diesen die Zeit zu wichtigeren Dingen zu lassen [15].«

Nach den siebziger Jahren bildete der höhere Verwaltungsdienst mehr denn je einen sich selbst ergänzenden, zunehmend homogenen berufsständischen Sozialkörper, dessen tonangebende Mitglieder sich mit aristokratischen Wertvorstellungen und Interessen identifizierten. Die Spitzenbeamten neigten daher dazu, nur »salonfähige« Aspiranten zuzulassen und für Beförderungen lediglich solche Personen vorzuschlagen, die den Eindruck erweckten, daß sie die von der Führungsgruppe entwickelten Spielregeln befolgen würden. Wie bereits früher bemerkt, war der unbezahlte Vorbereitungsdienst, der auf einer teuren Schul- und Universitätsbildung aufbaute – besonderes Gewicht wurde hierbei auf das Studium der Kameralwissenschaft gelegt –, ein mächtiges Hilfsmittel, um der hohen Selbsteinschätzung und dem Sozialprestige der »königlichen Bedienten« eine gewisse Weihe zu verleihen[16].

Auf diese Weise erhielten Kastengeist und Inzucht neue Nahrung. Zweifellos blieb im friderizianischen Preußen der Konflikt, der aus der Chancenungleichheit der Adligen und Nichtadligen im öffentlichen Leben erwachsen war, ungelöst. Diese ewige Quelle der Reibung, Unzufriedenheit und Frustration verzögerte auch weiterhin die Zunahme der politischen Schlagkraft der Bürokratie als einer eigenwilligen Herrschaftsorganisation. Jedoch wurde sogar diese überaus bedeutsame Spaltung in den eigenen Reihen in den letzten Jahrzehnten des 18. Jahrhunderts gemildert. Hierbei war die revolutionierende soziale und politische Rolle entscheidend, welche die höhere Bildung, neue Konzeptionen und zugkräftige Ideen in dieser großen Blütezeit deutscher Literatur und Philosophie zu spielen vermochten.

II.

Trotz der erneuten Bekräftigung der Adelsprivilegien durch Friedrich II. und der Distinktion, deren sich traditionsgemäß die Hochwohlgeborenen erfreuten, verlor der Adelsstatus als solcher im späten 18. Jahrhundert viel von seiner früheren Herrlichkeit. Das erklärt sich nicht nur aus dem allmählichen Sinken des Funktionswerts des Adels im Gefolge der Befestigung des Beamtenstaats und aus dem starken Anwachsen einer »unstandesgemäßen« Gruppe verarmter, ungebildeter und deklassierter Edelleute. Das Absinken des Adelsranges in der sozialen Prestige-Hierarchie war vor allem durch den in der öffentlichen Meinung sich anbahnenden Wandel in den gesellschaftlichen Wertmaßstäben und Einstufungskriterien bedingt. Neuartige Normen gewannen bei der Bestimmung von Verdienst, Würde und sozialer Achtung zunehmende Bedeutung. Persönliche Vortrefflichkeit, beruhend auf ungewöhnlichen intellektuellen oder künstlerischen Anstrengungen und schöpferischen Leistungen, stellte den Primat der jahrhundertealten Stufeneinteilung der Gesellschaft in vorwiegend juristisch definierte, kastenähnliche Stände mit gruppenspezifischer Standesehre in Frage, ein Strukturmodell sozialer Schichtung, das bereits durch die vom Monarchen aufgestellte offizielle Rangordnung und das Amtstitelwesen durcheinander gebracht worden war.

Zusammen mit Geburt und Amt, ererbtem sozialen Stand und erworbenem Diensttitel wurde individuell ausgeprägte aktive Anteilnahme an höherer Kultur im

Sinne von Bildung ein wichtiges Attribut sozialer Reputation. Bildung, wie sie der Konzeption der deutschen Neuhumanisten in der Zeit von Lessing, Herder, Winckelmann, Goethe, Schiller, Kant, Fichte und Humboldt entsprach, bedeutete weit mehr als fortgeschrittene allgemeine Schulbildung und Fachschulung. Das neue Bildungsideal legte entscheidendes Gewicht auf elitäre Kultivierung des Denkvermögens und beharrliches Suchen nach Wissenserweiterung und Erkenntnisvertiefung, nicht weniger aber auch auf individualisierte Charakterentwicklung und Persönlichkeitsausprägung. Verinnerlichung und Zartheit des Herzens waren zentrale Gebote der neuen Bildung. Sie stellte den Menschen vor die verantwortungsvolle Aufgabe, Glück und Harmonie in sich selbst zu suchen, indem er sein ganzes Leben der Vergeistigung des Daseins und dem Streben nach Gemütstiefe und moralischer Vervollkommnung unterordne.

Aber die idealistische Bildung war auch ein Vehikel der sozialen Gruppenmobilität. In der Zeit der adligen Reaktion war sie der Schlachtruf aufsteigender intellektueller und künstlerischer Eliten, die um soziale Anerkennung rangen. Bildung als gesellschaftliche Emanzipationsbewegung im Bereiche der Ideen war eine großartig konstruktive Antwort auf die anmaßenden Ansprüche des Adels auf angeborene menschliche und soziale Überlegenheit. Die neue kulturelle Elite, die bei den eine akademische Ausbildung voraussetzenden Berufsgruppen sowie bei Großkaufleuten und bildungsbeflissenen jüdischen *nouveaux arrivés* starke Resonanz fand, war sich bewußt, eine neuartige Verdienstaristokratie zu bilden. Als solche wies sie der Literatur, der Philosophie, der Wissenschaft und den schönen Künsten den Ehrenplatz in der Hierarchie der Werte an. Sie stellte eine Elite im normativen Sinne dar, »eine Klasse von Menschen, welche die höchsten Indices in ihrem Tätigkeitsbereich aufweisen [17]«. Als Menschen mit schöpferischen Geistesgaben, hohen Idealen, oft leeren Taschen und meist bescheidener Herkunft, traten die Aristokraten des Intellekts und der künstlerischen Gestaltungskraft, zumal ihnen missionarischer Eifer eigen war, mit dem Anspruch hervor, den in der traditionellen sozialen Rangskala Hochgestellten, der »Gesellschaft« innerhalb der Gesamtgesellschaft, gleichwertig, wenn nicht überlegen zu sein [18].

Unter Friedrich II., der Kultur nach ein Franzose, breitete sich der Einfluß der Zentren deutscher Kultur in Dresden, Leipzig, Göttingen, Jena, Weimar und Hamburg bis zu den preußischen Universitätsstädten Halle und Königsberg aus. Um 1790 wurde auch Berlin eine Hochburg des Kampfes um Anerkennung der Bildung als Quelle sozialer Distinktion [19]. Jetzt brach die Zeit an, in der ein privilegierter gesellschaftlicher Status nicht mehr einfach als persönliche Vortrefflichkeit gewertet wurde; eine Zeit, in der die Bildung, wie ein Zeitgenosse sagte, entscheidend »den Grad der Achtung bestimmt, den ehedem Rang und äußeres Flitterwerk allein bestimmten [20]«. »Ehedem war Selbstsicherheit mit einer angenehmen, etwas arroganten Ahnungslosigkeit gepaart. Man brauchte niemand zu beweisen, wer man war, vorausgesetzt, daß man zur Gesellschaft gehörte [21].«

Nunmehr wurden merkwürdige neue Stimmen laut, die selbstbewußte Provokationen äußerten und dem Geburtsadel eher mit Verachtung und Überheblichkeit als mit Ehrerbietung begegneten. So attackierte beispielsweise Fichte, der Mitbegründer der deutschen idealistischen Philosophie, die adligen Standesprivilegien und das dem Adel selbstverständlich gewordene Pochen auf »Überlegenheit«, indem er an die Geschichte appellierte und auf die »niedrigen Künste« der Ahnherren des Adelsstandes aufmerksam machte. Der Vorrang des Adels in der ständischen Hierarchie, so erklärte Fichte, hatte seine Wurzeln in »Schmeicheln und Kriechen und Lügen und Beraubung der Wehrlosen« und im Privileg, »eine große Anzahl von Generationen hindurch in einer gewissen Wohlhabenheit« gelebt zu haben. »In unserem Zeitalter«, bemerkte er 1793 triumphierend, »ist es so weit gekommen, daß der Edelmann, der weiter nichts als das ist, nur durch übertriebene Demut es dahin bringen kann, in den Zirkeln des angesehenen Bürgerstandes, der Gelehrten, der Kaufleute, der Künstler geduldet zu werden[22]«.

Unabsichtlich, aber dennoch zeitstilgemäß lieferten die adligen Initiatoren des reformierten Befähigungsnachweissystems im friderizianischen Beamtenstaat einen Beitrag zur Anerkennung des bürgerlichen Leistungsprinzips und zur Neueinschätzung sozialer Achtungswürdigkeit. Sie akzentuierten auf diese Weise Entwicklungstendenzen, die durch die neuen Bildungsideale ideologisch sanktioniert wurden. Der Übergang zu einem höheren Standard der Allgemein- und Berufsbildung ermöglichte es der aufsteigenden Beamtengeneration, mit dem »guten Leben« in Verbindung zu bleiben und ihr ehrgeiziges, von Elitebewußtsein erfülltes Streben nach Übernahme der politischen Entscheidungsgewalt der Verwirklichung näher zu bringen.

Zweifellos hatte für viele, die nach 1770 in den preußischen Staatsdienst traten, das erhebende Ideal der Bildung per se nur geringen oder überhaupt keinen Wert. Leute dieser Art bekannten sich zu ihm aus reiner Eitelkeit, »Kultur« nahm nur einen dekorativen Platz in ihrem Leben ein. Sie war Mode; sie diente als »Motor gesellschaftlicher und klassenmäßiger Sonderstellung, die den Inhaber wie ein Rangabzeichen oder Titel von anderen Leuten absonderte, die nicht darüber verfügten[23]«. Für Menschen, die es sich leisten konnten, wurde die auffallende Zurschaustellung der äußeren Zeichen kultureller Verfeinerung, wie die Verschönerung des Wohnsitzes oder das Sammeln von Kunstschätzen, ein raffiniertes Mittel, gesellschaftliche Exklusivität noch stärker zu unterstreichen.

Aber neben den Oberflächlichen und Angebern gab es noch, in sehr viel geringerer Zahl, die Aufrichtigen und Begeisterten. Für sie, die häufig in engen Beziehungen zu prominenten Mitgliedern der kulturellen Elite standen, war die Bildung das Leitmotiv ihres Lebens. Disziplinierte Hingabe an eine Idee anstelle der Unterordnung unter einen persönlichen Herrn bestimmte ihre politischen Loyalitäten und ihren Eifer, dem öffentlichen Wohl zu dienen. Unter diesen Häretikern und Rebellen waren die bewunderungswürdigen wenigen zu finden, die unter Bildung verstanden: »Den Wunsch, menschliche Irrtümer zu beseitigen, menschliche Verwirrung zu klären und menschliches Elend zu vermindern, das edle Bestreben, die Welt besser und glücklicher zu hinterlassen, als wir sie vorgefunden haben, die moralische und soziale Leidenschaft, Gutes zu tun[24].«

Subtile Veränderungen in der Gruppenmentalität und in den Beziehungen zwischen den gesellschaftlichen Standesschichten spiegelten den Einfluß der Ideen wider. Mit der Zeit wirkte dieser Wandel mildernd, aber auch verschärfend auf den tiefverwurzelten Antagonismus zwischen den adligen und nichtadligen »königlichen Bedienten« ein. Diese Spannung war durch die adlige Reaktion noch intensiver geworden, denn die sozialreaktionäre Bekräftigung des Adelsmonopols auf die Spitzenstellungen in der Verwaltungspyramide des friderizianischen Staates erzeugte Unzufriedenheit und Frustration unter den nichtadligen Räten. Nichtsdestoweniger gewannen Beamte, die nach dem schönen Wort Friedrichs II. zum »unadligem Geschmeiss« gehörten, jedoch den Status von wirklich Gebildeten, von »inneren Aristokraten«, errungen hatten, an Selbstvertrauen und entwickelten daher ein vertieftes Verständnis für das sozialliberale Prinzip der »Freien Bahn dem Tüchtigen«. Und selbst wenn sie sich in der Welt der sublimen Ideen nicht wie beati possedentes fühlten, so mochten sie doch einigen Trost in der zunehmenden Untergrabung des Adelsprestiges und wohl noch mehr in dem realen gesellschaftlichen Absinken zahlreicher Mitglieder des Adelsstandes finden.

In der sozialen Lebenswirklichkeit nahmen bürgerliche Mitglieder der höheren Bürokratie aufgrund ihrer Amtsautorität, ihres Dienstranges und Lebensstils eine gehobene Stellung ein im Vergleich mit adligen »Standespersonen«, die als »kleine Leute« in subalternen Posten oder gar als arbeitslose Schmarotzer ihr Dasein fristeten. In vielen Fällen trat die sich verschärfende Statusdiskrepanz, der Widerspruch zwischen dem Sein und Scheinen des sozialen Standorts, noch klarer in Erscheinung durch die zunehmende Ungleichheit des Bildungsniveaus, die für diese beiden Gruppen im späteren 18. Jahrhundert typisch wurde. Als Wohlgebildete entwickelten nichthochwohlgeborene Räte und Geheimräte, obwohl im beruflichen Vorwärtskommen noch durch Diskriminierung wegen ihrer defekten Herkunft behindert, ein erhöhtes persönliches und soziales Wertbewußtsein unabhängig von dem traditionellen Superioritätsanspruch des Adels oder in Opposition dagegen.

Infolge dieser inneren Befreiung vom überkommenen Aristokratiebegriff und der kritischen Distanzierung von der alten Ständeordnung waren die sich Emporarbeitenden jetzt weniger geneigt, ihre gesellschaftlichen Ambitionen dadurch zu demonstrieren, daß sie die veralteten Standessitten und Prätentionen des Geburtsadels nachäfften. Umgekehrt reagierten begabte, empfindsame und phantasievolle Edelleute auf die Abwertung des »blauen Blutes«, indem sie sich bemühten, den neuen Maßstäben persönlicher Aristokratie zu entsprechen. Sie nahmen aktiven Anteil an der machtvoll anregenden kulturellen Erweckungsbewegung, indem sie mit unadligen Gebildeten auf vertrautem Fuße verkehrten, in offenen geistigen Wettbewerb zu ihnen traten und die neuen Funktionen von Bildung und Wissen als Kennzeichen der »guten Gesellschaft« honorierten.

Somit untergrub das Bildungsprinzip die starren Formen der traditionellen ständischen Klassentrennung, aber auch die alte Gewohnheit der Gleichsetzung von Aristokratie und Geburtsadel. Innerhalb und außerhalb des Staatsdienstes wurde die Bildung als Vehikel gesellschaftlicher Veränderungen das neue Band, das kultivierte

Adlige und Bürgerliche zusammenschloß, so daß eine stolze, selbstbewußte elitäre Bruderschaft entstand, welche die Schranken der Herkunft, der formalen Standeszugehörigkeit, des Berufes, der Rangabstufung in der Amtshierarchie und in der Reichtums- und Einkommensverteilung hinter sich ließ. Diese mobile Mischgruppe bildete eine »Art Freimaurerloge, deren Mitglieder sich gegenseitig an gewissen unsichtbaren Zeichen untereinander erkannten, auch wenn ihre Meinungen sie gegenseitig zu Fremden oder sogar zu Gegnern machten[25]«.

Durch Anschluß an die Aristokratie des Geistes als Verehrer oder gar in führender Eigenschaft befreite sich ein kleiner Teil des mannigfach differenzierten Adelsstandes von den selbstzufriedenen sozialen Wertvorstellungen und Vorurteilen ihrer Gesellschaftsklasse und brach mit dem Gedanken einer gesonderten adligen Erziehung. Indem sie aufgrund ihrer persönlichen Qualität hervortraten, suchten sie ihre Wertschätzung im Gesellschaftsgefüge erneut zu erhärten, ohne die Privilegien der Geburt und der betitelten Rangstellung besonders zu betonen. Statt dessen trachteten sie nach Behauptung ihrer Führungsrolle mit andern Mitteln: durch Entwicklung der in ihnen schlummernden Fähigkeiten, durch richtungweisende Pflege der Geistesbildung und durch überlegene persönliche Leistung im beruflichen und öffentlichen Leben.

Auf diese Weise trat die Umgruppierung der öffentlichen Herrschaftsträger in Preußen in eine neue Phase ein. Wie in den späten Dezennien des Ancien Régime in Frankreich, so stand jetzt in Preußen das alte soziopolitische Ständesystem vor einer neuen Herausforderung. Der friderizianische Staat, der sozialstrukturell dem Adel »gehörte«, glich trotz seiner militaristischen Übertreibungen und seines diktatorischen Gesetzgebungsverfahrens, trotz des besonderen Modells der monarchischen »Kabinettsregierung« und des singulären Charakters des landsässigen Junker-Herrschaftsstandes in gewissem Sinne dem Staatswesen des vorrevolutionären Frankreich. Hervorstechendes Merkmal der Bourbonenmonarchie war »die Privilegienherrschaft. Alle Macht, jegliche Auszeichnung und, soweit möglich, alles Vergnügen, war einer Klasse reserviert. Das Volk zahlte die Steuern, der Adel gab sie aus. Das Volk stellte die Soldaten, der Adel die Offiziere. Mit den Gesetzen hatte das Volk weiter nichts zu tun, als sie zu befolgen; der Adel machte sie und wendete sie an. Nur der Adel gehörte zur guten Gesellschaft; wenn ein *roturier* in seine Salons eindrang, so geschah es durch das herablassende Entgegenkommen des Adels[26].«

Die Wandlung der Gesinnungen, Verhaltensweisen und Bestrebungen im Gefolge der von der kulturellen Aristokratie in deutschen Landen proklamierten Ideale wirkten sich auf den Kampf zwischen Autokratie und Bürokratie um die Herrschaft in der preußischen Monarchie aus. Die Gruppenmentalität der »königlichen Bedienten«, eine in verschiedenen Stufen variierende, komplexe Mentalität, wurde durch den Zustrom einer neuen Generation junger Gebildeter entscheidend beeinflußt. Der Aufstieg dieser Männer im Regierungsdienst machte es nicht leichter für Friedrich II., von seinen Untergebenen unbedingten Gehorsam und treue Ergebenheit gegen das temperamentgeprägte, durch Diktat ausgeübte persönliche Regiment zu erlangen. Das Vordringen der Bildung in Beamtenkreisen gab dem Verlangen nach größerer persönlicher und korporativer Freiheit im Berufsleben, nach mehr Autorität und Verantwortung, nach Schutz vor Schaden und Ehrverletzung durch Willkür der obersten Gewalt, nach garantierter fester Anstellung und nach der Konsolidierung »wohlerworbener Rechte« einen mächtigen Auftrieb.

Vor allem aber wurde der Anspruch auf das Recht, mit Anstand und Selbstachtung zu leben, d. h. auf das Recht, als Mensch behandelt zu werden, durch das in dem Bildungsprinzip eingeschlossene Ethos sanktioniert. Das half vielen preußischen Beamten, ihren Widerstand gegen die Befehle eines harten und manchmal bösartigen königlichen Despoten zu »rationalisieren«. Für empfindsame Gemüter und Persönlichkeiten mit ernsthaften geistigen Interessen bildeten die neuhumanistische Auffassung vom Menschen und das moralphilosophische Prinzip der Autonomie der freien Individualität als Alternative zur unbeschränkten Unterordnungspflicht eine unerschöpfliche Quelle der Energie und inneren Standhaftigkeit in ihrem Ringen um geistige und moralische Befreiung von der Bevormundung durch königliche Allweisheit. Beflügelt durch diese inneren Kraftquellen, waren sie darauf vorbereitet, »unmögliche« Forderungen beiseite zu schieben, und zwar nicht aus Bosheit und Starrsucht oder um persönlicher Vorteile oder materieller Klasseninteressen willen, sondern aus ethischen und humanitären Gründen.

Auf Widerstandskämpfer und »innere Emigranten« dieser Art, gering an Zahl, übten der Appell an das individuelle Gewissen und Urteil und der Ruf nach Freiheit und Selbstkontrolle, die an die Stelle gedankenloser Willfährigkeit gegen detaillierte administrative Verfügungen und äußeren Zwang zu treten hätten, eine mächtige Anziehungskraft aus. Für Männer, die danach drängten, ihr Leben nicht nur auf Nützlichkeit und Opportunismus zu gründen, sondern auch auf Prinzipien und Überzeugungen, für diese Männer, die zu den politischen Führungsleistungen der preußischen Reformzeit nach 1806 wesentlich beitragen sollten, war das Gebot des »Herrschers«, sich damit zufriedenzugeben, wie Rädchen in einer Maschine zu funktionieren, nahezu unerträglich. Zwangsläufig fanden sie sich im Widerstreit gegen den Polizei- und Militärstaat, der für die liberale Auffassung, daß der Mensch ein Zweck und nicht ein Mittel sei, keinen Raum ließ.

Der junge Bergwerksbeamte Friedrich von Hardenberg, besser unter seinem Dichternamen Novalis bekannt, faßte seinen Abscheu vor den zeitgenössischen Machtverhältnissen so zusammen: »Kein Staat ist mehr als Fabrik verwaltet worden als Preussen seit Friedrich Wilhelms I. Tode[27].« Nirgendwo sonst, so fügte er hinzu, seien die geistigen und moralischen Qualitäten der Untertanen so sehr erstickt und beschädigt worden wie in dem künstlichen preußischen Staat, und zwar mit Hilfe einer privilegierten Klasse, die Steins enger Freund Ludwig von Vincke 1800 wie folgt charakterisierte: »Der größere Haufe unseres Adels noch immer wähnt, der Staat könne nicht bestehen ohne seine eigne, unbedingte Exemtion von allen wesentlichen Beiträgen, ohne Druck und Dienstbarkeit der andern Stände, und die geringste Abänderung und Nachgiebigkeit müsse unfehlbar den Zusammensturz des Ganzen zur Folge haben[28].«

Wenn auch gekennzeichnet durch einen abstrakten Radikalismus der Gedanken, waren die spekulative Philosophie und die literarisch-ästhetische Bewegung der deutschen Kulturelite im wesentlichen doch unpolitisch, wenn nicht antipolitisch. Vor 1800 gewannen die Doktrinen des deutschen Idealismus nur in der preußischen Bürokratie politische Bedeutung. Zum einen bot der staatliche Verwaltungsapparat einen institutionellen Rahmen für konstruktives Handeln; zum anderen wurden die Beamten von der Härte, Grobheit, Intoleranz und Seelenlosigkeit von Friedrichs Herrschaft direkt getroffen und so in ihrem Willen bestärkt, der königlichen Unterdrückung mit Hilfe liberaler Grundsätze zu widerstehen. Die »Diener« der Krone lernten, »aufrührerische Ideen« zu hegen und den aufgeklärten Vernunftbegriff sich zu eigen zu machen, wie Kant ihn definierte: »Aufklärung ist der Ausgang des Menschen aus seiner selbstverschuldeten Unmündigkeit. Unmündigkeit ist das Unvermögen, sich seines Verstandes ohne Leitung eines anderen zu bedienen.« Für die beamteten Schüler Kants war die individuelle Denkfreiheit das Tor zu beruflichem Glück, zu selbstdiszipliniertem Handeln aus eigenem Willen, zur persönlichen politischen Befreiung und zur Ablösung der erratischen dynastischen Monokratie durch eine großherzigere und leistungsfähigere despotische Regierungsform, d.h. durch einen humanisierten bürokratischen Absolutismus, der es ihm selbst »zuträglich findet, den Menschen, der mehr als eine Maschine ist, seiner Würde gemäß zu behandeln[29]«.

Friedrichs Tod brachte der preußischen Bürokratie, die zu einem nicht gerade ehrenvollen Berufslebensstil verdammt gewesen war, Entspannung und gesteigerte Zuversicht. Friedrich Wilhelm II. (1786–1797) und Friedrich Wilhelm III. (1797–1840) fehlte die historische Größe, und sie überschätzten nicht wie Friedrich II. ihre eigene Weisheit. Da sie nachgiebiger, weniger klug, weniger ehrgeizig, aber menschenfreundlicher waren, gestaltete sich das Leben der oberen und der mittleren Stände und besonders das der Beamtenschaft weniger militaristisch und sehr viel humaner. Das Sparta des Nordens milderte sich von innen her, bevor es auf den Schlachtfeldern von 1806 in den Staub sank. Nun kam der aufgeklärte, gebildete Bürokrat zu seinem Recht. Er unterschied sich ebensosehr vom »idealen Kommissar« des »Soldatenkönigs« wie die besseren, intelligenten, gut ausgebildeten und auf das öffentliche Wohl bedachten Intendanten Ludwigs XVI. von ihren räuberischen und brutalen Vorgängern in der Zeit Richelieus oder wie die meisten englischen Friedensrichter um 1800 von den tyrannischen Squires einer früheren Zeit.

Die preußische Bürokratie als ständische Körperschaft errang in ihrem Kampf um Sicherheit des Arbeitsplatzes, hierarchische Selbstbestimmung und würdige Formen des Berufslebens einen spektakulären Sieg während des Zwielicht-Regimes, das von 1786 bis 1806 dauerte.

Das Allgemeine Landrecht von 1794, ein Werk gelehrter Mitglieder der Justizbürokratie, bestätigte – in den Tagen der Französischen Revolution – noch einmal die exklusiven Vorrechte des Ersten Standes und somit »die natürlichen, unveräußerlichen und heiligen Rechte der Adligen«. Nichtsdestoweniger waren sich aber die

Autoren und Förderer dieses Gesetzbuchs sehr deutlich der nichtsaturierten Interessen ihrer eigenen Standes- und Machtgruppe bewußt. Mit ihren Kollegen, ob adlig oder nicht, teilten sie den leidenschaftlichen Wunsch, ein für allemal die lästigsten Beschränkungen ihrer beruflichen Bewegungsfreiheit und ihres Drängens nach Vorherrschaft zu beseitigen. Den Kodifikatoren des Landrechts gelang es, die Standesprivilegien der Zivilstaatsbürokratie abzustützen, die später als »wohlerworbene Rechte« bezeichnet wurden. Durch Bindung der Krone im Bereiche der Personalverwaltung an bestimmte feste Regeln schränkten sie die Macht des absoluten Königs ein, unterwarfen ihn dem Gesetz, verminderten das persönliche Element in der Herrschaftsstruktur und beschleunigten den Aufstieg der Beamtenhierarchie zu einer eigenständigen politischen Oligarchie.

Seit dieser Zeit waren die Berufsbeamten nicht mehr der Drohung willkürlicher Abberufung oder Bestrafung durch den Monarchen ausgesetzt. Das Gesetzbuch von 1794 gewährte den Zivilbeamten das gewissen Einschränkungen unterworfene Recht auf Unabsetzbarkeit und das unbeschränkte Recht auf ein geregeltes Rechtsverfahren unter den Auspizien des Staatsrats im Falle unkorrekten Verhaltens [30]. Lediglich die »politischen« Minister, die an der Spitze der Staatsverwaltung standen, konnten ohne Rechtsschutz verabschiedet werden.

Im Einklang mit ihrem Geltungsbedürfnis und dem Verlangen nach mehr Ermessensfreiheit in der Ausübung ihrer Amtsgewalt nannten sich die »königlichen Bedienten« nunmehr – scheinbar recht harmlos und bescheiden – »Diener des Staates« oder »Beamte des Staates«. In Wirklichkeit bezeichnete die Namensänderung eine Änderung des Status und der Loyalitäten. Für die Mitglieder der preußischen Bürokratie war die Zeit vorbei, in der sie, sozusagen als ständige Probekandidaten angestellte Privatbedienstete des Königs, spezifisch dynastischen Macht- und Ruhminteressen zu dienen hatten. Jedoch bedeutete ihre kollektive Selbstbeförderung in den unpersönlichen Rang des Staatsfunktionärs noch nicht, daß sie sich zu Dienern der Staatsbevölkerung wandelten, die mit Zustimmung der breiten Öffentlichkeit oder auch nur eines kleinen Teils der Regierten die Geschäfte führten und sich in diesem Sinne zu verantworten hatten. Als politische Konkurrenten des königlichen Souveräns identifizierten sich die »Staatsdiener« vielmehr mit ihrer hierarchischen Organisation, d.h. mit dem autoritären Verwaltungsapparat, der zusammen mit den militärischen Institutionen die Inkarnation des preußischen Staatswesens war. Aber indem die umbenannte preußische Bürokratie die autokratische persönliche Herrschaft des Monarchen einzuengen und schließlich zu überwinden vermochte, wurde sie zum Schrittmacher einer liberalisierten Variante des absolutistischen Regierungssystems, das in der preußischen Reformzeit mit der Etablierung der kollektiven Autokratie der Bürokratie in die Phase der Spätblüte eintrat. Die Umbenennung spiegelte die Wirkungskraft neuer Ideen, »modernerer« Auffassung von öffentlicher Wohlfahrt und von den Treuepflichten in Regierungsdiensten und die stärkere Betonung voluntaristischer und damit anspruchsvollerer ethischer Maßstäbe im öffentlichen Leben wider.

Friedrichs II. Vorstellung vom »Staat« als einer spezifischen sozialen Organisationsform ähnelte, trotz seiner gegenteiligen schriftlichen Beteuerungen, noch sehr der alten patrimonialen Formel *»l'état c'est moi«*. Selbstverständlich betrachtete und behandelte er deshalb die »königlichen Bedienten« wie persönliche Werkzeuge, die mit der Verwaltung seines Besitzes und seiner Zwangsmittel beauftragt sind. Bereits in den letzten Jahren seiner Regierung begann die unpersönliche Auffassung des Staates als Abstraktum sich in den preußischen Ländern auszubreiten und bedeutsamen Einfluß auszuüben[31]. Wie es zu diesem Anschauungswandel kam und welche sozialen Elemente an seiner Kommunikation beteiligt waren, bedarf noch genauerer Untersuchung. Aber soweit freiheits- und machthungrige Mitglieder der Zivilbürokratie dabei eine Rolle spielten, braucht das Warum nicht ausweichend beantwortet zu werden. Im Einklang mit ihrer eigenen, standesspezifischen Interpretation des *»esprit de corps et de nation«*, den Friedrich seinen »Bedienten« verordnet hatte, war die innere Bindung an eine objektivierte, rationale Ordnung, an die Idee »des« souveränen Staates, unendlich befriedigender, erhebender und vielversprechender als die Unterwerfung unter einen exzentrischen Monokraten, auch wenn er ein Teilzeit-Bürokrat und eine Persönlichkeit war, die epische Größe ausstrahlte.

III.

Lange vor 1794 gewann die preußische Bürokratie als Körperschaft beträchtliche Handlungsfreiheit und unverantwortlichen politischen Einfluß durch verschleierte Opposition oder durch eigenmächtiges Vorgehen. Zweifellos war die so usurpierte Macht wesentlich negativer Natur. Solange Friedrich II. das Ruder in der Hand hatte, sprach er das letzte Wort in allen Fragen von Bedeutung. Seine Taktik der Spaltung und die Art, wie er Autorität delegierte, waren so wirksam, daß er der einzige Mensch im Königreich war, der einen wirklichen Überblick über die preußischen Regierungsgeschäfte in ihrer Gesamtheit hatte.

De jure blieb die Bürokratie die untergeordnete Übermittlerin des königlichen Willens, obwohl die Spitzenbeamten einzeln oder gemeinsam für die Vorbereitung oder Ausführung politischer Entscheidungen nach Gutdünken von Friedrich II. zu Rate gezogen wurden. Aber sobald es um die Bestimmung der hohen Politik, um die Gesetzgebungsinitiative, die Planung des Staatshaushalts als Ganzen und die Zuteilung der Gelder ging, versagte Friedrich seinen obersten Gehilfen den Status von aktiven Teilhabern. Und wegen der immer gegenwärtigen Drohung von Strafaktionen und weil es nur wenige Männer wie Präsident Domhardt gab, der es darauf ankommen ließ, »schon gern ein blaues Auge [zu] wagen«, war offene Opposition gegen Friedrichs Führerschaft so gut wie nicht vorhanden[32]. Trotzdem waren die »königlichen Bedienten« nicht nur Verwaltungstechniker und ausführende Agenten. De facto waren sie auch Friedrichs aktive politische Partner, die seine Macht einschränkten, denn sie besaßen ein stillschweigendes Veto gegen die Ausführung der königlichen Gesetze und Verfügungen.

Die Machtbegrenzung, die die Bürokratie dem Herrscher auferlegte, pflegte sich in der Form negativer Aktion auszudrücken, die sowohl Selbstvertrauen als auch Angst zeigte. Hauptsächlich durch indirekte Methoden erreichten es die Leiter der Verwaltung und der Justiz, die königlichen Entscheidungen und Befehle zu umgehen oder ihnen zuwider zu handeln. Sie betrieben passiven Widerstand durch »bummeln«, Haarspalterei und heimliche Winkelzüge. Durch Unterschlagung von Tatsachen oder gefärbte Berichte an ihren Arbeitgeber beeinflußten sie den politischen Entscheidungsprozeß und steuerten die Verfolgung der politischen Richtlinien in Kanäle, die ihnen wünschenswerter erschienen. Wenn »nötig«, erfanden sie raffinierte Auswege oder gingen zu offenem Betrug und unzweideutiger Sabotage über. Inmitten einer üblen Atmosphäre wechselseitiger Verdächtigungen, des Mißtrauens und der dauernden Wachsamkeit nutzten sie ihre Kompetenz, Erhebungen anzustellen und Streitfragen zu untersuchen, dazu aus, Politik auf eigene Faust zu machen, indem sie Friedrichs Anordnungen verfälschten, unterminierten oder völlig aushöhlten.

In zahlreichen Fällen haben sich preußische Beamte einfach geweigert, Befehle gegen ihre eigene Überzeugung auszuführen. Die Kühnheit der dirigierenden Minister war bis zu einem Grade gediehen, daß sie z. B. nicht davor zurückschreckten, einem Kammerpräsidenten formelle Vorwürfe zu machen, weil er Friedrich genaue statistische Daten anstatt manipulierter vorgelegt hatte[33]. Häufiger allerdings verteidigten die Spitzenbeamten die Interessen ihres Apparates gegen königliche Repressalien durch Abschirmung von Kollegen, auch wenn diese unwürdig waren.

So verließen beispielsweise während des Siebenjährigen Krieges, der zu der vielgerühmten »moralischen Reinigung der Verwaltung« einen negativen Beitrag lieferte, einige der höchsten Würdenträger aus »besten Familien«, wie die vier preußischen Etatsminister von Wallenrodt, von Rohd, von Gröben und von Tettau in Königsberg, beim Herannahen der russischen Truppen ihre Posten unter fadenscheinigen Ausreden. Allerdings stellten diese »Verwaltungsdeserteure« nicht in Abrede, daß durch ihre Flucht der Gang der öffentlichen Angelegenheiten merklich unterbrochen werde, »welches uns von Herzen schmerzet und unsere schon unterbrochene Gemütsruhe ungemein störet«. Die Ministerialbürokratie in Berlin war jedoch entgegenkommend genug, ein moralisches Alibi mit Hilfe des glänzenden Arguments zu liefern, demgemäß das Ausreißen nicht als Schuld, vielmehr als »eine Mérite anzusehen sei«, da sie ihr »Vaterland aus besonderer Devotion und Treue vor S. K. M.« verlassen hätten[34]. Welche Mittel auch angewandt wurden, es gelang der Verwaltungshierarchie im Laufe der Zeit, der launenhaften monokratischen Herrschaft aus dem Kabinett den Stachel zu nehmen.

Anders als die englische parlamentarische »Kabinettsregierung«, die von der Zeit der Whigsuprematie unter Walpole bis in die Mitte des 19. Jahrhunderts das Bollwerk der regierenden Großgrundbesitzer-Oligarchie bildete, war die preußische »Kabinettsregierung« das Hauptorgan der monarchischen Autokratie. Sie war das wichtigste Instrument, die Bürokratie entsprechend der Maxime Friedrichs zu steuern: »Sie Müssen mihr Nichts im Wege legen da verstehe ich kein Schertz nit die Herren Seindt bestellet Meine arbeit zu Exsecutiren, aber nicht zu Intervertiren, oder die genigen die Sich nicht in Ihre Schranken halten werde ohne *façon* Cassiren, Sie Müsen Gehorsam Sich regiren lassen und nicht regiren[35].«

Die parlamentarische Kabinettsregierung, bei der die Korruption in Form von Wahlstimmenschacher eine große Rolle spielte, war charakteristisch für die politischen Lebensformen der englischen Oberklasse unter dem alten Regime. Sie war »ein Zeichen der englischen Freiheit und Unabhängigkeit, denn niemand besticht, wo er terrorisieren kann[36]«. Im despotischen Preußen bestand die Hauptfunktion des Kabinetts darin, den Führungsanspruch des Alleinherrschers durch Diktat über alle dynastischen Machtorganisationen und die gesamte Staatsbevölkerung zur Geltung zu bringen. Noch nachdrücklicher als sein Vorgänger überschüttete Friedrich II. seine höchsten Beamten mit einer wahren Flut von Kabinettsordern. Die Interventionen mittels rüder und sarkastischer Ausführungsdirektiven und beleidigender Zurechtweisungen, gewürzt mit sardonischem Humor, waren um so erbitternder für die adligen Mitglieder der Staatsbürokratie, als unadlige Subalterne, die in der sorgsam gehüteten Abgeschiedenheit des Kabinetts und unter dem Schleier der Geheimhaltung arbeiteten, diese Zeichen der Zuneigung und des Vertrauens des Königs aufsetzten oder sogar selbst veranlaßten.

Trotz Friedrichs hartnäckiger Anstrengungen wurde die Durchschlagskraft der Kabinettsregierung von seinen »Bedienten« ernsthaft in Frage gestellt. In einem politischen System, das durch hochgradig konzentrierte, personalisierte, autoritäre Herrschaft gekennzeichnet war, vermochte eine wohl etablierte Bürokratie durch Obstruktion und geschulte Mittelmäßigkeit viel zu erreichen. Den »Bedienten« gelang es schließlich, die Macht des Königs ihrer eigenen unterzuordnen. Ein flüchtiger Blick auf zwei wichtige historische Episoden mag das lang andauernde Duell zwischen Bürokratie und Autokratie um die politische Vorherrschaft illustrieren.

In Preußen – einem im wesentlichen agrarischen Staat – war die Agrarpolitik der Krone ein Angelpunkt und Haupttest für die reale Stärke des Monarchen und seiner bürokratischen Rivalen. Auf diesem entscheidenden Gebiet erwies sich der beamtete Adel in der Zeit von Coccejis späten Lebensjahren bis zum Vorabend der Stein-Hardenbergschen Reformen als politischer Verbündeter des landsässigen Gutsadels. Mit Hilfe gefälschter Unterlagen und hinterlistiger Schachzüge arbeiteten die Leiter der Verwaltungsbehörden, die damals auf die Unterstützung seitens der Regierungen sich verlassen konnten, zugleich Hand in Hand mit den Lokalpolitikern, meist reichen Landbesitzern[37]. Es gelang ihnen, Friedrichs bescheidene Anstrengungen in Richtung auf eine Verwandlung der Zeitpachtverträge in Erbpachtrechte und auf eine Erleichterung, wenn nicht Beseitigung der Frondienste auf den Rittergütern vollständig zu durchkreuzen. Durch die Gemeinsamkeit des Widerstandes in dieser schwierigen Streitfrage, die die Grundlagen der Gesellschaftsordnung tief berührte, machten die umgruppierten preußischen Machteliten die absolute Macht des Monarchen zunichte.

Nachdem bereits Cocceji in diesem Sinne gewirkt hatte, lieferte ein anderer Neo-Junker, von Brenckenhoff, ein Musterbeispiel für die »richtige Haltung«. Er war beauftragt worden, in Zusammenarbeit mit der pommerschen Kriegs- und Domänenkammer die Vorarbeit für die Abschaffung der Erbuntertänigkeit als Institution zu leisten. Nach Abschluß ihrer Untersuchungen legten diese Herren ihrem König in vorsichtiger, höflicher, aber auch entschiedener Form und im Brustton autoritativen Sachverstandes nahe, daß dieses dornige Problem nur durch Bewahrung des Status quo gelöst werden könne: »Daß es *ratione* der Dienste bei der bisherigen Verfassung verbleibe, massen solche bei denen Gütern unentbehrlich und jeder Eigentumsherr ohnedem, da ihm die Konservation seiner Bauren oblieget denenselben keine überflüssige Dienste aufbürden wird, die Regulirung derer Naturaldienste auf gemessene Dienste aber so grossen Schwierigkeiten unterworfen, dass solche bei denen adligen Gütern fast auf keinerlei Weise zur Wirklichkeit gebracht werden könne[38].« Kein Wunder, daß vor 1807 die offizielle Politik der teilweisen Emanzipation der unfreien Adelsuntertanen zu nichts führte, außer in solchen Fällen, in denen sie von fortschrittlich gesinnten Rittergutsbesitzern verwirklicht wurde, die auf eigene Faust die Initiative ergriffen.

So wurde Friedrich von den gleichen Kräften mattgesetzt, die er selbst in Schach zu halten suchte. Die königliche Politik, den Landadel und die Bürokratie gegeneinander auszuspielen, führte in Wahrheit zur Bildung einer Einheitsfront gegen die Willkürherrschaft der Krone. Von den dreißiger Jahren des 18. Jahrhunderts bis zu den Agrarreformen des frühen 19. Jahrhunderts waren die Wechselbeziehungen zwischen dem nichtbeamteten landsässigen Adel und den bodenbesitzenden adligen Mitgliedern der Bürokratie eher durch Kooperation und Harmonie als durch Argwohn und Konflikt gekennzeichnet. Erst nach 1806 tat sich ein tiefer Abgrund zwischen diesen beiden Gruppen auf.

Die Bürokratie steckte mit den adligen Großgrundbesitzern unter einer Decke, als sie die Funktion der Mitbestimmung der Agrarpolitik usurpierte. Aber auch wenn sie allein stand, zeigte sich die Beamtenhierarchie stark genug, ihre Stellung als eigenwillige politische Machtgruppe zu befestigen. Aus dem zwanzigjährigen Streit über die Regie ging die reguläre Bürokratie und weder der Autokrat noch der neue finanzbürokratische Rivale, die Regiebehörde, als endgültiger Sieger hervor.

Die Einrichtung der Regie wurde teilweise durch die höfliche Weigerung des Generaldirektoriums veranlaßt, an Friedrichs Plan mitzuarbeiten, mit Steuererhöhungen den Wiederaufbau nach dem Kriege inmitten einer hochintensiven Wirtschaftsdepression einzuleiten. Das Direktorium meldete Widerspruch gegen diesen schlecht konzipierten Plan an und wagte es, implizite Seine Majestät als finanzpolitischen Amateur hinzustellen. Einem Mitglied dieses Kollegiums, Geheimrat Ursinus, der sich freilich mehrfach von Kaufleuten und Gewerbetreibenden hatte bestechen lassen, gab der königliche Oberbefehlshaber kurz danach die Gelegenheit, seine »impertinente Relation« des längeren im Gefängnis zu überdenken: »Ich entschuldige die Ministres mit ihre *Ignorance*, aber die *Malice* und *Corruption* des Concipienten muß exemplarisch bestraffet werden[39].« Mit Hilfe der Regie hoffte Friedrich, ein für allemal den »königlichen Bedienten« das Rückgrat zu brechen, »sonsten bringe ich die *Canaillen* niemals in der *Subordination*[40]«.

Gegenüber dieser neuen Gefahr schlossen die Verwaltungs- und Justizräte und ihre Vorgesetzten die Reihen gegen die verhaßten Konkurrenten. Die Gegenoffensive der regulären Beamtenschaft durchlief mehrere Phasen. Sie begann mit passivem und aktivem Widerstand, mit der methodischen Sabotage der Arbeit der Regiebeamten, die sofort bezichtigt wurden, »despotisch und willkürlich« in der Art der »spanischen Inquisition« zu verfahren[41]. Die Opposition endete 1786 mit der Auflösung der Regie und der formellen Übernahme ihrer Zuständigkeiten und Emolumente durch die alte Hierarchie.

In der Zwischenzeit waren bemerkenswerte Resultate aus der Diskreditierungskampagne gegen die Regiebeamten erwachsen, mit der Friedrichs Vertrauen in die Befähigung, persönliche Integrität und berufliche Loyalität dieser Nebenbuhler schrittweise untergraben worden war. Denn die regulären Beamten, die von Anfang an als selbsternannte Spione, Informanten und Verleumder gewirkt hatten, zogen keine geringe Genugtuung aus der Tatsache, daß Friedrich sie im Zickzackkurs seiner Einschüchterungstaktik aufforderte, ihre Rivalen scharf im Auge zu behalten, aber jetzt als beauftragte Geheimagenten oder Aufseher. Außerdem wurde die Macht des Feindes durch die direktere Methode der Infiltration geschwächt. Die französischen Regiebeamten wurden, mit anderen Worten, allmählich durch »preußische« Bürokraten ersetzt, das heißt, nach Auffassung des Ministers von Werder, durch »ehrliche Deutsche[42]«.

Offensichtlich übte also die Kabinettsregierung sogar im friderizianischen Preußen nicht eine unbeschränkte Oberherrschaft aus. Während der beiden Dekaden von 1786 bis 1806 verlor das Kabinett nicht nur als Werkzeug monarchischer Autokratie viel von seiner ursprünglichen Wirkungskraft, auch seine politische Struktur änderte sich[43]. Unter Friedrich Wilhelm II. waren der militärische Höfling von Bischoffwerder und der neu geadelte Minister von Wöllner – »ein intriganter und betrügerischer Pfaffe«, wie Friedrich II. ihn charakterisiert hatte – die wahren Träger der königlichen Herrschergewalt. Unter Friedrich Wilhelm III. dagegen übten die Kabinettsräte Mencken, Beyme und Lombard im Namen des absoluten Königs eine zwar eigenmächtige, aber dennoch zunehmend wirkungslose Autorität aus. Der königliche Alleinherrscher, der als aktiver Chef der Bürokratie und als politische Entscheidungsspitze persönlich mittels schriftlicher Instruktionen von seinem Kabinett, seinem Büro, aus regiert hatte, wurde durch die Herrschaft des Büros selbst ersetzt. Der Monarch, der nicht von seinen Ministern abhängig sein wollte, wurde in Wahrheit noch abhängiger von seinen bürokratischen Kabinettsräten, die versuchten, die Arbeit der Verwaltungselite zu steuern und zu überwachen. Unter diesen Umständen entwickelte sich ein unvermeidbarer Kampf um die politische Führung zwischen den nichtadligen Kabinettsräten auf der einen Seite und den adligen Ministern und Oberbeamten der Zentralverwaltung auf der anderen Seite.

Nach dem Tode Friedrichs II. wurden die Minister wie auch die verschiedenen Behörden freier, kühner und unabhängiger in ihren Tätigkeitsbereichen. Ihre tatsächliche Macht als Partner in der Lenkung der öffentlichen Angelegenheiten steigerte sich schlagartig auf Kosten des königlichen Absolutismus. Bereits 1788 war es – im Lichte der harten Tatsachen – unrealistisch zu versuchen, einem Mann vom Kaliber des Ministers von Heinitz den Kabinettswillen mit der geharnischten Ermahnung aufzuzwingen: »Ich fordere bei dem Civildienst von meinen Ministres eben die Folgsamkeit und den strengen Gehorsam, als Ich von Meinen Generals bei der Armee fordere. Ich unterziehe Mich der Regierungs-Geschäfte selbst, und werde daher Niemand erlauben, in den Departements eigenmächtige Verfügungen zu machen, sondern Ich will von allem vorher unterrichtet sein und verlange, dass man Meine Befehle abwarte. Von diesen Meinen Grundsätzen werde ich Niemals abgehen und will es Keinem rathen, er sei wer er sei, solche aus den Augen zu setzen[44].«

Kabinettsorders und fromme Deklamationen dieser Art verschleierten die Veränderungen im wirklichen Leben. Die Diskrepanz zwischen politischer Fiktion und politischer Realität schritt so weit fort, daß eine neue Machtbalance während des Übergangsregimes von 1786 bis 1806 erreicht wurde. Es blieb nur noch übrig, diese Wandlung des absoluten Systems zu legalisieren und die Gewinne der Politiker-Bürokraten zu konsolidieren. Obwohl sie sich nun »Diener des Staates« nannten, wollten sie die Herren des Staates sein. Demgemäß mußte die Ausübung negativer politischer Macht, auf die nach dem Tode Friedrichs II. die eigenmächtige Übernahme der realen Kontrollgewalt über die Verwaltungsmaschine folgte, durch Konzentration der offiziellen Verantwortung für zentralisierte autoritäre politische Führung in den Händen der rangobersten Mitglieder der Staatsbürokratie zementiert werden.

Das war das Ziel, das Freiherr vom Stein, der Anführer der »Revolte« der ehrgeizigen Spitzenbürokratengruppe gegen Friedrich Wilhelm III. und sein Kabinett, 1806 kurz vor Kriegsbeginn zu erreichen suchte. Bei dieser ersten Konfrontation unterlag Stein, der große Kämpfer. Eine Kabinettsorder drohte ihm Entlassung an, da er »als ein widerspenstiger, trotziger, hartnäckiger und ungehorsamer Staatsdiener anzusehen [sei], der auf sein Genie und seine Talente pochend, weit entfernt, das Beste des Staats vor Auge zu haben, nur durch Kaprizen geleitet, aus Leidenschaft und aus persönlichem Hass und Erbitterung handelt. Dergleichen Staatsbeamte sind aber gerade diejenigen, deren Verfahrensart am allernachteiligsten und gefährlichsten für die Zusammenhaltung des Ganzen wirkt[45]«.

Tatsächlich jedoch hatte sich um 1806 die kollektive berufliche, soziale und politische Stellung der Verwaltungsbürokratie im Kräftefeld der altständisch-aristokratischen preußischen Gesellschaft so weit gefestigt, daß die Lenker des mächtigen zivilen Staatsapparats am besten darauf vorbereitet waren, sich als dominierende Führungsgruppe im öffentlichen Leben zu etablieren.

Der nivellierende Einfluß der vereinheitlichten Dienstvorschriften, die keinen Unterschied zwischen Adligen und Bürgerlichen machten, die Gleichartigkeit der beruflichen Funktionen, die Befreiung von wirksamer Kabinettsbevormundung sowie der Besitz korporativer Standesrechte, seit kurzem verstärkt durch die Anstellung auf Lebenszeit und die Zusicherung privilegierten Rechtsstandes als »Eximierte«, hatten enge Gesinnungsbande unter den Mitgliedern der höheren Beamtenhierarchie entstehen lassen. Durch Gewohnheit und Neigung waren sie dazu disponiert, sich mit einem zentralisierten autoritären Regierungssystem zu identifizieren, das ihnen einen besonders großen Anteil an der Macht und an Sporteln, Ehren und Würden einräumte. Sie hatten einen gleichgearteten Lebensstil und eine gemeinsame Tradition entwickelt, die gemeinsame Erfahrungen und gewisse, ihnen gemeinsame Wertmaßstäbe und Verhaltensnormen in sich schloß.

Beruf, Interesse, Bildungsgang und korporative Selbsteinschätzung hatten zusammengewirkt, um Clanbewußtsein und Solidaritätsgefühl gegenüber den rivalisierenden Macht- und Sozialeliten zu fördern. Obwohl durch interne Konkurrenzkämpfe, Intrigen und Verrätereien geschwächt, war die intellektuell geschulte Zivilbürokratie doch einig in dem Bewußtsein, zu einem aristokratischen Dienststande überlegener, wenn nicht unfehlbarer Sachverständiger zu gehören.

Zusammen mit dem in Städten garnisonierten Offiziersadel stand die höhere Beamtenschaft als Sozialprestigegruppe an der Spitze der urbanisierten Standesschichten in Preußen. Sie hatte aber auch in der Hierarchie der Besitz- und Einkommensklassen eine gesicherte Elitestellung erreicht aufgrund ihres beträchtlichen Diensteinkommens, aufwendigen Lebensstils und der in ihren Reihen weitverbreiteten finanziellen Unabhängigkeit, die, begünstigt durch die expansive Wirtschaftskonjunktur des späten 18. Jahrhunderts, auf der Verfügung über verschiedenartigen Vermögensbesitz, der Anhäufung ineinandergreifender ökonomischer Machtpositionen und der gegenseitigen Durchdringung von städtischem und ländlichem Reichtum beruhte. Die Spitzenbürokraten stammten entweder aus der reichen Oberschicht des Landadels oder sie traten im Lauf ihrer Beamtenkarriere in diesen Kreis ein und wurden von ihm rezipiert. So zogen die Lenker des zivilen staatsbürokratischen Herrschaftsapparates ihre Stärke nicht nur aus der Autorität und dem Status ihres Amtes, sondern mittelbar auch aus anderen Quellen politischer und wirtschaftlicher Macht und gesellschaftlicher Distinktion.

Unzufrieden mit der Rolle als bloße Befehlsempfänger vorentschiedener dynastischer Politik, hatte sich die Berufsbeamtenschaft, angeführt von Junkern und Neojunkern, zu einer wohlorganisierten, sich selbst ergänzenden und selbst regierenden Korporation mit politischem Eigenwillen und eigenmächtigem politischen Einfluß entwickelt. Einige ihrer Mitglieder waren zu aktiven Angehörigen der intellektuellen Aristokratie aufgestiegen, während viele andere sich als Mitläufer dieser kulturellen Elite gerierten. Zum Selbstverständnis der gewandelten Bürokratie gehörte der Anspruch, eine würdevolle, auserlesene politische Intelligenzschicht darzustellen, die das moralische Recht und die paternalistische Pflicht habe, bei zentralen politischen Entscheidungen, der Interpretation staatlicher Interessen und der Lenkung des Gemeinwohls die bestimmende Rolle zu spielen[46].

Langwierige und mühevolle Vorbereitungen hatten zu einer schrittweisen Verschmelzung von administrativen, ökonomischen, politischen und intellektuellen Führungsfunktionen geführt. Die »Diener des Staates« hatten eine in festen Überzeugungen verwurzelte »Beamtenideologie« entwickelt, die darauf hinauslief, daß sie ein für allemal am besten wüßten, was das Beste für »den« Staat sei und daß ihre Allmacht die Quintessenz eines monarchischen Regierungssystems sei. Kurz, die beamtete Elite war bereit, die politische Herrschaft zu übernehmen.

Professor Kraus, Kants hochangesehener Kollege in Königsberg, faßte die Situation 1799 folgendermaßen zusammen: »Der preussische Staat, weit gefehlt, eine unumschränkte Monarchie zu sein«, sei in Wahrheit vielmehr »eine obwohl etwas verschleierte Aristokratie« – ein Staat zudem, in welchem »unverschleiert diese Aristokratie als Bürokratie das Land beherrscht[47]«.

ANMERKUNGEN

1. Genauere statistische Angaben über den materiellen Fortschritt in Preußen in: Gustav Schmoller, *Umrisse und Untersuchungen zur Verfassungs-, Verwaltungs- und Wirtschaftsgeschichte*, Leipzig 1898, S. 138, 166, 171, 180.

2. *Acta Borussica, Behördenorganisation*, VII, S. 763; X, S. viii–ix; XIII, S. 122ff.

3. Walther Schultze, *Geschichte der Preußischen Regieverwaltung von 1766–1786*, Leipzig 1888, S. 37; *Acta Borussica, Behördenorganisation*, XIII, S. 69ff., 384f.

4. Siehe Schulenburg-Kehnerts Bemerkungen in: *Forschungen zur Brandenburgischen und Preußischen Geschichte*, XV (1902), S. 415f.; und Karl Immermanns »Memorabilien« in: *Immermanns Werke*, hrsg. Harry Maync, V, S. 312.

5. Adolf Stölzel, *Brandenburg-Preußens Rechtsverwaltung und Rechtsverfassung*, Berlin 1888, II, S. 239; *Acta Borussica, Behördenorganisation*, VI, Teil I, S. 63f.; XIV, S. 450.

6. *Acta Borussica, Seidenindustrie*, III, S. 285–288; *Acta Borussica, Handels-, Zoll- und Akzisepolitik*, III, Teil 2, S. 450ff., 522; Heinrich von Friedberg, »Friedrich der Große und der Prozeß Görne« in: *Historische Zeitschrift*, LXV (1890), S. 1–43.

7. *Acta Borussica, Behördenorganisation*, VII, S. 12ff.

8. Ibid., XV, S. vii, 240–254. Vgl. auch C. J. Friedrich, »The Continental Tradition of Training Administrators in Law and Jurisprudence«, in: *The Journal of Modern History*, XI (1939), S. 133–142.

9. *Acta Borussica, Behördenorganisation*, XIV, S. 333; XV, S. 243, 260. Siehe auch G. A. H. Baron von Lamotte, *Practische Beyträge zur Cameralwissenschaft für die Cameralisten in den preussischen Staaten*, Bd. III, Halle 1785, S. 53–72.

10. *Acta Borussica, Behördenorganisation*, XI, S. 443ff., 475ff., 523f., 621ff., 631; XII, S. 128ff.; XIII, 122ff., 265; XIV, S. 167f. und passim.

11. Ibid., XIV, S. 351.

12. Ibid., XII, S. 261ff.; XIII, S. 762ff.; XIV, S. 335.

13. Ibid., XV, S. 250.

14. Zitiert bei Rolf Grabower, *Preußens Steuern vor und nach den Befreiungskriegen*, Berlin 1932, S. 112.

15. Hans Albert Freiherr von S . . . , *Apologie des Adels*, Berlin 1807, S. 52f.

16. Über die beruflichen Ausbildungsanforderungen für den höheren Dienst siehe *Annalen der Preussischen Staatswirthschaft und Statistik*, II (1805), S. 405ff.

17. Vilfredo Pareto, *The Mind and Society*, Bd. III, New York 1935, S. 1423.

18. Siehe Max Scheler, *Versuche zu einer Soziologie des Wissens*, München 1924, S. 44, 55, 72, 76ff.; Hans Weil, *Die Entwicklung des deutschen Bildungsprinzips*, Bonn 1930, S. 223ff., 236; Norbert Elias, *Über den Prozeß der Zivilisation*, Bd. I, S. 21ff.; Levin Schücking, *The Sociology of Literary Taste*, London 1944, S. 18.

19. Wilhelm Dilthey, *Leben Schleiermachers*, 2. Aufl., Bd. I, Berlin 1922, S. 223–229; Josef

Nadler, *Literaturgeschichte der deutschen Stämme und Landschaften*, 2. Aufl., Bd. III, Regensburg 1924, S. 215; Hannah Arendt, *The Origins of Totalitarianism*, New York 1951, S. 57–62.

20. Knoblauch, *Über die sittliche und wissenschaftliche Bildung der jungen Edelleute*, zitiert in: Friedrich Meinecke, *Das Leben des Generalfeldmarschalls Hermann von Boyen*, Bd. I, Stuttgart 1896, S. 111.

21. Adolf von Grolman in der Einleitung zu *Eichendorffs Werke*, Bd. I, Leipzig 1928, S. 53.

22. *Johann Gottlieb Fichtes Sämtliche Werke*, Hrsg. J. H. Fichte, VI (1845), S. 218, 221–225. Eine ähnliche Charakterisierung in: August Hennings, *Vorurtheilsfreie Gedanken über Adelsgeist und Aristokratismus* (1792), S. 24f. Vgl. auch *Briefe und Aktenstücke zur Geschichte Preußens unter Friedrich Wilhelm III.*, Hrsg. Franz Rühl, Bd. I, Leipzig 1899, S. 18.

23. Matthew Arnold, *Culture and Anarchy*, New York 1924, S. 5.

24. Ibid., S. 7.

25. *The Recollections of Alexis de Tocqueville*, New York 1896, S. 305f.

26. *Correspondence and Conversations of A. de Tocqueville with Nassau William Senior*, 2. Aufl., Bd. I, London 1872, S. 93.

27. *Deutsche Literatur, Reihe Romantik*, Hrsg. Paul Kluckhohn, Bd. X, Leipzig 1935, S. 176. Vgl. auch *H. v. Kleists Werke*, Hrsg. Erich Schmidt, Bd. V, S. 24–39.

28. *Westfälische Briefwechsel*, Hrsg. Heinrich Kochendörffer, Bd. I, Münster 1930, S. 13.

29. *Immanuel Kants Sämtliche Werke* (Großherzog-Wilhelm-Ernst-Ausgabe), Bd. I, S. 163–171.

30. Siehe *Allgemeines Landrecht für die Preussischen Staaten*, IV, Zehnter Teil: Von den Rechten und Pflichten der Diener des Staates. Vgl. auch *Jahrbücher der preussischen Monarchie unter der Regierung Friedrich Wilhelms des Dritten*, Bd. I, Berlin 1798, S. 20f.; Clemens Theodor Perthes, *Der Staatsdienst in Preussen*, Hamburg 1838, S. 144–173.

31. Siehe A. Stölzel, *Brandenburg-Preussens Rechtsverwaltung*, I, S. 301ff.

32. *Acta Borussica, Handels-, Zoll- und Akzisepolitik*, III, Teil 1, S. 161.

33. *Acta Borussica, Getreidehandelspolitik*, IV, S. 117f., 227f.

34. *Acta Borussica, Behördenorganisation*, XI, S. 314ff.; XII, S. 269; XIV, S. 167f.

35. Ibid., XII, S. 261ff.; XIII, S. 762ff.; XIV, S. 335; *A. B., Handels-, Zoll- und Akzisepolitik*, III, Teil 1, S. 375.

36. L. B. Namier, *England in the Age of the American Revolution*, London 1930, S. 4f.

37. *Acta Borussica, Behördenorganisation*, XIII, S. 283ff.; XV, S. 54f., 88f., 220f., 378; O. Hintze, in: *Forschungen zur Brandenb. & Preuss. Gesch.*, X (1897), 275–309; Johannes Ziekursch, *Hundert Jahre schlesische Agrargeschichte*, Breslau 1915, S. 184–221 und passim; *Die Neumark. Jahrbuch des Vereins für die Geschichte der Neumark*, IV (1927), S. 4–8.

38. *Acta Borussica, Behördenorganisation*, XIII, S. 283ff.

39. W. Schultze, *Gesch. d. Preuss. Regieverwaltung*, S. 27ff.; *Acta Borussica, Behördenorganisation*, XIV, S. 174ff.; *A. B., Handels-, Zoll- und Akzisepolitik*, III, Teil 1, S. 361, 374ff.

40. *Acta Borussica, Handelspolitik*, III, Teil I, S. 375.

41. Ibid., III, Teil 1, S. 181; *Behördenorganisation*, XIV, S. 186f.

42. Aufschlußreiche Beispiele dieser vielfältigen Methoden in: *Acta Borussica, Handelspolitik*, III, Teil 1, S. 156f., 160ff., 166ff., 180f., 221ff., 229ff., 253, 256, 276ff., 284ff., 287, 290–326; *Behördenorganisation*, XIV, S. 186f., 195f.; *Preussische Jahrbücher*, CXXX (1907), S. 283. Vgl. auch Edith Ruppel-Kuhfuss, *Das Generaldirektorium unter der Regierung Friedrich Wilhelms II.*, Würzburg 1937, S. 38, 98ff.

43. Siehe O. Hintze, *Staat und Verfassung*, 1. Aufl., S. 290f.; item, *Geist und Epochen der Preussischen Geschichte*, S. 558ff.

44. *Forschungen z. Brdb. u. Preuss. Gesch.*, VII (1894), S. 429f.; XXXVIII (1926), S. 321; XXXXI (1928), S. 333. Vgl. auch Wilhelm Dilthey, *Gesammelte Schriften*, XII, Leipzig 1936, S. 149.

45. *Die Reorganisation des Preußischen Staates unter Stein und Hardenberg*, I, Hrsg. Georg Winter, Leipzig 1931, S. 114.

46. In den Worten des Rates von Lamotte, *Practische Beyträge*, I, Berlin 1789, S. xiii–xiv: »Nur leichtsinnige oder vorwitzige Leute, denen es eigen ist, Dinge zu beurteilen, von denen sie keine Begriffe haben, unser Cameralwesen tadeln, und ihre Geringschätzung desselben muss uns ebenso gleichgültig sein als ihr Lob. Blos demjenigen kann man eine richtige Beurteilung desselben zutrauen, der darin gearbeitet und sich als ein geschickter Arbeiter ausgezeichnet hat, und der die Landesgesetze und Verfassungen sowie das Land und den Staat selbst genau kennet. Von bösen Menschen, die hierin völlig unwissend, aber dreist genug sind, um unlautere Absichten durchzusetzen, haben wir allerdings noch manches schiefes Urteil über unsere Cameral- und Finanzeinrichtung, wie auch viele abgeschmackte oder wohl gar verderbliche Vorschläge zu erwarten, allein ihre Flut mag so stark werden, als sie nur immer will, so bleibt doch dem rechtschaffenen preussischen Cameralisten der Trost übrig, dass sie die festen Grundpfeiler der alten Cameralverfassung seines Vaterlandes nicht erschüttern, und sie noch in fernen Zeiten, wenn das Gewäsche mutwilliger Tadeler und unbesonnener Projektmacher lange vergessen sein wird, ein Muster für andere Staaten sein und bleiben werde.« In unpersönlicheren Wendungen, aber im gleichen Geist beruflicher Selbstgefälligkeit, äußert sich Georg Borowski, *Abriss des praktischen Cameral- und Finanzwesens ... in den Königlich Preussischen Staaten*, 3. Aufl., I, Berlin 1805, S. xxxviif.: »Die preussische Cameral- und Finanzverfassung ist wohl sicher unter allen die beste, sie ist ein Muster für die Cameralverfassung anderer Länder. Dies ist ausgemacht und anerkannt – gibt ihr daher einen hohen Wert und Würde; sie muß also auf sehr richtige und unbezweifelte Grundsätze gestellet sein, sie muß auf sichern und unfehlbaren Verfahrungsregeln beruhen, sie muß für den Staat die zuträglichste sein, d.h. sie muß Glück und Macht des Regenten und seines Staates, und zugleich Glückseligkeit und Wohlstand der Staatsuntertanen befördern können; wie sie es auch wirklich tut.«

47. Christian Jacob Kraus, *Vermischte Schriften*, II, Königsberg 1808, S. 247.

Der Aufgeklärte Absolutismus (Italien)

FRANCO VALSECCHI

1. Bis zum 18. Jahrhundert blieb der Absolutismus durch die Berufung auf das göttliche Recht des Fürsten gesichert. Gott hat den Herrschern ihre Gewalt verliehen. *»A Deo Rex, a Rege Lex«:* Quelle allen Rechts, Inhaber aller Gewalt ist der Fürst. Jeder, der irgendeine Macht im Staate innehat, verdankt sie ihm: Alle Vorrechte, alle Immunitäten sind lediglich Zugeständnisse des Königs, ein vom Herrscher gewährtes Privileg. Die partikularen Kräfte, wie der Feudaladel oder die autonomen städtischen Verbände, sind nur Abglanz der königlichen Autorität. Und ihre Wirkung ist fortwährend durch den Eingriff der königlichen Gewalt, die ihre Machtbefugnisse auszudehnen sucht, begrenzt. Zunehmende Verdrängung der partikularen Elemente, mit der eine mehr und mehr energische Behauptung der Zentralgewalt einhergeht. So vollkommen die Unterdrückung der partikularen Mächte auch war, vermochten sie ihre Existenz dennoch weiterhin zu behaupten. Die Struktur von Staat und Gesellschaft änderte sich in ihrer Form nicht: die alte, vom Mittelalter her ererbte politische und soziale Ordnung bestand fort. Es herrschte weiterhin die alte Scheidung der sozialen Stände, von denen ein jeder sich mit der Mauer seiner feudalen, geistlichen oder korporativen Privilegien umgab. Die Verwaltung war noch immer nicht vereinheitlicht, und die städtischen und territorialen Autonomien existierten weiter. Es gab noch kein einheitliches Recht für die Gesamtheit des Staatsgebietes. Die Autorität des Monarchen erfaßte alle Bezirke, zeigte sich aber überall anders, achtete die lokalen Freiheiten, Institutionen und Bräuche. Eine ganze Welt lebte nach ihren eigenen Gesetzen innerhalb des Gesetzes des fürstlichen Absolutismus und begrenzte mit den von ihr aufgestellten Schranken die scheinbare Allgewalt des Herrschers: das bis ins Detail ausgebaute Netz der partikularen Mächte splitterte die staatliche Einheit in Fragmente auf.

Die Forderung des Absolutismus nach Vereinheitlichung und Zentralisierung blieb eine reine Demonstration der Macht von seiten der Zentralgewalt, bedeutete aber nicht die Beseitigung der überkommenen politischen und gesellschaftlichen Ordnung. Der Absolutismus errichtete sein Gebäude auf den alten, mittelalterlichen Fundamenten: er blieb an eine Vergangenheit gebunden, von der er sich nicht emanzipieren konnte. Das Fortbestehen des Systems der Privilegien hinderte die Fürsten daran, ihre geschichtliche Aufgabe, die Errichtung eines starken und zentralisierten Staates, zur Vollendung zu bringen. Vor den Schranken des Privilegs machte die Staatsmaschine halt und wurde hier funktionsunfähig. Auf dem augenscheinlichen Glanz der Monarchien lasteten finanzielle Probleme wie ein Alpdruck. Die willkürli-

Nuove questioni di storia del Risorgimento e dell' unità d'Italia 1, 1961, S. 189–240. Der Aufsatz wurde in Abschnitt 3 gekürzt (Kürzungen durch . . . gekennzeichnet); auf die Wiedergabe von Abschnitt 4 (über die Ursprünge des Risorgimento) und der Bibliographie raisonnée konnte verzichtet werden.

che Verteilung der fiskalischen Lasten, die nicht minder willkürlichen Systeme der Steuereinziehung und der Verwaltung verringerten die für die Deckung der Ausgaben immer weniger ausreichenden Einkünfte noch weiter. Die im großen Stile geführte Machtpolitik, das Parasitentum an den Höfen verschlangen das Einkommen der reichsten Dynastien Europas und führten zu einem in beängstigender Weise steigenden Defizit. In den ersten Jahrzehnten des 18. Jahrhunderts gab es praktisch keinen Staat in Europa, gleich, ob groß oder klein, der nicht unmittelbar vor dem Konkurs stand. Die Sanierungsmittel, auf die die Herrscher zurückgegriffen hatten, wie Veräußerung der staatlichen Einnahmen, Erhöhung der Staatsschulden, Verstärkung des fiskalischen Drucks, konnten den Zustand nur noch verschlechtern, da sie die Verpflichtungen des Staates weiter vergrößerten.

Um den toten Punkt zu überwinden, an dem die Weiterentwicklung des Absolutismus angelangt war, reichte der durch die Umstände angeratene Notbehelf nicht mehr aus. Das ganze System mußte geändert werden: »Um ein gutes Gebäude zu errichten, muß das alte niedergerissen werden«, schrieb Fürst Kaunitz, der Kanzler Maria Theresias und Josefs II.

Dies war eine Forderung, die auch dem Denken der Epoche immer deutlicher bewußt wurde. Die große geistige Bewegung der Aufklärung setzte sich durch. Ihre Wurzeln reichten zurück bis in die Zeit der Renaissance und der Reformation; ihre Schößlinge wuchsen mit den naturwissenschaftlichen Entdeckungen von Galilei, Newton und Kepler, mit den philosophischen Systemen von Bacon, Leibniz, Descartes. Natur, Vernunft, Erfahrungswissenschaft waren ihre Leitbegriffe; und es gelang ihnen, das alte System von Tradition und Autorität zu überwinden. Es waren die Leitbegriffe, deren sich das 18. Jahrhundert bemächtigte und die es aus der Höhe der abstrakten Wissenschaft und der philosophischen Spekulation auf das niedrigere Niveau der Allgemeinbildung brachte, um sie auf die Gegebenheiten des praktischen Lebens anzuwenden. England setzte diese Bewegung in Gang: England, das von Locke über Shaftesbury zu Hume eine stattliche Schar von Erneuerern hervorbrachte. Aber die eigentliche Stätte der Popularisierung war Frankreich. Die französische Aufklärung übernahm das englische Ideengut als Ausgangspunkt, führte es konsequent weiter und schickte sich zur geistigen Eroberung Europas an. Mit der Encyclopédie machte sie die abstrakten Theorien dem breiten Publikum vertraut. Mit der beißenden Ironie eines Voltaire wurde sie zur Kampfwaffe gegen das Ancien régime; sie deutete das Streben nach einer neuen Gesellschaftsordnung mit Hilfe der verfänglichen gefühlvollen Hingebung eines Rousseau; sie gab die Richtlinien für ein neues politisches System mit den ausgearbeiteten rationellen Entwürfen eines Montesquieu an.

Charakteristisch für das neue Denken war ein entschlossener und radikaler Widerstand gegen die traditionellen Werte. Als Führer und Richter aller Dinge galt ein einziges Maß, die Vernunft. Die Prinzipien der Vernunft sollten auf jedem Gebiet Anwendung finden, sollten das Leben durchdringen und es beherrschen. Um die Finsternis der Vergangenheit zu vertreiben, verkünden die neuen »Philosophen«, ist die Sonne der Vernunft am Horizont aufgegangen und erhellt den Weg der Menschheit. Licht, Erleuchtung, dies sind die Worte, die auf Schritt und Tritt begegnen: Zeitalter des Lichtes, der Aufklärung. »In unserem Jahrhundert« – sagt Voltaire – »haben die Menschen von einem Ende Europas zum anderen hin mehr Licht empfangen als in allen vorangegangenen Epochen.« Die Tradition gilt als Finsternis, von der eine neue Offenbarung, die der Vernunft, den Menschen erlöst hat.

Und im Lichte der Vernunft stehend, beginnt man auch den Staat einer Revision zu unterziehen, vor allem sein Verhältnis zum Individuum und den Begriff der Souveränität. Gemäß der traditionellen Vorstellung galten die dem Individuum zuerkannten Rechte als eine Gewährung, die von oben, vom Souverän herrührte. Sie waren vom Monarchen verliehene Privilegien, nicht Rechte, die dem einzelnen als solchem zukommen, weil sie von Natur aus in ihrem Menschsein begründet sind. Das aufgeklärte Denken verkündete die Unverletzlichkeit eines ganzen Bündels von Rechten, die allen Menschen durch die staatliche Ordnung zuerkannt werden mußten. Die Grundlage der politischen und gesellschaftlichen Ordnung stellt fortan das Individuum dar. Es allein verleiht dem Staat sein Leben, von ihm empfängt der Fürst seine Gewalt.

Wir stehen hier vor einer gewichtigen Wandlung, vor der genauen Umkehrung des Souveränitätsbegriffes. Das göttliche Recht der Fürsten verliert seine Bedeutung. Der Ursprung ihrer Gewalt wird an einen Vertrag gebunden, in dem das Volk ihnen die Souveränität anvertraut. Der Selbsterhaltungsdrang, das Streben nach Sicherheit habe die Individuen dazu getrieben, eine Gemeinschaft zu bilden, sich dem Schutze eines Oberhauptes anzuvertrauen.

Die Lehre vom Contrat social als dem Ursprung des Staates und als der Quelle seiner Macht wurde in kurzer Zeit zum Allgemeingut und fand in Rousseau ihren bedeutendsten Verkünder. Sie enthielt schon einiges von dem, was die Epoche ihre Errungenschaften nannte: als erstes von allem die Idee der grundsätzlichen Gleichheit der Menschen. Dann die Behauptung, daß der Zweck des Staates das Wohlergehen der Individuen sei, die ihn bilden. Und wenn der Souverän ein Vertreter des Volkes ist und nicht der ihm von Gott bestimmte Schutzherr, so ist er verpflichtet, das Interesse des Volkes zu wahren, nicht aber das Seinige. Fortan ist das Volk nicht mehr für den Herrscher da, sondern der Herrscher für das Volk.

Die Lehre vom Contrat social ließ jedoch ein Problem ungelöst: Sollte die Übergabe der Gewalt an den Souverän durch das Volk unbegrenzt und unwiderrufbar sein? Oder handelte es sich um ein einfaches Mandat, das das Volk begrenzen und widerrufen kann, da es selbst der wahre Souverän ist? Die beiden Auslegungen stießen aufeinander und bekämpften sich gegenseitig sowohl in den Systemen der Theoretiker als auch in der praktischen Politik der Zeit. Die eine siegte zunächst mit dem Aufgeklärten Absolutismus, wo sie dem alten Ideal eines monarchischen Staates neues Leben verlieh. Die andere sollte, nachdem sie an dem Zustandekommen der Französischen Revolution entscheidend mitgewirkt hatte, in der konstitutionellen Bewegung des folgenden Jahrhunderts auslaufen. Schon in den ersten Anfängen der aufklärerischen Bewegung hatte Hobbes die Frage zugunsten eines unbegrenzten Mandats des Volkes an den Fürsten beantwortet. Doch fehlte es auch nicht an Vorkämpfern für die andere Version. In England vertrat John Locke die Rechte des Individuums gegenüber dem staatlichen Eingriff. Frankreich besaß mit Montesquieu den bedeutendsten Theoretiker des kontinentalen Institutionalismus, während Rousseau den Weg zum demokratischen Staat wies. Aber dieser Zugeständnisse an das Individuum konnten praktisch erst wirksam werden, als eine tiefgreifende politische Wandlung die Fürsten zwang, einen Teil ihrer Macht freizugeben oder sie einzugrenzen. Auf dem Kontinent behauptete sich vor der Französischen Revolution die absolutistische Lösung: der sogenannte Aufgeklärte Absolutismus. Aus der Annahme, daß die Souveränität ihren Ursprung beim Volke hat und ihr Ziel das Wohlergehen des Volkes ist, wurde die Folgerung gezogen, daß sie unbegrenzt und unwiderrufbar sein muß. Die deutschen Vertreter der Naturrechtslehre, Pufendorf, Thomasius, Christian Wolf, unterstrichen gerade diese beiden Grundsätze: absolute Gewalt beim Fürsten, Wohlstand beim Volke. Das Volk hat seine Vollmacht dem Souverän übertragen, weil dieser für sein Wohlergehen sorgt. Die Veräußerung der Macht mußte ohne Einschränkung geschehen, wenn man wollte, daß der Fürst seine Aufgabe erfüllen konnte: eine streng absolutistische Auffassung, die allein durch die Vorstellung von der Pflicht, die der Fürst zu erfüllen hat, gemäßigt ist. Er besitzt alle Rechte, doch nur weil er auch alle Pflichten übernommen hat. Dem Fürsten ist die höchste Gewalt übertragen, weil er sich ihrer zur Erfüllung des Zweckes, der Anlaß der Gründung des Staates war, bedient: die Sorge um das öffentliche Wohl und das Glück der Untertanen. Er steht über den Gesetzen, aber eine moralische Verpflichtung hält ihn weiterhin an diese gebunden. Er muß die Grundrechte der Untertanen achten: Leben, Freiheit, Besitz.

Die deutsche Schule der Naturrechtler griff bei der Formulierung der neuen absolutistischen Theorie auf die Lehre von den moralischen Bindungen des Souveräns zurück. Eine dem Geist der Aufklärung mehr entsprechende Version, die sich mehr auf die rationalen Kategorien der Aufklärung als auf jene moralischen stützte, war hingegen die Lehre der französischen Schule, die Schule, die auf dem Gebiet der Wirtschaft den Namen Physiokratie annahm. In der Politik stellte sie den Begriff des »legalen Absolutismus« dem des »willkürlichen Absolutismus« gegenüber, was der Unterscheidung zwischen dem traditionellen Absolutismus und dem neuen Aufgeklärten entsprach. Der Absolutismus, sagt Mercier de la Rivière, Hauptexponent dieser Lehre, ist die beste Regierungsform, weil er seine Bürgschaft in sich selbst birgt. Man kann den Fürsten mit einem Besitzer vergleichen, der seine Güter selbst verwaltet: Es liegt in seinem Interesse, sie auf die beste Art und Weise zu verwalten. Der Absolutismus gewährleistet eine gute Regierungsführung, weil der Fürst den vollen Nutzen hat, wenn er gut regiert, und den vollen Schaden trägt, wenn er schlecht regiert. Aber das setzt eines voraus: daß der Souverän seine Interessen selbst kennt, daß er sich seiner Absichten klar bewußt ist, daß er mit einem Wort ein »aufgeklärter« Fürst ist. Die Ordnung der Gesellschaft ruht in ihren Fundamenten auf bestimmten Prinzipien, die die Natur selbst bedingt. Ein aufgeklärter Fürst wird derjenige sein, der sein Verhalten auf diese Prinzipien zu gründen weiß, d.h. auf die wahren Gesetze der gesellschaftlichen Ordnung. »Legaler« Absolutismus, weil der Fürst den höchsten Gesetzen gehorcht. Die Sicherheit, die er bietet, ist einerseits begründet durch die Übereinstimmung der Interessen des Herrschers und der Untertanen und andererseits durch eben diesen Gehorsam gegenüber den Gesetzen, die naturgemäß das gesellschaftliche Leben bestimmen.

Mit der Lehre vom legalen Absolutismus sind die Grundsätze des neuen Absolutismus klar umrissen. Wir sehen, wie deutlich hier das Moment, das den alten Begriff verwandelt, erkannt wird, wie das neue Denken, hier als Erkenntnis der sozialen Gesetze, dem alten Stamm des traditionellen Absolutismus eingeimpft wird.

Nach dieser Einimpfung steht der Absolutismus mit neuer Lebenskraft da. Die Rechtmäßigkeit seiner Gewalt, die damit gegeben ist, daß er im höchsten Interesse der Gesellschaft zu wirken hat und in deren Namen Gehorsam fordern kann, befähigt ihn zur Ausübung größter Macht. Keine Gewalt hat das Recht, sich dieser Gewalt zu widersetzen, die im Sinne des Interesses der Gemeinschaft ausgeübt wird. Der Klerus, der während des Regimes der Privilegien einen Stand für sich im Staate bildete und allein den Gesetzen Roms Gehorsam leistete, wird in die staatliche Ordnung zurückgeführt und den allgemein geltenden Gesetzen untergeordnet. Und die unerbittliche staatliche Ordnung kontrolliert seine Beziehungen zu Rom und macht sie de facto zunichte. Dieser politische Angriff gegen die Macht der Kirche ist durch den »philosophischen« Angriff der neuen Lehre gegen die katholische Kirche beeinflußt und hat sich bisweilen mit dem Geist der Aufklärung identifiziert. Absolutismus und Aufklärung kämpfen Seite an Seite und tauschen ihre Waffen untereinander aus.

Der Aufstieg des Absolutismus wird nicht nur in der Behauptung der unbegrenzten Gewalt des Staates greifbar, sondern auch in der Ausweitung der staatlichen Amtsobliegenheiten. Die Macht des Staates gewinnt nicht nur an Gewicht, sondern auch an Ausdehnung. Die Funktionen des Staates sind nicht länger auf die politische Führung, auf die Sicherung der inneren Ordnung und auf die Macht nach außen hin beschränkt. Der Souverän hat für das Wohlergehen der Untertanen zu sorgen. Daher vervielfachen sich seine Aufgaben, sie umfassen die gesamte Aktivität des Menschen, da das Wohlergehen eben seine ganze Aktivität betrifft. Der Untertan wird als ein Mündel betrachtet, dessen aufgeklärter Vormund der Souverän ist, der angehalten ist, auf Schritt und Tritt das Wohl desselben zu beachten. Friedrich II. sagt, daß er sein Volk wie ein krankes Kind behandle.

Der Staat festigt so sein Recht der souveränen Macht, die keine Grenzen kennt und eingreift, um alles Tun im Staate zu lenken. Der Absolutismus erreicht diesen Höhepunkt, geführt von den Impulsen der neuen Ideen. Selten findet man in der Geschichte, daß sich eine gedankliche Bewegung so unmittelbar in der Praxis auswirkt: es ist die Epoche der herrschenden Philosophen und der philosophischen Herrscher. Selbst auf die Wirtschaftspolitik, auf die die Fürsten, gedrängt durch die finanzielle Notlage des Staates, immer mehr ihre Aufmerksamkeit lenken und über die sie eifersüchtiger wachen als über die Hauptquellen ihrer Einnahmen, wirkt sich das neue Gedankengut aus.

Die alte Wirtschaftspolitik folgte dem System des »Merkantilismus«: staatliche

Intervention zur Steigerung von Handel und Industrie, Zollprotektionismus zu ihrem Schutze. Die Absicht des Fürsten war, durch einen raschen Reichtumszuwachs einen entsprechenden Gewinn für die Staatskassen zu erzielen. Diese Politik war auf praktische und unmittelbare Ziele ausgerichtet, so daß sich das Problem der Suche nach Wirtschaftsgesetzen nicht stellte und man sich nicht um eventuelle Rückwirkungen auf die Wirtschaft und die soziale Struktur des Landes kümmerte. Das aufgeklärte Denken nimmt das Problem systematisch in Angriff, arbeitet die entsprechenden Gesetze aus und liefert die Grundlagen für eine nicht nur vom augenblicklichen Nutzen bestimmte Wirtschaftspolitik. Sie entwickelt eine organische und den Verhältnissen angepaßte Konzeption, die sich auf allgemeingültige rationale Grundsätze stützt. In Frankreich kommt die physiokratische Lehre auf. Physiokratie heißt: Herrschaft der Naturgesetze. Den Gesetzen der Natur willfahren, ihnen die größtmögliche Handlungsfreiheit belassen, dies ist die Aufgabe des Staates. Nicht also der merkantilistische Interventionalismus, der den »willkürlichen« Absolutismus auf wirtschaftlichem Gebiet kennzeichnet, sondern nur umsichtige Überwachung als Merkmal des »legalen« Absolutismus, der dank seines aufgeklärten Charakters für die Lenkung der wirtschaftlichen und sozialen Verhältnisse die von der Natur gegebenen Gesetze befolgt. Folglich Arbeits- und Handelsfreiheit, Abschaffung der alten korporativen Sonderrechte und auch der vom Merkantilismus für die Wirtschaft aufgestellten Schranken. Rückkehr zur Agrarwirtschaft, zum Ackerbau, jenem mächtigen Stamm, von dem alle anderen Wirtschaftsformen nur Zweige sind. So lautet das Konzept der Schule der Physiokraten und ihres Gründers François Quesnay, des Leibarztes Ludwigs XV. Das fordern, seinen Spuren folgend, die Enzyklopädisten. Die gleiche Aufforderung, die Naturgesetze zu befolgen, findet man auch in den liberalen Theorien des Adam Smith. Er unterscheidet sich von den Physiokraten dadurch, daß diese die natürliche Ordnung als ein erst zu verwirklichendes und durch den Staat zu schaffendes System ansehen, während sie sich für Smith selbst realisiert. Sie ist nach seinen eigenen Worten: »Das vorhandene und einfache System der natürlichen Freiheit, das sich von selbst anbietet und schon eingerichtet ist.« Es geht ihm weniger als den Physiokraten darum, die Interessen der Landwirtschaft gegenüber der Industrie zu verteidigen. Bei ihm liegt das Schwergewicht auf der Freiheit der Arbeit für jeden, was er auch immer sei, Bauer, Handwerker, Kaufmann, gegenüber den Einschränkungen in der alten Ordnung, also Produktions- und Handelsfreiheit bei geringer staatlicher Intervention, Verzicht auf Zollprotektionismus. Die Stimmen der »Philosophen« finden bei den Herrschern Gehör und werden zu Leitprinzipien für deren Verhalten, auch wenn die Anwendung dieser Grundsätze oft durch praktische Erwägungen, die die Fürsten auf dem alten Wege festhalten, eingeschränkt wird. Die Einimpfung »philosophischer« Ideen in den absolutistischen Stamm geschieht nicht immer in gleichem Maße. Das Machtziel, das sich der Absolutismus setzt, zwingt ihn zu seinem realistischen Verhalten, das sich nicht immer den Regeln des »philosophischen« Doktrinarismus beugen kann. Wie intensiv sie aber auch immer sein mag, diese Einimpfung wird wirksam und gibt dem neuen Staat sein Gepräge. Es entwickelt sich eine Reformaktivität, die an die Stelle des traditionellen

Staates einen an den Prinzipien der Vernunft ausgerichteten Staat setzen will, die auf dem alten, regellos gewachsenen Gebäude mit seinen verwickelten und chaotischen Verflechtungen ein neues systematisch geordnetes und nach einem rationalen Plan gegliedertes Gebäude errichten will. Der Absolutismus hat im aufklärerischen Denken einen starken Verbündeten gefunden. Solange er den traditionellen Vorstellungen treu geblieben war, konnte der Absolutismus sich nicht von der Unzahl der Schranken befreien, die die vom Mittelalter her ererbte politische und soziale Struktur ihm auferlegten. Die Aufklärung, die das Problem des Staates auf eine neue Formel bringt, eröffnet den Weg zur vollständigen Verwirklichung der Idee des Absolutismus. Wie ein großer Fluß, dem die Hindernisse in seinem Bett weggeräumt worden sind, nimmt der Absolutismus seinen Weg wieder auf. Und er bewältigt in wenigen Jahrzehnten eine Strecke, für die Jahrhunderte nicht genügt hatten.

Aber die philosophische Ausrichtung lastet auch auf dem Aufgeklärten Absolutismus wie eine Hypothek. Unter dem Einfluß der Aufklärung glaubt er aus der abstrakten Vernunft die Formeln ableiten zu können, an denen die reale Situation des Staates beurteilt und kritisiert werden muß. Der Staat verliert die Rechtmäßigkeit und die vitale Kraft der historisch gewachsenen Wirklichkeit aus den Augen, indem er von der zu einfachen Voraussetzung ausgeht, es genüge, all das zu beseitigen, was in der Wirklichkeit irrational erscheint, um die Gesellschaft mit Hilfe eines abstrakten, rationalen Prinzips neu errichten zu können.

2. Der Aufgeklärte Absolutismus ist ein gesamteuropäisches Phänomen. Nur England, das jedoch den ersten Anstoß zu dem neuen Denken gegeben hat, läßt sich nicht auf diesen gemeinsamen Nenner bringen. Dank seiner eigenartigen Entwicklung und seines konstitutionellen Systems ist England nicht an die Gesetze gebunden, die das Leben auf dem Kontinent bestimmen. Auf dem Kontinent dagegen beherrscht der Aufgeklärte Absolutismus die politische Situation des Jahrhunderts. Er behauptet sich vom Mittelmeer bis zur Ostsee, von der Elbe bis zur Donau.

Es ist überraschend, daß das Zentrum der politischen Bewegung nicht mit dem der intellektuellen Bewegung identisch ist. Das Kernland der Aufklärung, Frankreich, lebt nur am Rande der großen Reformbewegung, die seine Ideen in Europa ausgelöst haben. Während das französische Ideengut gleichsam die Avantgarde des modernen Denkens darstellt, bleibt die politische und soziale Struktur Frankreichs geradezu rückständig. Das Königtum, das eine fast unbegrenzte Macht in sich vereinigt hat, verwendet sich nicht für eine Nivellierung der gesellschaftlichen Unterschiede, die ein gewisses Gleichgewicht zwischen den verschiedenen Schichten des Sozialgefüges hätte schaffen können. Es nimmt dem Adel jegliche Unabhängigkeit gegenüber dem Throne, läßt aber zu, daß er gegenüber den Untertanen an seinen Feudalrechten festhält. Es duldet, daß der Adel gemeinsam mit dem Klerus seine Steuerfreiheit zum Schaden der weniger wohlhabenden Schichten sorgenlos genießt. Gerade die Schwächsten haben hier die erdrückenden Steuerlasten zu tragen, ohne daß die erschöpfte Staatskasse von ihnen einen angemessenen Gewinn erhoffen könnte. Die Verwaltung der Staatsfinanzen befindet sich noch in primitivem Zustand. Das System der Steuerverpachtungen verstreut die Einnahmen über eine Unzahl von Mittlern, die sich auf Kosten des Staates und des Volkes bereichern.

Während es in Preußen und in Spanien, in Italien und in Österreich und sogar in Rußland die Zeit der Philosophen-Herrscher ist, herrscht in Frankreich gemäß der Tradition des Ancien régime Ludwig XV. isoliert auf der Höhe seines Thrones. Geblendet von dem die Krone umstrahlenden Glanz seiner Allgewalt, empfindet der Erbe des Sonnenkönigs nicht wie die übrigen europäischen Fürsten die Notwendigkeit, durch die Kontaktaufnahme der neuen geistigen Bewegung an Macht zu gewinnen. Er blickt auf der Höhe seiner Allmacht auf diese Welt herab, ohne ihre Bedeutung einzuschätzen. Er erlaubt, daß die Philosophen sich in ihrem abstrakten, intellektuellen Spiel austoben, aber er erlaubt nicht, daß ihre Theorien in Reformen Anwendung finden. Weit davon entfernt, wie anderswo im Königtum den eigentlichen Initiator zu finden, begegnen die Reformen hier nur Unverständnis und Mißachtung. Erst als das Ansehen des Thrones allmählich schwindet und auf den autoritären Ludwig XV. der unsichere und schwache Ludwig XVI. folgt, gelingt es der Aufklärung, sich den Weg durch das geschwächte Gefüge der Monarchie zu eröffnen und wenn auch nicht Verständnis, so doch wenigstens Toleranz für ihre Reformabsichten zu finden. In Ermangelung eines aufgeklärten Fürsten verfügt die Regierung Ludwigs XVI. aber über aufgeklärte Minister wie Turgot und Necker. Diese haben rasch erkannt, welches die wunde Stelle im staatlichen Organismus ist: die Finanzverwaltung. Die chronische Unordnung des Steuersystems hatte den Staat an den Rand der Bankrotte und das Land dem Ruin nahe gebracht. Nur eine energisch durchgeführte Reform konnte Heilung verschaffen. Aber das hieß, das System der Privilegien aufheben, die politische und soziale Struktur verändern, die Grundlagen einer als unantastbar geltenden Ordnung umstürzen. Um dieses Ziel zu erreichen, um der Reaktion der verletzten Standesinteressen Herr zu werden, um die Widerstandskraft des Ancien régime zu brechen, wäre die bedingungslose Unterstützung durch ein Königtum notwendig gewesen, das sich seiner neuen Aufgabe bewußt war und über genügend Macht verfügte, um sie zu erfüllen. Der französischen Monarchie war dieses Bewußtsein fremd, und es wird ihr immer mehr an Kraft dazu fehlen.

Der französische Absolutismus erweist sich als unfähig zur Weiterentwicklung. Da er schon mit Ludwig XIV. auf dem Höhepunkt seiner Macht angelangt war und der Adel auf politischem Gebiet nur noch ein Satellit der Krone war, empfindet er nicht die Notwendigkeit, sich auch in Jurisdiktion und Verwaltung durchzusetzen, indem er die Privilegien abschafft und die Struktur des Staates und der Gesellschaft umformt. Er ruht auf der bestehenden Ordnung und hält sich ganz an die Verhältnisse des Ancien régime, bleibt an die traditionellen Stände gebunden und weist das Bündnis mit den neuen Ideen von sich.

Grundverschieden von dieser ist hingegen die Situation der anderen Monarchien auf dem Kontinent. Im übrigen Europa hatte der Absolutismus nicht die gleiche Entwicklung erfahren wie in Frankreich und hatte auch nicht, wie es in Frankreich der Fall war, die privilegierten Stände der Krone gefügig gemacht. Der Adel erhebt sich noch gegen die fürstliche Gewalt als eine konkurrenzfähige Macht, mit der sich der Staat zu messen hat. Die neuen Theorien erscheinen den Fürsten als ein Mittel, um die Macht der mit ihnen rivalisierenden privilegierten Stände zu brechen, als ein Argument, die umstrittene Vormacht des Staates durchzusetzen. Anstatt sich wie in Frankreich in die Rolle der Opposition gedrängt zu sehen, werden die Exponenten des neuen Denkens zu Mitarbeitern und Verbündeten bei der Errichtung des gemeinsamen Werkes.

Wenn auf dem Thron jemand sitzt, der die Konsequenzen dieser Gegebenheiten erkennt, ein Herrscher, der für die Stimmen der Zeit aufgeschlossener und verständiger ist, als es die Bourbonen in Frankreich sind, so findet der Aufgeklärte Absolutismus ein fruchtbares Gelände, wie etwa in Mitteleuropa, in den beiden großen Staaten, die gleichsam die beiden Angeln von Mitteleuropa darstellen, Österreich und Preußen. Preußen geht voran, wo das Königtum sich in raschem Aufstieg befindet, wo Friedrich Wilhelm I. schon eine zügig durchgeführte Reformpolitik zur Stärkung der Autorität des Staates eingeleitet hat und wo jetzt ein Anhänger der neuen Philosophie, ein »aufgeklärter« Fürst, Friedrich II. (1740–1786), den Thron besteigt. Er ist der »Philosoph auf dem Thron«, wie die neue Zeit ihn sich vorstellt: durchdrungen von der neuen Kultur, erfüllt von dem »Lichte«, das aus Frankreich kommt.

Dieser Begründer der preußischen Macht, dieser Held der deutschen Nation hat seine geistige Heimat im Frankreich der Aufklärung und der Encyclopédie. Die französischen Aufklärer feiern ihn als den Mäzen der neuen Renaissance. Sein Hof ist den neuen Humanisten aus Frankreich geöffnet. In Sanssouci, seinem kleinen und feinen Versailles, empfängt er den Patriarchen des neuen Denkens, Voltaire, als Gast. In den Akademien öffnet er den Vertretern der neuen französischen Kultur die Tore. Ein Franzose, der Mathematiker Maupertuis, ist Präsident der Berliner Akademie. D'Alembert, einer der Begründer der Encyclopédie, zählt zu den Mitgliedern der Akademie und empfängt eine Pension als großzügige Unterstützung von seiten des Monarchen. Das Französische ist die Lieblingssprache Friedrichs II. Er möchte, daß sie als Sprache der Kultur das Latein der Tradition ersetzt.

All dies ist eine Huldigung an den geistigen Vorrang Frankreichs, aber ist noch mehr eine Huldigung an die neue Wissenschaft, die in Frankreich ihren Interpreten hat als Ausdruck einer tiefgehenden Übereinstimmung mit seinem mathematischen und rationalen Geist. Friedrich II. bekämpft die traditionelle Wissenschaft an den Universitäten, das akademische Gelehrtentum. Ihm stellt er die Pflege der Naturwissenschaften und der exakten Disziplinen gegenüber. Er braucht keine Gebildeten und Gelehrten der alten Art, er braucht Verkünder der neuen Theorien, Leute, die sich mit naturwissenschaftlichen Problemen befassen, Fragen der praktischen Politik lösen, wie Ökonomen, Juristen, Technokraten und Mathematiker. Denn – und hier liegt das die Kultur der Aufklärung und die Politik des Absolutismus verbindende Moment – er möchte aus den Vertretern der Kultur die Erbauer des neuen politischen und sozialen Gebildes machen. Der Fürst fördert die Wissenschaft, die dem Fürsten dienlich ist, ihm bei der Erfüllung seiner Aufgaben hilft und zum Wohlergehen des ihm anvertrauten Volkes beiträgt. Als höchstes Ziel hat er das Volk und den Staat vor Augen, und die Kultur ist nichts als ein im Dienste dieses Zieles stehendes Mittel.

Philosoph also und Herrscher, aber Philosoph im Dienst des Herrschers. Wenn zwischen beiden ein Konflikt oder ein Widerspruch aufkommt, so hat der Fürst den Vorrang. Der Gehorsam gegenüber dem Geist der Zeit findet im Staatsinteresse seine Grenzen. In seiner Wirtschaftspolitik folgt Friedrich II. noch den alten Spuren des Merkantilismus, weil er meint, daß das Interesse des Staates es verlangt. Er befolgt die Lehre der Physiokraten nur dort, wo es ihm für den Staat nützlich erscheint. Er übernimmt von den Physiokraten die Idealisierung des Landlebens. Er fördert die Bauern dadurch, daß er bei der Kolonisierung der in Polen erworbenen und urbar gemachten Gebiete keine Feudalabhängigkeiten gestattet. Er verteidigt den Bauern vor Übergriffen der Herren. Doch hütet er sich, die alte Gesellschaftsordnung und das Abhängigkeitsverhältnis zwischen Bauern und Herren zu zerstören. Wenn auch die Ideen der Zeit auf soziale Gleichheit hindrängen, so zeigt die politische Praxis deutlich, daß die Existenz der privilegierten Schichten vom Staatsinteresse her gefordert ist, daß der Staat ihrer bedarf, um seine Leitbilder aufrechtzuerhalten.

Friedrich II. erläßt Gesetze, die sich von oben als allgemeingültiges Recht über die Vielzahl der Einzelrechte legen. Er reformiert das Zivilrecht nach den Vorstellungen der Interpreten der neuen sozialen und wirtschaftlichen Bedürfnisse. Er sichert die Verwaltung des Rechtswesens gegen die Mißbräuche der Fürsten ab. Er besorgt die Schaffung eines ausgebildeten, unabhängigen Richterstandes. Aber neben diesen Ansätzen zu einer rationalen und modernen Ordnung hält er auch an der alten Ordnung, wie der Ständehierarchie und den territorialen und korporativen Freiheiten, fest. Und wenn er auch das Strafrecht nach den neuen humanitären Grundsätzen reformiert, hütet er sich doch davor, die dunklen Winkel seiner Kasernen mit der Fackel der Aufklärung zu erhellen und mit einer humanen Haltung die schneidende Waffe seines Heeres abzustumpfen.

Wo auch immer im Regierungswerk Friedrichs des Großen eine Versöhnung zwischen dem »Philosophen« und dem Politiker notwendig ist, ist der Philosoph dem Politiker untergeordnet. »Ich hoffe«, schreibt er in der *Histoire de mon temps,* »daß die Nachwelt mir Gerechtigkeit zuteil werden läßt und in mir den König vom Philosophen unterscheiden kann, den ehrenwerten Menschen vom Politiker« (!). Auf religiösem Gebiet achtet der Philosoph in ihm auf Toleranz, auf die Gleichberechtigung der Konfessionen. Er sagt: »Alle Religionen müssen geduldet werden, und der Staat hat nur darüber zu wachen, daß die eine die andere nicht bedrängt, denn hier soll ein jeder nach seiner Façon selig werden.« Aber der Politiker achtet darauf, daß die Gewissensfreiheit mit den Forderungen der Politik vereinbar ist. Der Philosoph mag seine persönlichen Grundsätze verkünden, aber er seinerseits ist darauf bedacht, an seinen Rechten festzuhalten, die er als protestantischer Fürst in seinen Territorien ausübt, und er versucht sie auch auf seine katholischen Untertanen auszudehnen. Er öffnet den verfolgten Jesuiten die Tore Preußens, aber dies ist eher ein Akt opportunistischen Kalküls als ein Akt der Toleranz, denn er glaubt, aus dieser Hilfsbereitschaft seine Vorteile ziehen zu können. In den geistlichen Orden und den Amtsträgern der Kirche sieht er lediglich Untertanen, die er seinem Willen gefügig macht. Über allen philosophischen Erwägungen herrscht das Recht der Souveränität.

In Preußen erreicht die Aufklärung also mit Friedrich II. den Absolutismus sehr wohl, doch wird sie ihm untergeordnet. In Österreich hingegen beherrscht unter Josef II. die Aufklärung den Absolutismus und diktiert ihm ihre Gesetze. Josef II. (1780–1790) gehört einer jüngeren Generation an und ist schon ganz im geistigen Klima der Aufklärung aufgewachsen. Er ist nicht wie Friedrich II. einer der Väter, er ist der Sohn der Aufklärung und schaut zu Friedrich wie ein Schüler zu seinem Lehrer auf, wie der Schüler, der vom Lehrer die Theorien übernimmt, aber in seinem philosophischen Ehrgeiz dessen Kompromißlösungen nicht folgt. Er will nicht die Theorie mit der Praxis versöhnen, sondern die Praxis der Theorie anpassen.

Fünfzehn Jahre lang (1765–1780) mußte er die Macht mit seiner Mutter teilen, und während dieser Zeit waren die Zügel, die ihm die mütterliche Autorität anlegte, ein Hindernis für seinen Reformeifer. Bis zum letzten Atemzug hat sich Maria Theresia bemüht, den Einfluß der neuesten Ideen einzudämmen. Diese große Reformerin, mit der die sinkende Monarchie der Habsburger wieder auflebte, ist gleichzeitig sehr konservativ gewesen. Sie wahrte stets eine gewisse Distanz und Reserve gegenüber der neuen Philosophie, die die Welt der Vergangenheit, in der sie noch lebte, umstürzte und vernichtete. Maria Theresia wollte kein neues Weltbild, sondern nur der drängenden Notwendigkeit gehorchen. Die immer drückender werdende Belastung durch die Kriege hatte die Staatskassen und den Reichtum des Landes erschöpft. Anstatt der herkömmlichen Gewohnheit zu folgen, wonach die Steuern erhöht wurden, was aber nur noch Verschlimmerung des Übels bedeutete, trachtete die Kaiserin danach, Mißbräuche zu bekämpfen und Geldvergeudung zu verhindern. Das bewog sie zur Schaffung einer stärker zentralisierten Verwaltung, zur Einschränkung der Privilegien und zur Unterordnung der partikularen Gewalten unter die Zentralgewalt: Sie stärkte die Autorität des Staates. Doch hat sie die Grundlagen des bestehenden Regimes nicht angetastet und die alte soziale und politische Ordnung beibehalten. Sie war »die Hausfrau, die sich zu schaffen macht, um das Haus wieder in Ordnung zu bringen«.

Ihr Sohn hingegen bringt die neuen Rechtserkenntnisse zur Anwendung. Josef II. geht es nicht so sehr darum, daß die Forderungen der praktischen Politik befolgt werden, als daß die philosophischen Lehren Anwendung finden. Diese Theorien legen dem Staat eine Pflicht auf, nämlich das Wohlergehen des Volkes herbeizuführen, und sie verleihen ihm das Recht, zu diesem Zweck unumschränkte Gewalt für sich in Anspruch zu nehmen. Mit der Entschlossenheit eines Besessenen schickt sich Josef II. an, seine Pflicht zu erfüllen und Gerechtigkeit zu üben.

Die habsburgische Monarchie ist ein Bündel von recht locker zusammengehaltenen Territorien, ein jedes von besonderer Eigenart und mit Autonomiebereichen, die es vom Ganzen loslösen. Jetzt gilt es, diese Bindungen an die Zentralgewalt zu stärken, die individuellen Züge auszuschalten, die Autonomie zu zerstören, d.h. aus der sehr großen Anzahl von Territorien ein homogenes Ganzes zu schaffen. Werden damit aber nicht die völkischen Unterschiede, die historischen Traditionen und die geographischen Besonderheiten einfach übergangen, bedeutet das nicht eine Vergewaltigung der Wirklichkeit? Schade um die Wirklichkeit! Die einzelnen Provinzen oder besser, die einzelnen Länder der Monarchie müssen versuchen, ihre ethnischen und geschichtlichen Unterschiede zu vergessen, sich im ganzen aufzugeben. Ungarn, das eifersüchtig über seine Selbständigkeit wachte, muß wieder in die Reihen der anderen zurückkehren. Eine einheitliche und zentralgeleitete Verwaltung soll die Monarchie gleich einem Netz durchziehen. Die Provinzen, die Länder sollen verschwinden, um den neuen Verwaltungsbezirken Platz zu machen, so wie es dann später in der Französischen Revolution geschieht: Es ist der gleiche systematische und rationale Geist, dasselbe Denken in meßbaren Zahlen der Epoche der Mathematik.

In die noch mittelalterliche Welt der alten Monarchie mit ihren als Bollwerk zum Schutz der Privilegien der Stände und Territorien eingerichteten Reichstagen, mit ihren mächtigen, patriarchalisch über die Masse der Bauern herrschenden Landherren, mit ihren großen Klöstern und deren grenzenlosen Besitztümern, mit ihren als autonome Körperschaften existierenden Zünften, in diese Welt, die noch in aller Ruhe ihren Gewohnheiten folgt, bricht der Sohn der Aufklärung ein. Er ist die Verkörperung des reinen Intellektes, der abstrakten Vernunft. Nicht Liebe, nicht Freundschaft, nicht familiäre Bindungen, es bewegt ihn keine andere Leidenschaft als die Leidenschaft seiner Aufgabe. Distanziert gegenüber der Mutter und seinen Brüdern, mißtrauisch gegenüber den engsten Mitarbeitern, tut er alles selbst, beobachtet und notiert er alles. Und aus seinen Einzelbeobachtungen zieht er mit strenger Logik allgemeine Folgerungen, auf die er seine Gesetze gründet. Gemäß dem Credo der Physiokraten ist auch er davon überzeugt, daß die historische Aufgabe der neuen Zeit darin besteht, den Bauern und das Land von den Ketten zu befreien, die sie gefangenhalten. Nur bleibt er nicht bei einer Kompromißlösung wie Friedrich II., der dennoch die Interessen des Adels und die feudalen Privilegien gelten ließ, sondern er steuert unmittelbar auf sein Ziel zu. Er befreit den Bauern von der Knechtschaft der Scholle, »wie das Naturrecht und das Gemeinwohl es fordern«. Dies ist ein mutiges Verhalten, das einen Schritt vorwärts auf dem Wege der Menschheit bedeutet, doch ist es zu überstürzt und ohne die Überlegung geschehen, daß ein solch radikales und unvorbereitetes Vorgehen mit einem Schlag Verhältnisse umzuwälzen suchte, die erst allmählich und langsam hätten verändert werden dürfen. Dies ist der Hauptfehler im Werk Josefs II. Er geht mit dem Säbel vor und schneidet in das noch lebende Fleisch. Die Zahl der von ihm durchgeführten Reformen ist Legion: Einführung einer allgemeinen Grundsteuer für alle Stände, Aufhebung der partikularen Rechtsprechung, Vereinheitlichung und Modernisierung der Gesetzescodices, Förderung von Landwirtschaft und Industrie. Die Zünfte bleiben bestehen, doch verlieren sie ihren Monopolcharakter zugunsten weitgehender Gewerbefreiheit. Bisweilen wirken sich seine Reformen günstig aus, aber häufig sind sie überstürzt und zu abstrakt, ohne Berücksichtigung der historischen Wirklichkeit und der konkreten, geschichtlich gewachsenen Verhältnisse.

Bei der Kirchenreform ist Josef II. noch weitergegangen. Seine Auffassung vom absoluten Staat duldet die vorgegebene Situation nicht, wo der Klerus einen dem staatlichen Eingriff nahezu völlig unzugänglichen Volksteil darstellte und nur von der fremden, mit der Autorität des Staates konkurrierenden Autorität Roms abhängig war. Der Kaiser versucht, die Verbindung zwischen dem Klerus und Rom abzuschneiden und den Klerus zu neuen Untergebenen des Staates zu machen. Daher fordert er für die päpstlichen Bullen und Breven die königliche Approbation, nimmt die Ernennung der Bischöfe für sich in Anspruch und betrachtet die geistlichen Ämter als staatliche. Die Ordensgeistlichkeit aber stellt in den Augen des Kaisers eine heimtückische Waffe Roms dar, die es zu beseitigen gilt. Sie ist der Polyp, der das Bevölkerungskontingent des Landes dadurch bedroht, daß sie einen Teil der Bürger zur Unfruchtbarkeit verpflichtet und die Wirtschaft dadurch schwächt, daß sie die Güter der toten Hand, die unermeßlichen Reichtümer, die ungenutzt in den Klosterbesitzungen liegen, dem freien Umlauf entzieht. Die Orden, die sich der vita activa widmen und Arbeiten von öffentlichem Nutzen tun, wie etwa Wohltätigkeiten, finden noch Gnade, wenigstens so lange, bis der Staat ihre Funktion selbst übernimmt. Aber die kontemplativen Orden werden ganz einfach und brutal als Ausgeburt des Müßiggangs verurteilt und aufgehoben.

Jetzt handelt es sich nicht mehr nur um den alten Kampf zwischen Staat und Kirche, denn auch die Aufklärung hat dem Katholizismus den Krieg erklärt. Der Kaiser hißt die Flaggen der neuen Lehre und führt sie bei seinem Angriff gegen die Feste der katholischen Kirche voran. Es genügt noch nicht, den Klerus in das Netz des Staates eingefangen zu haben, sondern der Staat übernimmt auch dessen Ausbildung in Seminaren, die an den neuen Denkrichtungen orientiert sind. Die Ausübung eines geistlichen Amtes hat sich den staatlichen Vorschriften zu fügen. Der Kaiser vergewaltigt den *hortus conclusus* der kirchlichen Vorschriften. Er maßt sich an, den Gottesdienst und das Kultzeremoniell zu reformieren, und begrenzt die Länge der Gebete. Seine Anweisungen folgen dicht hintereinander und zeugen von einer der Pedanterie nahekommenden Kleinlichkeit. Es kommt so weit, daß man die Anzahl der Kerzen für die Altäre festlegt. Der Fanatismus des Vernunftsglaubens bekämpft seinen Gegner mit einer an Verachtung grenzenden Feindseligkeit. Nachdem man erfolgreich gegen die häufige Kommunion und Beichte vorgegangen ist und die Wallfahrten verboten hat, macht die Regierung schließlich den Staatskatechismus verpflichtend, unterzieht die Gebetbücher einer Revision und verändert sie gemäß den Ideen der Zeit. Auch die Ehe wird ihres sakramentalen Charakters entkleidet und gilt nur noch als reiner Zivilvertrag, der durch die Scheidung wieder gelöst werden kann.

Josef II. verkündet das Prinzip der religiösen Toleranz und gesteht dem Katholizismus nur aus politischen Gründen einen gewissen formalen Vorrang zu. In Wirklichkeit nimmt er dem Katholizismus seinen Primat, um die Ideen der Aufklärung zur Staatsreligion zu erklären. Rom schaut mit Schrecken auf Wien. Papst Pius VI. begibt sich nach Wien in der Hoffnung, den Kaiser umzustimmen. Doch muß der Papst seinerseits nachgeben. Wenn es nicht zu einem Zerwürfnis kommen sollte, so mußte das auf Kosten der Kirche und nicht des Staates gehen.

Der Kaiser versucht, von seinen Ideen geleitet, die widerspenstige Wirklichkeit mit Gewalt in das aufgeklärte Schema der Vernunft zu zwingen. Die zehn Jahre seiner Regierung sind nichts als ein einziger, unerbittlicher Kampf zwischen der Theorie und der Wirklichkeit, zwischen dem Kaiser, der entschlossen ist, die Wunden seines Volkes mit Eisen und Feuer zu heilen, mit der Unnachgiebigkeit des Philanthropen, der davon überzeugt ist, daß er für das Gemeinwohl sorgt, und seinen Untertanen andererseits, die die Freiheit ihres Glaubens verteidigen, ebenso die Traditionen und Institutionen, die ihnen seit Jahrhunderten eigen sind. Und die Realität siegt über die Lehre. Am Ende der Regierung Josefs II. erheben sich seine Länder in einer wilden Rebellion, die nur mühsam und mit Gewalt niedergeschlagen werden kann. Der sterbende Kaiser sieht seine Träume dahinschwinden. Sein Nachfolger, Leopold II., jener aufgeklärte Leopold, der als Großherzog der Toscana den Reformen mutig den Weg erkämpft hatte, ist gezwungen, den josefinischen Staat wenigstens in seinen kritischsten Punkten wieder abzubauen.

Mit Josef II. hat die politische Lehre der Aufklärung ihre konsequenteste Anwendung gefunden. Niemand unter den aufgeklärten Herrschern verkörpert die philosophischen Utopien der Zeit in dem Maße wie jene kalte Verkörperung des intellektuellen Herrschers, der der Nachwelt durch seine starre Größe imponiert. Wie gesagt, keiner, auch nicht der zynische Realist Friedrich II. von Preußen oder die ehrgeizige Katharina II. von Rußland (1762–1796); letztere öffnet sich den Stürmen des aufgeklärten Jahrhunderts, dessen Ideen sowohl ihre bewegliche Intelligenz faszinieren als auch ihren politischen Sinn erfassen, der ohnehin von der Notwendigkeit durchdrungen ist, die antiquierte Maschinerie ihres Reiches zu modernisieren. Die Vorstellungskraft Katharinas entzündet sich an der großen Rolle des aufgeklärten Fürsten, der in dem dunklen moskowitischen Reich die Fackel der Vernunft schwingt. Ihr Ehrgeiz ergötzt sich an den großzügigen Weihrauchgaben, die ihr von den Verleihern neuen politischen Ruhmes, den »Philosophen« aus Frankreich, gespendet werden. Auf sie hinweisend, sagt Voltaire, daß »das Licht aus dem Norden kommt«. Die Enzyklopädisten wenden sich an sie wie an einen der Ihrigen. Die Zarin möchte Friedrich II. und den aufgeklärten Geist seines Hofes nachahmen. Sie ruft Mercier de la Rivière zu sich, den Vertreter des »legalen Absolutismus«. Sie will Beccaria, den Vorkämpfer der neuen Jurisdiktion, an ihrer Seite haben.

In ihrem Streben nach Ruhm liebt es Katharina, eine entsprechende Inszenierung zu schaffen, um Bewunderung und Überraschung auszulösen. Sie beruft eine große Versammlung ein, in der zwölfhundert Deputierte aus den Reihen des Adels, der Kaufleute und der Bauern zusammensitzen, um nach den von der Zarin schriftlich gegebenen Instruktionen, die, in alle Sprachen Europas übersetzt, publiziert wurden, eine allgemeine Gesetzes-, Verwaltungs-, Wirtschafts- und Rechtsreform auszuarbeiten. Dieses Schauspiel ist für das ihr zujubelnde Publikum der Philosophen und Erneuerer bestimmt. Gleichzeitig handelt es sich aber auch um solide und konkrete Arbeit: um eine umsichtige Wirtschaftspolitik mit dem Ziel, Industrie und Handel zu fördern, um eine bessere Ordnung der Verwaltung; die Schaffung einer weniger willkürlichen Justiz, um neue Anregungen für das geistige Leben, um eine Neuordnung des Erziehungswesens, um die Verbreitung der Zivilisation in rückständigen und vernachlässigten Gebieten. Es sind Reformen, die die Aufklärung angeregt hat, die aber immer mit einem angemessenen Sinn für die Wirklichkeit und die Möglichkeiten des Landes durchgeführt werden. Unter dem Philosophengewande ist Katharina vor allem Herrscherin, die das Werk der Angleichung an die westliche Zivilisation, das Peter der Große begonnen hatte, fortsetzt und die neuen Ideen ausnutzt, um die Monarchie zu stärken und zu zentralisieren.

Die große Reformbewegung erfaßt Mittel- und Nordeuropa, dringt in die abgelegensten patriarchalisch regierten Winkel der kleineren deutschen Höfe ein, erreicht Dänemark und Schweden, gelangt sogar in den Orient, in das stagnierende Türkenreich. Mit Friedrich II., Josef II. und Katharina II. verfügt sie über repräsentative Gestalten, die als Modelle und Vorbilder hervortreten.

Weniger klar umrissen und weniger einheitlichen Regeln folgend, ist das Bild der Lage, wenn man weiter nach Süden, auf die andere große Macht des Kontinents, auf Spanien, blickt. Auch hier wird die reformatorische Bewegung durch den Fürsten Karl III. von Bourbon (1759–1788) verkörpert, der wie Leopold von Österreich nach einer fruchtbaren und intensiven politischen Tätigkeit als Fürst in Italien den Thron besteigt. Doch erreicht der Bourbone nicht das Format der drei nordeuropäischen Vorbilder. Als Gestalt ist der Minister wohl interessanter, der ihm auf dem Wege der Reformen unter der Herrschaft seines Vaters Philipps V. vorangeht: Giulio Alberoni. Doch Alberoni ist kein Aufklärer. Seine Reformen fußen nicht auf einer philosophischen Lehre, sondern verfolgen lediglich Machtziele. Wenn er die Mißbräuche bekämpft, so richtet er sich damit nicht gegen das Ancien régime, noch beabsichtigt er überhaupt, dieses anzutasten. Karl III. hingegen, der in der zweiten Hälfte des Jahrhunderts den Thron besteigt, steht unter dem Einfluß der ganz Europa erfassenden aufklärerischen Reformbewegung, auch wenn er kein eigentlicher Philosophen-Fürst nach dem Typ der Herrscher des Nordens ist. Zu tief sind in seinem Lande und in seiner eigenen Gesinnung Religion und Tradition eingewurzelt, als daß diese sich mit einem Streich durch die neue Lehre vernichten ließen. Es ist eher politische Notwendigkeit als eine Anregung durch die neuen Ideen, die ihn dazu bringt, den Weg der Reformen zu beschreiten.

Das katholische Spanien ist das Land, in dem die geistlichen Privilegien die festesten Wurzeln geschlagen hatten. Der Klerus mit seinen dreitausend Klöstern, mit seinen 66 000 Pfarrern, 85 000 Mönchen und Nonnen, 25 000 Küstern und Gehilfen ist ein gefährlicher Rivale der Krone. Der Herrscher, der dem alten Glauben so sehr ergeben ist, daß er seine Territorien »der unbefleckten Empfängnis der Jungfrau Maria« weihte, überträgt den Kampf nicht wie Josef II. auf weltanschauliches Gebiet. Vielmehr führt er einen rücksichtslosen Krieg gegen die Vormachtstellung der Kirche. Er überwacht die Beziehungen zwischen dem Klerus und Rom und behauptet die Unabhängigkeit der zivilen Gewalt und ihre unbegrenzte Oberherrschaft über die geistliche Gewalt. Er unterstellt die Bischöfe der Autorität des Staates. Er schafft die Privilegien des Klerus ab, indem er Steuern über seine Besitztümer erhebt, begrenzt die Anzahl der Geistlichen und Bruderschaften und entmachtet die traditionsgemäß in Spanien furchterregende Inquisition. Dieser von Karl III. ohne Pardon gegen die Geistlichkeit durchgeführte Kampf ist eine der Hauptneuerungen in Spanien, das wie andere Länder von dem Reformfieber der Epoche erfaßt ist. An der Seite des

Herrschers stehen die eigentlichen Reformer, die treu seine Pläne ausführen, zwei Italiener, der Sizilianer Squillace und der Genuese Grimaldi. Als Ausländer verhaßt, werden sie von den heftigen Reaktionen gegen die von ihnen eingeführten Neuerungen gestürzt. Aber der Reformwille des Herrschers wird durch Hindernisse dieser Art nicht beeinträchtigt und findet in Spanien selbst die passenden Mittel, indem er sich seine Mitarbeiter aus der – wenn auch kleinen – Schar spanischer Aufklärer auswählt.

Die Reformen Karls III. verfolgen das immer gleiche Ziel des Aufgeklärten Absolutismus, die Schaffung eines einheitlichen, zentralisierten und rational geordneten Staatsgebildes gegenüber dem politischen Partikularismus und der historisch bedingten Organisation des alten Staates. Folglich wird die Macht der Ständeversammlungen (der Cortes) verringert, während die Zentralbehörden, die ganz organisch in die verschiedenen Ministerien aufgegliedert sind, an Macht gewinnen. Die Provinzen werden der Zentralgewalt unterstellt. Die Macht des Adels wird ebenso beschränkt wie die des Klerus. Das Polizeiwesen, die Justiz, die gesamte Verwaltung und besonders die Finanzverwaltung werden reorganisiert. Die Steuerlasten werden gerechter verteilt und eine Wirtschaftspolitik begonnen, die bestrebt ist, den Reichtum des Landes zu heben und die in ihrem Vorgehen häufig dem Glauben der Physiokraten an das Land und an den Bauernstand folgt.

Insgesamt also auch hier das typische Bild der Reformen des Aufgeklärten Absolutismus: Auch wenn die Tradition hier noch stärkere Zügel anlegt als in den großen nordeuropäischen Monarchien, so handelt es sich hier nicht um den Versuch, den aufgeklärten Staat nach dem Vorbild Josefs II. vollständig zu schaffen. Es handelt sich vielmehr um eine Reformbewegung, die ihre Anregungen aus der Aufklärung schöpft und die Hilfsmittel für ihr Wirken von den Erkenntnissen übernimmt, die das neue Denken in den neuen Wissenschaften der Politik, der Ökonomie und der Jurisprudenz entwickelt hat. Der vom aufgeklärten Denken im 18. Jahrhundert neu belebte monarchische Absolutismus entfacht das Feuer des alten Dualismus zwischen Staat und Kirche im gesamten katholischen Westen mit neuer Kraft. Die Maßnahmen gegen die Aufdringlichkeit der Geistlichkeit finden ihre Parallele in der Erhebung gegen das mächtigste Bollwerk der Macht des Klerus, den Jesuitenorden. Als unnachgiebige Verteidiger der geistlichen Privilegien und als ergebene Unterstützer des Papsttums sind die Jesuiten ein Hindernis für den Fürsten, das er vernichten muß, wenn der Staat seine Macht behaupten will. Als Herrscher über die Schulen und die Beichtstühle gelten die Jesuiten bei den Philosophen als die gefährlichsten Verteidiger der »Dunkelheit« gegen das »Licht der Epoche«.

Der Kampf gegen die Jesuiten beginnt in Portugal. Doch sind es die Bourbonen, die dem Feldzug gegen den Orden gesamteuropäische Bedeutung und Tragweite geben. Die große Dynastie, die mit ihren verschiedenen Seitenlinien den westlichen Mittelmeerraum beherrscht, unternimmt gegen die Jesuiten einen Feldzug ohne Pardon. Innerhalb von wenigen Jahren, von 1764–1768, werden sie aus allen bourbonischen Territorien vertrieben, aus Frankreich, Spanien, Neapel und Parma. Dem Austreibungserlaß, den der Herzog von Parma am 3. Februar 1768 unterschreibt, sind eine ganze Reihe von Maßnahmen vorangegangen, die in Rom sehr heftigen Widerstand heraufbeschworen. In einem Mahnschreiben vom 30. Januar 1768 beruft sich Clemens XIII. auf seine Hoheitsrechte über das Herzogtum, um die vom Herzog zur Aufhebung der geistlichen Vorrechte erlassenen Dekrete als nichtig und falsch zu erklären. Dieses Vorgehen sehen die bourbonischen Höfe als ein Attentat auf die fürstliche Autorität an, das sich nicht allein gegen die Person des Herzogs wendet. Sie fordern gemeinsam vom Papst, sein Urteil zurückzunehmen, und da sie dies nicht erreichen, greifen sie zu Gewaltmaßnahmen. Der König von Frankreich läßt die päpstlichen Besitzungen von Avignon durch seine Truppen besetzen, der König von Neapel diejenigen von Benevent und Pontecorvo. Es ist ein regelrechter Kriegsakt. Die Friedensbedingung ist: die Zustimmung des Papstes zu einer völligen und bedingungslosen Aufhebung der Gesellschaft Jesu. Wie die Bourbonen behaupten, seien die Jesuiten zu einem Element der Unordnung geworden. Ihre Vertreibung aus den einzelnen Staaten würde nicht genügen. Ein neuer und entscheidener Satz wird hinzugefügt: Der Papst soll sich im Interesse des Glaubens, der Völker und der Kirche selbst dazu entschließen, den Orden aufzulösen, seine Mitglieder zu säkularisieren und eine Neubegründung, in welcher Form sie auch immer geschähe, zu verbieten. Am 12. Januar 1769 legt der spanische Botschafter diese Forderung im Namen aller bourbonischen Herrscher vor.

Als Clemens XIII. wenige Wochen darauf stirbt, gelingt es seinem Nachfolger, Clemens XIV., die Entscheidung hinauszuzögern, aber nicht, sie zu umgehen. Am 21. Juli 1773 kündigt das Breve *Dominus ac Redemptor noster* die Auflösung des Ordens an. »Unser Herr und Erlöser, der sich als Friedensbringer gezeigt und offenbart hat, hat den Aposteln aufgetragen, das Wort des Friedens zu verkünden . . . So ist es Aufgabe des Papstes, der die Kirche Christi verwaltet, den Treuen die Ruhe zu gewährleisten, selbst um den Preis, was ihm persönlich am Herzen liegt, zu opfern . . . Da die Gesellschaft Jesu nicht mehr die reichen Früchte einbringt und der Kirche nicht mehr die Hilfe leisten kann, zu deren Zweck sie begründet wurde, da ihr Fortbestehen einen wahren und dauerhaften Frieden unmöglich macht, haben wir beschlossen, sie abzuschaffen, aufzuheben und zu unterdrücken.« Dieser große Orden, der der Schild des Papstes war, muß den katholischen Westen verlassen, und paradoxerweise findet er in den protestantischen und orthodoxen Staaten Aufnahme, bei den aufgeklärten Höfen von Preußen und Rußland, die die vom Papst Gebannten als nützliche Instrumente der Politik in ihren katholischen Herrschaftsgebieten nicht verachten.

3. Es war ein neuer Kurs im Leben und in der Politik Europas und auch ein neuer Kurs im Leben und in der Politik Italiens. Mit dem 18. Jahrhundert scheint die Geschichte Italiens in schnellere Bewegung zu geraten. In der ersten Hälfte des Jahrhunderts wickelt sich eine fast ununterbrochene Folge von Kriegen ab. Die Bourbonen und die Habsburger, die beiden großen europäischen Dynastien, machen einander die Herrschaft über die Halbinsel streitig. Europa drückt mit seinem ganzen Gewicht auf Italien. Der Einmarsch und Abzug der Eroberungsheere bewirkt, daß die politische Organisation des Landes fortwährend verändert und umgestürzt wird,

ohne zu einer stabilen Ordnung zu gelangen. Die politische Situation Italiens befindet sich in einer Krise. Daneben ist aber auch eine neue Dynamik spürbar, ein verstärkter Rhythmus in der Erschütterung der alten Strukturen als Folge des Krieges. Dort, wo die Einheitlichkeit der spanischen Oberhoheit der Halbinsel ein gleichförmigeres Gesicht gegeben hatte, erscheinen neue Herrscher, entstehen neue Staaten, steigen neue Dynastien auf. Als sich die Situation mit dem Frieden von Aachen stabilisiert, hat sich das Gesicht Italiens gewandelt. Der Wettkampf zwischen den Habsburgern und den Bourbonen endet mit einer Ausgleichslösung. Von ihren Besitztümern Mailand und Mantua dehnen die Habsburger ihre Macht nach Mittelitalien aus, in die Toscana, wo eine »Secundogenitur« der kaiserlichen Dynastie die Nachfolge des ausgestorbenen Hauses Medici auf dem Thron der Großherzöge übernimmt. Die Bourbonen haben sich in Neapel und Parma niedergelassen, aber nicht als fremde Herrscher, sondern als dort ansässige Fürsten und Souveräne. Ein spanischer Infant tritt in Parma die Nachfolge der Farnese an, und ebenfalls ein spanischer Infant besteigt den Thron der beiden Sizilien, die ihre alte Unabhängigkeit zurückerhalten haben.

Die Vormachtstellung der Habsburger und Bourbonen in Italien bringt die Politik der Halbinsel in das Schlepptau der europäischen Politik. Die italienischen Staaten, die nicht unter Fremdherrschaft oder einer fremden Dynastie leben, wie Venedig, Genua oder Rom, spielen nur noch eine passive Rolle und folgen den politischen Tendenzen der Herrscher jenseits der Alpen, sind Schachfiguren in einem Spiel, das ihre Möglichkeiten und ihren Besitz übersteigt. Allein die Savoyer sind fähig, sich aktiv an der großen europäischen Politik zu beteiligen. Doch werden sie an den Rand der Politik der Großmächte gedrängt, da auch sie nur eine kleine Macht darstellen. Es gelingt ihnen, ihr Territorium zu erweitern, Sardinien zu gewinnen, doch können sie ihr Streben nach der Vormachtstellung und ihre Eroberungspläne nicht verwirklichen.

Die Hauptzentren der politischen Entscheidungen in Italien liegen also weiterhin außerhalb der Halbinsel, in den großen europäischen Staaten, die die Geschicke Italiens bestimmen. Aber anstelle des geschlossenen spanischen Monopols der vorangegangenen Jahrhunderte sind es jetzt zwei miteinander rivalisierende Dynastien, die sich gegenseitig Einfluß, Ansehen und politische Initiative streitig machen und ihre Oberherrschaft über Italien nicht mehr durch Direktherrschaft, sondern, mit Ausnahme von Mailand, durch jüngere Zweige der Dynastie mit einem eigenen Herrschertitel und eigenen Autonomierechten ausüben, die zwangsläufig an das Land und die lokalen Gegebenheiten gebunden sind. Zwei Dynastien sind es, die, von einem neuen Geist erfüllt, den Hauch des europäischen Lebens nach Italien bringen und es an den neuen Entwicklungen Europas teilhaben lassen.

Mailand durchläuft mit den Reformen der Maria Theresia und Josefs II. dieselbe Entwicklung wie Wien. In der Lombardei stellt sich das gleiche Problem wie in Österreich, die Behauptung der staatlichen Autorität gegenüber dem noch mächtigen Partikularismus. Es ist das gleiche Phänomen, auch wenn es formal verschieden ist. Die alte Organisation des Herzogtums Mailand war ursprünglich keine feudale Verfassung, sondern eine kommunale. Aber diese kommunale Verfassung beinhaltete nicht weniger als die feudale eine Fülle von Privilegien und Autonomierechten, die der Zentralgewalt den Weg versperrten.

Die Reformen der Maria Theresia sind die ersten Anschläge auf das schwache Gebäude, das die Spanier unangetastet gelassen hatten. Die theresianische Reformtätigkeit findet im sogenannten »Censimento« (Zensus) ihren Höhepunkt : Sie legt ein Kataster an, um den Umfang des Grundbesitzes festzustellen und zu einer gerechteren Steuerverteilung zu gelangen. Der eigentliche Zweck war zwar eine Reform des Finanzwesens, die aber politische und soziale Bedeutung gewann, da sie den ständischen Privilegien den Todesstoß versetzte. Diese Reform wurde noch bedeutender durch die unmittelbar auf sie folgende Neuorganisation der Verwaltung, die der Struktur des Staates ein neues Aussehen verlieh, indem sie die Sonderrechte und Autonomien der größeren und kleineren Städte, die Unterschiede zwischen den Provinzen und das Mißverhältnis zwischen Stadt und Land aufhob und alle Stände dem Staat direkt unterstellte.

Das Werk des Zensus wird durch sukzessive Reformen im Bereich der indirekten Steuer vervollständigt. Es sind Reformen praktischer Art, die mit dem Ziel erneuern und verändern, den leeren Staatskassen den größtmöglichen Gewinn zu bringen. Mit Josef II. überwiegt hingegen auch in der Lombardei der theoretische Impuls, und jetzt beginnt die Phase der theoretischen Aufklärung. Die alte Ordnung, die unter Maria Theresia nur reformiert worden war, wird ganz beseitigt und durch eine neue ersetzt. Die josefinische Lawine zerstört die letzten Residuen der alten Autonomien und Sonderrechte. Sie bedeutet das Ende der Vorrechte der Patrizier und zwingt das Herzogtum im Rahmen ihrer Bemühungen um Zentralisierung in das Netz einer wohlorganisierten Bürokratie. Wie in Österreich, so überwacht der josefinische Staat auch in der Lombardei alle Lebensbereiche von der Erziehung bis zur Wohltätigkeit. Er dringt gewaltsam in das Leben der Geistlichkeit ein und entfesselt einen großen Angriff des Staates gegen die Kirche und der Aufklärung gegen den Katholizismus.

In seiner äußeren Erscheinung gleicht die Situation der Lombardei der in Österreich. Aber unter dem gemeinsamen Schema herrscht ein anderer Geist, ein anderes Denken und eine andere Form der Verwirklichung. Die Lombardei weist deutliche Besonderheiten auf, sie ist nicht passive Materie, sondern bewegtes und pulsierendes Leben. Sie gibt den Reformen das Gepräge ihres eigenen Denkens; sie liefert die Arbeit ihrer eigenen Leute, die in ihrem geistigen Klima aufgewachsen sind. Es sind Personen wie Verri, wie Beccaria, Persönlichkeiten ersten Ranges nicht allein auf dem begrenzten Schauplatz der Lombardei, sondern auch auf der großen Bühne Europas. In den bevorzugten Reformgebieten der Zeit, die der Wirtschaft und des Rechtes, zählen sie zu denjenigen, die die originellen Ideen vertreten und die mit dem größten Einsatz bereit sind, die Ideen ihrer Zeit zu verwirklichen.

Als Wirtschaftsexperte nimmt Verri die großen Probleme seiner Zeit in Angriff: den Kampf gegen die traditionellen Bindungen für die Freiheit des Handels und die Entwicklung der Industrie. Er beschäftigt sich theoretisch mit den Problemen und weiß deren Lösung auch auf die Praxis anzuwenden. Er ist die Seele der lombardischen Reformen im wirtschaftlichen Bereich, er ist ihr kampfbereiter Initiator und ihr eifrigster Vollstrecker. Seine Polemik gegen die Ferma, die Steuerkonzessionen für die indirekten Abgaben, bleibt vorbildlich. Er ist zugleich ein Mann der Theorie und ein Mann der Praxis, ein wahrer Soldat in der Schlacht um die Reformen. Die theresianische Regierung hat in ihm einen wertvollen Mitarbeiter gefunden.

Neben Verri steht Beccaria. Er beschäftigt sich wie Verri mit Fragen der Wirtschafts- und Finanzpolitik. Aber am bedeutendsten ist seine Tätigkeit auf dem Gebiet der Rechtsprechung. Die wenigen Seiten seiner Schrift *Dei delitti a delle pene* (1764) finden in ganz Europa Anklang. Die Enzyklopädisten in Paris begrüßen sie als eines der besten Zeugnisse ihrer Schule. Die Reformfürsten finden hier ihre Anregungen. Beccaria ist ein entschiedener Anhänger der Ideen seiner Zeit. Er öffnet der Aufklärung die Tore zum Strafrecht. Da er die alten, auf der Autorität, der Tradition und der praktischen Erfahrung basierenden Richtlinien beiseite schiebt, betrachtet er die juristischen Probleme unter einem neuen Blickwinkel und bewirkt auf dem Gebiet der Rechtsprechung eine neue Betrachtungsweise überkommener Werte.

Ich habe nur Verri und Beccaria als die beiden entscheidenden Exponenten der geistigen Bewegung in Mailand genannt. Hinter ihnen stehen zahlreiche andere, Lombarden und Männer, die aus anderen Gegenden Italiens kommen, um im mailändischen Verwaltungsapparat einen *Cursus honorum* zu durchlaufen. Da Mailand mit seinem hohen geistigen Niveau und mit seinem blühenden wirtschaftlichen Leben einer der Hauptanziehungspunkte der Halbinsel ist, kommen von allen Seiten neue Elemente dorthin und fließen gleichsam in dem Schmelztiegel der Stadt zusammen. Die Regentschaft Maria Theresias ist die Zeit, in der die beiden Faktoren, die den Reformen den Anstoß geben, die Ideen der »Philosophen« und die politische Initiative der Fürsten, am glücklichsten übereinstimmen. Maria Theresia, die bereit ist, die einheimischen Kräfte zu achten und ihnen ihren Spielraum zu lassen, handelt in Übereinstimmung mit den lombardischen Aufklärern und respektiert ihre Ansichten. Nicht so Josef II., der wie eine Dampfwalze auftritt, die alles auf ihrem Wege nivelliert und alles Handeln, das nicht von der Zentralgewalt ausgeht, im Keim erstickt. Verri und mit ihm die lombardischen Aufklärer, denen der abstrakte Doktrinarismus des Kaisers fernsteht, fühlen sich in der neuen Atmosphäre nicht wohl. Sie wechseln von der Mitarbeit zur Opposition über. Mit Josef II. beginnt der Gegensatz zwischen der Lombardei und dem österreichischen Beherrscher.

Nur bei den geistlichen Reformen findet der Kaiser Anhänger, die geneigt sind, ihm zu folgen: die Jansenisten, die in Italien mehr noch als in Frankreich, ihrem Ursprungsland, aktiv und eifrig auftreten. Wenn auch der tief religiöse Geist der Jansenisten im Widerspruch zu dem Rationalismus der Epoche steht, so gibt es doch viele Berührungspunkte, die sie dazu bewegen, sich mit der Aufklärung in ihrem Kampf gegen die Kirche Roms zu verbünden. Sie fordern die Rückkehr zu der ursprünglichen Einfachheit der ersten Christen, sie bekämpfen die Autorität des Papstes und die Allmacht des Klerus. Während die Mehrheit des Landes, die ihre religiösen Traditionen angegriffen sieht, sich den kaiserlichen Reformen widersetzt, übernehmen die Jansenisten ihre Verteidigung. Die Universität von Pavia ist ihre

Festung. Die theologische Fakultät, wo Pietro Tamburini und Giuseppe Zola, die »Athleten der gesunden Lehre«, unterrichten, erzieht die neue Generation dazu, sich von den römischen »Vorurteilen« zu befreien und die »Ränke des Gesandten Babyloniens kraft des Lichtes« zu besiegen. Dieser Lehrstuhl wird die offizielle Schule des italienischen Jansenismus. »Die Regierung des Staates soll Führer sein, die Professoren hingegen und der Klerus sollen die Ausführenden dieses Unternehmens sein.« So die Worte von Zola.

Aber außerhalb des Kreises der Jansenisten stößt der Kaiser nicht auf soviel Verständnis. Auch wenn einige der Hauptvertreter des Reformdenkens weiterhin kaiserliche Beamte sind, so geht ihr Anteil im Vergleich zu der theresianischen Epoche stark zurück. Von jetzt an gehen Mailand und Wien verschiedene Wege. Das Reformwerk Josefs II. führt nach seinem Tode auch in der Lombardei zu Reaktionen. Sein Nachfolger Leopold ist gezwungen, vieles von den fortschrittlichen Maßnahmen seines Bruders wieder rückgängig zu machen.

Dennoch ist der josefinische Reformversuch in der Lombardei von großer geschichtlicher Bedeutung. Nur der entschlossene Wille eines Fürsten wie Josef II., der über uneingeschränkte Macht verfügte und von seiner eigenen Aufgabe vollkommen durchdrungen war, konnte der auftretenden Widerstände Herr werden, Traditionen umstürzen und die Hindernisse überwinden, die sich der Entwicklung zu moderneren Lebensformen entgegenstellten. Zweifellos vergewaltigten die geringe Beziehung des Kaisers zu der Mentalität des Landes, die mangelnde Berücksichtigung seiner realen materiellen und moralischen Situation wie auch der abstrakte Realismus der josefinischen Reformen den natürlichen Ablauf der Reformen und bewirkten, daß sie unorganisch und überstürzt vor sich gingen. Aber es war ein großer Schritt getan. Für die Lombardei konnte die Zeit des Fortschritts beginnen. Dieser Schritt konnte nur unter dem Druck eines energisch vorgehenden Herrschers geschehen ...

Das Haus Habsburg steht in Italien an der Spitze der Reformpolitik der Aufklärung. In Florenz zeigt sich mit Peter Leopold – derselbe, der im Jahre 1790, nachdem er den Kaiserthron bestiegen hat, den Weg der lombardischen Reformen zu Ende gehen wird – die Reformpolitik in ihrer ganzen Fülle. Während der erste habsburgische Fürst in der Toscana, Franz, der Gemahl der Maria Theresia, nur nominell Großherzog war und sich weiterhin auf seinem entfernten Olymp in Wien aufhielt, residierte Peter Leopold in Florenz. Er ließ sich im Kontakt mit seinen besten Leuten im Lande nieder und entwarf, studierte und konzipierte seine Reformpläne. Er war umgeben von einer Schar toskanischer Aufklärer, die einerseits durchdrungen waren von den Ideen ihres Jahrhunderts, andererseits aber über genügend Sinn für die Praxis verfügten, um ihre theoretischen Erkenntnisse den konkreten Notwendigkeiten des Staates fruchtbar zu machen. Wirtschaftsexperten wie Pompeo Neri, der sich bei der Durchführung des lombardischen Zensus bewährt hatte, taten sich mit Männern wie Giulio Ruccellai oder Francesco Gianni zusammen, die noch in der alten Tradition der Experimentalwissenschaften standen, einer technisch-naturwissenschaftlichen Tradition des toskanischen Denkens, das von der alten Accademia del Cimento bis zu der neuen Accademia dei Georgofili reichte. Diese Tradition wurde von leopoldinischer Reformpolitik geschickt gefördert, indem sie eine fruchtbare Verbindung zwischen der Forschung der »Philosophen« und den Bemühungen um die Dekkung der Bedürfnisse des Landes herstellte.

Zu Beginn seiner Regierung beschloß Peter Leopold, die Gesetzgebung für die Wirtschaft völlig umzuändern. Er hatte eine Art außerordentliches Gremium mit der systematischen Erforschung der wirtschaftlichen Verhältnisse des Landes beauftragt: Pompeo Neri, Francesco Gianni, Angelo Tavanti und Antonio Serristori, die besten Wissenschaftler der Toskana, wurden aufgerufen, sich zu beteiligen. Als Grundlage ihrer Arbeit galt die exakte Aufzeichnung aller statistischen Daten. Jede Woche hörte sich der Fürst die Ergebnisse der Nachforschungen an und begutachtete die Reformvorschläge. Die Folge war eine rege gesetzgeberische Aktivität, um die Landwirtschaft zu fördern und den landwirtschaftlich tätigen Ständen bessere Lebensbedingungen zu schaffen. Von allen Maßnahmen, wie der Abschaffung der Leibeigenschaft oder der besseren Verteilung der Steuerlasten, waren diejenigen von größter Bedeutung, die dazu dienen sollten, die Besitzungen des Staates, der Gemeinden und selbst des Fürsten aufzuteilen. Damit sah Gianni die Möglichkeit gegeben, eine große Zahl von kleinen Landbesitzern zu schaffen, eine Art Baumschule für »neue Leute« aus der mittleren Landarbeiterschicht und für unabhängige Bauern, die eine sichere Basis für die soziale Ordnung darstellen konnten. Die Gesetze von 1769 verwandelten die kurzfristigen Pachten in solche auf Lebenszeit oder in käufliche, sie schufen die notwendigen Voraussetzungen, um dem Bauern die Möglichkeit zu geben, das Land, auf dem er arbeitete, loszukaufen oder als Besitz zu erwerben.

Das war eine von den Physiokraten inspirierte Agrarpolitik. Analog zu dieser erfolgten die Formen in Handel und Gewerbe, die die alten Schranken beseitigten und die Freiheit der Arbeit einführen sollten. Die Toskana hat in Italien als erstes Land die alten Handwerkerzünfte aufgelöst (1770). Ein Jahr später folgte die Lombardei, während in dem anderen großen Reformstaat, Neapel, die Zünfte bis zur Zeit Napoleons bestehenblieben. Leopold führte auch einen Zensus (censimento) nach dem Muster des lombardischen durch. Doch gelang es ihm nicht, dieses Vorhaben zu beenden. Er bemühte sich jahrzehntelang um dieses große Werk, bis er nach fünfundzwanzig Jahren der Herrschaft, von 1765–1790, die Toskana verlassen mußte, um den Kaiserthron zu besteigen. Das Schwergewicht der leopoldinischen Reformen lag auf wirtschaftlichem Gebiet. Darüber hinaus warf aber auch das Staatswesen selbst große Probleme auf. Denn auf der Toskana lastete noch immer das schwere Erbe ihres ursprünglichen Stadtstaatcharakters. Die Oberhoheit der Hauptstadt, der Dualismus Stadt–Land, das exklusive Verhalten des Patriziats und der Zünfte, all dies war sowohl in politischer als auch in sozialer Hinsicht ein nunmehr anachronistischer Zustand. Die neuen Lehren der Zeit und die Erkenntnisse der Bedürfnisse des Landes drängten auf Beseitigung des Partikularismus, der das staatliche und gesellschaftliche Gefüge zerstörte. Es galt, den Staat im Bereich der Verwaltung, der Rechtsprechung und der Gesetzgebung zu uniformieren. Die Beseitigung der administrativen und territorialen Autonomien, in denen die Herrschaft der Privilegien die Autorität der Zentralgewalt ausgeschaltet hatte, schien eine unerläßliche Forderung für die Überwindung der Krise, in der sich das Ancien régime befand.

Der Kampf gegen den Partikularismus wurde zu einem Feldzug gegen das Privileg. Die Absicht, zu vereinheitlichen, implizierte die Gleichstellung der Untertanen gegenüber der staatlichen Autorität. Die Justizreform, die den Patriziern das Vorrecht der Rechtsprechung nehmen und sie rechtschaffenen und fähigen Leuten ohne Berücksichtigung ihrer sozialen Herkunft anvertrauen sollte, versetzte den Privilegien des Adels einen ersten Schlag. Ein weiterer Schritt in Richtung auf die angestrebte Rechtsgleichheit lag in der Gemeindereform. Die Reformen des Steuerwesens, die Abschaffung der Patrimonialgerichtsbarkeit und schließlich die Veröffentlichung des Strafgesetzbuches haben das Werk vollendet. Doch drängte Leopold noch weiter; er wollte das Gebäude mit einer Verfassungsreform krönen und beauftragte Gianni, einen Verfassungsentwurf auszuarbeiten. Dieser sah die Einberufung einer Versammlung vor, deren Aufgabe es war, die Interessen der Bürger außerhalb der alten Ständeordnung zu vertreten. Der Plan kam aber nicht zur Durchführung, wie auch das ganze Reformprogramm des leopoldinischen Staates nur teilweise Anwendung finden konnte, belastet, wie es war, von der »Erbsünde« des abstrakten Doktrinarismus, der den realen Gegebenheiten des Landes nicht genügend Rechnung trug. Auf Grund des zähen Widerstandes von seiten der alten Stände und des Volkes, das auf die Neuerungen nicht vorbereitet war, konnten die Reformen über Kompromißlösungen nicht hinausgelangen.

Auf noch größeren Widerstand stießen die Reformversuche bei der Geistlichkeit. Von den Ideen der Aufklärung durchdrungen, machte Leopold nicht bei dem Anspruch auf die Rechte des Staates gegenüber der Kirche halt, sondern unternahm einen direkten Angriff auf das gegnerische Feld. Wie Josef II. scheute er vor der Verbindung mit dem Jansenismus nicht zurück. Seine Hauptagenten waren der Vorkämpfer des Jansenismus im toskanischen Klerus, Scipione dei Ricci, Bischof von Pistoia und Prato, und der Theologe Pietro Tamburini, der jansenistische Lehrer der Universität Pavia. Er plante eine Reform der Kirche, die durch die Einberufung von Bischofssynoden vorbereitet und in einem Konzil ihren abschließenden Höhepunkt finden sollte. Im September 1786 berief Scipione dei Ricci die erste Synode nach Pistoia ein. Es war eine Diözesanversammlung, in mancher Beziehung auch etwas wie ein Nationalkonzil, da neben der Geistlichkeit aus der Diözese auch die eifrigsten katholischen und jansenistischen Theologen der ganzen Halbinsel saßen. In Pistoia befanden sich die ideologischen Grundsätze mit den Forderungen des Absolutismus in Einklang: Der Papst leitet seine Autorität nicht von Christus, sondern von der Kirche ab; er hat nicht absolute Macht, sondern ist dem ökumenischen Konzil unterstellt; er ist nicht zuständig in zivilen und weltlichen Angelegenheiten, sondern nur in geistlichen Dingen, die das Heil der Seele betreffen, und in Fragen des Kultes und der Lehre. Insgesamt waren es siebenundfünfzig Artikel, die die Magna Charta der neuen Kirche darstellen sollten. Kurz darauf, im April des Jahres 1787, versammelte der Großherzog die Bischöfe der Toskana in Florenz, damit sie die Beschlüsse von Pistoia überprüften und ein Landeskonzil vorbereiteten. Doch machten die Bischöfe die Pläne des Großherzogs zunichte. Sie gaben vor, daß sie sich versammelt hätten, um die Synode von Pistoia und dei Ricci zu verurteilen. Damit wurde allen klar, wie wenig die Seele des Volkes nach Reformen in der Kirche verlangte. In Prato kam es zu Tumulten mit Sturmglocken und Protestmärschen, um die ehrwürdigen Traditionen gegen die Anschläge von seiten der neuen Häretiker zu verteidigen.

Der Angriff des mit der Aufklärung verbündeten Absolutismus gegen den Katholizismus schlug fehl. Das gesamte Reformexperiment Leopolds, und nicht allein jene Kirchenreform, hinterließ bei der toskanischen Bevölkerung einen bitteren Nachgeschmack. Tatsächlich waren die wirtschaftlichen und sozialen Verhältnisse der Toskana besser geworden, aber der kühle Rationalismus des Großherzogs hatte die tieferen Bedürfnisse und die besonderen Lebensgewohnheiten des Volkes nicht beachtet. Gedrängt von dem Dämon der neuen Philosophie, hatte er die realen Gegebenheiten zuwenig berücksichtigt.

In den habsburgischen Besitzungen in Italien, in Mailand und Florenz, hatte der Absolutismus seine größten Experimente durchgeführt. Die Reformpolitik der zweiten großen europäischen Dynastie, des in Neapel und Parma herrschenden Hauses Bourbon, charakterisiert hingegen eine durchgängige Kompromißhaltung.

Karl von Bourbon, der spanische Infant, der 1734 den Thron von Neapel bestieg, war nicht wie Josef II. und Leopold von Habsburg ein Sohn der Aufklärung, sondern er war in der konservativen Atmosphäre des Madrider Hofes aufgewachsen. Sein Reformwille wurde nicht durch eine philosophische Überzeugung, sondern durch die Forderungen der praktischen Politik hervorgerufen. Die Inbesitznahme des Thrones, die ihm mit Hilfe spanischer Waffen gelang, bedeutete nicht die Eroberung einer Provinz für Spanien, sondern die Gründung eines Reiches oder besser die Wiedererrichtung des alten neapolitanischen Königreiches und die Rückkehr von Neapel und Sizilien (nach zwei Jahrhunderten der Fremdherrschaft) zur Würde eines eigenen Staates. Obgleich sein Reich ein Satellit Spaniens war, trug Karl den Titel eines Königs und war ehrgeizig darauf bedacht, seiner neuen Krone Glanz und Ruhm zu verleihen. Zu Beginn seiner Regierung zeigte sich dieser Ehrgeiz besonders in äußerlichen Dingen wie in der Neigung zu Prunk und zu großen, repräsentativen Bauten, in denen er das wirkungsvollste Zeichen für das Prestige der Dynastie erkannte. Allmählich entwickelte sich dieser Ehrgeiz aber zu konkreten Zielen, nämlich durch Reformen zu einem stärkeren Staat zu gelangen.

Die Probleme, denen sich der neue Fürst gegenübergestellt sah, glichen denen aller Herrscher dieser Zeit: die staatliche Autorität gegenüber den Partikulargewalten neu zu festigen, das Rechts- und Verwaltungswesen zu reorganisieren, um der veralteten und ihren Aufgaben nicht mehr gewachsenen Staatsmaschinerie neuen Bestand und neue Kraft zu geben, das Steuersystem auf der Basis einer größeren Gerechtigkeit und Effizienz so zu reformieren, damit die Steuerprivilegien zugunsten der weniger vermögenden Schichten abgebaut würden; schließlich eine Wirtschaftspolitik in Gang zu bringen, die das Land aus dem Verfall, in den es geraten war, reißen sollte. Es waren also die Probleme der Zeit, doch waren sie in diesem Reich besonders ernst. Der Staat von Neapel hatte mehr als jeder andere in Italien seine feudale Ordnung beibehalten. Die »Barone« verkehrten mit dem König wie mit einem Gleichgestellten. In Sizilien hatten sie eine starke Stellung im Parlament behaupten können. In

Neapel vollzog sich hingegen durch die Gegenwart des Hofes ein gewisser Prozeß der Nivellierung der Macht des Adels. Auch war hier das Parlament schon frühzeitig aufgelöst worden. Aber auf seinem eigenen Grundbesitz übte der »Baron« weiterhin seine Feudalrechte aus, die ihn auf seinem Land zu einem kleinen Fürsten machten. Der Klerus genoß die gleichen Privilegien wie der Adel und verteidigte darüber hinaus seine besondere Stellung als selbständige und von der Autorität des Staates unabhängige Gesellschaft. Die Inhaber der Macht, Adel und Klerus, verfügten auch über die größten Reichtümer. Bei der vorwiegend agrarisch ausgerichteten Wirtschaft des Landes, in der Gewerbe und Handel nur Nebenbedeutung hatten, vereinigten sie auf Grund ihres Landbesitzes fast alle Einnahmequellen in ihren Händen. Die Steuerprivilegien des Adels, die Feudalrechte, über die die herrschenden Klassen verfügten, lasteten mit ihrem ganzen Gewicht auf dem Bauernstand und drohten ihn zu erdrükken. Die Berichte der Zeit und die staatlichen Umfragen selbst gaben ein eindrucksvolles Bild von den Lebensbedingungen auf dem Lande wieder.

All diese Probleme konnten nicht gelöst werden ohne ein energisch vorangetriebenes Werk der Revision, das sich unter dem Einfluß und den Impulsen der neuen Lehren gegen die gesamte Struktur des Ancien régime zu richten begann. Trotzdem blieb die »geistige Revolution« der Zeit fremd. Die Reformtätigkeit des neuen Königs Karl von Bourbon schöpfte nicht aus den Quellen des neuen Denkens. Seine Mitarbeiter, angefangen bei Tanucci, dem bedeutendsten von allen, trennten sich nicht von den alten Anschauungen. Sie waren Verwaltungsexperten, die dem Mechanismus des Staates die größtmögliche Wirkungskraft geben wollten, nicht aber Erneuerer, die darauf bedacht gewesen wären, die bestehende Ordnung umzukehren. So brachten die von Karl in den fünfundzwanzig Jahren seiner Regierung durchgeführten Reformen nur oberflächliche Veränderungen, die im Grunde die bestehende Situation aber unangetastet ließen ...

Das Fortbestehen der alten politischen und sozialen Ordnung erstickte alle Neuerungsversuche im Keim. Die Bemühungen von seiten der Regierung, dem wirtschaftlichen Leben neuen Auftrieb zu geben, Handel und Gewerbe zu aktivieren, trafen ins Leere, weil alle alten und der wirtschaftlichen Erneuerung hinderlichen Einrichtungen bestehenblieben: so das veraltete Steuersystem, das sich ganz zugunsten des Grundbesitzes auswirkte; oder die alte Zunftordnung, die jeder Initiative hinderlich sein mußte; das alte Zollsystem, das den Warenaustausch hemmte; schließlich die Mißbräuche und Willkürakte in der Herrschaft des Adels und der Geistlichkeit.

Das Reformwerk Karls von Bourbon führte also nicht über die Feststellung des wirtschaftlichen Niedergangs des Reiches und die Anwendung einiger praktischer und nur vorübergehend wirksamer Heilmittel hinaus. Die intellektuelle Bewegung, die Neapel zu einem der bedeutendsten Zentren der italienischen Aufklärung machen sollte, war damals noch keineswegs voll entwickelt. Erst gegen Ende der Regierung Karls gelangte sie zur Reife. Die geistige Entwicklung, die stufenweise seit Beginn des Jahrhunderts eingesetzt hatte, gewann erst in den Jahren nach 1750 Einfluß auf die Erneuerung des Staates. Es bildete sich ein neues geistiges Klima, das Neapel zu einem der wichtigsten Zentren der großen Reformbewegung machte. Dieser äußerste

Zipfel der Halbinsel begann mit eigenen Gedanken an dem großen geistigen Dialog teilzunehmen, den die Epoche in Europa eröffnet hatte. Im Jahre 1754 erhielt Antonio Genovesi den Lehrstuhl für Wirtschaftskunde an der Universität ... In den zwanzig Jahren seiner Lehrtätigkeit versammelte er eine Schar von Schülern um sich herum, die den Generalstab der Aufklärung in Neapel formten. Aus der Schule des Genovesi ging unter anderem auch Gaetano Fitangieri hervor, dessen kurzes Leben damit ausgefüllt war, das monumentale Werk seiner *Scienza della Legislazione* abzufassen, das Fragen der Wirtschaft, des Rechtes, des Erziehungswesens, des Eigentums und der Religion behandelt. Die neapolitanische Aufklärung ist reich an den Genius des Südens so kennzeichnenden geistsprühenden Persönlichkeiten. Mit Ferdinando Galiani setzte sich einer der brillantesten Köpfe der neuen »Philosophien« Neapels in Paris, der Hauptstadt der Aufklärung, durch. Als Botschaftssekretär in Paris war Galiani nicht nur ein diplomatischer, sondern auch ein geistiger Vertreter seines Landes. Als er nach Frankreich kam, ging ihm der Erfolg seines Traktates *Della Moneta* (vom Münzwesen) voraus, ein äußerst solide gearbeitetes Werk, das mit bewunderungswertem Reichtum an Ideen und erstaunlicher Breite der Gesichtspunkte geschrieben ist. Seine *Dialogues sur le commerce des blés,* die Diderot nach seiner Abreise aus Frankreich veröffentlichte, besiegelten sein Ansehen in Europa.

Lebendig, vielseitig und reich war die neapolitanische Aufklärung; sie war nicht weniger ein Zentrum europäischer Ideen als die lombardische. Die Notwendigkeit der Erneuerung wurde schon von der »Elite« der vorangegangenen Generation gesehen. Zur Tat aber konnte man erst schreiten, als der Geist der Aufklärung zur vollen Entfaltung gelangt war und die theoretischen und praktischen Begründungen geliefert hatte. Man plante und entwarf ein in seinen Zielen und Mitteln fest umrissenes Programm. Die Probleme des Staates, der Gesellschaft und der Wirtschaft wurden nicht mehr wie in der Vergangenheit nur bruchstückhaft und isoliert in Angriff genommen. Das Reformwerk wurde bewußt als ein vollständiges Ganzes unter Zusammenfassung aller politischen, wirtschaftlichen und gesellschaftlichen Einzelelemente konzipiert.

In der zweiten Generation der Bourbonenherrschaft, unter Ferdinand, dem Sohne Karls, kam auch jene Zusammenarbeit der geistigen Bewegung mit der fürstlichen Politik zustande, die unter der Regierung Karls noch keine Berührungspunkte hatten. Philosophen und Politiker wirkten Seite an Seite, die Vertreter des neuen Denkens fanden Eintritt in die Ränge der Regierung und wurden dort zu angesehenen Beratern ... Die Schriftsteller der Zeit feierten das »Zeitalter Ferdinands« als die Epoche des Triumphes der goldenen Aufklärung.

Aber der Mythos des »Zeitalters Ferdinands« beruhte auf einem Mißverständnis. Der König wurde zum Symbol einer geistigen Bewegung, der er im Grunde fernstand. Ferdinand und Maria Carolina atmeten zwar die Atmosphäre ihres Zeitalters ein, doch waren sie kaum davon durchdrungen. Bei ihrer Aufgeklärtheit handelte es sich um eine allgemeinere Geisteshaltung, um eine momentane Mode, die wieder fallengelassen wurde, und nicht um ein gut ineinandergefügtes und zusammenhängendes System wie bei den habsburgischen Fürsten. Das Haus Bourbon schien unfähig zu sein, die neue Form des Absolutismus zu entwickeln, die Ausdruck des Geistes der Zeit war. In Neapel gab es keinen Aufgeklärten Absolutismus im eigentlichen Sinn. Während die geistige Bewegung mit ihrem ganzen Elan und in ihrer ganzen Kraft vorhanden war, war der Weg der bourbonischen Reformen mühselig und langsam, ohne Impulse von seiten eines starken, energisch vorantreibenden Willens und ohne den Wegweiser eines exakten, klar umrissenen Programms seitens der Krone. Das Problem des Feudaladels blieb ungelöst. Die Abschaffung des Systems der Privilegien, die die kühnsten Reformer forderten, blieb fernes, utopisches Ziel. Was schließlich geschah, war ein Anknabbern, aber keine Zerstörung der alten Strukturen. Man versuchte, etwa die Gerichtsbarkeit der Barone dadurch zu beschränken, daß man beim Verkauf der an den Hof gefallenen kleinen Gemeinden, die vorher in Abhängigkeit von Feudalherren gestanden hatten, die Jurisdiktionsrechte nicht weiter übertrug. Man verbot die »Angarien« und legte die Leistungen der Vasallen an den Feudalherren auf bestimmte Abgaben in Geld und Naturalien fest. Mehr Aufsehen erregte der Angriff auf die Stellung der Kirche, der in der Vertreibung der Jesuiten seinen spektakulärsten Ausdruck gefunden hatte. Aber trotz der scheinbaren Intransigenz gegenüber der Geistlichkeit verfügten die Regierung und der Hof auch hier nicht über genügend Fähigkeiten und Energien, um das Programm der Reformer nach und nach als Ganzes durchzuführen. Bei der Kontrolle der Beziehungen zwischen dem Klerus und Rom begnügte sich die Regierung damit, die Gesetzgebung betreffs *placet* und *exequatur* zu vervollkommnen. Die Anzahl der Geistlichen wurde festgesetzt, und viele Klöster wurden abgeschafft. Man forderte die Unabhängigkeit des Königreichs gegenüber den vom Papste erhobenen Lehensrechten durch Verweigerung der Liebesgabe, der Chinea. Bezüglich der Steuerfreiheiten ging man nicht über die von Karl getroffene Regelung hinaus, und betreffs der geistlichen Gerichtsbarkeit blieb man im Grunde an dem Punkt stehen, an dem die österreichische Gesetzgebung schon 1709 angelangt war.

Andererseits setzten aber auch die tatsächlichen politischen, wirtschaftlichen und gesellschaftlichen Verhältnisse, die unmöglich mit einem Schlage verändert werden konnten, den Reformen Grenzen. Das wird besonders deutlich in Sizilien, wo der aufgeklärte Vizekönig Caracciolo versuchte, die Herrschaft der Barone zu beseitigen. Dabei stieß er auf den Widerstand der partikularen Interessen und das Unabhängigkeitsstreben der Insel, die sich dem neapolitanischen Zentralismus widersetzen wollte. Außerdem fand er beim Hofe und bei den Zentralgewalten nicht das Verständnis und die Unterstützung, deren er bedurft hätte.

Auf wirtschaftlichem Gebiet kam es zu einem gewissen Fortschritt: Verbesserung des Anbaus und der Ackerbestellung zwecks Steigerung der Produktion. Brachliegende Landstriche wurden fruchtbar gemacht und bebaut. Oliven, Maulbeerbäume und Wein wuchsen dort, wo früher nur Weideland war. Ferner wurden Versuche unternommen, das Gewerbe durch Gewährung von Subsidien und Privilegien leistungsfähiger zu machen. Doch insgesamt war die Bilanz bescheiden. In einem Land, das noch ganz feudalen Charakters war, arm an Städten und bar aller technisch geübten Arbeitskräfte, fehlten einfach die Voraussetzungen für eine Wirtschaftsreform. Genovesi hatte den Kern des Problems getroffen, als er die Lösung der sozialen Frage mit in die Wirtschaftsreformen einbeziehen wollte: »Wollen wir das Land verbessern? Dann müssen wir zunächst dafür sorgen, daß die Bauern sicher sein können, daß sie für sich selbst und für ihre Kinder arbeiten. Solange sie auf der bloßen Erde schlafen, sich von Unkraut ernähren und sich als Sklaven fühlen, ist keine Besserung zu erwarten.« Aber um dies zu erreichen, wäre eine Umstrukturierung der bestehenden Gesellschaft notwendig gewesen. Doch man beschränkte sich auf wenige Einzelmaßnahmen, wie die Verteilung brachliegender Ländereien oder den Versuch einer Kolonisierung des Landesinneren. Die Vertreibung der Gesellschaft Jesu ermöglichte die Verteilung von Land an Siedler und Tagelöhner. Auf den Inseln Ustica und Ventotene wurden arme Familien angesiedelt, denen die notwendigen Arbeitsinstrumente in die Hand gegeben wurden. Dem König gelang es, in St. Leucio neben dem königlichen Palast von Caserta eine Modellsiedlung zu errichten. Aber hierbei handelte es sich eigentlich nur um eine Art Spielzeug, das sich die Laune des Fürsten als Huldigung an die Mode der Zeit gebaut hatte.

Der Einfluß der Ideen der Zeit war also deutlich spürbar, aber es gelang ihm nicht, in einer geschlossen geplant und zusammenhängend verwirklichten staatlichen Reformpolitik wirksam zu werden. Die bourbonischen Reformen blieben auf halbem Wege stehen. In Parma empfing die Politik des anderen, kleineren Zweiges der in Italien ansässigen Bourbonen mit Philip, dem Bruder Karls, nicht wie in Neapel Anregungen von der großen geistigen Bewegung der Epoche. Die erneuernden Kräfte in diesem Herzogtum waren recht gering. Der Anstoß zu Reformen kam von außen, durch die Einwirkung anderer europäischer Modelle.

Der Initiator der Reformen in Parma, Du Tillot, war Ausländer und umgab sich seinerseits mit einer Schar von Ausländern. Er trat in der den Aufklärern üblichen Art auf und gab sich wie die aktuellen französischen Vorbilder. Im Grunde war er jedoch ein Eklektiker, den der Geist der Zeit nur oberflächlich berührte. Mehr als jeder andere war er ein Instrument der Dynastie, ihrer zentralistischen Bestrebungen und finanziellen und fiskalischen Interessen. Diesen Bestrebungen, diesen Interessen – und zwar mehr als der Einsicht in die tatsächlichen Bedürfnisse des Landes – diente sein Kampf gegen die geistlichen und feudalen Privilegien und seine Wirtschaftspolitik. So kam es kaum zu einer Verbindung mit der lokalen Intelligenz, auch wenn dort an manchen Stellen Reformkräfte vorhanden waren, wie z. B. bei der recht großen Schar der Jansenisten in Piacenza. Aber zweifellos überwog gegenüber der Zusammenarbeit der Widerstand, das verletzte Unabhängigkeitsgefühl und die Unduldsamkeit gegenüber der fremden Vormundschaft.

Und doch brachte auch in Parma die Ankunft der neuen Dynastie für das Leben des kleinen Herzogtums eine Veränderung mit sich. Sie wirkte wie eine Triebfeder, ein Ferment, ein Anstoß zur Dynamik. In ganz Italien waren die »neuen« Staaten die Kernpunkte der Erneuerung: die Lombardei als Versuchsfeld der Habsburger, die Toskana mit ihren neuen Fürsten, Neapel mit seiner neugewonnenen Unabhängigkeit. Hier bewegten sich die lokalen Mächte in einem für das neue Denken politisch günstigen Klima, da sie von Fürsten regiert wurden, die es nicht wagten, sie auszubeuten, weil sie ihre junge Macht konsolidieren wollten, reformfreudig und den neuen Tendenzen gegenüber aufgeschlossen waren. Hier fielen die beiden Grundsätze des Aufgeklärten Absolutismus zusammen: der moralische Druck, den die neuen Ideen auslösen, und das Streben nach Selbstbehauptung der absoluten Gewalt des Fürsten.

Anders die Situation in den »alten« Staaten, die keine Erschütterung durch äußere Veränderungen erfahren hatten und im Inneren ihre alte Ordnung bewahrten: Venedig mit seinem streng aristokratischen Regime, Rom mit seiner priesterlichen Oligarchie. Hier gab es keine Fürsten, die sich erst die Grundlagen für die Behauptung ihrer Macht schaffen mußten; auch nicht in Piemont, wo das fest in seinem Sattel sitzende Herrscherhaus es nicht nötig hatte und auch gar nicht die Absicht hegte, die alten Traditionen aufzugeben . . .

So kam es zwar in den »alten« Staaten zu verschiedenen erfolgreichen Ansätzen zu einer Reformbewegung. Doch gelang hier die Vermählung mit dem aufklärerischen Denken kaum, auch wenn hier die Anhänger der neuen Ideen nicht gänzlich fehlten, auch wenn hier die Wirkung der allgemeinen Geistesbewegung in mehr oder weniger großem Maße spürbar war. Die Vertreter der neuen Lehre, die sich ohne Unterstützung von seiten der Staatsgewalt durchsetzen mußten und manchmal sogar von dieser bekämpft wurden, konnten nur begrenzten Einfluß ausüben. Viele von ihnen verließen ihren Staat und suchten sich mehr versprechende Betätigungsgebiete. Sie blieben dort, wo die Reforminitiative stärker war, in Mailand, Neapel, Florenz, den Zentren, von denen die Renaissance des italienischen Denkens ihren Ausgang genommen hatte.

Die Politik der Jansenisten in Italien gegen Ende des 18. Jahrhunderts

ETTORE PASSERIN D'ENTREVES

I.

... Eine der interessantesten Beobachtungen für denjenigen, der sich mit den Tendenzen am Ende des 18. Jahrhunderts beschäftigt, ist stets der kühne Versuch von Peter Leopold, im Großherzogtum Toskana eine Kirchenreform durchzuführen, in der er die Einführung einer neuen Kirchenordnung mit dem Plan einer reinen und echten *Nationalkirche* verband. Obwohl dieses Experiment schon zu Beginn seiner Durchführung scheiterte, interessiert es uns hier doch in besonderem Maße, weil sich in ihm vielleicht in einer auffälligeren Weise als in der Kirchenpolitik Josephs II. jansenistisches und aufklärerisches Reformertum verband und wechselseitig ergänzte, wobei den von den Vorstellungen des »Aufgeklärten Absolutismus« geprägten Grundsätzen eindeutig die Vorrangstellung belassen blieb.

Es scheint uns unzulänglich, hier von einer »Allianz« zwischen dem Aufgeklärten Absolutismus und dem Jansenismus zu sprechen, wie man es jüngst getan hat, wenn man nicht genauer angibt, in welcher Form die Politik des »Philosophenfürsten« bestimmte gallikanische und jansenistische Theorien übernahm. Dadurch erhielt seine Politik ein besonderes Gepräge, welches gerade für einen reformerischen Absolutismus – mit seinen Nuancen von Toleranz und *antikurialem Patriotismus* – typisch ist. Ebenso gilt es, den *modernisierenden* Geist in jenen jansenistischen Kreisen genauer zu definieren, die sich diesem heftigen politisch-religiösen Kampf verschrieben haben ... Für uns steht außer Zweifel, daß der Großherzog sehr viel bessere Kenntnisse über die Lehre und Verfassung der Kirche, wenn auch nicht unter dem eigentlich theologischen Aspekt, so doch in der Praxis, besaß, um seine Absichten durchzusetzen, die darauf abzielten, die Kirche fest in den staatlichen Organismus einzugliedern, indem er viele von jenen materiellen und geistigen Bindungen beschnitt, mit denen der Klerus das gläubige Volk an die päpstliche Monarchie band. Das Risiko eines Schismas wurde dabei weniger in Erwägung gezogen, weil man allgemein den Ausbruch einer breit angelegten europäischen und insbesondere kaiserlichen Offensive gegen die Kurie erwartete. Man nahm an, daß sich Rom angesichts einer solchen bedrohlichen Situation zu Zugeständnissen bereit erklären und auf eine Reihe von Privilegien, Rechtsansprüchen und Lehren verzichten würde, die dazu dienten, die Autorität der Fürsten zu schwächen und ihnen eine »Universalmonarchie« auf-

Quaderni di Cultura e Storia sociale 2, 1953, S. 359–367, und 5, 1954, S. 309–329. Der ganze Aufsatz umfaßt 8 Teile, die ebenda 1952ff. erschienen. Die hier wiedergegebenen Abschnitte wurden gekürzt (Kürzungen durch ... gekennzeichnet), wodurch auch die Ziffern der Anmerkungen verändert werden mußten. Der Abdruck erfolgt mit freundlicher Genehmigung des Verfassers; aus dem Italienischen übersetzt von Ursula Lange.

zuerlegen, die verhindern sollte, daß sich die von den »Philosophenfürsten« propagierte Religion durchsetzte. Dies sind die Voraussetzungen, von denen der frühe Peter Leopold ausging . . .

Es überrascht, daß man bei den Ratgebern Peter Leopolds so wenige und so widersprüchliche Angaben über die Art der Reformpläne und Reformabsichten im Bereich der Religion oder der Kirchenpolitik findet. Während in Wien eine breite Publizistik offiziös und auch ganz offiziell die Grundsätze des Josephinismus propagierte, bleibt der *Leopoldinismus* in der Toskana eine viel weniger eindeutige Sache. Recht unsicher bleibt auch die wohlwollende Interpretation, die aus Leopold einen vorliberalen Fürsten macht, der dafür sorgte, daß sich gewisse Anschauungen autonom behaupten konnten, die er, wohl seiner persönlichen Neigung folgend, unterstützte. Das geschah aber, ohne daß er eine andere Theorie ganz eindeutig abgelehnt und eine dritte, vielleicht problematischere, aber in gewisser Hinsicht plausiblere Interpretation einfach für bindend erklärt hatte. Peter Leopold hat die Toskana als ein »Versuchsfeld« für eine Reihe von geistlichen und kirchenpolitischen Reformen betrachtet, wobei er stets das weitaus größere Gebiet des kaiserlichen Herrschaftsbereiches vor Augen hatte, und er hat gewisse Kräfte und gewisse Lehren so weit für seine Zwecke ausgeschöpft, als sie für ihn ergiebig wurden. Daher gab er oft sehr widersprüchlichen Forderungen nach und bewertete in dem großen politischen Spiel, das ihm allein vertraut war oder das er allein zu beherrschen glaubte, die Erfolgschancen bestimmter Maßnahmen auf seine Weise. Deshalb konnte sich die wirklich jansenistische Propaganda der *Ovuscoli* von Pistoia oder der *Annali Ecclesiastici* von Florenz ohne Mühe behaupten, doch war sie nicht die einzige Stimme des *Leopoldinismus*. Es gab andere, weltliche und für ein anderes Publikum gedachte Stimmen. Nur diejenigen, die dem Fürsten nicht *dienten* – wie die Zeitschriften der Kurialisten und ganz allgemein derer, die den religiösen Neuerungen nicht wohlgesonnen waren –, waren von der einseitigen Meinungs*freiheit* völlig ausgeschlossen [1].

Wenn wir auch die kritischen Äußerungen von Francesco Maria Gianni über die leopoldinische Kirchenpolitik übergehen können, da sie den Zeitgenossen unbekannt geblieben sind, so müssen wir doch die wenigen Schriften berücksichtigen, die den Eudämonismus oder genauer den Utilitarismus des Begründers des *Wohlfahrtsstaates* wiedergeben, der sich häufig hinter der von den Jansenisten ausgeborgten Maske eines ethisch-religiösen Rigorismus verbarg: Hier gilt es indessen hervorzuheben, daß die Widersprüchlichkeiten im Verhalten von Leopold zum großen Teil in den Widersprüchen des Reformdenkens von de' Ricci begründet sind, nur kann man feststellen, daß sich die Jansenisten der Situation des »unstabilen Gleichgewichts«, das für ihre Lehren und mehr noch für ihr Verhalten in der Praxis typisch war, bewußt waren.

Wer die Seiten einer merkwürdigen Schrift mit dem Titel *Confronto istorico dei nuovi con gli antichi regolamenti rapporto alla polizia della Chiesa nello Stato* [2] eines lombardischen Geistlichen, möglicherweise des Daverio, die Peter Leopold gewidmet ist und 1766 in Florenz veröffentlicht wurde, liest, kann erschließen, wie der *normale* Entwicklungsprozeß einer *katholischen Reform*bewegung nach den vom Aufgeklärten Absolutismus josephinischer Prägung ausgehenden Direktiven verlaufen wäre, wenn dieser sich in der Toskana hätte behaupten können. Der Kompromiß zwischen Elementen der katholischen Tradition, aufgeklärten Impulsen, Statalismus oder »antikurialem Patriotismus«, der das Verhalten der anonymen Lombarden kennzeichnet, setzt eine günstigere Situation und einen allmählich fortschreitenden Reformprozeß voraus, wie er in der Lombardei in theresianischer Zeit eingeleitet worden war. Zu Recht hat man hervorgehoben, daß der Josephinismus keineswegs von Joseph II. geschaffen worden ist, und ebenso richtig hat Maaß erkannt, daß Kaunitz gerade die Lombardei als Versuchsgebiet für die geistlichen Reformen gewählt hat, die er dann im ganzen habsburgischen Territorium durchführen wollte[3].

Die obengenannte Schrift beginnt mit einem Lob auf den Grafen Firmian, »der vom Fürsten Kaunitz unterstützt wurde, der nur durch das Lob ganz Europas in angemessener Weise gerühmt werden kann«. Firmian wird das Verdienst zugesprochen, »nicht allein in der habsburgischen Lombardei und in der Universität von Pisa, sondern in ganz Italien den rechten Sinn für die geistlichen und profanen Wissenschaften erneuert zu haben«. Peter Leopold wird als ein Fortsetzer der theresianischen Reformen dargestellt, wobei die Betonung sowohl auf den Fortschritt der »Philosophie« als auch auf den der Religion fällt: »Bei der Ankunft seiner königlichen Hoheit Leopold von Toskana trug dieser große Fürst die Lichter der Philosophie in das Land . . . Es handelt sich hier nicht mehr um einzelne und verstreute Reformversuche, sondern aus der konstruktiven Kombination aller Einzelteile ergab sich ein rationales System.« Die gleichen Verdienste werden auch Joseph II. zugeschrieben, der als »Fürst einer großen Monarchie mit verschiedenen Nationen den entscheidenden Schritt unternommen hat, ein einheitliches System zu entwickeln, um alle zusammen, wenn auch unter Berücksichtigung lokaler Verschiedenheiten, einheitlich zu behandeln[4]«.

Dieser ausdrückliche Hinweis auf ein größeres Gebiet und einen viel größeren politischen Organismus, zu dem auch die Toskana wenigstens in indirekter Abhängigkeit gehörte, findet sich nicht oft in den Schriften, die in den Jahren des Höhepunktes des leopoldinischen Reformwerkes verbreitet wurden. Um so interessanter ist daher die Tatsache, daß das eben zitierte Werk, in dem die Reformmaßnahmen von Maria Theresia und von Joseph II. minutiös dargestellt werden und das »der großen Reform der Mißstände, die wider den ewigen Geist der Kirche in die Kirchenpolitik eingedrungen sind«, gewidmet ist, in Florenz veröffentlicht wurde. Darin wird gesagt, daß es von offizieller Seite in der Absicht angeregt worden sei, den niederen Klerus *aufzuklären* und ihm eine »Instruktion« zu geben, »die der Landpfarrer an das niedere Volk weitervermitteln solle, damit allen der Gehorsam gegenüber der Staatsgewalt einleuchtender würde, da die persönliche Überzeugung der einzelnen das wirksamste Mittel für die Gewährleistung der Stabilität und Beständigkeit aller Reformmaßnahmen ist[5]«.

Man kann sich kaum exaktere Äußerungen für eine Definition des vorliberalen *Erziehungsdenkens* dieses gemäßigten Reformertums vorstellen, das in seinen Zielen religiös, in seinen Formen aber rein aufklärerisch war. Aber wir wiederholen, daß wir es hier mit einem Werk zu tun haben, das in der Umgebung *Josephs II.* entstanden ist: Das besagt nicht, daß die toskanischen Jansenisten von de' Ricci bis Pannilini oder Baldovinetti abseits von der breiten Reformbewegung lebten, auf die hier verwiesen wird, aber es besagt wohl, daß ihre öffentliche Propaganda, d.h. die Texte, die sie verbreiteten, sich oft auf weiter zurückliegende theologische Lehrmeinungen stützten, die mit der »Philosophie« dieses Jahrhunderts wenig gemein hatten. Das Ideengut des 18. Jahrhunderts tritt hier weniger deutlich hervor. Auch in ihren vertraulichen Briefen, von denen wir gleich sprechen werden, um die verborgenen Seiten ihrer Persönlichkeit kennenzulernen, begegnet uns dieses Denken kaum. Wenn sich aber eine mehr von der Aufklärung geprägte Stimme zu Wort meldete, so machten de' Ricci und seine Anhänger einen Skandal daraus und waren rasch entschlossen, den Häretiker zu exkommunizieren, auch wenn sie sonst die päpstlichen Exkommunikationen in Rom mißachteten. In dieser Hinsicht ist ihre Reaktion auf eine anonyme Schrift mit dem Titel *Riflessioni di un canonista in occasione della privata assemblea dei vescovi della Toscana, fissata in Firenze il dì 23 aprile 1787*[6], die ohne offizielle Approbation im gleichen Jahre 1787 erschien, äußerst interessant.

Diese Schrift, die die Forschung bisher fast völlig unbeachtet gelassen hat, wurde von einem Jansenisten aus dem Kreise um de' Ricci mit guten Gründen dem Autor des »*Nuovo progetto di una Riforma d'Italia*[7]« zugeschrieben, d.h. dem bekannten tridentinischen Aufklärer Carlo Antonio Pilati, der den jansenistischen Kreisen völlig fernstand und als Propagator von Reformideen auftrat, die sehr viel kühner als die der Jansenisten oder der katholischen Reformer waren, von denen wir bisher gesprochen haben und die eine deutliche Wendung zu den Freimaurern zeigten. Aber wenn uns Pilati in eine von voltaireschem Geist erfüllte Atmosphäre hineinführt und einen großen Teil seiner polemischen Äußerungen aus den radikalsten Strömungen der aufklärerischen Bewegung schöpfte, endeten seine Vorstöße doch weder bei einer grundsätzlichen Distanzierung von der christlichen Tradition noch bei einer entscheidenden Ablehnung der Grenzen, die der »Aufgeklärte« Absolutismus der Gesinnungsfreiheit setzte. Pilati versuchte vielmehr, wie es übrigens auch die Enzyklopädisten selbst getan haben, die Philosophie überall auf den Thron zu bringen und sie mit den Kräften des Absolutismus zu bewaffnen und die Grundsätze des Handelns zu *rationalisieren.* Seine kühnsten Schriften, die alle anonym erschienen, sind deshalb auch so gehalten, daß sie einem »Philosophenfürsten« nicht mißfallen konnten: Die erste Ausgabe der *Riforma d'Italia* wurde 1769 in Wien günstig aufgenommen, und der Verfasser besuchte später den preußischen Hof.

In der Toskana war Pilati den Gelehrten des öffentlichen Rechts und des Naturrechts wie Lampredi bekannt. Den Aussagen eines seiner Biographen zufolge darf man annehmen, daß es ihm auch möglich war, von einer Person aus der unmittelbaren Umgebung des Großherzogs gehört zu werden. Pilati hielt sich in der Zeit vom November 1786 bis März 1787, d.h. gerade in dem entscheidenden Augenblick der Kirchenreformen, in Florenz auf[8] . . . An manchen Stellen der Schrift findet man Abschnitte, die wörtlich aus der *Riforma d'Italia* übernommen worden sind, und man begegnet in beiden Schriften gleichen Ansichten, wie vor allem der, daß dem

Fürsten im geistlichen und religiösen Bereich höchste Machtbefugnisse zukommen sollten. Die geistliche Reform nimmt hier tatsächlich den Charakter einer umfassenden Reform von Kultur und Gesellschaft an, bei der die Waffen des klassischen Absolutismus und vor allem die *iura circa sacra* in einer »moderneren« Weise und zu Zwecken angewandt werden, die man mit der Sprache der Zeit »philosophisch« nennen könnte. Wie der jansenistische Kritiker von Pilati schon beobachtet hat, wird nicht konkret auf diese oder jene der Maßnahmen Leopolds hingewiesen, aber die Beweggründe der Reform werden philosophisch betrachtet, wobei besonders auf die Diözesansynoden Bezug genommen wird, die der Fürst mit dem berühmten Rundschreiben vom 2. August 1785 einberufen hatte; darüber hinaus geben die Ausführungen Pilatis (wie auch der Titel der Schrift) Anlaß zu der Vermutung, daß er auch auf die *Nationalsynode* aller toskanischen Bischöfe hinweisen wollte, die erst später nach der Verteilung der 57 »Punti Ecclesiastici« an den Episkopat, die den in den Gesprächen zu beschreitenden Weg von oben festlegten, einberufen wurde: »Die Kirche hat kein anderes Recht, sich in einer Synode zu versammeln, als das, das ihr der Fürst gewährt . . . wenn die Synode versammelt ist, kann sie über keine Dogmen- und Disziplinfragen entscheiden und Beschlüsse fassen, wenn der Fürst nicht seine Zustimmung dazu gibt . . . Der Fürst kann alle Akten der Synode verändern oder annullieren und die Ausführung aller oder eines Teils ihrer Beschlüsse verbieten . . . Die Synode steht in all ihren Handlungen in voller Abhängigkeit der Autorität des Monarchen gegenüber, und keine Synode hat das Recht, sich ohne die Zustimmung des Fürsten aufzulösen[9] . . .«

Regalistischer könnte man wohl kaum sein und man mag ein geheimes Wohlgefallen beim Fürsten daran vermuten, der sich solcher Ansichten gerne bediente, um dieses eigenständige »geistliche Parlament«, das zu vernichten er sich zur Aufgabe machte, einzuschüchtern. Aber es handelte sich nur um eine rein theoretische Äußerung, und wir wissen, daß Leopold über andere, direktere Maßnahmen verfügte, um das gleiche Ziel zu erreichen[10]. Betrachten wir nun die Schrift selbst ein wenig, vor allem im Hinblick darauf, was sie wert ist, und auf die Reaktionen, die sie bei de' Ricci und seinen Anhängern auslöste. Der aufschlußreichste Abschnitt, den wir noch nicht zitiert haben, ist der, in dem die Gesamtbedeutung des Reformwerks von Leopold beschrieben wird, wobei hier der Hauptakzent ganz eindeutig mehr auf den *kulturellen* als auf den religiösen Veränderungen liegt und diese so dargestellt werden, als seien sie nach streng autoritären Anweisungen von oben her diktiert worden: »Wenn ein Fürst den Entschluß faßt, eine Reform durchzuführen oder eine bessere Ordnung in den geistlichen Angelegenheiten zu schaffen, ist es notwendig, daß er gleichzeitig für die Entstehung einer einheitlichen und allen gemeinsamen Gesinnungsart im Staate sorgt, damit er gleichsam alle Köpfe nach ein und demselben Modell formen kann. Das sicherste Mittel, um dies zu erreichen, ist die Einrichtung von Schulen und Seminaren für den Adel und für den Klerus . . . Hauptziel muß es sein, den Laien und dem Klerus Bildung zu vermitteln und vor allem ihre Ansichten in Einklang zu bringen, so daß die Untertanen eines Staates alle gleich über die wesentlichen Merkmale des Christen und des Bürgers denken. Die Auswahl der Lehrer und der Lehrbücher soll so getroffen werden, daß sie entscheidend zu einer solchen Harmonie beiträgt[11] . . .«

Bei der Lektüre auch der gewagtesten Texte von Pilati können wir feststellen, daß man viele der von ihm vorgetragenen Reformvorschläge ohne Bedenken auf verschiedene Quellen zurückführen könnte, da die in Frage kommenden alle in ihren Ergebnissen, in ihren *praktischen* Anwendungsvorschlägen und vor allem bei der Ausarbeitung der antikurialen Kampfmittel explizit oder implizit die Errichtung einer *Nationalkirche* anstrebten. Nicht einmal von den eindeutig aufklärerischen Theorien von Pilati – z.B. von der Forderung nach religiöser Toleranz – kann man behaupten, daß sie den Jansenisten um de' Ricci und denen in Pavia völlig fern gelegen hätten . . . Was die Verbreitung des Ideengutes der Aufklärung und die Reaktionen, die diese bei den Jansenisten auslöste, angeht, brauchen wir nur an das Mißfallen des Kanonikus de' Vecchi zu denken, als er sah, daß die *Enzyklopädie* in Livorno gedruckt und »dem Großherzog gewidmet wurde und mit besonderen Privilegien ausgestattet war«. Aber wir können dies keineswegs verallgemeinern und allen Jansenisten die gleiche Haltung zuschreiben. Das wird schon dadurch bezeugt, daß man bei Tanzini ein Urteil der Enzyklopädie über die Rechte der Priester zitiert findet, oder man kann es beobachten, wenn man die Akten der Versammlung der toskanischen Bischöfe im Jahre 1787 studiert[12].

Wir dürfen uns allerdings nicht über die wilde Entschlossenheit, die die Jansenisten für die Durchführung der *toskanischen Reformen* aufbringen, täuschen lassen und annehmen, daß hier vielleicht nur ein im Denken des Volkes verwurzelter Regionalpatriotismus zugrunde läge, wenn man vielleicht auch von einem Patriotismus der »Beamten« sprechen kann, der sich ganz in der Devotion gegenüber dem Reformfürsten erschöpfte. Hierüber gehört auch die Verbundenheit, die die wenigen begeisterten Förderer der leopoldinischen Reformpolitik dem kaum erst entworfenen Bau des neuen Staates entgegenbrachten, eines Staates, der zwar auf dem solideren Fundament der Vernunft fußen sollte, sich aber dennoch, weil er dynastisch und nicht »populär« war, weiterhin den Prinzipien des Ancien Régime verschrieb. Es ist das Ideal eines Staates, der einerseits einem archaischen politischen Organismus verpflichtet war, sich aber andererseits weitgehend von den traditionellen Bräuchen lösen sollte . . . Aber wir wollen uns die psychologische Lage der jansenistischen Gruppen vergegenwärtigen, indem wir uns jene vertraulichen Briefe ansehen, die ihre Haltung eindeutig wiedergeben. Dabei sehen wir uns einer Vielzahl von Lehrmeinungen, von Stimmungen, von Gefühlen gegenüber, die nicht recht zusammenpassen und häufig zwiespältig sind, die uns aber sehr wohl die Natur der äußerst komplexen Realität der geschichtlichen Entwicklung des Jansenismus wiedergeben. Als Ausgangspunkt wählen wir die Jahre des Höhepunkts des Reformwerks Peter Leopolds im kirchenpolitischen Bereich, d.h. die Jahre nach 1781. Dieses Jahr ist für die Toskana in gleichem Maße wie für Wien, wo die josephinischen Reformen einsetzten, ein bedeutendes Datum. Obwohl es tatsächlich keine direkte Übereinkunft zwischen den beiden Brüdern Joseph und Leopold gegeben hat, besteht doch zweifellos eine lockere Beziehung, die man vielleicht als harmonisches Zusammenwirken zwischen den verschiedenen Reformmaßnahmen bezeichnen könnte, die jeweils den besonderen Gegebenheiten der einzelnen kaiserlichen Herrschaftsgebiete und der kleinen Toskana angepaßt wurden. Zweifellos waren die beiden Brüder charakterlich sehr verschieden, doch hatten sie viele Grundsätze und ideologische Einflüsse gemeinsam [13]. »Wer wird die Richtigkeit der Ansicht des Hofes von Rom leugnen«, schreibt Fabio de' Vecchi am 13. Februar 1782 an den Abt von Bellegarde, »daß die Neuerungen des Kaisers (Josephs II.) nicht das Ergebnis seines Aufenthaltes in Utrecht sind [14]?« In einem dem Josephinismus nicht unbedingt geneigten Ton fährt er fort, daß »die Art, in der er sie (die Reformen) durchführe, mehr militärisch als geistlich sei« und daß es besser gewesen wäre, mit einem Erziehungsprogramm zu beginnen als mit plötzlichen Veränderungen, die gemäß einer klaren Übereinstimmung von Klerus und Kirche, die nicht als ein Verhalten der Passivität aufzufassen sei, nicht einmal gerechtfertigt wären.

Wenn Papst Pius VI. während seines Aufenthaltes in Wien anläßlich seiner bekannten Reise im Jahr 1782 »eine Versammlung von Bischöfen und aufgeklärten Männern vorgefunden hätte, die den deutschen Staat und die Religion vertraten und die josephinische Reformpolitik unterstützten« oder besser »deren Entscheidungen zustimmten«, könnte man sicher sein, daß »die Grenzen der fürstlichen Gewalt nicht überschritten« worden seien; außerdem würden »die Neurungen dann auch nicht so heftige Skandale ausgelöst haben [15]«.

Dies ist in Kürze die Überzeugung eines eifrigen toskanischen Jansenisten, der zu den Männern gehörte, die die Entscheidungen Leopolds unmittelbar beeinflußt haben und sich in den Jahren, von denen wir hier sprechen, in seiner unmittelbaren Umgebung aufhielten: ein gemäßigterer und weniger egozentrischer Ratgeber als de' Ricci. Bisweilen hat man den Eindruck, daß Leopold sich in seinen Methoden von einer solchen Einstellung inspirieren ließ. Aber dann bemerkt man doch plötzlich, daß sich hinter dem Schleier der gemäßigten Formen im Sinne des Kanonikus de' Vecchi ein intransigenter, wenn nicht gar fanatischer jansenistischer Rigorismus verbirgt, der fest entschlossen war, jeglichen Kompromiß von der Hand zu weisen, wenn es um theologische Fragen oder um die Jurisdiktionsrechte des weltlichen Herrschers ging. Er legte Einspruch ein gegen die Bulle *Unigenitus*, vertraute noch immer darauf, daß die gute Sache siegen werde, und zeigte sich äußerst bemüht, den Namen des großen Quesnel zu rehabilitieren, zu dessen Gunsten er sogar in einem außergewöhnlichen Unternehmen die weltliche Macht des Politikers Tanucci während eines Besuches, den er diesem in Neapel abstattete, einsetzen wollte [16].

Heben wir schließlich hervor, daß sich der Großherzog selbst mehr oder weniger bewußt an der gesamteuropäischen jansenistischen »Konspiration« beteiligte, indem er den »großen Plan im Geiste eines Richer« förderte [16a]. Dieser sah zunächst die Einberufung von Diözesansynoden und Nationalkonzilien vor, um schließlich ein Universalkonzil gegen die Irrtümer, denen die Kirche erlegen war, zu veranstalten. Es handelte sich um den Plan, den Préclin unter Ausschöpfung des ausgedehnten Briefwechsels zwischen den maßgeblichen Exponenten der Bewegung und der regen publizistischen Tätigkeit, wie sie sich vor allem in den periodisch erscheinenden Publikationsorganen wie den *Nouvelles Ecclésiatiques* manifestiert, genauer belegt [17].

Auch wenn die von Leopold verfolgten Ziele rein politischer Natur waren, steht fest, daß er den Kampf der Lehrmeinungen dadurch ausdehnte, daß er die Männer und Ideen, die wir erwähnt haben, zu Instrumenten seines eigenen Reformwerkes machte. Die großherzogliche Druckerei in Florenz z.B. stellte ihre Pressen für die Veröffentlichung der Schriften des gallikanischen Jansenisten G. N. Maultrot zur Verfügung, dem Verteidiger der »göttlichen Institution« der Pfarrer und ihres Rechts, durch das votum decisivum der Synoden auf das »Regiment der Kirche« Einfluß zu nehmen [18]. Der Großherzog selbst schickte dem Bischof von Pistoia das Werk von Maultrot, das die in der Übersetzung weggelassenen Stellen wieder aufnahm und bekräftigte. Er zeigte sich äußerst informiert über alles, was in Frankreich publiziert wurde. Hieraus wird übrigens auch klar, daß seine Aufgeschlossenheit den sogenannten parochalen und »richeristischen« Tendenzen gegenüber helfen kann, die außerordentlich kühnen Reformmaßnahmen Leopolds zwischen 1786 und 1787 zu erklären. Der Gedanke, die Reformen auf eine Reihe von Entscheidungen des gesamten Klerus, die dieser in verschiedenen Diözesansynoden und schließlich im »Nationalkonzil« der toskanischen Bischöfe getroffen hat, zu stützen, ist nichts anderes als eine logische Anwendung jenes Begriffes, den der Großherzog von den holländischen und französischen Jansenistenkreisen und den Anhängern de' Riccis übernommen hat.

In Wirklichkeit schloß sich die jansenistische Publizistik in jenen Jahren immer mehr der allgemeinen antikurialen Offensive an. Man verlegte sich ganz darauf und rückte die politischen Motive häufig zum Nachteil der religiösen Probleme in den Vordergrund. Dabei fällt auch das mehr oder weniger bewußte Nachlassen der bisherigen Intransigenz auf. Die *Nouvelles Ecclesiastiques* hätten es vor 1780 nie zugelassen, daß man sich zugunsten der »Toleranz« aussprach. Aber die Toleranzedikte der »aufgeklärten Fürsten«, die nichts als die Pfeiler der Offensive gegen Rom waren, ließen noch ein anderes Element der traditionellen Auffassung fallen. Ein Echo darauf fanden wir in dem florentinischen Organ der jansenistischen Partei, den *Annali Ecclesiastici*, an der Stelle, wo die Maßnahmen der Fürsten zu diesem Problem kommentiert werden [19].

Von großer Bedeutung für die Beschreibung der Verbindungen zwischen den verschiedenen oppositionellen Strömungen, die gemeinsam gegen Rom gerichtet waren, ist der Brief von de' Ricci an den Großherzog vom 18. Juli 1783. Darin ist von einer berühmten Befragung (»consulta«) die Rede, die der König von Neapel bei seinen Theologen und Räten durchführte. Es ging um die Zensurmaßnahmen Pius' VI. gegen Serrao. Daraufhin ernannte der König, der kraft seines *königlichen Patronats* verschiedene Bistümer eingerichtet hatte, Serrao zum Bischof von Potenza. In diesem Brief sprach de' Ricci nicht nur »zugunsten der königlichen Autorität« – wir übernehmen damit die Worte, die er selbst gerne noch in seinen Memoiren benutzte –, »deren legitime Rechte ich fordere«. Sondern das Ganze wurde auf die Ebene der Lehre gebracht; man wandte sich an den Fürsten als an die Person, die fortan fähig ist, die in der großen Debatte am heftigsten diskutierten Probleme des Jansenismus zu verstehen. Dieser Brief offenbart außerdem, daß der Großherzog seinerseits die

Räte und Theologen ersuchen ließ, Auskunft über die Befragung zu geben, um ihre Ansichten würdigen zu können. Daß ein solches noch öfter geschehen war, beweist uns ein Brief aus dem Jahre 1782, der in den *Memorie* von de' Ricci bereits veröffentlicht wurde[20] . . .

Andererseits ist die politische Praxis der »aufgeklärten und frommen« Fürsten für de' Ricci eine heilige Sache, ja man kann sagen, eher eine fromme Sache als das Tun der Männer der Kirche. Und es ist auch auffällig, welche Kompetenzen er in diesem und in anderen Briefen den Fürsten zuspricht, die er verteidigt; ebenso den von der geistlichen Autorität stets zu Unrecht angefochtenen »Souveränitätsrechten«, wenn es darum geht, die Vorgeschichte der Kontroversen, die alle in irgendeiner Weise miteinander zusammenhängen, aufzuzeigen[21]. Beispielsweise hebt er in dem genannten Brief hervor, daß der Wiener Hof plötzlich die Bedeutung der Bulle *Unigenitus* erkannt habe, während die toskanischen Bischöfe noch zögerten, ihren Fürsten dazu bewegen, sie anzunehmen und Männer wie Duguet und Van Espen als Autoritäten bemühten, um das »vom Prinz Eugen erlassene Schweigegesetz« kritisieren zu können. Hierauf folgt sogleich ein Lob auf Joseph II.: »Joseph II. war es vorbehalten, sie (die Bulle, Anm. des Hrsg.) in wirksamer Weise zu bekämpfen und zu vernichten. Er hat ihren Inhalt erlaubt, denn er wollte, daß man sie kennenlernte, und das genügte vollauf, denn jeder, der sie las, mußte sie auch ohne offizielle Verurteilung ablehnen.« Aber ein wenig später, vielleicht weil er fürchtete, zu »aufklärerische« Kampfmittel angegeben zu haben, sagt er zusammenfassend, daß die Bulle *Unigenitus* »mit der offiziellen Autorität der Regierenden ebenso wie die Bullen *Unam Sanctam* und *In Coena Domini* für ungültig erklärt« werden müßten[21].

Andere, nicht minder wertvolle Zeugnisse für die Einflüsse von de' Ricci und seinen Glaubensgenossen auf Peter Leopold gestatten uns, von einer wirklichen ideologischen Zusammenarbeit zwischen den Jansenisten und dem Fürsten zu sprechen, deren Ziel es war, gegen die römische Kurie zu kämpfen. Wir bezweifeln keineswegs, daß die Hauptanregung für die leopoldinischen Reformen von der Aufklärung ausging, wie es noch jüngst Codignola hervorgehoben hat. Aber schon die ersten Zeugnisse einer engeren Beziehung zwischen den maßgeblichen Exponenten des toskanischen Jansenismus und besonders zwischen dem Bischof von Pistoia und dem Großherzog in den Jahren von 1780 bis 1783 berechtigen uns zu der Annahme, daß Peter Leopold mit vollem Bewußtsein in die Welt ihrer Theorien eingetreten war, wenigstens teilweise mit den theologischen Prämissen, von denen diese ausgingen, vertraut war und es gewöhnlich auch verstand, sie seinen *praktischen* Zielen dienstbar zu machen, wobei er nie ganz eindeutig zu erkennen gab, bis zu welchem Punkt er sich selbst an dem Streit um die Lehrmeinungen beteiligte. Der Historiker kann hier nur mit den heute noch greifbaren Zeugnissen seiner Reformtätigkeit arbeiten und den komplexen und auch zweideutigen Charakter seines Verhaltens hervorheben. Wir werden später sehen, daß er den Druck der italienischen Übersetzung jenes Werkes von Quesnel erlaubte, welches gerade von der Bulle *Unigenitus* betroffen war, daß er aber dann dem Bischof von Pistoia schrieb, daß er die Widmung dieses Werkes an ihn nicht akzeptieren wolle, diese aber dann doch in der in Pistoia erstellten Ausgabe enthalten ist. Wir werden ferner sehen, daß in den »Punti Ecclesiastici«, die der Großherzog den toskanischen Bischöfen vorlegte, vor der Versammlung einer Nationalsynode die Lektüre ähnlicher Schriften von jansenistischen Autoren und auch dieses Werk von Quesnel selbst empfohlen wird, während zu Reformen, wie die Jansenisten sie anregten, aufgefordert wird. Ganz allgemein wird in der Zukunft, wenigstens in den Jahren von 1785 bis 1787, bei allen Maßnahmen auf geistlichem Gebiet vor allem der jansenistische Einfluß den Ton angeben. Dabei gilt es jedoch festzuhalten, daß die Forderungen der Aufklärung, und sei es nur jene Form aufgeklärten Denkens, die bei einer christlichen Version bleibt und nicht bis zum Skeptizismus oder den radikaleren Formen der Naturreligion und des Deismus geht, sich in gewisser Weise den Forderungen der Jansenisten angeglichen haben, die ihrerseits wiederum unbemerkt die verschiedensten Elemente des Laien-»Philosophentums« aufgenommen haben. Und auf dieses Problem glauben wir noch näher eingehen zu müssen, da es uns ein wesentlicher Aspekt der allgemeineren Problematik der Beziehungen zwischen der Aufklärung und den theologischen Strömungen des 18. Jahrhunderts zu sein scheint[22].

II.

De' Ricci, der nun plötzlich als ein bald berühmter und vielfach diskutierter Bischof aus der Dunkelheit auftauchte, machte sich mehr und mehr zum Apostel des Gemeinsinns, jener staatsbürgerlichen Gesinnung, die in der französischen politischen Literatur der Zeit gerne als *Patriotismus* bezeichnet wurde – allerdings mit einer besonderen antikurialen und romfeindlichen Note[23]. Doch hatten die antikurialen Patrioten in der Toskana nicht die Möglichkeit, sich auf eine Reformpartei zu stützen, die in ihren politischen Theorien wie auch in ihrem praktischen Programm konsequent war und vor allem Mitglieder aus dem engen Kreis der führenden Gesellschaftsschicht zu den ihren zählte. Ähnlich wie für Giannone und dessen Anhänger im Königreich Neapel gab es für de' Ricci keine andere Unterstützung als die des Fürsten, der notwendigerweise einen autoritären Reformwillen hatte, wie er bei einem *aufgeklärten Herrscher* erwartet werden mußte[24]. Nach allem, was wir bisher gesehen haben, kann man nicht sagen, daß der Bischof von Pistoia irgendeinen Einfluß auf seinen Fürsten hätte ausüben können, der geeignet gewesen wäre, auch nur die Methoden von dessen Reformprogramm zu verändern. De' Ricci kannte, wie wir sehen werden, die politischen Theorien sehr wohl. Doch bewogen seine geistige und religiöse Bildung ihn bald, sich weiter zurückzuwenden zu der monarchischen Regierungsform des 17. Jahrhunderts, wie sie in den Theorien von Bossuet, Duguet und einer Reihe anderer, mit dem Jansenismus sympathisierender Gallikanisten dargestellt worden war. Wenn wir hingegen auf die edierten und nicht edierten Schriften von Gianni blicken, so finden wir hier die gleiche unerbittliche Forderung nach den Rechten des Staates, das gleiche Dringen auf Gleichheit und auf Nivellierung der sozialen Gegensätze, die mit anderen Maßnahmen zusammen dem höchsten Ziele, einer vollkommenen Vereinheitlichung des Staates, die auch in den Werken von de' Ricci mit besonderem Nachdruck verlangt wird, dienen sollen. Doch handelt es sich bei Gianni um eine *modernere* Fassung des Gedankens. Hier können wir wieder auf jenes Phänomen verweisen, das wir schon anläßlich der Kritik von de' Ricci an dem anonymen Autor einer Schrift über »Die Grenzen von Staat und Kirche« beobachtet haben. Wie dort ist auch bei Gianni und seiner Lösung der Staatsprobleme eine Beeinflussung durch Rousseau und die kühnsten Theoretiker des naturrechtlichen Gesellschaftsvertrages greifbar [25]. Diese Unterschiede in den Theorien beider sollten nicht unterschätzt werden. Sie haben sich entscheidend auf eine Reformtätigkeit ausgewirkt, die sich mit einem gewissen doktrinären Starrsinn, der sogar die ironischen Bemerkungen des Empirikers Tanucci herausforderte, kontinuierlich an einer bestimmten Lehrmeinung orientierte [26]. Dazu sollte man im Blick behalten, daß die Auswirkungen in der Toskana eigentlich nur Randerscheinungen waren [27].

Man hat also den Eindruck, daß der vor allem von der Gruppe um de' Ricci und auch vom Großherzog selbst, der den Bischof immer mehr unterstützte, gegen Rom unternommene Angriff eher in den Rahmen einer *gesamteuropäischen Aktion* einzuordnen ist, die die Herrschaft des absoluten und aufgeklärten Fürsten als die ideale Regierungsform verwirklichen wollte, als in den engen Kreis von Tradition und Möglichkeiten der Toskana. In der Toskana gelang es den vor allem für geistliche Belange zuständigen Ratgebern des Fürsten, den reformfreudigen Großherzog dazu zu bewegen, daß er den Intrigen der römischen Kurie grundsätzlich mißtraute und sogar den Weg der Konkordate als schlechthin gefährlich ablehnte, wobei sie sich auf die Autorität von Giannone beriefen. Doch widerstrebte es ihren Prinzipien, von einer gewissen gemäßigten Jurisdiktionsgewalt abzurücken, wie sie Rucellai in der Toskana befürwortet hatte, und ein stärkeres Eingreifen des Staates in geistliche Angelegenheiten zu befürworten, was für jeden, der sich mit der Tradition verbunden fühlte, nicht herkömmlich und unannehmbar sein mußte. Das Votum, das der Staatsrat Tavanti im Jahr 1778 dem Großherzog vorlegte, um zu verhindern, daß die Bischöfe gezwungen würden, »zwei miteinander nicht zu vereinbarende Treueide« zu leisten – den einen dem Papst, den anderen dem Fürsten –, ist hierfür äußerst charakteristisch und zeugt von einer Einstellung, die grundverschieden von der Josephs II. ist. Joseph II. hätte ohne weiteres gefordert, daß der »Dienst am Staat« allem anderen vorangestellt werden müßte [28].

Hingegen war Peter Leopold wenigstens in jenen Jahren durchaus zu Kompromißlösungen bereit. Und wenn man sich einmal bemühte, den eigentlichen Sinn der leopoldinischen Reformen zu ergründen, so würde man bei ihnen wahrscheinlich eine gewisse Ambivalenz feststellen können und vielleicht sogar eine mehr oder weniger aufrichtige Toleranz gegenüber den Stimmen, die sich auf die Gegenreformation berufen. Der »aufgeklärte Fürst«, dessen Auffassung hier ganz im Gegensatz zu der von Macchiavelli stand und der doch dem Grundsatz des Nutzens, den seine physiokratischen Lehrer wieder aufgewertet hatten, so weiten Raum gewährte, vereinigte in seinem Reformprogramm wirtschaftliche, politische, ethische und religiöse Ziele. Darüber hinaus lehrten ihn die zeitgenössischen Theorien durch die Schriften von Mirabeau, durch Montesquieu, Mably und zahllose Unbekannte, daß es nicht möglich ist, Unterschiede zu machen oder daß wenigstens sehr enge wechselseitige Beziehungen zwischen Moral und Politik und zwischen Moral und Religion beständen[29]. Aber da er sich besonders die Verteidigung des »legalen Despotismus« nach der Lehre der Physiokraten zu eigen machte, hat der Großherzog durch Gesetze, die das Prinzip der Vernunft auf allen Gebieten verwirklichen sollten, ohne irgendwelche *liberale* Skrupel seinen Untertanen die »Staatsmoral« oder »Staatsreligion« diktiert. Wenn wir auf einen Text des gallikanischen Jansenisten Duguet zurückblicken, den der Fürst nach dem Zeugnis von de' Ricci besonders schätzte, begegnen wir dem Phänomen, das wir als einen Restbestand der Gegenreformation, der in der Gesetzgebung Leopolds noch fortlebt, bezeichnet haben. Der Absolutismus des 17. Jahrhunderts mit seiner Vorstellung vom Gottesgnadentum der Könige, von dem geheiligten Wesen der Person des Herrschers und von der hohen Aufgabe des Herrschers wurde von Leopold formal nicht aufgegeben, auch wenn er dem Begriff einen neuen Inhalt gab. Formell wenigstens stand ein theokratischer Gedanke hinter dem gesamten Wirken des Fürsten, und er legitimierte besonders seinen Kampf gegen die Lehre von der »indirekten Gewalt« der Päpste mit der im Gallikanismus üblichen Berufung auf die unmittelbare Herkunft aller weltlicher Macht von Gott. In der *Institution d'un prince* von Duguet findet man schließlich eine rechtliche Begründung der *fürstlichen Schutzherrschaft* über die »Tugend« und die einzig wahre Religion: »Die geistliche Autorität (der Kirche) ist mit der der Könige vereint und zeigt dem Volk, daß der Fürst Statthalter Gottes und ›ministro‹ ist[30].« Dagegen unterstützt die *weltliche Hand* des Fürsten jene geistliche Gewalt, die nicht über die entsprechenden Mittel verfügt, um sich nach außen hin Geltung zu verschaffen. Schließlich wollte Duguet, daß der christliche Fürst es vermochte, »die Menschen unter Nutzbarmachung ihrer eigenen Begierde . . . unter Einsatz ihres Strebens nach Ruhm und Reichtum zur Tugend zu führen«, doch werden sich hier die moralischen Prinzipien der Jansenisten auf merkwürdige Art selbst untreu[31].

Gerade diese Ambivalenz, die das leopoldinische System bestimmt, erklärt die eklektische Aufnahme und das verwirrende Ineinander von aufgeklärten Ideen und älteren Theorien, die ein Erbe des 17. Jahrhunderts und der Gegenreformation darstellen. Das geschieht vor allem dort, wo de' Ricci und seine Anhänger sich verbündet haben, um die Ratgeber und »Laien«-Mitarbeiter des Fürsten auf dem Gebiet der Kirchenreformen auszuschalten. Aber darüber hinaus fehlt es unter diesen auch an fähigen Leuten, wie Zobi schon beobachtet hat, denn nach dem Tode von Rucellai (1778) und Bertolini (1782) standen keine Personen mit vergleichbarer Autorität und besonderen Kompetenzen mehr zur Verfügung. Man weiß übrigens nicht, ob die Absicht Peter Leopolds, das Problem der Beziehungen zu Rom bzw. das Problem der geistlichen Jurisdiktionsgewalt von 1781 an persönlich in die Hand zu nehmen, nicht schließlich Persönlichkeiten, die wie Vicente Martini an sich nicht unbedeutend waren, ausgeschaltet hat. De' Ricci hatte ihm damals aber das eingeflößt, was wohl immer gefährlich ist, nämlich Mißtrauen, obwohl es bekannt ist, daß eine gewisse Neigung zu Mißtrauen schon im Charakter des Großherzogs selbst angelegt war, indem er allen, die sich nicht mit seiner persönlichen gallikanisch-jansenistischen Haltung solidarisch erklärten, zu Komplicen der von Rom gegen die Rechte der Fürsten angezettelten *Verschwörung* machte[32].

Nach diesen Vorbemerkungen können wir jetzt mit der Analyse der kühnsten Reformmaßnahmen Leopolds auf geistlichem Gebiet beginnen, wobei wir vor allem auf den gesamteuropäischen und speziell habsburgischen Charakter seines Unternehmens aufmerksam machen wollen, welches in das Jahr der vergeblichen *peregrinatio apostolica* Pius' VI. nach Wien fiel. Der Briefwechsel zwischen den beiden Brüdern aus dem Hause Habsburg zeigt, wie sehr in diesem Jahre Absicht und Haltung beider miteinander harmonierten[33].

Fangen wir mit dem Dekret vom 18. Juli 1783 an, kraft dessen das Tribunal des Heiligen Offiziums in der Toskana aufgelöst wurde. Dies war kein allzu kühner Schritt vorwärts, da Maria Theresia in der benachbarten Lombardei schon vorher so weit gegangen war, und weil – wie Gianni beobachtet – dieses Tribunal »schon durch verschiedene Maßnahmen, zu denen man mehrmals zu verschiedenen Zeiten gegriffen hatte, überflüssig geworden war[34]«. Der Tenor dieses Gesetzes war gleichsam didaktisch und es sollte dazu dienen, verschiedene Kräfte im Staate aufzumuntern, selbst wenn es nur eine Minderheit von Gebildeten interessierte. Der enthusiastische Kommentar zu diesem Dekret bei de' Ricci ist sehr aufschlußreich. Wenn wir den Brief lesen, den er wenige Tage nach Veröffentlichung des Gesetzes an den Großherzog schreibt, so können wir hier die Gründe für eine grundsätzliche Übereinstimmung und die Voraussetzungen für eine enge Zusammenarbeit zwischen dem Bischof und dem Fürsten deutlich erkennen. Vor allem ist hieraus ersichtlich, daß der Bischof von Pistoia die politische Konzeption seines Fürsten ohne Einschränkungen übernimmt: es sei erforderlich, »den Staat von der Verseuchung, die ein fremder Gerichtshof . . . , unterstützt von Unwissenheit und Eigennutz, über Kirche und Staat bringen konnte, zu *reinigen*«. Es wäre gleichermaßen notwendig, ». . . mit dieser nur Verwirrung stiftenden Trennung aufzuhören«, die zwischen dem Ordens- und dem Weltklerus, zwischen den »frati« und dem Episkopat durch einen Fehler der Kirche vollzogen worden sei[35]. So hat auch de' Ricci zusammen mit dem Dekret, das die Abschaffung des Heiligen Offiziums befahl, das Zirkular vom 10. Juli 1782 gelobt, das den Bischöfen den Befehl erteilte, ihre ursprüngliche Jurisdiktionsgewalt über die geistlichen Orden wieder in vollem Umfange auszuüben. Vor allem aber sollte die Reform der Kirche für ihn mit der Reform des Staates zusammenfallen. Dadurch, daß man den Episkopat wieder in »das Recht, das er von Gott empfangen hat, nämlich für das Wohl aller Seelen in den Diözesen zu sorgen«, einsetzte, erreichte man indirekt auch, daß die Rechte der weltlichen Obrigkeit eine Unterstützung fanden und sie ohne die Gefahr, in den Reihen der Bischöfe auf Widerstand zu stoßen, davon Gebrauch machen konnte. Die Bischöfe konnten und sollten somit wie alle übrigen Weltgeistlichen treue Untertanen ihres Fürsten sein und brauchten die Forderung der Bibel nach Ergebenheit gegenüber den weltlichen Herrschern nicht zu verletzen. Dieser Verstoß war vor allem bei den Regularklerikern häufig, die sich den Direktiven einer Gewalt beugten, die sich zu Unrecht zu einer »Universalmonarchie« gemacht hatte und die sich in jedem Staat mit allen Mitteln behaupten wollte. So die These von de' Ricci, die den Absichten des Fürsten vollkommen entspricht. Und es ist auffällig, daß der Bischof von Pistoia nicht mehr forderte – wie es einer seiner großen Vorgänger, den Peter Leopold sehr schätzte, getan hatte –, daß man dem Klerus wenigstens eine besondere Stellung als Körperschaft, als »Stand« von besonderem Rang innerhalb der Gesellschaft zuerkannte [36]. In seiner Polemik gegen alle Privilegien des Klerus und der religiösen Gemeinschaften, wozu auch weltliche Priester gehörten, die der Großherzog reformieren wollte, hatte de' Ricci seine Gleichheitsbestrebungen, die auch dem Fürsten zusagten, zum Ausdruck gebracht. Als er im Jahre 1783 an den Deputierten der Gemeinde von Pistoia schrieb, betonte er, daß »das Recht ... die in Pistoia bestehenden religiösen Gesellschaften und Kongregationen aufzulösen, dem Fürsten zukäme und nicht dem Bischof«, da dessen Autorität »rein geistlicher Natur« sei und »die Kirche über keine eigentliche Jurisdiktionsgewalt verfüge«. Es gibt also nur eine einzige Autorität, die die notwendige Gewalt innehat, um auf dem *weltlichen Gerichtshof* Gehorsam zu fordern. Allein die Fürsten »sind von Gott zu dessen Verwaltung bestimmt und den Fürsten Widerstand leisten, ist ein Widerstand gegen Gott [37]«.

De' Ricci vertritt die gleiche Ansicht wie Gianni, der seine Theorie über die Gleichheit der Bürger, wie Peter Leopold sie begünstigte, einmal so knapp zusammenfaßte: »Es ist doch so, daß die Geistlichen, wenn sie nicht am Altar stehen, Menschen und Bürger sind, die wie die anderen von den Gesetzen und den für die ganze übrige Gesellschaft zuständigen Beamten regiert werden müssen [38].« Aber in den Ausdrükken und Begriffen, deren Gianni sich bedient, wird schon ein moderneres politisches Denken erkennbar, während de' Ricci einem *revolutionären* Verhalten zuneigt; dies aber nur, wenn er die Säkularisierung der geistlichen Gewalt verlangt. Sonst greift er auf die Formel vom Gottesgnadentum der Fürsten und vom bedingungslosen Gehorsam gegenüber seiner geheiligten Person zurück, um vor den »Untertanen« die Rechtmäßigkeit der politischen Maßnahmen Leopolds zu beweisen.

Die Beteiligung des Bischofs von Pistoia an der gegen die »frati« gerichteten Kampagne, die Peter Leopold eben zu dem Zeitpunkt wieder mit neuer Kraft aufnahm, da sein Bruder Joseph II. ihm gleichsam Vorbild für die hemmungslose Auflösung von Klöstern gewesen war und wobei nur jene Orden ausgenommen wurden, die sozial tätig waren oder unterrichteten, trägt entscheidend mit zu der Unerbittlichkeit der Reformpolitik Leopolds bei [39]. Eine Zeitlang hatte Leopold, wie auch schon Scaduto beobachtet hat, sich um Zusammenarbeit mit den Ordensoberen bemüht, um bestimmte Reformen durchzuführen. Noch im Januar 1782 hatte er eine Empfehlung des Erzbischofs Martini angenommen, der ihm dazu riet, die Regularkleriker als Hilfe für die Pfarrer einzusetzen und mit dem Katechismusunterricht zu beauftragen. Doch de' Ricci warnte den Großherzog in einem Brief, den er im Februar eigens in dieser Angelegenheit an ihn schrieb, davor, solchen gefährlichen Mitarbeitern zu trauen. Dabei waren seine Argumente wie immer sowohl politischer als auch religiöser Natur.

Einerseits riet er, daß man sich auf eine Entscheidung berufen sollte, die das Konzil von Trient (Sess. 24, Kap. V) auf Vorschlag des großen toskanischen Bischofs Braccio Martelli, der damals Bischof von Fiesole war, getroffen hatte. De' Ricci erinnerte daran, daß »die alte kirchliche Ordnung es niemals geduldet hätte, mit anzusehen, wie das Volk anderen Herren zuliefe und die legitimen, ihm von Gott mit den jeweiligen Pfarrern gegebenen Herren« verließe; andererseits wies er darauf hin, daß die Ordensleute (»frati«) »Sendboten« und »Satelliten« der römischen Kurie werden und »straflos das Volk gegen seinen Fürsten und die legalen Pfarrer aufwiegeln könnten«. Er fügte noch hinzu, daß »die römische Kurie über zwei verschiedene, in der Natur des Papsttums begründete Mittel verfüge, sich Respekt zu verschaffen . . . nämlich kraft der Eigenschaft des Papstes als weltlicher Fürst und als Bischof; diese Mittel aber würden von den Angehörigen der Kurie manchmal in einem unerträglichen Mißbrauch so miteinander vermischt, daß sie die Rechte . . . die Gott dem höchsten Bischofsstuhl . . . verliehen hat, in ausgesprochen glücklichen Zeiten einem unerhörten Machtstreben dienstbar machen wollten[40]«.

An dieser Stelle müssen wir vielleicht darauf aufmerksam machen, daß der Niedergang der religiösen Verbände und der Regularkleriker in der Toskana wie auch anderswo die überall laut werdende Forderung nach Reformen berechtigt erscheinen ließ, deren Notwendigkeit übrigens ja auch schon zur Zeit der Gegenreformation sichtbar geworden war, und zwar in den Ländern, wo, wie in Frankreich, die Zustände weniger beklagenswert waren. Denken wir nur daran, daß die Bettelorden und die Jesuiten bis zum Jahre 1625 in Frankreich unterschreiben mußten, daß sie ohne den ausdrücklichen Auftrag von seiten des ihnen übergeordneten Bischofs weder predigen noch die Sakramente spenden dürften[41]. De' Ricci konnte sich darüber hinaus, wie wir gesehen haben, auf die Dekrete des Konzils von Trient berufen, und er hätte besonders hinsichtlich der Bettelorden auch noch weiter zurückliegende Zeugen zitieren können. Seit langer Zeit schon klagten die Bischöfe über die übermäßig ausgedehnten Privilegien und Freiheiten, die der Heilige Stuhl den Bettelorden gewährt hatte und die diese auch noch zu vermehren suchten. De' Ricci hat schließlich zwischen den Bettelorden, die er für gänzlich ungeeignet für Reformen erachtete und den weniger intriganten und der Welt mehr abgewandten Mönchen unterschieden[42]. Doch ging es dem Bischof von Pistoia nicht mehr allein darum, die Rechte der Bischöfe und der Weltgeistlichkeit gegenüber den Privilegien, die die Regularkleriker genossen, zu verteidigen. Er strebte auch nicht nur eine rein *kirchliche Reform* an, sondern vor allem eine *politische Reform,* die die bestmögliche Ordnung von Staat und Gesellschaft zum Ziel hat und der aus diesem Grunde das Recht zukommt, von den Zivilbehörden gefördert zu werden. Eben dieses ist das Novum bei den josephinischen und leopoldinischen Reformen, obwohl man wenigstens teilweise gewisse Vorwegnahmen schon in früheren Zeiten findet. In den zitierten Essais weist Gianni darauf hin, daß man in der Toskana schon unter Cosimo I. die Notwendigkeit neuer Normen zwecks Schaffung einer besseren Disziplin in den Frauenklöstern und auch bei den weltlichen Bruderschaften erkannte und daß in gewissen Fällen damals Regelungen aus der Zeit der Republik erneuert wurden. Doch dann betont er aufs lebhafteste den radikaleren Charakter der leopoldinischen Reformen, in denen er eine neue Auffassung von den Rechten des Souveräns verwirklicht findet:

»Leopold nahm für sich in Anspruch, auch bei den ›frati‹ zu befehlen . . . Er verbot die Einkleidung der ›frati‹ ohne das fürstliche *exequatur* und vor Beendigung des 18. Lebensjahres und untersagte gleichermaßen, daß die Gelübde vor dem Alter von vierundzwanzig Jahren abgelegt wurden. Er duldete keinen fremden ›frati‹ in der Toskana und betrachtete als solche auch die Toskaner, die in fremden Klöstern ›frati‹ geworden waren. Den ausländischen Provinzialen gestattete er nicht die Ausübung ihrer Obrigkeitsrechte in den toskanischen Klöstern . . .« Schließlich »wollte er, daß die Bischöfe, nachdem jegliche auswärtige Autorität ausgeschaltet war, gleichzeitig auch Obere über die Klöster und die Regularkleriker wurden, so wie sie es über den Weltklerus waren[43]«.

Gianni hebt daher besonders die Bedeutung der Maßnahmen Leopolds hervor, die dazu dienen sollten, »zu verhindern, daß die betreffenden Personen nur zum Zweck der Versorgung oder gewaltsam eingekleidet wurden«, und auch hier sehen wir die moderne Forderung, die natürlichen Rechte des Individuums zu wahren, die durch Vorurteile, Eigennutz oder unter dem Schleier der Religion verborgenen Leidenschaften bedroht werden könnten, hell aufleuchten. Unter der autoritären Hülle der absolutistischen Gesetzgebung zeigen sich die ersten präliberalen Ansätze, die Berücksichtigung der Ansprüche des Individuums, die jetzt auch von den in sozialer Hinsicht sehr viel konservativeren Theorien der von Peter Leopold hochgeschätzten Physiokraten geheiligt wurden und so auch in dem komplexen Organismus des absolutistischen Staates Gehör fanden, der sich ganz darauf richtete, das Individuum zu befreien, das Eigentum zu sichern, mit wenigen und guten Gesetzen die »natürliche Ordnung« zu gewährleisten, die nur dazu da ist, um die *künstlichen* Schranken, die in den Zeiten des Unwissens und der Korruption aufgestellt wurden, zu beseitigen. Die Ansichten Giannis stimmen hier wieder vollkommen mit denen von de' Ricci überein, der auch die Gefahr, die die unter Zwang erfolgten Mönchseinkleidungen darstellten, besonders hervorhob, wovon er in seinen *Memorie* typische Fälle schilderte. Ferner betonte de' Ricci, daß es ihm notwendig scheine, daß die Mönche von jeder Verpflichtung freigesprochen werden, die »sie formal eingegangen sind, ohne sie eigentlich zu kennen«. »Es gibt so viele unglückliche Opfer, die entweder wegen Geiz bzw. auf Drängen der Verwandten hin oder auf Grund der Dummheit ihrer Beichtväter einen falschen Entschluß gefaßt haben.« Daher vertritt er die Ansicht, »daß eine von den Bischöfen des Staates und anderen fähigen Theologen gebildete Kommission wohl überlegen und durchdiskutieren sollte, welches der Maßstab sein solle für den Fall, daß die Klöster aufgelöst werden und die davon Betroffenen mit gutem Recht Maßnahmen für sich verlangen, ihre Existenz zu sichern«. Und er fügt hinzu, daß er es nicht für richtig halte, wenn man die Entscheidung über solche Fälle von »einer feierlichen und großen Abstimmung in der Öffentlichkeit« abhängig machte. Schließlich bedauerte er, daß der Großherzog, der »von so vielen anderen Verpflichtungen abgehalten« würde und die toskanischen Bischöfe, die »ergebene Untertanen der römischen Kurie« waren, sich nicht einig werden konnten, dieses heikle Problem anzugreifen, das sich gerade in dem Augenblick mit besonderer Dringlichkeit stellte, als die Maßnahmen des Fürsten die Gültigkeit der – nicht immer richtig ausgesprochenen – Gelübde einseitig aufhoben[44]. Bei diesen Bemerkungen von de' Ricci, die eines gewissen polemischen Charakters nicht entbehren, ist das Vorwiegen von Argumenten auffällig, die man schlechthin humanitär oder präliberal nennen könnte. Sie sind von den rigorosen Ansichten der Jansenisten grundverschieden. Diese Stellen aus den *Memorie* wie auch jene nicht minder interessanten Äußerungen über die Pflichten des »guten Pfarrers«, der für die »Kultur des Volkes« sorgt, so daß er zugleich dessen Vater und Lehrmeister ist, sollte jeder einsehen, der den Beitrag der leopoldinischen Reformen zur Herausbildung der liberalen Ideen im 19. Jahrhundert bemessen will[45]. Man darf jedoch nicht vergessen, daß, obgleich der aufgeklärte Herrscher theoretisch nur die Absicht hatte, die Gelübde zu lösen und die »natürliche Ordnung« wiederherzustellen, die von ihm angestrebte Freiheit und Kultur sich in Wirklichkeit als eine Behauptung der Alleinzuständigkeit des absoluten Fürsten erwies. Im Vergleich zu der – keineswegs atheistischen – Säkularisierung, die sich auf die Naturrechtslehren stützte, war der Fürst eher der Vergangenheit verhaftet.

Es ist nicht schwierig, Belege für das hier Gesagte zu finden, wenn man die leopoldinischen Reformen weiter untersucht, und zwar namentlich jene, die die geistlichen Orden und Bruderschaften von Priestern und Laien betreffen und die Gianni und de' Ricci so überaus gelobt haben. In einem ersten Reformabschnitt, der etwa um das Jahr 1781 endet, hatte sich der Großherzog vor allem um die Verwirklichung der Rechtsgleichheit bemüht, und zwar in zweifacher Hinsicht: einerseits, indem er »geistliche Personen und Besitztümer und Laien mit Steuerzahlungen« belastete, wie Gianni überliefert, der sich auf den Erlaß vom 20. März 1779 bezieht, und andererseits, indem der Großherzog dafür sorgte, daß die Erträge aus den Benefizien, Stiftungen und geistlichen Ämtern gerechter verteilt wurden, wobei er besonders den Landpfarrer, der dem Herzen des aufgeklärten Herrschers nahe war, bedachte. Wieder beschreibt uns Gianni genau die wesentlichen Aspekte der in dieser Absicht durchgeführten Maßnahmen: »Um der Gefahr zu entgehen, daß die Heiligkeit des geistlichen Amtes aus Gründen der Armut geschändet würde, befahl . . . er den Bischöfen, Sorge zu tragen, daß die Pfarrer gut versorgt seien, und gebot ihnen weiter, daß sie den ärmsten Pfarrern die in den Messen gegebenen Almosen geben sollten, die in anderen Kirchen überschüssig waren[46].«

Später hingegen hatte die starke Betonung der staatlichen Souveränität nach außen zur Folge, daß an den Grenzen der Toskana wirtschaftliche und politische Schranken errichtet wurden, um alle Verbindungen zwischen dem Klerus des Landes und dem Heiligen Stuhl abzuschneiden. Es war in gewisser Weise ein berechtigter Widerstand gegen schändliche Mißbräuche, den niederen Klerus von der Last gewisser Abgaben zu befreien, die die Kurie auch von den weniger vermögenden Pfarrern verlangte. Aber jenes Vorgehen, die »frati« aus *auswärtigen* Klöstern und auch die von *auswärtigen* Bischöfen geweihten Priester als Ausländer zu betrachten; zudem das fürstliche *exequatur* zur Vorbedingung für die Gültigkeit der Ordensgelübde zu machen; jede fremde Obrigkeit aus den Klöstern zu vertreiben, was bedeutete, daß man die »auswärtige Autorität« von Ordensgenerälen nicht anerkannte und die Einheit der geistlichen Orden sprengte; den Weltklerus selbst einer strengen richterlichen Überwachung, d.h. den weltlichen lokalen Beamten zu unterstellen; die immer engere Verbindung zwischen den Reformen und den radikalen Autonomiebestrebungen des Staates; die *Nationalisierung* der Kirche und die Übernahme der Theorien von de' Ricci und der neokonziliaren Ideen – all dies macht das autoritäre und rein staatsbezogene Wesen der Kirchenpolitik Leopolds vor allem in den Jahren zwischen 1782 und 1787 deutlich[47].

Befassen wir uns nun näher mit dem Problem der Bruderschaften, die, de' Ricci folgend, zunächst nur im Umkreis der Diözese von Pistoia betrachtet werden sollen und uns Einblick in ein interessantes politisches und soziales Gebiet gewähren. Wir machen darauf aufmerksam, daß der Großherzog in einem Brief an seinen Bruder Joseph II. vom November 1783 schrieb, daß er sich der recht großen Bedeutung, die solchen Einrichtungen in der italienischen und toskanischen Geschichte zugekommen ist, bewußt sei. Ferner, daß nach den Worten Giannis der Fürst sich in dieser Angelegenheit besonders von de' Ricci hatte beraten lassen; daß er in der Reform der Priesterkongregationen und Laienbruderschaften den Ausgangspunkt für weitere Reformen erkannte, die die gesamte innerkirchliche Ordnung, die Verteilung der »Spenden der Gläubigen« und die Seelsorge betreffen sollten. Dies war ein kühner Plan, der auf den Thesen der Aufklärung fußte, wie sie beispielsweise Turgot in seinem berühmten Encyclopédie-Artikel über die Stiftungen dargelegt hatte[48].

In dem Entwurf, den der Bischof von Pistoia mit einem Brief vom 20. Dezember 1782 für die Reform seiner Diözese vorlegte, werden die in Pistoia bestehenden »congrehe[48a]« von weltlichen Priestern, die den vorhandenen Überschuß an Priestern nur noch begünstigen, und »die es sich zur Gewohnheit machen, das Heiligste an ihrem Amt zu verletzen«, während sie in ihrem »fratismo[48b]« »schändlichen Handel« mit den Meßalmosen treiben, grundsätzlich verurteilt. De' Ricci schlug vor, daß man dergleichen Almosen geradezu verbieten sollte, daß die Kongregationen und auch die große Zahl der Meßdiener abgeschafft werden sollten und man wieder zu der alten Gewohnheit der *gemeinsamen Verwaltung* der Spenden der Gläubigen zurückkehren und die Zahl der Pfarreien in den Städten verringern sollte, um die Randgebiete der Diözese besser betreuen zu können[49]. Das war ein recht revolutionäres Programm, wenn man bedenkt, daß es die Zerstörung des gesamten traditionellen Systems der geistlichen Benefizien bedeutete; ein Problem, das de' Ricci jedoch ungelöst ließ, wobei er allerdings auch ausgiebigen Gebrauch von der Kritik machte, die Sarpi in seinem *Trattato delle materie beneficiarie* schon geübt hatte, den de' Ricci sehr schätzte. Aber der Bischof von Pistoia schuf damit zugleich das Problem der Ausschaltung des gesamten Klerus, der nicht als »tätig« galt, um seinen Ausdruck zu wiederholen. Schließlich lehnte er jede Berufung auf die Autorität des Heiligen Stuhles ab und erkannte dem Fürsten ein sehr weitgefaßtes und bisher nicht gekanntes *ius reformandi* zu. Dieses Reformprogramm stieß in der Diözese sogleich auf heftigsten Widerstand, als man sich daran machte, es zu verwirklichen. In einigen dramatischen Briefen berichtet de' Ricci den Adressaten über die ernsthafte Gefahr, in die ihn die Rachepläne derjenigen, die durch die Reform bedroht waren, brachten, und wie die gegen ihn und die Regierung aufgebrachte, gärende Volksmenge nur durch den Rückgriff »auf Strafandrohungen« wieder beruhigt werden konnte – wahrscheinlich meint er den Galgen, den der Fürst in Pistoia hatte aufstellen lassen, um die Rebellen einzuschüchtern [50]. De' Ricci scheint sich darüber klargewesen zu sein, daß die oben erwähnte Reform vielleicht den wichtigsten Beitrag zu den politischen Maßnahmen lieferte, die Peter Leopold ergriff, und zwar die Vereinheitlichung des Staates Toskana und die Zerstörung der recht mächtigen Partikulargewalten. »Man muß wissen, daß Pistoia . . . lange Zeit im Besitz seiner alten Privilegien und Ehrenrechte gewesen ist«, schreibt de' Ricci in seinen *Memorie*, »wodurch es nicht so sehr als Satellit, sondern eher als gleichberechtigter Partner der Republik Florenz erschien.« Und er fügt hinzu, daß »der Einfluß, den der Adel auf Grund seiner Benefizien und Vorteile auf das Volk ausübte, ihn über den Verlust der aristokratischen Regierung hinwegtröstete, wenngleich dieser Einfluß nur noch einem Schatten von einer scheinbaren Autorität glich [51]«. Dieser *Schatten* bestand vor allem im Monopol der unermeßlichen Patrimonien der Kongregationen und Bruderschaften fort, das die Schicht der »Großen« nicht nur in der Stadt, sondern auch auf dem Lande besaß. Schon die neue, von Peter Leopold entworfene Gemeindeordnung hatte diesen dem Adel verbliebenen Machtbereich sowie die führende Stellung der Stadt Pistoia auf dem Lande angetastet. »Es wundert nicht«, fügt de' Ricci hinzu, »daß der Verlust der letzten Autorität in einem Lande, das sich fast als unabhängige Herrschaft betrachtet hatte, in der Stadt eine große Sensation auslöste, und dies vor allem beim Adel, dessen Mitglieder die hauptsächlichen Träger der Herrschaft waren [52].« Der *Verlust der letzten Autorität* bestand in der Auflösung der Priestergemeinschaften von Pistoia. Auch wenn de' Ricci sich an dem Angriff auf die »Magnaten« und auf den städtischen Partikularismus mit beteiligte, wobei Peter Leopold vor allem von Gianni beraten wurde, so darf man nicht annehmen, daß der Fürst im Namen eines neuen Mittelstandes handelte, eines Bürgertums, das sich ja erst noch herausbilden mußte. Dies zeigt ein Abschnitt aus den *Memorie*, wo von der mühsamen Durchführung der Reformen die Rede ist. »Der Ritter Pietro Banchieri, den der Herrscher ausgewählt hatte, um die Verwaltung aller Besitztümer der Kongregationen und Gesellschaften, der Benefizien und aufgelösten Klöster zu kontrollieren, entsprach in hervorragender Weise den gerechten und frommen Absichten Peter Leopolds . . . Er war schon früher dazu beauftragt gewesen, einen kleinen Handel einzurichten, der als Unterstützung für die Armen gedacht war und der von einem bestimmten Kreis von Adligen im Namen der Göttlichen Vorsehung verwaltet wurde [53].« Die Mitglieder des gebildeten Patriziats sind immer wieder die eigentlichen Träger der Reformen. Dadurch unterschieden sie sich von anderen Vertretern ihres Standes, die sich bemühen, ihre lokalen und korporativen Privilegien möglichst für sich allein zu bewahren, indem sie eine ganze Reihe von Magistraturen und Institutionen monopolisieren und namentlich die einträglichsten und höchsten geistlichen Ämter ihren eigenen Zwecken dienstbar machen. Hier weist das politische und kulturelle Empfinden von de' Ricci wirklich moderne Züge auf, die man als präliberal bezeichnen könnte und die ihn in den späteren *Memorie* zu sehr offenen Bemerkungen bewegen:

»Wenn das Volk gemäß alter Gewohnheit sich in einer gewissen geistigen Knechtschaft gegenüber dem Klerus und den Großen befindet und nicht mehr liest und nicht mehr denkt und sich gewissermaßen einem krankhaften Schlaf anheimgegeben hat, so ist ihm der Weg zur Aufklärung verschlossen. Der Klerus und die Großen, die Nutzen aus einer Unwissenheit ziehen wollen, führen es mit kleinen Verlockungen dahin, wo sie es haben wollen; und obwohl diese beiden Stände untereinander Rivalen und neidisch sind, treten sie aber in der Ausübung ihrer Autorität immer vereint auf, wenn es gilt, diejenigen zu bekämpfen, die mittels irgendwelcher Maßnahmen versuchen, ihre Zauberei zu entlarven und das Schicksal des Volkes zu bessern und ihnen Schaden zufügen wollen[54].«

De' Ricci sprach vor allem von Pistoia. Gianni hingegen richtet in einem Abschnitt seiner Schrift über die Gesetzgebung des Großherzogs seinen Blick auf die gesamte Toskana. An dieser sehr interessanten Stelle wird der Sinn der von Peter Leopold für die Reform der Bruderschaften und die Einrichtung der sogenannten geistlichen Patrimonien folgendermaßen beschrieben: »In der Toskana gab es eine große Zahl der sogenannten Bruderschaften oder Laienverbände, die sich in bestimmten Zeitabständen zu versammeln pflegten . . . um Psalmen und Gebete zu sprechen, heilige Feste zu feiern, zu Prozessionen zusammenzutreffen und ähnliches. Eine jede Gesellschaft verfügte über ein Patrimonium, das man für Feste, musikalische Veranstaltungen, Prozessionen, als Mitgift für heiratsfähige Töchter und auch für Diners und kleinere Geschenke der Mitglieder untereinander benutzte. Leopold löste diese Gesellschaften auf und schuf aus der Vielzahl der Einzelpatrimonien ein einziges sogenanntes geistliches Patrimonium, das dem Sekretariat für kirchliche Angelegenheiten (del Regio Diritto) unterstellt war und für die übliche Beteiligung des Staates bei Mitgiften und für karitative Unterstützung bestimmt war. Der Rest sollte als Sparguthaben angelegt werden, für die gegebenenfalls notwendige Restaurierung und Neuerrichtung von Kirchen und für die hinreichende Versorgung der ärmsten Pfarreien zur Verfügung stehen[55].«

Die Schaffung dieser geistlichen Patrimonien scheint aber den Forderungen von de' Ricci, der sich hierbei von seinen eigenen Schriften und von jansenistischen Arbeiten inspirieren ließ, die alle auf die idealen Bräuche in der frühen Kirche verwiesen, nicht vollkommen gerecht geworden zu sein. Wir wollen schon einige Bemerkungen zu diesem Punkte vorwegnehmen – denn es handelt sich hier um ein Gesetz, das am 30. Oktober 1784 erlassen wurde – und darauf hinweisen, daß de' Ricci aus diesem Grunde in seinen *Memorie* schon versucht zu zeigen, daß der Fürst nur widerwillig eine solche Reform durchgeführt hat, da sie nicht ein selbständiges Unternehmen von seiten der einzelnen Bischöfe darstellte[56]. Es hat den Anschein, als ob Peter Leopold hier dem Vorbild des älteren Bruders gefolgt ist, wie er ihm ja auch darin folgte, daß er die aufgelösten Bruderschaften durch neue Verbände ersetzte, die durch fürstlichen Befehl vom 30. Juli 1785 in jeder Pfarrei unter dem Namen »Gesellschaft der Barmherzigkeit« (»compagnie della carità«) gegründet wurden, womit man, wie die Forschung erkannt hat, auf ein Modell des großen Muratori zurückgriff, der die josephinische Reformpolitik maßgeblich beeinflußt hat, selbst jedoch in seinen Ansichten mehr mit der katholischen Kirche übereinstimmte[57].

Damit haben wir die wesentlichen Reformmaßnahmen Peter Leopolds in den Jahren 1782–1785 behandelt . . .

Man hat den Eindruck, daß die in der Diözese von Pistoia im Jahre 1783 eingeleitete Reform, die schließlich das gesamte geistliche Leben in diesem Bistum erfaßte, indem sie die Grundlagen kirchenpolitischer Gewohnheiten vernichtete, die Verwaltung der geistlichen Güter rationalisierte und auch neue Regelungen für die Seelsorge selbst einführte, den Höhepunkt der Zusammenarbeit zwischen dem Bischof und dem Fürsten darstellt. De' Ricci verfügte seinerseits über ein ungewöhnliches Organisationstalent und konnte die Widersprüche in der Theorie bei der praktischen Anwendung wenigstens teilweise auflösen. Diese Widersprüche waren bedingt durch ein Nebeneinander von weltlichen, d.h. politisch-ökonomischen Forderungen im Sinne der Aufklärung und religiösen Forderungen jansenistischer Prägung. *Die Raccolta degli Opuscoli interessanti la Religione,* deren erster Band im Jahre 1783 in Pistoia veröffentlicht wurde, verbindet die beiden Hauptströmungen, die des Jansenismus einerseits und die des schon von der Aufklärung berührten Regalismus andererseits. Der Großherzog schaltet sich selbst ein, um ihre Drucklegung, sei es vor dem Widerstand von seiten Roms, sei es sogar vor dem Mißtrauen eines lokalen Beamten zu schützen[58]. Aber die Kühnheit der in der *Raccolta* edierten Texte und auch der Widmung führt zu neuen Streitigkeiten und bringt de' Ricci in einen heftigen Streit mit jenem Kardinal und Erzbischof von Bologna, Gioannetti, der bis dahin keinen Hehl aus seinen Sympathien für die strenge Moraltheologie der antijesuitischen »Partei« gemacht hatte[59]. Die Einsamkeit der Anhänger von de' Ricci nimmt zu, womit sich bestätigt, was Manfredini schon zu Beginn des überaus kühnen Reformunternehmens gesehen hatte. »Ihr liegt mit aller Welt im Streit«, hatte er an den Bischof von Pistoia geschrieben, und dieser schlug sogleich zurück: »Das ist eben das Schicksal derer, die, da sie dem Grundsatz des *pie vivere in Christo* folgen wollen, für die Wahrheit kämpfen müssen[60].« De' Ricci griff aus dem Gebot des Evangeliums am liebsten diesen kämpferischen Gedanken auf, während er andere Weisungen beiseite ließ. Außerdem wurde das lebendige Gefühl der Einheit der Kirche zugunsten einer konkurrierenden Forderung, nämlich der Pflicht zur Treue gegenüber dem Staat, immer mehr verdrängt; zur Treue einem Staat gegenüber, der sich in der demiurgischen Politik eines »frommen und aufgeklärten Herrschers« – und diese Attribute treffen zu – manifestierte. In diesem Sinne schreibt de' Ricci seinen berühmten Hirtenbrief »Über die Pflichten der Untertanen gegenüber dem Herrscher« von 1784 und überreicht ihn dem Großherzog mit folgenden Worten:

»Gott hat . . . Eurer Hoheit und dem erhabenen Bruder (Joseph II.) das Recht verliehen, die Kirche von einem so schwarzen Fleck zu reinigen« – er will damit auf die weltliche Macht des Papstes, auf die zweifelhafte Politik des »hildebrandinischen Königtums« anspielen – »und ich freue mich, in Euren frommen Maßnahmen jenes aufgeklärte Denken und jenen Mut zu erkennen, den die göttliche Barmherzigkeit Euch zum Wohle der Völker eingegeben hat . . . möget Ihr das begonnene Werk beenden und uns von aller Sorge um die weltlichen Dinge und von solchen Angelegenheiten, die den Staat betreffen, befreien, damit wir unser ganzes Sinnen den geistigen

Dingen zuwenden können und die Herrscherpflichten nur von denen erfüllen lassen können, denen Gott sie anvertraut hat[61].«

Der Großherzog kann von nun an auf einen wenn auch kleinen Kreis von wirklichen und energischen Reformwilligen zählen – und es scheint uns, daß Jemolo zu Recht gesagt hat, daß man eine vollkommene Revision der traditionellen Auffassung des Katholizismus beabsichtigte, und zwar nicht so sehr im dogmatischen Bereich als hinsichtlich des Kirchenrechts und der Kirche als *Institution.* Aus der Verbindung des »aufgeklärten Fürsten« mit der jansenistisch-regalistischen »Partei« ergab sich schließlich die Möglichkeit einer italienischen »Reform«, die, um noch einmal die Worte von Jemolo aufzunehmen, *mehr vom Kirchenpolitiker als vom Theologen* durchgeführt wurde[62]. Es wäre nicht richtig zu sagen, daß die Lehren von Florenz und Pistoia ganz neue Ansätze bieten. Sie wurden vielmehr unmittelbar aus französischen oder österreichischen Quellen übernommen[63].

ANMERKUNGEN

1. Z. B. wurde am 22. Februar 1788 durch ein Edikt verboten, das anonyme Werk des Priesters Giuseppe Marchetti aus Empoli mit dem Titel *Annotazioni Pacifiche di un Paroco Catt. a Mons. Vescovo di Pistoia . . . sopra la sua Pastorale de' 5 ott. 1787* in die Toskana einzuführen und dort zu verbreiten. Marchetti wurde dann aus der Toskana verbannt; vgl. E. Codignola, *Carteggi di giansenisti liguri,* 3 Bde., Florenz 1941–42, Bd. 1, S. 466, Anm. 2.

2. Historischer Vergleich der neuen mit den alten Regeln für die Sicherung der Kirche im Staat (Anm. d. Hrsg.).

3. Der *Confronto istorico,* hrsg. von Michele Daverio, Florenz 1788, ist in der Ausgabe, auf die wir uns hier stützen, ein Band in 8⁰ von 360 Seiten. Codignola übernimmt die Autorschaft von Mons. Michele Daverio von den *Nouvelles Ecclésiatiques von Paris* vom 4. Sept. 1789; vgl. *Carteggi* (Anm. 1), Bd. 1, S. 253, Anm. 4, wo er auch Angaben über Daverio macht; über die Prämissen der josephinischen Kirchenpolitik und *forma mentis* vgl. F. Valjavec, *Der Josephinismus,* München 1945², und das Werk von F. Maaß mit dem gleichen Titel, 5 Bde., Wien–München 1951–61 in den *Fontes Rerum Austricarum;* schließlich das Werk von E. Winter, *Der Josefinismus und seine Geschichte,* Wien 1962, für den größeren und gesamteuropäischen Zusammenhang der holländischen Einflüsse (van Swieten) usw.

4. *Confronto istorico* (Anm. 3), S. 131 (Textkürzung im vorletzten Zitat auch im Orig., Anm. d. Hrsg.).

5. Ebenda, S. IV. F. M. Gianni war auf die toskanische »Unabhängigkeit« sehr eifersüchtig (vgl. *Scritti di pubblica economia,* Firenze, 1848, Bd. 1, S. 356, in den Anmerkungen zum *Elogio di P. Leopoldo* von S. Scrofani), aber er nahm für sich als formale Garantie das zwischen Joseph und Leopold nach dem Tode Kaiser Franz' I. getroffene Abkommen in Anspruch. Vgl. den Beitrag von Reumont, Giuseppe II. P. Leopoldo e la Toscana, in: *Arch. Stor. Toscano* 24, 1876, S. 434 ff.

6. Betrachtungen eines Kanonikers über die autonome Versammlung der Bischöfe der Toscana am 23. April 1787 in Florenz (Anm. d. Hrsg.).

7. Neuer Plan für eine Reform Italiens (Anm. d. Hrsg.).

8. Über Pilati und das Schicksal seiner *Riforma d'Italia* vgl. M. Rigatti, *Un illuminista tren-*

tino del sec. XVIII. C. A. Pilati, Florenz 1923, vor allem S. 134ff. Die *Riflessioni di un canonista*, werden in einer *Istoria del Sinodo diocesano adunato in Pistoia* usw., die ohne Angabe von Ort und Jahr erschienen ist, und den meisten Forschern, die sich mit den Reformen von de' Ricci befassen, fremd ist, und von der eine Kopie in der Vatikanischen Bibl., Sammlung Ferraioli, liegt, Pilati oder einem Plagiator von Pilati zugeschrieben. Die *Riflessioni* selbst befinden sich sowohl in der Vatikan. Bibl. als auch in den florentinischen Bibliotheken dieser Epoche, und sie dürften sicher recht verbreitet gewesen sein. F. H. Reusch nennt sie in: *Der Index der verbotenen Bücher*, 2 Bde., Bonn 1883–85, Bd. 2, Teil 2a, S. 969. Aber nach Reusch hat niemand mehr den Inhalt dieses kleinen Werkes untersucht . . .

9. *Riflessioni* (Anm. 8), S. 19; vgl. S. 14 und S. 21 die gewichtigen Äußerungen über die *Riforma d'Italia* in der Edition von 1767 mit der falschen Ortsangabe Villafranca. In Wirklichkeit wurde sie in Venedig veröffentlicht, vgl. entsprechend S. 169 und S. 203 (Textkürzung auch im Orig., Anm. d. Hrsg.).

10. Wie hart Leopold mit den Bischöfen umging, die seinem Reformwerk Widerstand leisten wollten, erhellt aus den Dokumenten, die in der Serie 23 der Briefe der *Segreteria di Gabinetto* im Staatsarchiv von Florenz enthalten sind.

11. *Riflessioni* (Anm. 8), S. 20–21 (Textkürzung auch im Orig., Anm. d. Hrsg.).

12. Zu dem von de' Vecchi stammenden Ausspruch vgl. seinen Briefwechsel in: E. Codignola, *Il giansenismo toscano nel carteggio di Fabrio de' Vecchi*, 2 Bde., Florenz 1944, Bd. 2, S. 92, den Brief vom 21. 5. 1783.

13. Wie F. Scaduto, *Stato e chiesa sotto Leopoldo I granduca di Toscana* (1765–90), Florenz 1885, S. 63, Anm. 44, betont, hat schon 1877 der österreichische Forscher Huber gesehen, daß Leopold dem von seinem Bruder in der Kirchenpolitik des Kaiserreichs eingeschlagenen Weg im großen und ganzen zustimmte, wobei er sich auf Abschnitte aus den von Arneth veröffentlichten Briefen stützt, auf die auch Scaduto S. 62–63 ausführlich eingeht . . . Aber das Interessanteste an den Briefen, die Arneth bekanntgemacht hat, ist der Rat, den Leopold seinem Bruder in einem Brief vom 5. Dez. 1786 gibt. Hier erscheint Leopold als die stimulierende Kraft, eindeutig kühner als sein Bruder, der nach seiner Meinung sogar eine »nationale Synode« der deutschen Bischöfe und geistlichen Fürsten einberufen sollte, um seine Reformen zu sanktionieren und *die ursprünglichen Rechte, die Rom ihnen weggenommen hat, wieder herzustellen;* vgl. A. von Arneth, *Joseph II. und Leopold von Toscana. Ihr Briefwechsel von 1781–1790*, Wien 1867–1868, Bd. 2, S. 48. Dieser Brief, der eine entscheidende Stütze für die These einer Beteiligung Peter Leopolds an dem »großen Plan von de' Ricci« ist (vgl. E. Préclin, *Les Jansénistes et la Constitution civile du clergé*, Paris 1928, S. 431), ist auch schon von Scaduto hervorgehoben worden . . .

14. Vgl. diesen Brief bei E. Codignola (Anm. 12), Bd. 2, S. 52–56, dazu den Brief vom 4. Jan. 1782, ebenda S. 47–48, wo an anderen Punkten an einigen Erlassen Josephs II. Kritik geübt wird. Codignola sagt in einer Anmerkung, daß Dupac de Bellegarde in seinen Briefen ähnliche Gedanken äußerte.

15. Vgl. E. Codignola (Anm. 12), S. 55. Man beachte, daß de' Vecchi trotz seiner Kritik an Joseph II. die Theorien von de' Ricci vorschlägt, indem er die Einberufung von Konzilien und Laienversammlungen fordert, um auf ihre Beschlüsse die Reformen der *aufgeklärten* Fürsten gründen zu können.

16. Eine ausführliche Beschreibung der Person von de' Vecchi findet sich in der Einleitung zu seinen Briefen von E. Codignola (Anm. 12). Über seinen Besuch bei Tanucci in Neapel vgl. Bd. 1, S. 276, den Brief an Dupac de Bellegarde vom 19. Juli 1776 (»In Neapel sprach ich mit dem Marquis Tanucci über die holländische Kirche, und ich brachte ihn von jener Partei ab,

die er für die Vermeidung des Skandals für opportuner gehalten hatte. Er stimmte mit mir darin überein, daß bei der Schlechtigkeit dieser Zeit ein vom Klerus gefordertes und von den Höfen unterstütztes Urteil, auch wenn es in Rom ausgesprochen werden sollte, genügen müßte«). Interessant ist auch die folgende Bemerkung von de' Vecchi: wenn man von den Regierungen aus religiösen Gründen, d.h. auf Grund ihrer gläubigen Bejahung der Lehren, die diese Kirche vertritt, keine Unterstützung in der Angelegenheit von Utrecht erhoffen kann, so darf man diese wohl mit Recht »von dem diese Regierung beherrschenden politischen Geist« erwarten. Auf diese Weise kommt die Verbindung zwischen einer allgemeinen antikurialen Offensive und einer partikularen geistigen Bewegung zum Ausdruck.

16a Es dürfte sich hier um den französischen Gallikaner Edmond Richer handeln (Anm. d. Hrsg.).

17. E. Préclin (Anm. 13) schöpft aus dem unedierten Briefmaterial von Dupac de Bellegarde, das sich in der Bibliothèque de *l'Arsenal* in Paris befindet, und zitiert u.a. einen wichtigen Brief an Clément (gemeint ist sicher der frz. Aufklärer Jean-Marie-Bernard C., Anm. d. Hrsg.) vom Oktober des Jahres 1786, in dem er sich darüber freut, daß die Synode von Pistoia ganz nach dem Modell der Synode von Utrecht von 1763 stattgefunden habe; wir werden gleich sehen, daß Clément selbst ein von den Synodalversammlungen exakt zu befolgendes Schema entworfen hatte ...

18. Vgl. den Artikel über Maultrot im *Dictionn. de Théol. Cath.* von Vacant und Mangenot, Bd. 10, Spalte 398–402, verfaßt von J. Carreyre mit einer exakten Bibliographie. Vgl. auch E. Codignola (Anm. 1), Bd. 1, S. 232, Anm. 4. Vgl. auch meinen Aufsatz Le idee politiche di un canonista del parlamento di Parigi all' inizio della rivoluzione francese. »L'origine et étendue de la puissance royale« di G. N. Maultrot (1714–1803), in: *Studii in memoria di Gioele Solari,* Turin 1954, S. 243–272. – Von Maultrot wurden die beiden Bände von *L'institution divine des curés et leur droit au gouvernement général de l'Eglise, En France* 1778 in Florenz übersetzt und von 1782–84 bei Cambiagi herausgegeben. De' Vecchi spielt wahrscheinlich auf die drei Bände der *Jurisdiction ordinaire immédiate sur les paroisses* an, die 1784 in Frankreich ediert wurden, wenn er von einem Neudruck des »Buches über die Rechte der Pfarrer« spricht, das Peter Leopold dem Bischof von Pistoia »zum Lesen geschickt hat« und das dieser ihm dann zur Lektüre geben sollte (Brief vom 10. Mai 1786 in der Briefsammlung von de' Vecchi [Anm. 10]), Bd. 2, S. 123; aber er irrt sich, wenn er von einem bloßen Neudruck spricht, denn Maultrot hatte sein anderes Werk stark erweitert und verändert, womit er, wie auch Préclin (Anm. 13), S. 358, hervorhebt, auf neue Einwände antwortete. Interessant ist auch der Brief von Mons. Zanobi Banchieri an seinen Bruder, aus dem Codignola einen Abschnitt zitiert, der am 8. März 1786 geschrieben wurde und in dem immer auf das Werk von Maultrot, das man de' Ricci zur Lektüre gegeben hat, hingewiesen wird. Er sagt, daß sich in ihm die »Grundsätze« dargelegt finden, »die man in Pistoia auf die Praxis übertragen hat«. Wir weisen ferner auf einen Brief hin, den Maultrot selbst an de' Ricci geschrieben hat und der sich noch unter seinen unveröffentlichten Briefen befindet.

19. Über die allmähliche Wandlung des Verhaltens der Jansenisten bezüglich des Toleranzproblems vgl. die *Nouvelles Ecclésiastiques* von Paris und die verschiedenen französischen, holländischen und italienischen jansenistischen Publikationen wie auch die der Förderer des Josephinismus in Wien, in Löwen und in Pavia. Wir nennen hier nur den ersten *Essai sur la Tolérance,* an dessen Abfassung Maultrot mitarbeitete und der auch in zwei Ausgaben, in der von 1759 und von 1763, vorliegt (vgl. hierzu meinen in Anm. 18 genannten Aufsatz); und für die Toskana allein vgl. die *Annali Ecclesiastici* von Florenz und vor allem den Artikel vom 14. März 1788, der das Edikt »zugunsten der Nichtkatholiken« lobt, das der König von Frankreich

am 9. Januar 1788 erlassen hatte. Interessant ist folgende Bemerkung: »Es ist unsere Pflicht, diese Toleranz mit den Augen der Religion, für die diese wertvoll ist, zu schauen« – selbst wenn man von den politischen und ökonomischen Vorteilen absieht – und man darf sicher sein, daß »wenn der katholische Glaube der einzig wahre Glaube ist«, und man zweifelt nicht daran, daß er es sei, wäre es durch die in einem Toleranzregime mögliche »wechselseitige Begegnung« mit den Nichtkatholiken einfacher, der Wahrheit zum Sieg über den Irrtum zu verhelfen ...

20. Der Brief vom 12. Febr. 1782, der in den *Memorie* von de' Ricci, Bd. 1, S. 216–219 (*Memorie di S. de' Ricci vescovo di Pistoia e Prato scritte da lui medesimo e publicate con documenti, a cura di A. Gelli,* 2 Bde., Florenz 1865) veröffentlicht ist, enthält auch eine Bemerkung zugunsten der josephinischen Reformen, die der Nuntius Garampi gewagt hatte anzugreifen. Der Brief des Bischofs Ricci an den Großherzog vom 18. Juli 1783 befindet sich in der Serie 10 der Briefe der *Segreteria di Gabinetto* im Staatsarchiv von Florenz. Interessant ist auch der vorangegangene Brief vom 13. Juni, in dem gesagt wird, daß die Bulle *Unigenitus* »das Meisterwerk von Babylonien« sei und »die Herrschaft Gottes im Herzen der Menschen« ebenso umstürzen würde wie »die gerechte und vernünftige Unterworfenheit der Menschen, die einer von Gott eingesetzten weltlichen Herrschaft untertan sind«. Über die Kontroversen zwischen Rom und Neapel bezüglich der Ernennung von Serrao zum Bischof vgl. G. Cigno, *G. A. Serrao e il giansenismo nell' Italia meridionale,* Palermo 1938, S. 126ff.

21. Zu dem Brief vom 18. Juli 1783 vgl. Anm. 20; vgl. auch Matteucci, in: *Bull. Stor. Pistoiese* 40, 1938, 3–4, S. 8.

22. Die Behandlung dieses Problems wird auch von Venturi vorgeschlagen. Vgl. F. Venturi, *L'Encyclopédie et son rayonnement en Italie*, Beitrag zum III. Kongreß der AssIEF, Paris, 27. August 1951, S. 17.

23. Vgl. D. Mornet, *Les origines intellectuelles de la Révolution française* (Paris 1946²) und auch die interessanten Darlegungen bei A. de Tocqueville über den »Patriotismus« des französischen Klerus am Vorabend der Revolution, in: *L'ancien régime et la révolution, Œuvres compl.*, hrsg. von J.-P. Mayer, T. 2, 1, Paris 1952, S. 171.

24. Vgl. über diesen Aspekt bei Giannone L. Marini, *P. Giannone e il giannonismo a Napoli nel Settecento,* Bari 1950, und auch die Ausführungen von C. Caristia, *P. Giannone giureconsulto e politico,* Milano 1947, über den theokratischen und konservativen Hintergrund des von G. verteidigten Absolutismus.

25. ... Vgl. die unedierte *Meditazione sul Dispotismo,* Staatsarchiv Florenz, Carte Gianni, F. 20, Nr. 441. In dieser Schrift übt Gianni ausdrücklich Kritik an der *Theokratie,* die er als willkürliche Ineinssetzung der politischen Beziehungen, die die Untertanen als Personen mit dem Fürsten verbinden, mit dem aus dem religiösen Bereich stammenden Gedanken der Vaterschaft verurteilt, die den Schöpfer und die Geschöpfe aneinander bindet.

26. Vgl. E. Viviani della Robbia, *B. Tanucci e il suo più importante carteggio*, Florenz 1942, Bd. 2, S. 340; ... S. 341: Brief vom 15. Febr. 1774, wo dem »jungen und besten Großherzog« Ratschläge gegeben werden, Tanucci jedoch hinzufügt, daß »ein philosophischer Herrscher sich nicht den Kopf darüber zerbrechen solle, wie er die Menschheit gut regieren könne; er solle sie auch weder nach dem Modell der Republik Platos noch nach den Grundsätzen der stoischen Weisheit, die beide unmöglich zu verwirklichen sind, regieren« ...

27. Vgl. die einleitenden Bemerkungen zu der Erfahrung Leopolds (der Verf. weist auf den vorangegangenen Teil dieses Aufsatzes hin, in diesem Band S. 234ff., Anm. des Hrsg.).

28. Für die Theorie einer *gemäßigten Jurisdiktionsgewalt* bei Rucellai und Bertolini außer den obengenannten Untersuchungen, vgl. *Quaderni di Cultura e Storia sociale* 3, Heft 4, 1954,

S. 272, Anm. 7; vgl. die Darlegungen von A. Zobi, *Storia civile della Toscana dal 1737 al 1848*, 6 Bde., Florenz 1850–52, Bd. 2, S. 222ff., für das *Votum* von Tavanti S. 234.

29. . . . In dem politischen Glaubensbekenntnis Peter Leopolds, das in einem Brief an die Erzherzogin Marie Christine vom 25. Jan. 1790 enthalten ist, vgl. A. Wolf, *Leopold II. und Marie Christine. Ihr Briefwechsel (1781–1792)*, Wien 1867, S. 80–87, stimmt er den Theorien vom Vertrag zwischen dem Fürsten und dem Volk, auch dem durch ein Grundgesetz begrenzten Königtum ausdrücklich zu. Aber in der politischen Praxis steht Peter Leopold den absolutistischen Lehren der Physiokraten näher . . .

30. Der Begriff »ministro« weist auf den sakralen Charakter des frühneuzeitlichen Herrschertums hin (Anm. des Hrsg.).

31. Die *Memorie* von de' Ricci enthalten einen höchst bedeutsamen Hinweis auf das Werk des französischen Oratorianers J. Duguet (1649–1733), dem bekannten Berufungskläger und Freunde von Arnauld und Quesnel, mit denen er eine Zeitlang als Geflüchteter in Flandern lebte. De' Ricci beschreibt den Einfluß von Duguet auf Peter Leopold mit folgenden Worten: »Ein sehr gelehrter und begabter Freund von mir . . . war vollkommen erstaunt, als er diesen Fürsten (Peter Leopold) auch in den (geistlichen Dingen) unterrichtet sah, und vor allem, als er hörte, wie dieser mit hervorragendem Scharfsinn das goldene Buch von Duguet, *L'Institution d'un Prince*, auslegte und konnte das unserem Volk zuteil gewordene große Glück, einen so guten Herrscher zu haben, nicht genügend betonen« *(Memorie*, Bd. 1, S. 458) . . . Schon der vollständige Titel des Werkes von Duguet ist höchst aufschlußreich: *Institution d'un Prince ou traité des qualités, des vertus, des devoirs d'un souverain soit par rapport au gouvernement temporel de ses Etats ou comme Chef d'une Société Chrétienne qui est nécessairement liée avec la Religion;* die erste Ausgabe erschien in Leyden 1739 . . . In der Londoner Ausgabe der *Institution d'un Prince* von 1740 findet man in dem vierten (und letzten) Band verschiedene Hinweise für die Fortsetzung der gallikanischen Tradition und des auf der Lehre vom Gottesgnadentum basierenden Absolutismus des 17. Jahrhunderts. Duguet setzt Bossuet fort, auch wenn er in gewissen Punkten mit regalistischen Thesen sympathisiert. Der Fürst ist eine heilige Person, die ihre Gewalt unmittelbar von Gott empfangen hat. »Die Kirche hat gewisse Rechte über den gläubigen Fürsten, doch hat sie deren keine über die königliche Autorität«, und sie kann den König nicht einer Macht berauben, die dieser »von Gott bekommen hat« und die nicht über die Kirche auf ihn gekommen ist (Bd. 4, S. 40) . . . Winter (Anm. 3), S. 129, mißt zu Recht dem Einfluß von Martini große Bedeutung bei, der unter Joseph II. die Reformtheorien Muratoris, vermischt mit naturrechtlichen Lehren, verwirklichte und der daher, so können wir ergänzen, auch maßgeblich für die Politik Leopolds wurde. Den gallikanischen Beitrag hat Winter S. 132 hingegen unterbewertet, auch wenn er erwähnt, daß der Fürst Unterricht bei den Jansenisten nahm.

32. Über die Auseinandersetzung zwischen de' Ricci und dem neuen Sekretär für kirchliche Angelegenheiten (del Regio Diritto), V. Martini, der beschuldigt wurde, Komplice der Kurialisten zu sein, vgl. weiter unten.

33. Die »frati« waren ursprünglich die Laienbrüder und Priester der Bettelorden; hier ist der Begriff mit negativer Bedeutung gebraucht (Anm. des Hrsg.). Besonders aufschlußreich als Beleg dafür, daß Joseph II. und Leopold in ihrer Gesinnung und in ihren Auffassungen häufig miteinander übereinstimmten, ist der Briefwechsel zwischen den beiden Brüdern anläßlich der Reise Pius' VI. nach Wien in den Monaten März–April des Jahres 1782. Vgl. Arneth (Anm. 13), Bd. 1, S. 90ff.

34. So schreibt Gianni in dem anonym gehaltenen Amtsbericht, den Peter Leopold veröffentlichen ließ, als er im Jahre 1790 die Toskana verließ, um sich zum Kaiser wählen zu lassen,

Governo della Toscana sotto il regno di S.M. il Re Leopoldo II, Florenz 1740, S. 8. Das Auflösungsdekret für das Heilige Offizium kann man in den *Bandi e Ordini* und auch in den *Annali Ecclesiastici* von Florenz, vom 19. Juli 1782, einsehen. Über seine Abschaffung in der Lombardei vgl. *F. Valsecchi, L'assolutismo illuminato in Austria e in Lombardia*, Bologna 1934, Bd. 2, S. 177. Über das Vorspiel der Auflösung in der Toskana, N. Rodolico, *Stato e Chiesa in Toscana durante la Reggenza lorenese*, Florenz 1910, S. 182ff., wo auch auf das Werk von M. Rastrelli hingewiesen wird, das im Jahre 1782 in Florenz gedruckt wurde, um den Abschaffungserlaß des Tribunals des Heiligen Offiziums gewissermaßen aus der Perspektive der Aufklärung zu kommentieren, indem es »die Geschichte von dessen Fehlern« in der Toskana aufzeichnete.

35. Verkürzung des Zitats auch im Orig., Anm. des Hrsg. Den Brief von de' Ricci an den Großherzog vom 18. Juli 1782 hat Zobi (Anm. 28) Bd. 2, S. 128f., ediert. Das Rundschreiben an die toskanischen Bischöfe vom 10. Juli 1782 schließt mit einer Mahnung wegen der Streitigkeiten um die Orden, die schließlich mit dem Verbot der Jesuiten endeten, und dem Hinweis auf »alle die Skandale, die es in der Kirche Gottes durch die Regularkleriker gegeben habe« (das Rundschreiben wurde in den *Annali Ecclesiastici* vom 19. Juli 1782 abgedruckt).

36. Vgl. die anonyme *Lettera parenetica, morale, economica di un parroco della Val di Ghiana a tutti i possidenti o comodi o ricchi, scritta dell' anno 1772, concernente i doveri loro rispetto ai contadini*, etc. (neue erweiterte Ausg.) Florenz 1774, S. 54, wo unter mehrmaligem Verweis auf den *Esprit des lois* von Montesquieu und den *Ami des hommes* von Mirabeau die Ansicht vertreten wird, daß dem Klerus der oberste Rang in der Gesellschaft gebührt. Man will die französische Situation als den idealen Modus auf die Toskana übertragen. Hier muß man sich vergegenwärtigen, daß der Klerus in der Toskana im Besitze vieler Privilegien war, die drei wichtigsten Immunitäten waren die der Jurisdiktion (Peter Leopold gab diesem Recht mit dem Dekret vom 30. Okt. 1784 den Gnadenstoß); vgl. Scaduto (Anm. 13), S. 227, des Asylrechts, das durch die Ereignisse aus dem Jahre 1769 aufgehoben wurde, ebenda S. 239, und der Steuerfreiheit (Peter Leopold belastete 1774 die Güter aller Institutionen der weltlichen Priester und der Regularkleriker sowie die Räumlichkeiten, die wohltätigen Zwecken dienten, mit einer allgemeinen Grund- und Vermögenssteuer, ebenda S. 240ff.). Der Klerus bildete jedoch nicht wie in Frankreich einen »Stand« im Staate, noch bestanden die mittelalterlichen Ständevertretungen fort, mit denen sich solche Privilegien hätten behaupten können, wie es in Frankreich auf Grund der Generalstände und der periodischen Versammlungen des gallikanischen Klerus geschah, der regelmäßig tagte, um den »don gratuit« festzusetzen; diese Abgabe sollte die Steuer, die auf den nicht privilegierten Untertanen lastete, ersetzen. In der Regel belief sich das auf sehr viel weniger als das, was man vom Besitz und den Einnahmen der geistlichen Güter hätte verlangen können; vgl. A. Latreille, *L'Eglise et la Révolution française*, Bd. 1, Paris 1946, S. 186.

37. Dieser Brief von de' Ricci an den Ritter Cesare Marchetti, der Deputierter der Bevölkerung von Pistoia war, ist in den *Memorie* von de' Ricci (Anm. 20), S. 247–50, abgedruckt.

38. Zit. Ms. in *Carte Gianni*, F. 49, Nr. 15 (vgl. Anm. 25).

39. Zur Auflösung von Klöstern in Österreich im Jahre 1782 und in den darauffolgenden Jahren, vgl. E. Winter (Anm. 3), S. 153ff.; für die Toskana vgl. F. Scaduto (Anm. 13), S. 317f.

40. Der Brief von de' Ricci an den Großherzog »über den Religionsunterricht, den Sie den ›frati‹ anvertrauen wollten«, ist unter diesem Titel in den *Memorie* (Anm. 20), Bd. 1, S. 216–20, publiziert und ist auf den 13. Febr. 1782 datiert; s. auch die Stellen zum Thema in den *Memorie* selbst. (Kürzung des Zitats auch im Orig., Anm. des Hrsg.)

41. Vgl. hierzu A. G. Martimort, *Le gallicanisme de Bossuet*, Paris 1953, S. 77.

42. Ebenda S. 21; über die von de' Ricci getroffene Unterscheidung zwischen Mönchen und »frati« s. weiter unten.

43. Außer der unedierten Schrift von Gianni, s. das Werk von Scaduto (Anm. 13), S. 20f. (Kürzung des Zitats auch im Orig., Anm. des Hrsg.)

44. *Memorie* (Anm. 20), Bd. 1, S. 317ff. und auch S. 381–383, 277. Unter den im Staatsarchiv von Florenz befindlichen Briefen von de' Ricci ist ein anonymer, an de' Ricci gerichteter Brief aus Mailand vom 12. Juni 1782, in dem ein Brief von Pius VI. an den Bischof von Brünn vom 12. April des Jahres abgeschrieben ist. Der Papst mißbilligte danach, daß man die Ordensgeistlichkeit von ihrem Gelübde befreite und sie zu Weltpriestern machte in den Fällen, wo die Klöster aufgelöst wurden. Er bestand darauf, daß die feierlichen Gelübde in jedem Falle geachtet würden und bedauerte, daß der Bischof von Brünn freizügig gehandelt hatte, ohne die Sache zuvor Rom zu unterbreiten.

45. Über die Person des aktiven und wohltätigen und für die *Gesellschaft nützlichen Pfarrers,* der die Idealvorstellungen Josephs II. und Peter Leopolds vom Priestertum erfüllt, vgl. die *Memorie* (Anm. 20) Bd. 1, S. 404ff. und auch den *Confronto historico* (Anm. 3). S. auch E. Winter (Anm. 3), der S. 159–174 dem »josephinischen Pfarrer« ein ganzes Kapitel widmet. Schließlich die ausgedehnte Literatur über den vorromantischen *bon curé* und für die Toskana im besonderen die *Veri mezzi di render felici le società,* von Paoletti, der sich sehr darum bemüht, die Aufgaben des Pfarrers als *Übermittler der Kultur* und Förderer des *Glücks* der Gesellschaft zu definieren.

46. Kürzung des Zitats auch im Orig., Anm. des Hrsg. F. M. Gianni, *Saggio istorico,* in Carte Gianni, F. 49, Nr. 15. Die etwas zu allgemeine und auch zu optimistische Behauptung bezüglich der vom Klerus gezahlten Steuern wird durch die Analyse der einzelnen Fälle, die Scaduto (Anm. 13), S. 239ff., vorgenommen hat, eingeschränkt. Genauer sind die Verfügungen für die nicht fahrbaren Güter (ebenda S. 278ff). Die Briefe von Rucellai an den Bischof Ippoliti von 1775, die in der Briefsammlung von de' Ricci enthalten sind und schon von uns zitiert wurden, beschäftigen sich gerade mit dem Problem der Schaffung einer besseren Versorgung der Pfarrer und der armen Priester (vgl. vor allem den Brief vom 1. Sept. 1775, F. 38, c. 79).

47. Scaduto (Anm. 13), S. 232, hebt die Bedeutung des Zirkularerlasses vom 15. Juni 1782 hervor; in diesem Erlaß wurden die Steuern, genannt »spogli, vacanti, quindennii«, die Ordensgeistliche und Weltgeistliche in bestimmten Fällen an Rom zahlen mußten, abgeschafft. Dann zählte er die Verfügungen auf, mit denen man alle Verbindungen zwischen den geistlichen Orden und ihren fremden Oberen untersagte (Dekret vom 2. Okt. 1788); in den Klöstern waren keine auswärtigen Priester zugelassen und man forderte das *exequatur* auch für die weltlichen Priester.

48. Der Brief des Großherzogs an seinen Bruder in der Angelegenheit der Bruderschaften ist in dem entscheidenden, uns hier interessierenden Ausschnitt in der Untersuchung von Scaduto (Anm. 13), S. 198, abgedruckt. Zu dem Stichwort *fondation* in der *Encyclopédie* vgl. auch K. D. Erdmann, *Volkssouveränität und Kirche,* Köln 1949, S. 154. In der Ausgabe der *Encyclopédie* von Lucca in dem Artikel *Fondation* (Bd. 7, S. 63) ist der Tenor besonders für die geistlichen Stiftungen bezeichnenderweise gemildert.

48a. Der Begriff »congreghe« bedeutet Gemeinschaft, ist hier pejorativ gebraucht (Anm. des Hrsg.).

48b. Der Begriff »fratismos« bezeichnet Haltung und Auffassungen der »frati«, ebenfalls pejorativ gebraucht (Anm. des Hrsg.).

49. Die Kritik der angenommenen Entartung des ursprünglichen Begriffs der Meßopfer ist ein Topos der jansenistischen Polemik und taucht auch in den Dekreten der Synode von Pistoia

aus dem Jahre 1786 auf (*Atti e Decreti del Concilio Diocesano di Pistoia*, Pistoia 1788), Sess. 4, paragr. 8, S. 132f. und s. die ausführlichere Bibliographie bei B. Matteucci, *Scipione de' Ricci*, Brescia 1941, S. 107.

50. In den *Memorie* von de' Ricci (Anm. 20), Bd. 1, S. 463, findet sich ein ausdrücklicher Hinweis auf das *goldene Buch* von Paolo Sarpi . . . Einleuchtend ist der Grund des Widerstandes, mit dem man in Pistoia den Reformen begegnete, denn man beabsichtigte damit nur, das Herkommen und die Interessen der Stände zu verteidigen. In dem Brief an den Großherzog vom 14. Aug. 1783 spricht de' Ricci von »dem Strafwerkzeug, das bis gestern zur öffentlichen Anschauung aufgestellt war« und von einem jedoch nur geplanten »Aufstand«, und er fleht beim Fürsten um Milde für die Rebellen (F. 46, c. 43). So auch in späteren Briefen. Über die gegen de' Ricci gerichteten Drohungen siehe außer in den *Memorie*, Bd. 1, S. 255, seine Briefe von 1783, F. 46 und F. 77–78. Ebenda S. 258 präzisiert er: »Dieser Widerstand vor allem von seiten des Adels . . .« Dann werden die Gründe dieses Widerstandes einzeln erläutert (Kürzung des letzten Zitats auch im Orig., Anm. des Hrsg.).

51. Ebenda S. 259.

52. Ebenda S. 260f. (Kürzung des vorangegangenen Zitats auch im Orig., Anm. des Hrsg.).

53. Kürzung des Zitats auch im Orig., Anm. des Hrsg. Über die Familie Banchieri vgl. die *Bibliographie pistoiese* von V. Cappono, S. 32 und die Hinweise in E. Codignola (Anm. 12), der vor allem den Briefwechsel zwischen de' Vecchi und Mons. Zanobi Banchieri publiziert hat. Banchieri verkörperte einen Typus unter den Jansenisten, der sich weniger durch Aktivität als durch Kontemplation auszeichnete.

54. *Memorie* (Anm. 20), Bd. 1, S. 257f.

55. Kürzung des Zitats auch im Orig., Anm. des Hrsg. . . . Vgl. Winter (Anm. 3) über den Kampf der josephinischen Reformpolitik gegen die Bruderschaften, in denen der »Katholizismus des Barock« fortlebte, S. 235ff.

56. *Memorie* (Anm. 20), Bd. 1, S. 321 und auch S. 445–449; aber siehe auch den Briefwechsel zwischen de' Ricci und dem Großherzog (Anm. 20) F. 46 und F. 47, besonders den Brief vom 25. August 1783, wo der sehr rigorose Weg der Veräußerung des Grundbesitzes der aufgelösten geistlichen Institutionen mit folgendem wirtschaftlich-politischen Rechtfertigungsgrund vorgeschlagen wird: »Die Verwaltung (sei) einfacher und weniger kostspielig zu gestalten . . . um quantitativ feststehende Einnahmen zur Verteilung an die Priester sicherstellen zu können . . . um diesen Grundbesitz wieder auf den Markt zu bringen und die Bestellung des Ackers zu verbessern . . . Ich glaube auch, daß dies eine gesunde Ablenkung für die Volksstimmung sein wird, und wenn das Land einen Aufschwung erfährt, so wird der materielle Gewinn nicht geringer sein als der moralische« (F. 46, c. 48). (Kürzung des Zitats auch im Orig., Anm. des Hrsg.) In den *Memorie* Bd. 1, S. 257, wird behauptet, daß schon gleich nach der Inangriffnahme der Reformen das wirtschaftliche Leben in Pistoia wieder emsiger wurde, und »das Handwerk« besser gedieh, usw. Um hervorzuheben, welche Bedeutung die *Memorie* der engen Verbindung von geistlich-politischen Reformen und der ökonomischen Entwicklung beimessen, verweisen wir auf jene Seiten, wo von der neuen Straße am Durchgang von Abetone und von der Gründung neuer Pfarreien in den Bergen von Pistoia die Rede ist, Bd. 1, S. 142–46.

57. Über den Einfluß von Muratori vgl. Winter (Anm. 3), S. 16ff., 64ff. G. A. Venturi hat in seiner Untersuchung *Le controversie del Granduca Leopoldo I di Toscana e del Vescovo Scipione de' Ricci con la Corte Romana, in: Arch. Stor. It.* 8, 5, 1891, S. 83ff., schon beobachtet, daß der Großherzog seine engeren Mitarbeiter, besonders den Sekretär für kirchliche Angelegenheiten (del Regio Diritto), Mormorai, der der Nachfolger von Bertolini war, erneut gestürzt hatte, da er bemerkte, daß er sich nicht auf sie verlassen konnte. In den Briefen von de' Ricci

befindet sich ein Brief des Bischofs an den Großherzog vom 9. Sept. 1784 (F. 47, c. 39), aus dem klar hervorgeht, daß der Plan, in jeder Pfarrei eine »Gesellschaft der Barmherzigkeit« zu begründen, dem Bischof vom Großherzog vorgeschlagen wurde und nicht umgekehrt.

58. Vgl. *Memorie* (Anm. 20), Bd. 1, S. 207ff. G. A. Venturi (Anm. 57), S. 87ff., über den Kampf des toskanischen Gesandten in Rom gegen die Schmähschriften auf das Reformunternehmen von de' Ricci. Ferner verschiedene Briefe des Bischofs von Pistoia in: Carte Ricci, F. 46 und 47.

59. Über die Auseinandersetzung zwischen de' Ricci und dem Kardinal Gioannetti vgl. die *Memorie* des ersteren (Anm. 20), wo Briefe aus dem Briefwechsel zwischen den beiden Prälaten aus dem Jahre 1784 veröffentlicht sind, Bd. 1, S. 309ff., 353ff. Aber s. auch in Carte Ricci, F. 47, c. 216, c. 223, andere Briefe von de' Ricci und in F. 47, c. 164, einen wichtigen Brief von Gioannetti vom 1. Juli 1784, in welchem er einen Teil der Beschuldigungen des Bischofs von Pistoia an ihn zurückgibt und sich bemüht, die geistlichen und zivilen Kompetenzbereiche gegeneinander abzugrenzen: »Ich schrieb Ihnen noch, daß wir unseren eigenen, für uns zuständigen Richter haben. Sie antworten nur, daß für Sie kein Zweifel darüber bestehe, daß Gott uns den Fürsten zum Richter gegeben habe. Mein verehrter Mons., ich weiß nicht, ob Sie bedacht haben, daß ich, als ich von dem für uns zuständigen Richter sprach, mich auf die Lehre bezog, über die unter unseren Bischöfen eine Kontroverse entstanden ist. Der Fürst ist weder Pfarrer noch Theologe, noch hat er Einfluß auf die Kirchenleitung (maestro nella Chiesa) und die Angelegenheiten, die die Lehre betreffen, die vielmehr die Bischöfe ihrer Herde erklären sollen.« Und er schließt damit: »Die wahre Lehre wird viel leichter vermittelt werden können, wenn sie mit jener Achtung, die man einer der eigenen entgegengesetzten Meinung schuldig ist, vorgetragen wird.«

60. Carte Ricci, F. 46, c. 25 (Brief an Manfredini vom 23. Jan. 1783).

61. Ebenda, F. 47, c. 3 (Brief vom 2. Febr. 1784).

62. A. C. Jemolo, *Stato e Chiesa negli scrittori italiani del' 600 e del' 700*, Turin 1914, S. 308ff.

63. In einem Brief an den Großherzog vom 31. Juli 1785 ermahnt de' Ricci ihn, »allen Pfarrern« den Traktat von Curalt über das kanonische Recht, den wir schon als aus dem Kreise des josephinischen wienerischen Reformertums kommend zitiert haben, »zuzusenden«, und er fügt hinzu, daß es ihm nützlich scheine, ihn noch einmal in Prato zu veröffentlichen, was dann 1788 auch geschah.

Das toskanische Verfassungsprojekt

ADAM WANDRUSZKA

Alle eigenhändigen Aufzeichnungen Leopolds aus der Zeit seines Wiener Aufenthalts von 1778/79, ebenso aber auch die Tagebucheintragungen Zinzendorfs von der Begegnung in Görz zeigen, wie tief die Abneigung des Großherzogs gegen den »Despotismus« war, dessen er Joseph und die führenden österreichischen Minister bezichtigte. Daß es sich dabei aber nicht bloß um schriftliche und mündliche Äußerungen einer unverbindlichen Rhetorik oder um das Abreagieren einer vorübergehenden Verärgerung handelte, sondern daß er entschlossen war, aus seinen Eindrükken und Einsichten auch die praktischen Konsequenzen zu ziehen, hat Leopold sogleich bewiesen: Unmittelbar nach seiner Rückkehr nach Florenz erteilte er seinem vertrautesten Ratgeber, dem Senator Francesco Maria Gianni, den Auftrag, eine Konstitution für das Großherzogtum auszuarbeiten, durch die der Herrscher und die Nation zu enger Zusammenarbeit für das Gemeinwohl verbunden und die Gefahr eines monarchischen oder ministeriellen Despotismus für alle Zukunft gebannt werden sollte.

Dieses zehn Jahre vor dem Ausbruch der Französischen Revolution entworfene Verfassungsprojekt ist Gegenstand zahlreicher Studien und Untersuchungen geworden, nachdem sich seine bis zur Mitte des 19. Jahrhunderts noch vielfach angezweifelte und umstrittene Existenz erwiesen hatte [1]. Der nicht nur zeitliche Zusammenhang mit dem Wiener Aufenthalt von 1778/79 ist dabei allerdings, da man sich nur auf das unvollständige Material im Archiv von Florenz beschränkte und Leopolds Stellung innerhalb des habsburg-lothringischen Familiensystems nicht beachtete, bisher übersehen worden. Dennoch kann, angesichts der Übereinstimmung der Argumente und Anschauungen in den Wiener Aufzeichnungen und in Leopolds Formulierungen in seinen eigenen Entwürfen und Gedanken zum Verfassungsprojekt nicht daran gezweifelt werden, daß die Eindrücke und Einsichten des Wiener Aufenthalts ein wesentliches auslösendes Moment für das Verfassungsprojekt – wenngleich gewiß nicht das einzige – gebildet haben.

Für den Großherzog, der selbst von Wien aus die Regierung seines Landes bis in die letzten Einzelheiten in der Hand zu behalten suchte, ergab sich aus der leidenschaftlichen Ablehnung des Herrschaftsstils seines Bruders und aus der Kritik an dem Regierungssystem der österreichischen Zentralbehörden konsequenterweise die Frage nach der Möglichkeit, sein toskanisches Reformwerk gegen eine ähnliche Entwicklung zu sichern. Joseph hatte keinen Zweifel an seinem Interesse an der Erziehung der Kinder Leopolds gelassen, die er ja seit jeher für sich und den Staat beansprucht hatte. Bestand da nicht die Gefahr, daß alles, was Leopold in jahrelangem

Aus: *Leopold II. Erzherzog von Österreich, Großherzog von Toskana, König von Ungarn und Böhmen, Römischer Kaiser*, Bd. 1, 1963, S. 368–390. Der Abdruck erfolgt mit freundlicher Genehmigung des Herold Verlages, Wien.

Bemühen geschaffen hatte, durch eine unerwartete Entwicklung beseitigt oder in eine Richtung gedrängt würde, die seinen Ideen und Grundsätzen widersprach? Welche Sicherung gab es in einer absoluten Monarchie gegen die Gefahr, daß der Fürst durch Veranlagung, Schwäche oder unter dem Einfluß schlechter Ratgeber und Schmeichler zum »Despoten« werde? War er selbst völlig dagegen gefeit, von schlechten oder unfähigen Beratern oder Mitarbeitern hintergangen und betrogen zu werden? Die ewige Sorge gerade guter und verantwortungsbewußter Herrscher, nicht die Wahrheit zu erfahren, scheint sich bei dem nachdenklichen und melancholischen Leopold manchmal zu einem Alpdruck gesteigert zu haben. Bestand die Kluft zwischen Regierenden und Regierten, die ihm in Österreich augenblicklich so groß erschien, nicht auch in seinem eigenen Lande, ohne daß er es merkte? Gerade in seinen Weisungen aus Wien an die toskanischen Minister und Beamte klingt beschwörend die Ermahnung zu »Freundlichkeit und Liebenswürdigkeit« gegenüber den Untertanen und die Verurteilung der »harten und rohen Umgangsformen« der Behörden im Verkehr mit dem Publikum auf [2]. Aber selbst wenn im Augenblick eine solche Kluft noch nicht bestand, wo gab es eine Garantie dafür, daß sie sich nicht später, unter einem seiner Nachfolger, ja vielleicht sogar noch unter seiner eigenen Herrschaft, ohne daß er es merkte, auftat? Der Einblick in den großen Apparat der Wiener Zentralbehörden hatte ihm die Abhängigkeit der Fürsten von ihren Mitarbeitern recht anschaulich demonstriert. In seinem eigenen Lande aber vollzog sich gerade in diesen Jahren das Abtreten der »alten Garde« der Reformer. Im September 1776 war Pompeo Neri gestorben, im Februar 1778 Giulio Rucellai, jetzt starb am 11. April 1779 Leopolds alter Lehrer Sauboin, dem er die Erziehung der jüngeren Söhne anvertraut hatte. Tavanti stand im 65. Lebensjahr, Stefano Bertolini, der Nachfolger Rucellais als »Segretario del Regio Diritto«, im 68. [3]; nur der einundfünfzigjährige Gianni konnte nach den damaligen Anschauungen als Mann in der Vollkraft der Jahre angesehen werden. Das Problem der Erziehung eines tüchtigen Beamtennachwuchses hat Leopold begreiflicherweise gerade zu jener Zeit, wie sich sowohl aus seinen Weisungen aus Wien nach Florenz als auch aus den Gesprächen mit Zinzendorf in Görz ergibt, besonders beschäftigt [4].

Der Gegensatz zu Joseph hat jedenfalls bei der Formulierung des Verfassungsentwurfs eine wichtige Rolle gespielt, und der Kaiser – der vermutlich nie etwas von diesem Plan erfuhr – hat dann auch durch sein toskanisches Vereinigungsprojekt die Einführung der Verfassung verhindert. Dennoch wäre es unrichtig, wollte man die Entstehung des Verfassungsentwurfs allein auf den Antagonismus der habsburgischen Brüder zurückführen und die anderen Motive, Anregungen und Einflüsse übersehen.

Gianni selbst hat im Rückblick geschrieben, daß der Großherzog, »dieses seltene Exemplar unter den Gekrönten«, im Jahre 1779 »nach eingehendem Studium, Inspektionsreisen und Untersuchung seines Landes«, seinen Gedanken geoffenbart habe, der Toskana ein vereinbartes Grundgesetz zu geben, das die ewige Konstitution einer monarchischen Regierung, gemildert durch den Hinzutritt des Volkswillens, enthalten sollte [5]. Unter Aufzählung der wichtigsten vorangegangenen Reformen hat Gianni dann ausgeführt, daß die Verfassung den logischen Abschluß und die Krönung des Reformwerkes gebildet hätte, daß Neutralitätspolitik, Handelsfreiheit, Rechtsvereinheitlichung, Heeresreform, Agrarpolitik, Gemeindereform usw. Vorstufen und Voraussetzungen für die politische Erziehung der Nation zur Mitbestimmung ihres Schicksals darstellten; und dieser Gedanke ist seither oftmals von den Kommentatoren des Verfassungsprojekts wiederholt und abgewandelt worden, womit zugleich auch die Eigenständigkeit der toskanischen Reformen, des Verfassungsprojekts im besonderen, hervorgehoben werden sollte.

Die an sich richtige Feststellung der Originalität des leopoldinischen Verfassungsprojekts darf nun allerdings auch wieder nicht in einem engen, ausschließenden Sinne verstanden werden; so etwa, als ob Leopold völlig unberührt von den geistigen Strömungen und den politischen Vorgängen außerhalb der toskanischen Grenzen sein Projekt allein aus den Prämissen der bisherigen Reformen entwickelt hätte. Ein solches Vorgehen wäre schon mit dem uns so gut bekannten, bei allen bisherigen Reformen feststellbaren methodisch-überlegten und »eklektischen« Charakter seines Vorgehens kaum in Einklang zu bringen.

Während der Rückreise von Wien nach Florenz hat Leopold, wie wir gesehen haben, ein ihm eben erst zugesandtes Werk von Turgot gelesen und Turgot ist zweifellos unter den französischen Physiokraten derjenige gewesen, in dem sich die Wendung von der älteren physiokratischen Theorie des »despotisme légal« zu den modernen Ideen von Selbstverwaltung und Konstitutionalismus am klarsten vollzog [6]. Die Lektüre dieses Werks mußte Leopold daher erst recht in seinem Gegensatz zum josephinischen »Despotismus« bestärken. So mag sich auch eine seltsame Bemerkung des Großherzogs zu Zinzendorf in Görz erklären: »Er sagte, daß Frankreich durch die letzte Anleihe von 300 Millionen zugrunde gerichtet ist, aber daß dort das Volk Vertrauen in den Souverän hat, daß dieses so wertvolle Band bei uns völlig zertrennt ist, sowohl zwischen den Herren und den Bauern, wie zwischen dem Untertanen und dem Souverän [7].« Ein Jahrzehnt später, nach dem Ausbruch der Französischen Revolution, hat Leopold dann die genau entgegengesetzte Ansicht geäußert. Allerdings muß man bei jenem dann von der geschichtlichen Entwicklung so drastisch widerlegten Fehlurteil von 1779 bedenken, daß Leopold, der ja niemals in seinem Leben den Boden Frankreichs betreten hat, über die Zustände in diesem Lande nur aus den Berichten von Diplomaten und Reisenden sowie aus der Literatur informiert war und daß sich die verschobene Optik schon daraus ergab, daß er die französischen Verhältnisse aus allzu großer Ferne ansah, während er die österreichischen soeben aus allzu großer Nähe beobachtet hatte. Die Kenntnis der vielfältigen, regen und gedankenreichen politisch-ökonomischen Publizistik in Frankreich mußte ihm daher ein zu günstiges Bild von dem inneren Zustand des Königreichs vermitteln.

Man hat als sicher angenommen, daß das gerade auch mit dem Namen Turgots verbundene berühmteste Dokument des politisch-ökonomischen Reformwillens im vorrevolutionären Frankreich, das die Ideen von Selbstverwaltung und Konstitution vertrat, das »Mémoire sur les municipalités«, von Turgot und Du Pont de Nemours, zumal es 1775 entstand, Leopold und Gianni als Anregung und Vorbild für ihren Verfassungsentwurf gedient hat[8]. Gewisse sachliche Übereinstimmungen und die enge Gesinnungsgemeinschaft zwischen den französischen und den toskanischen Ökonomisten sprächen an sich durchaus für eine solche Annahme. Auf der anderen Seite aber gibt es gewichtige Gegengründe, die eine Kenntnis des Munizipalitäten-Entwurfs durch Leopold und Gianni zwar nicht mit Sicherheit ausschließen, aber doch eher unwahrscheinlich machen[9]. Mit Recht wurde auch darauf hingewiesen, daß Leopolds Projekt ganz wesentlich über den vorwiegend als Mittel zur Steuerreform gedachten Munizipalitäten-Entwurf hinausgehe[10]. Doch wie dem auch sei: daß das toskanische Verfassungsprojekt zumindest teilweise in der Ideenwelt der französischen Ökonomisten und Staatsdenker der letzten Jahrzehnte vor der Revolution wurzelt, daß es auch zu den Versuchen gehört, den inneren Widerspruch der älteren physiokratischen Theorie des »despotisme légal« durch den Gedanken der Selbstverwaltung und der Mitwirkung der Regierten an der Regierung zu überwinden, kann wohl nicht bezweifelt werden. Zu ähnlichen Schlüssen wie Turgot und Du Pont einerseits, Leopold und Gianni andererseits, sind ja auch andere französische Physiokraten damals gelangt, wie etwa Mirabeau oder Le Trosne, wobei in jeweils verschiedenem Grade auf diese Entwürfe und Ideen die Werke der politisch-staatsrechtlichen Literatur von Montesquieu bis Rousseau eingewirkt haben, deren Einfluß auch auf Leopolds konstitutionelle Pläne nicht übersehen werden kann[11].

Für alle Menschen aber, die sich damals in irgendeinem Lande Europas Gedanken über Vorteil und Nachteil der verschiedenen Staats- und Verfassungsformen und über die Möglichkeit einer Verbesserung der bestehenden Regierungssysteme machten, bedeuteten die Vorgänge jenseits des Atlantischen Ozeans in den bisherigen britischen Kolonien in Nordamerika die mit großer Spannung verfolgte praktische Probe aufs Exempel. Das galt besonders auch für Leopold, der einerseits schon im Interesse Livornos stets ein gutes Verhältnis zu England angestrebt hatte, aber andererseits auch Verbindungen zu den aufständischen Kolonisten besaß[12]. Mit Benjamin Franklin war er zunächst durch das beiden gemeinsame technische Interesse in Kontakt gekommen. Über den Abate Felice Fontana, den von ihm nach Florenz gebrachten bedeutenden Gelehrten und Direktor seines physikalischen Kabinetts, hatte er sich bei dem damals noch in London weilenden Florentiner Filippo Mazzei zwei Franklin-Öfen bestellt. Da sich auch Franklin zu dieser Zeit als Vertreter von Pennsylvania in der britischen Hauptstadt aufhielt, bat ihn Mazzei, die Herstellung persönlich zu kontrollieren und so erhielt Leopold die ersten genau nach Franklins Prinzipien hergestellten Öfen in Europa, denen viele andere folgten, wie Mazzei in seinen Erinnerungen berichtet[13]. Derselbe Mazzei, dessen Verbindung zu den Amerikanern sich aus dieser Begegnung mit Franklin entwickelte, hat dann im Jahre 1773, vor seiner von Leopold in mehrfacher Hinsicht geförderten Abreise in die Neue Welt, dem Großherzog den unvermeidlichen Bruch zwischen den Kolonien und dem Mutterland vorausgesagt, ihm von Amerika aus laufend über die weiteren Entwicklungen berichtet und ihm schließlich auch den Text der Unabhängigkeitserklärung übersandt. Franklin bedankte sich dafür bei Mazzei und aus diesem Schreiben erfahren wir, daß auch der Impfarzt Ingenhousz Franklin von Leopold und dessen Familie Rühmenswertes erzählt hatte [14]. Durch Mazzei, direkt von Franklin oder von einer anderen Seite hat der Großherzog auch die Verfassung von Pennsylvania vom 28. September 1776 erhalten und ihren Text in französischer Übersetzung, sowie »Observations sur les Constitutions de la Republique de Pennsylvanie« den Materialsammlungen über das Verfassungsprojekt einverleibt [15]. Die Beeinflussung des toskanischen Verfassungsprojekts durch die ersten amerikanischen Einzelstaatsverfassungen, die bisher aus dem Textvergleich [16] sowie aus der eifrigen und umfassenden Berichterstattung der florentinischen Zeitungen über die amerikanischen Vorgänge geschlossen wurde [17], läßt sich so aus dem in Wien aufbewahrten Material eindeutig nachweisen.

Schließlich muß noch ein weiteres Element beachtet werden, das uns wieder zum Ausgangspunkt dieser Überlegung über die Entstehung des leopoldinischen Verfassungsprojekts zurückführt. In Wien hatte sich Leopold, wie wir gesehen haben, besonders für die ständischen Verfassungen von Ungarn und den österreichischen Niederlanden interessiert, zustimmend die ihm von Ürményi gepriesenen Vorteile der ungarischen Komitatsverfassung beschrieben und schließlich dann, im Görzer Gespräch mit Zinzendorf, den Plan einer Übertragung der ungarischen Komitatsverfassung auf das neuerworbene Galizien entwickelt. Schließlich hatte er aus Wien außer seinen eigenen Aufzeichnungen noch zwei umfangreiche Manuskripte mitgebracht: die von Ürményi verfaßte Darstellung der ständischen Verfassung Ungarns und die »lange, gut aufgegliederte und prächtige Relation« über Verfassung, Verwaltung und Finanzsystem der österreichischen Niederlande.

Die beiden Länder der österreichischen Monarchie, in denen es noch eine intakte und funktionierende ständische Verfassung und Verwaltung gab, die Länder, deren ständische Privilegien, Rechte und Freiheiten Joseph – wie Leopold mehrmals in seinen Wiener Aufzeichnungen mißbilligend vermerkt hatte – gänzlich aufheben wollte und dann ja auch tatsächlich aufgehoben hat, haben den Großherzog also schon damals besonders interessiert. Er hat ihre Verfassungen als erhaltenswert, ausbaufähig und teilweise sogar als vorbildlich für andere Länder angesehen. Von hier aus aber wird die spätere Politik Leopolds als Beherrscher der österreichischen Monarchie, besonders gegenüber den Ungarn und den Niederländern, zugleich verständlicher und seine Versicherungen gegenüber den einen wie den anderen, ihre alte Verfassung zu schützen und beachten, ja sie sogar auf die gesamte Monarchie übertragen zu wollen, erscheinen nicht mehr als von einer augenblicklichen Notlage erzwungene taktische Schachzüge, sondern vielmehr als Ausdruck einer tiefeingewurzelten, wohlbegründeten Überzeugung. So hat er auch nicht willkürlich, sondern der historischen Wahrheit entsprechend, das Jahr 1779 in dem Manifest an die Niederländer als das Datum genannt, an dem er ihre Verfassung zuerst Maria Theresia gegenüber mündlich und schriftlich als vorbildlich für andere österreichische Länder bezeichnet hatte [18].

Wenn man nun noch bedenkt, daß die Aufzeichnungen, Entwürfe und Materialien zum Verfassungsprojekt vielfach Bezeichnungen wie »progetto e fogli della formazione (oder creazione) degli Stati (oder Stati generali)« tragen, wobei »Stati« nur mit »Stände« übersetzt werden kann, so zeigt sich wieder, daß wir hier am Berührungspunkt von zwei Tendenzen stehen; dem aus der Vergangenheit stammenden, altständischen Streben nach der Bewahrung der »Libertät« und der »avitischen Verfassung« auf der einen Seite, den in die Zukunft weisenden liberalen und konstitutionellen Ideen auf der anderen Seite, wobei der gemeinsame Gegner der »Despotismus« des absolutistischen und zentralistischen Fürstenstaates ist. Auch darf darauf hingewiesen werden, daß die zum Heiligen Römischen Reich gehörende Toskana zum Unterschied von den größeren deutschen Territorien keine Landstände kannte und daß der Gedanke, nun eigens solche Institutionen auch hier zu schaffen, in der Vergangenheit wiederholt aufgetaucht, ja 1713 vom Reichshofrat ausdrücklich empfohlen worden war[19].

Nun hat Leopold selbst bereits in seinem ersten Entwurf die Einteilung nach historischen Ständen – Landesfürst, Adel, Geistlichkeit – ausdrücklich abgelehnt und nur jene in »possessori« (Land- und Hausbesitzer) und »artisti stabiliti« (Handwerker und freie Berufe) als natürliche Stände oder Klassen gelten lassen, »die zusammen das Volk ohne andere Unterscheidung bilden[20]«. Dementsprechend unterschied sich das leopoldinische Verfassungsprojekt vom ersten Entwurf bis zur letzten Fassung grundlegend von den ständischen Verfassungen des vorrevolutionären »Alt-Europa« und zeigte weit mehr Ähnlichkeit mit den Verfassungen der späteren konstitutionellen Monarchien des 19. und 20. Jahrhunderts. Wir werden sogleich sehen, um wieviel moderner und radikaler Leopolds Anschauungen auf diesem Gebiete waren als die seiner ganz in den Anschauungen des »Aufgeklärten Absolutismus« wurzelnden Ratgeber und Mitarbeiter. Aber die Anknüpfung an die Welt der altständischen Institutionen und Vorstellungen darf doch nicht übersehen werden; wenngleich diese Institutionen ganz im Sinne der Anschauungen seines Lehrers Martini naturrechtlich-rationalistisch begründet wurden, während sie sich von der praktischen Seite her dem sparsamen Fürsten vor allem durch die Überlegung empfahlen, daß die Selbstverwaltung eine Verminderung der Zahl der landesfürstlichen Beamten mit entsprechenden Einsparungen erlaube.

Die lange Reihe der schriftlichen Ausarbeitungen beginnt mit einem von Leopold im Frühjahr 1779, vermutlich unmittelbar nach seiner am 23. März erfolgten Rückkehr nach Florenz, verfaßten Entwurf »Primo Disteso ed Idee sopra la formazione degli Stati e nuova Costituzione pubblica« (Erster Entwurf und Ideen über die Schaffung der Stände und eine neue Staatsverfassung)[21], die er Gianni übergab, worauf dieser dem Großherzog am 9. Mai seine Bemerkungen und Gegenvorstellungen in Form eines Memorandums überreichte[22]. Leopold machte dazu nun wieder seine Gegenbemerkungen und so zog sich in schriftlichem – und, wie aus mehreren Andeutungen hervorgeht, begleitendem mündlichen – Dialog zwischen dem Herrscher und seinem Ratgeber die Arbeit an dem Verfassungsentwurf mit Unterbrechungen durch fast drei Jahre, bis zum Frühjahr 1782, hin, in dem Leopold dann den schon fast fertigen Entwurf noch anderen Räten zur Begutachtung vorlegen ließ.

»Die verschiedenen Autoren, die zahlreiche Bücher über die Formen und Verfassungen der einzelnen Staaten oder Gesellschaften von unter einer Regierung vereinigten Menschen geschrieben haben[23] ...« mit diesen Eröffnungsworten des »Ersten Entwurfs« hebt sich gleichsam der Vorhang hinter den beiden Gesprächspartnern Leopold und Gianni, und in aufsteigenden Rängen sitzend wird ein idealer Chor sichtbar, an den zumindest Leopold auch immer wieder das Wort richtet: vorne die Zeitgenossen Turgot, Mirabeau, Mably, Argenson und die vielen anderen Kritiker des »Ancien régime« in Frankreich, die italienischen und österreichischen Aufklärer, Reformer und Naturrechtslehrer, unter ihnen an hervorragender Stelle Martini, die Schöpfer der amerikanischen Unabhängigkeitserklärung und der Einzelstaatsverfassungen, Rousseau, Montesquieu, Christian Wolff, der Abbé de Saint-Pierre, Fénelon, Locke, Pufendorf, Grotius, Hobbes, Bodin, Erasmus und Macchiavelli bis zurück zu Augustinus, Polybios, Aristoteles und Plato. Vor allem die seit Aristoteles und Polybios in Antike, Mittelalter und Neuzeit das abendländische Denken immer wieder beschäftigende Theorie von der idealen, weil monarchische, aristokratische und demokratische Elemente in richtigem Gleichgewicht enthaltenden »gemischten Verfassung[24]«, der von Erasmus von Rotterdam in dem Hausbuch der habsburgischen Fürstenerziehung, der »Institutio Principis Christiani« so empfohlenen »Monarchia temperata[25]«, ist ein Grundgedanke auch des leopoldinischen Verfassungsentwurfs, wie der gleichzeitigen lebhaften, auf beiden Seiten des Atlantischen Ozeans geführten Diskussion.

Das gleiche Recht aller Staatsbürger auf Glück, Wohlstand, Sicherheit und Eigentum, auf Freiheit der Person und des Eigentums, solange dadurch andere oder die Gesellschaft keinen Schaden erleiden, und daraus folgernd das Recht auf Kontrolle der Regierung, Gesetzgebung und Verwaltung, leitet Leopold am Anfang des »Ersten Entwurfs« aus dem Gesellschaftsvertrag ab sowie ferner, da die Regierungsgewalt nicht von der Gesamtheit der Staatsbürger ausgeübt werden kann, die verschiedenen, durch Delegation der Rechte auf Einzelne, Familien oder Gruppen entstandenen Regierungsformen, von der absoluten Monarchie bis zur Demokratie. Alle aber, auch die despotischesten Monarchen, sind rechtlich nur die Beauftragten und Beamten des Volkes und nicht die Besitzer und Herren des Staates. Niemals aber hätten die Menschen für sich – und erst recht nicht für ihre Nachkommen – auf diese unveräußerlichen Rechte verzichten und einem einzelnen oder einer Menschengruppe die unumschränkte Gewalt überantworten können.

In immer neuen Wendungen und mit oft ermüdender Wiederholung führt Leopold dann den Gedanken aus, daß der Fürst nur der Beauftragte und Diener des Volkes sei, daß jeder Staat ursprünglich ein Grund- oder Verfassungsgesetz besessen habe, dieses in vielen Staaten aber unterdrückt worden sei durch »Gewalttaten, Willkür, Anmaßung und Ungerechtigkeiten, Intrigen der Souveräne und ihrer Minister in den Monarchien und der großen und mächtigen Familien in den Republiken, oder durch Unterdrückung und Gewalttaten, Folgen von Eroberungen von Ländern durch die Waffen oder innere Revolutionen, die fast immer in Willkür- oder Militärregierungen entarteten, die die stärksten und gewalttätigsten Despotien sind.« Die leidenschaftlichen Anklagen gegen den Despotismus der unumschränkten Herrscher und ihrer Minister erinnern dabei in Stil und Diktion so sehr an die in den Wiener Aufzeichnungen enthaltenen Vorwürfe gegen Joseph, daß es nicht schwer ist, zu erraten, wen Leopold dabei vor allem im Sinne hatte.

Dieser »Erste Entwurf« offenbart aber nicht nur im Negativen, sondern auch im Positiven die Beweggründe von Leopolds Konstitutionalismus. In den düstersten Farben schildert er die Gefahren, die dem Staat und jedem einzelnen Bürger von der unumschränkten Macht eines Herrschers drohen, der »außer daß er als Mensch alle anderen Leidenschaften und Fehler hat, die allen Menschen gemeinsam sind, weiterhin verdorben ist durch das bequeme Leben, Glück, Erziehung, Stand, Rang und die Schmeichelei seiner Umgebung . . . der durch Zufall zu dieser Stellung durch seine Geburt gekommen ist, und der sie sich meist durch Erbschaft bestimmt glaubt als einen Besitz, ohne zu betrachten und ohne je darüber unterrichtet oder erinnert worden zu sein an die Pflichten, Verpflichtungen und Lasten seines Standes, ein Mensch, der ein Schwachkopf sein kann, ein Narr, ein Tobsüchtiger, ein Verbrecher, ein Lasterhafter, Ehrgeiziger, Heuchler oder Schwächling, der meistens durch die Verderbtheit der Menschen, die in den hochgestellten Personen noch größer ist, es auch ist, oder es wird, oder es zu werden droht, oder ganz abhängt von den Launen eines Ministers, eines Favoriten, eines Subalternen, einer Frau usw. . .«; nachdem er so alle aus der unumschränkten Herrschaft drohenden Gefahren gezeigt und daraus die Notwendigkeit einer die Willkür der Herrscher, ihrer Minister oder Beamten beschränkenden Verfassung abgeleitet hat, untersucht er die Vorteile, die eine Verfassung dem Herrscher selbst bietet.

»Nützlich und bequem ist das Grundgesetz für den Souverän und die Behörden und Beamten, weil dadurch ihre Befugnisse klar bestimmt sind und man weiß, was man machen muß und darf und was nicht. Es gibt ihm die Möglichkeit, über sich und sein Handeln dem Publikum gegenüber jederzeit Rechenschaft ablegen zu können, das dadurch sieht, wie er verfährt und vor den Abgeordneten der Stände Rechenschaft ablegt; es gibt ihm die Möglichkeit, sein Verhalten immer vor dem ganzen Publikum gerechtfertigt zu sehen, das ihm so nicht Unrecht tun kann, es befreit ihn von aller Gehässigkeit und allem Mißmut des Publikums über das Vorgehen der Vorgesetzten, die ja immer der Willkür, Parteilichkeit und Selbstsucht verdächtigt werden, wenn auch oft zu Unrecht; und da sein Handeln offenkundig wird, erringt er wieder das Vertrauen des Publikums, das sonst immer den Taten der Regierung mißtraut und dort Hintergedanken sucht, und boshaft urteilt auch über die guten Taten; es befreit den Souverän von der Verpflichtung, für Vorschläge und Ausgang der wichtigsten und heikelsten Regierungshandlungen verantwortlich zu sein, die jene sind, die eine Systemänderung mit sich bringen und die immer am schwierigsten sind; es gibt ihm die Gelegenheit, viele unvernünftige und unverschämte erbetene Gnaden zu verweigern, ohne sich verhaßt zu machen. Es gibt ihm Gelegenheit und Handhabe, seine Minister und Subalternen mit aller Strenge zur Pflicht anzuhalten und indem es sein Handeln klar und offensichtlich macht, nimmt es ihm alle Gehässigkeit, Verdacht und Mißtrauen, es nimmt ihm die Gelegenheit, Böses zu tun und läßt ihm die Möglichkeit, Gutes zu tun und gestattet ihm, sich mit seinen vorteilhaften Vorschlägen beim

Publikum beliebt zu machen und seine guten Absichten und sein gutes Herz zu zeigen, wobei die Schuld auf die Stände fällt, wenn seine Vorschläge nicht angenommen oder befolgt werden. Es verschafft ihm eine große Ruhe, Sicherheit und Frieden. Es bietet ihm den Vorteil, sich mit den Abgeordneten der Stände zu beraten, über die Vorschläge, die er machen möchte, oder Veränderungen, ihre Meinung zu hören und da diese zu jenen gehören, die daran das stärkste Interesse haben und die Aufgeklärtesten zu sein pflegen, bietet es ihm die Gelegenheit, daraus Einsichten zu schöpfen, seine Ideen zu berichtigen, und es bietet ihm den Vorteil, daß, während sonst alle Neuerungen und Veränderungen dem Publikum verhaßt zu sein pflegen, die, die er macht, da sie mit Zustimmung und Billigung der Stände erfolgen, immer willkommen sein werden, oder zumindest das Publikum schon vorbereitet und geneigt, sie aufzunehmen und mitzuarbeiten. Es sichert einem guten Fürsten die Möglichkeit und die Art, Ehre einzulegen und seine Gaben zum Vorteil des Publikums zu verwenden und einen Bösen hält es so in Zaum, daß es ihn hindert, Böses zu tun, es nimmt ihm die Möglichkeit und die Befugnisse, entdeckt ihn sofort dem Publikum und zwingt ihn, gut zu werden oder gut zu scheinen und seine Leidenschaften und Laster zu zügeln, oder es hindert ihn zumindest daran, der Gesellschaft Böses zuzufügen, oder seinen Launen und denen seiner Minister oder seiner Umgebung zu dienen, es sichert Wohlstand und Eigentum des ganzen Publikums und schließlich Zufriedenheit und Ruhe aller Teile.«

Aus diesen Worten spricht die tiefe Kränkung eines Herrschers, der bei seinen aufrichtig wohlgemeinten Reformen so vielfältigem und schwer faßbarem Widerstand begegnete, die bittere Erfahrung eines Jahrzehnts unermüdlicher und doch oft verkannter Arbeit für das Wohl der Untertanen; aber auch eine klare, nüchterne, durch Erfahrung, Nachdenken und Lektüre gewonnene Einsicht in die Vorteile einer Teilung der Verantwortung, auch und gerade für den Herrscher.

Mit bemerkenswerter Schärfe wendet sich Leopold in dieser Schrift gegen eine ständische Verfassung, die nur mehr dem Schein und Titel nach und zur Befriedigung der Eitelkeit fortbesteht und es ist klar, daß er dabei die Verhältnisse in den deutschen Erbländern der österreichischen Monarchie vor Augen hat, wo das Ständewesen durch den Absolutismus ausgehöhlt und, wie Leopold es nennt, eine »lächerliche Dekoration« geworden war. Hierin sieht er nun eine besondere Tücke und Bosheit der Herrscher und ihrer Minister, denn es sei »unendlich sicherer, es (das Grundgesetz) zu diskreditieren, als wenn man es ganz unterdrückt, denn um es ganz zu unterdrücken, benötigte man Gewaltmaßnahmen und wenn es dann gar nichts mehr gibt, so wäre immer wieder im Publikum der Gedanke erwacht, es einmal wiederzuhaben und es mit einer neuen Methode in seinen wahren Befugnissen wiederzuerrichten, während, indem man es unwirksam und lächerlich machte und es bestehen ließ, konnte man die Leute mit dieser Existenz der Stände einschläfern und diese zugleich entweder mit Drohungen lächerlich machen, oder mit Bestechungen korrumpieren und sie den eigenen Zwecken dienstbar machen.«

Mit einer resignierten Betrachtung darüber, wie wenige ehrliche und tugendhafte Menschen es besonders unter den vom Glück Begünstigten gebe, und über die traurigen Folgen dieser Tatsache, die man »in allen alten und modernen Geschichten« nachlesen könne, schließt diese einleitende, grundsätzliche Betrachtung, aus der die unerläßliche Notwendigkeit eines Verfassungsgesetzes für jeden wohlgeordneten Staat abgeleitet wurde.

Im praktischen zweiten Teil dieser Schrift skizziert dann Leopold bereits die Verfassung, den Aufbau der Provinzial- und Generalstände, wobei zum aktiven und passiven Wahlrecht alle mindestens 25 Jahre alten Besitzer von Grundbesitz auf dem Lande, Haus oder Laden in der Stadt, in einem je nach der Gegend festzusetzenden Wert zugelassen sein sollen, aber auch alle im Lande ansässigen ausländischen Grundbesitzer, gleichgültig welcher Religion, und jedermann jeglichen Standes, wenn er nur die vorgeschriebene Summe besitze, solle stimmberechtigt sein. Nur verurteilte Verbrecher, Schwachsinnige und unter Kuratel Stehende sollen vom Wahlrecht ausgeschlossen sein, doch können für diese ihre Vormünder wählen. Vom passiven Wahlrecht aber sollen alle von der Regierung abhängigen Personen, Beamte usw. ausgeschlossen sein.

Weitere Bestimmungen schon dieses ersten Entwurfs betreffen das Steuerbewilligungsrecht der Generalstände, die Verpflichtung des Souveräns und der Regierung zur jährlichen Rechnungslegung, die Trennung von Krongut und Privateigentum des Herrschers, die notwendige Übereinstimmung von Herrscher und Ständen bei der Gewährung von Pensionen und Gratifikationen, die völlige Unentgeltlichkeit der bürgerlichen wie der Strafjustiz. Über kirchliche Angelegenheiten soll alle drei Jahre ein Nationalkonzil aller Bischöfe des Landes mit Abgeordneten des Klerus und jährlich in jeder Diözese eine Diözesansynode abgehalten werden. Alle Gesetze und Verordnungen des Herrschers müssen vor der Bekanntmachung von den Generalständen gebilligt werden. Herrscher und Generalstände müssen, wenn sie ihr Veto gegen einen Vorschlag des anderen Teiles einlegen, dies öffentlich begründen; wird auch dann keine Einigung erzielt, hat der Herrscher ein für ein Jahr aufschiebendes, die Generalstände ein absolutes Veto.

Es ist für die Gründlichkeit, mit der Leopold schon diesen ersten Entwurf ausarbeitete, bezeichnend, daß er zu jener Stelle der Einleitung, in der er gegen die Ableitung des göttlichen Rechts der Obrigkeit aus der bekannten Stelle im Römerbrief polemisierte (»Non est enim potestas nisi a Deo . . .«, Römerbrief 13), diese Stelle in Abschrift und dazu noch eine ähnliche über das »ius regis« aus dem 1. Buch der Könige, 8/2, beilegte.

Der von Leopold mit der Begutachtung des »Ersten Entwurfs« und der detaillierten Ausarbeitung der Verfassung beauftragte Gianni hat in seinem ersten Memorandum vom 9. Mai, eingehüllt in die Huldigung für den »wunderbaren Gedanken Eurer Königlichen Hoheit[26]«, der »ohne Beispiel unter den Souveränen« sei, ganz offen seine Skepsis über die Realisierbarkeit eines solchen kühnen Planes ausgesprochen und ein Mißlingen des Werkes vorausgesagt, da die Toskaner und besonders die Florentiner seit mehr als zwei Jahrhunderten die Gewohnheit verloren hätten, an den Staat zu denken, kein über den zufälligen Geburtsort hinausreichendes Vaterlandsgefühl besäßen und nicht über die eigene Person und den unmittelbaren Vorteil der eigenen Geldbörse hinauszudenken vermöchten[27].

Dieses erste Memorandum Giannis zeigt deutlich, daß dieser damals noch nicht in die Ideenwelt seines Herrn eingedrungen war und daher noch nicht ganz verstand, was Leopold mit dem Verfassungsprojekt eigentlich bezweckte. Für Gianni konnte die geplante Repräsentativ-Körperschaft nur eine Aufgabe haben, die er auch gleich am Beginn seines Memorandums aussprach; nämlich der Regierung als Organ zu dienen, »um die Bedürfnisse des Staates und seiner verschiedenen Teile kennenzulernen und zu hören, was ihm schade oder nütze [28]«. Es war also eine rein informative Funktion, ähnlich jener, die zu Beginn der leopoldinischen Reformen der Kommission für die »grande inchiesta« zugewiesen worden war, in der Gianni selbst so eifrig mitgearbeitet hatte. Jetzt sah der praktische Verwaltungsfachmann, wenn das Projekt für ihn überhaupt einen Sinn haben sollte, diesen vor allem darin, daß nun kompetentere und besser ausgewählte Personen an die Stelle der ihm so besonders verhaßten »fleißigen Projektemacher [29]« treten würden, die er ein Jahr später in anderem Zusammenhang als »politische Pestilenz, die immer den Thron umgibt«, bezeichnete [30]. Deshalb hätte er auch gewünscht, daß die Mitglieder dieser Körperschaft zumindest zum Teil vom Fürsten und von der Regierung ernannt oder, wenn sie schon gewählt werden mußten, aus einer größeren Anzahl von Personen, die der Fürst den Wählern als geeignet vorschlagen würde, ausgewählt werden sollten [31]. Die in dem »Ersten Entwurf« gleich eingangs formulierte Idee, daß in diesem Repräsentativorgan nicht wie bei den Ständeversammlungen anderer Länder eine Absonderung des Adels und des Klerus vorgenommen werden solle, griff er hingegen sogleich auf, da eine solche Trennung der Tendenz und dem größten Vorteil der bisherigen Reformen, der Gleichheit aller vor dem Gesetze, widersprechen würde [32]. Gianni, der sich hier als echter Vertreter des Aufgeklärten Absolutismus zeigt, konnte daher begreiflicherweise kaum erfassen, daß Leopold mit dem Verfassungsprojekt dem Herrscher – also zunächst sich selbst – die Hände binden und eine Schranke und Sicherung gegen fürstliche Willkür aufrichten wollte.

Daher fand dieses erste Memorandum Giannis begreiflicherweise auch nicht den Beifall des Großherzogs. In ausführlichen Bemerkungen nahm er zu den 64 Punkten des Memorandums Stellung und unterzog sie einer scharfen Kritik. Die geplante Repräsentativ-Körperschaft sollte nicht, wie Gianni gemeint hatte, nur eine informative Funktion haben, sondern alle das Wohl des Staates, einer Provinz oder einer Gemeinde betreffenden Fragen behandeln, besonders auch »die Beschwerden der Provinzen gegen die Minister« vorbringen, Vorschläge zur Gesetzgebung wie zur Änderung des Verwaltungssystems in allen seinen Zweigen erstatten, wie umgekehrt auch jeder Akt einer geplanten künftigen Gesetzgebung den Deputierten zur Billigung vorgelegt werden sollte [33]. Daß Gianni nur eine Art »Generalrat« des Großherzogtums vorgeschwebt war, während Leopold ein Parlament schaffen wollte, zeigt sich auch in der Zahl der Deputierten; Gianni hat die Einteilung in 9 Provinzen, unter Ausschluß des Stato di Siena und der Maremma, und für jede einen Deputierten, also einen neunköpfigen Rat, vorgeschlagen, Leopold zählte 27 Provinzen auf, von denen jede zwei Deputierte nach Florenz entsenden sollte [34], und kam damit auf das Sechsfache der von Gianni vorgesehenen Zahl. Mit einem trockenen »Non si approva« (»Wird nicht gebilligt«) verwarf Leopold Giannis Vorschläge einer Einflußnahme des Herrschers auf die Wahl und bestimmte, daß diese völlig frei sein sollte[35]. Zu den Bedenken Giannis gegen das Projekt, die dieser mit dem mangelnden toskanischen Gemeinsinn und Staatsgefühl begründet hatte, bemerkte der Großherzog schließlich, das seien »nichts als akademische Reden[36]«.

Schon eine Woche nach dem ersten Memorandum hat Gianni, unter Berücksichtigung der Bemerkungen und Einwände des Großherzogs, ein weiteres, ergänzendes vorgelegt und auch dieses wurde von Leopold wieder in Zustimmung und Ablehnung Punkt für Punkt kommentiert[37]. Durch drei Jahre hindurch ist nun, gewiß immer wieder mit kürzeren oder längeren, durch andere Geschäfte, Reisen usw. bedingte Unterbrechungen, aber doch mit einer bemerkenswerten Beharrlichkeit und Zielstrebigkeit im Dialog zwischen dem Großherzog und seinem Mitarbeiter an dem Verfassungsentwurf gearbeitet und gefeilt worden. Diese lange Dauer war nicht nur durch die Bedeutung, Tragweite und Kühnheit des Planes sowie durch Leopolds bedächtige, gründliche und methodische Arbeitsweise bedingt, sondern auch dadurch, daß man sogleich bei Beginn der Arbeit übereingekommen war, vor der Einführung der Verfassung die Gemeindereform im ganzen Großherzogtum durchzuführen, was erst 1782 in Florenz, 1783 in der Maremma der Fall war, und ebenso auch noch vorher die Aufstellung der Bürgermiliz abzuwarten. Der Zusammenhang aller dieser Reformen und die Absicht, sie mit der Verfassung zu krönen, zu verbinden und zu sichern, kam immer wieder deutlich zum Ausdruck.

Bei allen diesen Verhandlungen hat Gianni wiederholt Bedenken gegen Leopolds kühnen Plan erhoben und Sicherungen dafür einzubauen gesucht, daß die zu schaffende Körperschaft unter dem Einfluß der Regierung bleibe, während Leopold ihre weitgehende Unabhängigkeit wünschte und sie, etwa durch die Herabsetzung des Einkommens, das ein Deputierter von Haus aus haben sollte, auf die Hälfte der von Gianni vorgeschlagenen Summe – von 1000 auf 500 Scudi bei den Deputierten der Provinzen und für die Deputierten der Gemeinden ein geringeres, je nach den Verhältnissen der Gemeinde – auf eine breitere Grundlage stellen wollte[38]. Auch hielt es der Großherzog ein Jahr nach dem Beginn der Arbeit, im Mai 1780, nochmals für nötig, den Grundgedanken der Verfassung und ihren inneren Zusammenhang mit dem gesamten bisherigen Reformwerk ausführlich darzulegen und alle jene Gebiete aufzuzählen, in denen nichts geschehen sollte, »ohne die freie und volle Zustimmung der Besitzer im Großherzogtum, die, um Verwirrung zu verhindern, sich von den Deputierten der General-, Provinzial- und Gemeindestände vertreten lassen müssen[39]«.

Im Zusammenhang mit dem Bestreben, seinem Mitarbeiter Gianni die eigene Denkweise zu vermitteln, hat Leopold diesem vermutlich damals den Auftrag erteilt, eine Abhandlung über das Wesen des »Despotismus« zu verfassen, worüber Gianni mehr als zwei Jahrzehnte später in einem Brief an Pietro Custodi vom 5. August 1804 berichtete: »Über das Schicksal des Despotismus schrieb ich etwas auf Befehl Leopolds, der als einziger mutig genug war, um es zu lesen, aber ich ließ es nie drucken und habe es sogar meinem Sohn verweigert[40].« Vergleicht man allerdings die »Meditazione sul dispotismo« aus Giannis Nachlaß, auf die sich diese Briefstelle zweifellos bezieht[41], mit Leopolds eigenen Auslassungen zu diesem Thema, so erscheint Giannis Abhandlung eher noch »gemäßigter« und »akademischer«, obwohl auch sie, für sich betrachtet, für einen Minister des Aufgeklärten Absolutismus ungewöhnlich erscheinen mag und im Sinne der von der Französischen Revolution an üblichen Terminologie durchaus als »jakobinisch« bezeichnet werden kann.

». . . weiterhin belehrt und zusätzlich ermutigt durch die ›punti ed osservazioni‹ und durch die tiefgründigen Maximen, die mir in Ihren arbeitsreichen Schriften mitzuteilen Eurer Kgl. Hoheit gefallen hat[42] . . .«, arbeitete Gianni dann den ersten Entwurf des Gesetzes aus, durch das die Verfassung eingeführt werden sollte, und überreichte ihn dem Großherzog am 26. November 1781; wobei er es allerdings nicht unterließ zu betonen, daß er auch jetzt noch immer, wie zu Beginn der Arbeit an dem Projekt im Jahre 1779, nicht an einen Erfolg des Unternehmens glauben könne, da durch eine Willkürherrschaft von mehr als zwei Jahrhunderten in der Toskana eine zu tiefe Kluft des Mißtrauens zwischen dem Thron und dem Volke aufgerissen worden sei. Der Großherzog möge ihm, Gianni, diese Bedenken verzeihen, auch wenn er sie sich selbst nicht zu eigen mache.

Der Entwurf des Verfassungsgesetzes wurde nun nicht mehr vom Großherzog allein begutachtet, sondern auf dessen Befehl in der Zeit vom März bis August 1782 – im April legte Gianni eine zweite verbesserte Fassung vor – auch von mehreren anderen Räten, dem Soprasindaco der »Camera delle Communità« Francesco Mormorai, den Auditoren Giuseppe Vernaccini und Dr. Cosimo Amidei, dem Sekretär des Staatsrats Francesco Seratti, dem nun als Nachfolger des im selben Jahre verstorbenen Tavanti das Finanzdepartement leitenden Ludwig von Schmidweiller und zuletzt noch von dem Professor des kanonischen Rechts an der Universität Pisa, Cav. Avv. Giuseppe Paribeni[43]. Sie alle haben pflichtgemäß ihre Bemerkungen gemacht, Bedenken zu einzelnen, ihnen zu kühn erscheinenden Punkten geäußert, die aber keine wesentlichen Veränderungen des Entwurfs zur Folge hatten. Im allgemeinen gewinnt man aus diesen Gutachten den Eindruck, daß den in der Tradition des Aufgeklärten Absolutismus aufgewachsenen Räten der Verfassungsgedanke fremd und unheimlich war. Allerdings befanden sie sich in einer für Ratgeber eines Herrschers höchst eigenartigen Situation. Sie sollten auf Befehl des Souveräns einen von ihm geplanten und ihm offensichtlich sehr am Herzen liegenden Verfassungsentwurf beurteilen, der die Herrscherrechte entscheidend beschränkte. Die Verlegenheit, in die sie dadurch versetzt wurden, kommt deutlich zum Ausdruck. Meist zogen sie sich dadurch aus der Affäre, daß sie die gute Absicht des Herrschers in den höchsten Tönen priesen, seinen Ausfällen gegen den fürstlichen »Despotismus« aber widersprachen und ihm rieten, nicht so viele Rechte aus der Hand zu geben.

Obwohl Gianni einige ihrer Anregungen in Detailfragen berücksichtigte, waren die neuerlichen Bemerkungen Leopolds zu den beiden Entwürfen vom November 1781 und April 1782 weit wichtiger. Auf Grund dieser Bemerkungen und einer eingehenden Beratung mit dem Großherzog hat Gianni dann das Verfassungsgesetz in die dritte, endgültige Fassung gebracht, die das Datum des 8. September 1782 trägt.

Das toskanische Verfassungsgesetz, wie es nun als Ergebnis eines dreieinhalbjährigen Arbeits- und Beratungsprozesses vorlag, war in drei Teile gegliedert. In der Präambel, dem »Proemio«, wurde verkündet, daß der Großherzog, überzeugt von der Notwendigkeit eines Grundgesetzes für jeden Staat, seit seinem Regierungsantritt bestrebt gewesen sei, den Bürgern eine Regierung zu geben, »die in Beobachtung der heiligen katholischen Religion und geleitet von der christlichen Moral ihnen das den Menschen mögliche Glück gewährleisten soll in der ehrenhaften Ausübung der bürgerlichen Freiheit und in dem sicheren und friedlichen Genuß ihres Eigentums, ihres Ansehens und aller erlaubten Mittel, die dazu dienen, die Lebensbedürfnisse zu befriedigen[44]«. Mit Abscheu habe er aber feststellen müssen, »daß infolge der unglücklichen Zeiten und der Wirren, unter denen der Thron der erloschenen Familie der Medici errichtet wurde, eine Regierung ohne irgendein Grundgesetz und völlig willkürlich und ungerecht entstanden war, weil auf der Gewalt gegründet und nicht auf der Zustimmung der Bewohner, die allein deren Errichtung legitimieren können[45]«.

Alle bisherigen Reformen, von der Befreiung des Getreidehandels bis zur Reform der Gemeindeordnung, hätten dem Zwecke gedient, »im menschlichen Herzen die Gefühle einer ehrbaren bürgerlichen Freiheit, die Gewohnheiten der Hingabe und des Eifers für das öffentliche Wohl zu wecken«[46]. Daher halte der Herrscher nun den langersehnten Zeitpunkt für gekommen, »ein Grundgesetz zu schaffen, das gleichmäßig in dem ganzen Gebiet der Toskana als vereinbartes Gesetz beobachtet werden soll und als Begründung jener Regierungsform, die wir mit unseren ursprünglichen Befugnissen in voller Erkenntnis der Bedeutung einer solchen Entschließung beabsichtigen, festsetzen und beobachten wollen, sowohl für Uns wie für Unsere Nachfolger[47]«. Er wolle daher den Bürgern der Toskana »ihre volle natürliche Freiheit« (»la loro piena libertà naturale«) zurückgeben, deren weder sie noch ihre Vorfahren sich rechtens entäußern konnten, für sich nur die Exekutivgewalt zurücknehmen, der Gesamtheit der Bürger aber das Recht der gesetzgebenden Gewalt überlassen.

Immer wieder ist im »Proemio« wie schon im »Primo Disteso« von den natürlichen Rechten die Rede, deren sich die Menschen niemals, auch wenn sie wollten, entäußern könnten. Es sind die »unveräußerlichen Rechte« der Naturrechtslehre, die »inalienable rights« der amerikanischen Unabhängigkeitserklärung von 1776, auf denen Leopold die Verfassung aufbauen will, andererseits aber das Prinzip der Gewaltenteilung, das John Locke und ihm folgend Montesquieu, in Abwandlung jenes alten Gedankens der »gemischten Verfassung« in die politische und staatsrechtliche Diskussion eingeführt hatten und das dann in der amerikanischen Bundesverfassung von 1789 und nach ihrem Beispiel bis auf den heutigen Tag in zahlreichen europäischen und außereuropäischen Verfassungen zum Ausdruck kam.

Die eigentliche Verfassung beginnt, dem Grundsatz einer Beschränkung der Herrscherrechte entsprechend, demnach auch mit einer Reihe von Verboten und einschränkenden Bestimmungen. Die bestehende Thronfolgeordnung darf nicht geändert werden und jeder Thronfolger muß, bevor er als Souverän anerkannt wird, in

Gegenwart der Volksvertretung die Verfassung beschwören. Der Souverän darf das Staatsgebiet nicht verändern oder mit einer Hypothek belasten und keinen Teil desselben unter dem Titel einer Mitgift, Apanage oder der Versorgung von Angehörigen des Herrscherhauses entfremden. Er darf weder einen Krieg erklären noch ein Bündnis schließen, sondern muß den Staat im gegenwärtigen Zustand der Neutralität erhalten. Auch jede Veränderung des Milizsystems, Erhöhung des Soldatenstands, Bau von Festungen und das Anwerben von Söldnern, auch auf eigene Kosten des Fürsten, sind verboten. Schließlich darf der Fürst weder die bestehende Gemeindeordnung noch das in den Maremmen und im Hafen von Livorno bestehende Regime – von den den fremden Nationen eingeräumten Privilegien, also auch der Glaubensfreiheit, über die Sanitätsbestimmungen bis zu den Neutralitätsbestimmungen – ändern. Desgleichen dürfe der Herrscher die jetzt eingeführten Justizreglements nicht ändern und überhaupt in keiner Weise in die zivile Rechtsprechung eingreifen, »denn Wir erkennen an, daß eine Gnade, die Wir auf diesem Gebiet einer Seite erweisen, immer beschwerlich oder kränkend für die andere wäre[48]«. Aber auch in den Lauf der Strafrechtspflege dürfe der Herrscher in keiner Weise eingreifen. Man hat bei allen diesen Bestimmungen sehr deutlich den Eindruck, daß Leopold vor allem seinen Nachfolgern die Hände binden und sie daran hindern wollte, sein Reformwerk wieder zu zerstören.

Die Einkünfte des Staates (»Conto regio«) sollen von den für den Fürsten persönlich bestimmten Einkünften (»Conto della Corona«) getrennt werden. Über die Verwaltung des »Conto regio« muß der Fürst der Volksvertretung jährlich Rechenschaft ablegen, über das »Conto della Corona« nur, wenn er genötigt war, zur Erfüllung seiner Aufgaben das »Conto regio« mit heranzuziehen.

Die weiteren Bestimmungen, wonach das Krongut nicht vom Herrscher veräußert werden darf, enthalten eine sehr bezeichnende Ausnahme, nämlich jene Ländereien, die, womit schon begonnen worden ist, unter freien Bauern aufgeteilt werden, »da es unsere vornehmliche Absicht bei dieser Operation gewesen ist, das Gedeihen des flachen Landes zu fördern durch die Einsetzung von Bauernfamilien, die von der Colonen-Abhängigkeit frei sind, welche dem Fortschritt des Gewerbes und der Bevölkerungszunahme schädlich ist[49]«. Auch das Steuersystem und das System des freien Brot- und Getreidehandels muß aufrechterhalten werden, desgleichen die Aufhebung der Finanzpacht. Auch ist dem Fürsten die Verleihung jeder Art von Monopol oder Privileg für gleichgültig welchen Industrie- oder Gewerbezweig verboten, selbst wenn es für die Staatsfinanzen vorteilhaft wäre, »denn aus einem grundlegenden Prinzip muß die volle Freiheit jedes erlaubten Gewerbes in den kaufmännischen Geschäften jeglicher Art und jeder Klasse unverletzt erhalten bleiben[50]«.

Dem Fürsten bleiben folgende Funktionen allein, ohne Mitwirkung der Volksvertretung, überlassen: der Oberbefehl über das Militär, die Ernennung der Offiziere, die Ernennung der Richter und der Minister sowie aller Beamten des Staatsapparats, das Begnadigungsrecht, die Ernennung der Erzbischöfe und Bischöfe und die Vergebung von Benefizien des königlichen Patronatsrechts, die Leitung der Universitäten und Akademien, die Verleihung von Adelsdiplomen und Ehrentiteln, alle ihm als Großmeister des St.-Stephans-Ordens von Pisa zustehenden Rechte.

Die Befugnisse der Deputierten, die sich als »legitime Ratgeber des Souveräns« betrachten sollen, umfassen das Recht und die Pflicht, neue Gesetze und Reformen vorzuschlagen sowie die Gesetze, die ihnen der Herrscher vorzulegen hat, zu beraten und über ihre Annahme, Verwerfung, Einschränkung oder Erweiterung zu entscheiden. Sie beaufsichtigen und prüfen die Verwaltung der Staatsgelder und die gesamte Wirtschaftspolitik sowie die Justizverwaltung. Ihre Hauptaufgabe aber ist die offene Unterrichtung des Herrschers über alle das öffentliche Interesse betreffenden Fragen, Schäden und Mißstände, »denn die Bewährung eines solchen Eifers ist das Zeugnis der liebevollsten Huldigung, welche die Untertanen der Souveränität leisten können, auf daß sich diesem wichtigen Zwecke keine private Leidenschaft entgegenstelle, noch jenes ängstliche untunliche Schweigen, das den obersten Willen beleidigt, während es vorgibt, ihn zu achten[51]«.

Dem »Costituzione« überschriebenen, die Rechte der Bürger und die Gewaltentrennung zwischen Herrscher und Volksvertretung festlegenden Hauptteil des Verfassungsprojekts, folgten dann als dritter und letzter Teil die »Ordinazioni consecutive«, die Durchführungsbestimmungen über die Bildung und Arbeitsweise der Repräsentativ-Körperschaften[52]. Die toskanische Volksvertretung sollte demnach in die drei Stufen der Gemeindeversammlungen, Provinzialversammlungen und der einen, das ganze Land repräsentierenden Generalversammlung gegliedert sein. Die schon bestehenden Generalräte der Gemeinden sollten je einen, »oratore«, Sprecher, genannten Vertreter in die Provinzialversammlungen entsenden, jede Versammlung der 18 Provinzen, in die das Großherzogtum zu diesem Zweck eingeteilt wurde, einen Provinzialvertreter in die Generalversammlung. Die Provinzialversammlungen sollten in den Provinzhauptstädten tagen, die Generalversammlung im Juni jeden Jahres, anschließend an das Fest des heiligen Johannes, in Florenz. Der Generalrat von Livorno, in dem die Gemeinde von Portoferraio durch einen Orator vertreten ist, sendet gleichfalls einen Deputierten in die Generalversammlung – Livorno und Portoferraio waren in die Provinzeinteilung nicht einbezogen. Über die Aufträge, welche die Gemeinden ihren Oratoren mitgeben würden, sollte in den Provinzialversammlungen beraten und abgestimmt werden, über die dann den Repräsentanten mitgegebenen Aufträge in der Generalversammlung. Die Oratoren der Gemeinden wie die Repräsentanten der Provinzen sollten aber auch das Recht haben, von sich aus, ohne Auftrag der sie entsendenden Körperschaften, Anträge zu stellen, die in gleicher Weise behandelt werden sollten wie die »commissioni« genannten Aufträge. Die Weiterleitung und Vertretung der von unten, von Gemeinden und Provinzialversammlungen, hinaufgelangenden Vorschläge, Bitten und Beschwerden entspricht in Beratung, Annahme oder Verwerfung die Behandlung der von der Regierung und dem Herrscher der Generalversammlung vorgelegten Angelegenheiten. Nur jene Anträge oder Vorschläge erlangen Gesetzeskraft, die von beiden Faktoren, vom Fürsten wie von der Generalversammlung, gebilligt werden. Über ihre Tätigkeit müssen die Volksvertreter den sie entsendenden Körperschaften, die Repräsentanten den Provinzialversammlungen, die Oratoren den Gemeinderäten, Rechenschaft ablegen. Schließlich sind auch alle technischen Einzelheiten, von der Vergütung der Reisekosten nach Florenz bis zu den Formularen der in den Versammlungen zu stellenden Anträge (»petizioni«), der von den Versammlungen zu erteilenden Aufträge (»commissioni«) und der den Oratoren und Repräsentanten mitzugebenden Beglaubigungsschreiben (»credenziali«) geregelt[53].

Mit diesem so bis ins letzte Detail ausgearbeiteten, von Gianni dem Großherzog am 8. September 1782 überreichten Gesetzestext schließt zunächst die sich über einen Zeitraum von mehr als drei Jahren erstreckende Arbeit am Verfassungsprojekt. Wir werden die Umstände und Gründe, die Leopold veranlaßten, die Veröffentlichung des Gesetzes aufzuschieben und die schließlich überhaupt die Verwirklichung des Verfassungsplans vereitelten, in einem späteren Zusammenhang behandeln müssen. Soviel aber sei schon hier betont: je intensiver man sich mit den Entwürfen und Ausarbeitungen zum Verfassungsprojekt und den diese Arbeit begleitenden Schriftstükken und Zusammenstellungen beschäftigt, um so deutlicher tritt die Ernsthaftigkeit des ganzen Unternehmens in Erscheinung. Es kann gar keine Rede davon sein, daß Leopold mit dem Gedanken einer Verfassung bloß gespielt oder geliebäugelt habe. Zwingende äußere Gründe sind es gewesen, welche die Verwirklichung des Verfassungsplanes verzögerten und schließlich ganz verhinderten.

Das wird besonders deutlich, wenn man die für die Biographie Leopolds wertvollsten und aufschlußreichsten Nebenfrüchte der Arbeit am Verfassungsprojekt, die eigenen Ausarbeitungen und Gedanken des Großherzogs, betrachtet. Zwei dieser Schriftstücke, »Punti diversi sugli stati« und »Idea sopra il progetto della creazione dei stati«, hat Zimmermann im Archiv in Florenz gefunden und veröffentlicht[54]. Zwei weitere »Pensieri staccati« (Einzelne Gedanken) und »Différents Extraits et Points detachés relativement à la formation des Etats et des Gouvernements« seien aus den Wiener Archivbeständen hier publiziert[55]. Sie zeigen, wie sehr diese Gedanken Leopold beschäftigt haben, aber auch, wie radikal und konsequent er damals in seinem Denken war. »Die gegenwärtigen Regierungssysteme können nicht mehr länger fortbestehen«, heißt es da, oder »Jede Regierung muß eine Verfassung haben«, oder »Die begrenzte Monarchie, wo die exekutive Gewalt in den Händen eines einzigen frei ist und die gesetzgebende Gewalt in denen der Repräsentanten der Nation, ist die beste von allen«, »Die Nation hat das Bewilligungsrecht nicht nur für die Steuergesetze, sondern auch für alle anderen Gesetze ohne Ausnahme«. Einmal beruft er sich auf das englische »Habeas Corpus liberum«, das andere Mal auf die Wahl der Volksvertreter in den Schweizer Kantonen. Auch der theologisch-religiöse Hintergrund wird sichtbar, wenn als Vorbild für eine milde, weitherzige und freiheitliche Regierung auf die Herrschaft Gottes verwiesen wird, der auch die Bösen, die Übel und die Laster dulde, wobei es, wohl wieder in Anspielung auf Josephs reformatorische Ungeduld, heißt, wenn man alle Übel auf einmal zu beheben suche, so riskiere man, mehr Unheil als Nutzen zu stiften. Ein tiefer Pessimismus des immer wieder von Depressionen heimgesuchten Herrschers, ein Zweifel an der Kraft der Menschen und wohl auch an der eigenen Kraft, wirklich entscheidend und dauerhaft Gutes zu tun, klingt aus den Worten: »Hier bei uns (auf Erden) kann man nichts machen und die Menschen können nur die Leitung Gottes in den Dingen dieser Welt stören und müssen sich bloß als Leute betrachten, die allein versuchen, die Hindernisse der von Gott ausgehenden Leitung zu beheben – preparate Vias Domini.« (»Bereitet die Wege des Herrn.«)

So ist es nicht ganz verwunderlich, daß diese Ideen bei Leopold wirklich tief eingewurzelt waren und daß er sie fast ein Jahrzehnt später in seinem berühmten politischen »Glaubensbekenntnis« in dem Brief an seine Schwester Maria Christina wiederholte[56]. Aber selbst in die Anekdoten sind diese für einen Herrscher der damaligen Zeit gewiß ungewöhnlichen Gedanken eingedrungen. Wir erinnern uns, wie er am Beginn der für uns greifbaren schriftlichen Arbeit am Verfassungsprojekt bei der Beantwortung der Frage, welche »Klassen« und natürlichen Stände es in einem Staatswesen gebe, den Herrschern, Ministern und Beamten, dem Adel und dem Klerus diese Eigenschaft abgesprochen und nur den »possesori«, den Grundbesitzern am Lande und in der Stadt und den Handwerkern die Eigenschaft natürlicher Stände, die zusammen die Nation bilden, zuerkannt hatte. Eine oft zitierte Anekdote besagt nun, der Großherzog habe einem ausländischen Besucher auf die Frage, wieviel Stände oder Klassen er in seinem Lande habe, geantwortet: »Nur zwei – Männer und Frauen[57].«

ANMERKUNGEN

1. Die Geschichte des langsamen Durchsickerns der Nachricht von der Existenz eines solchen Projekts seit 1799 skizzieren Ernesto Sestan, *Europa Settecentesca ed altri saggi*, Milano 1951, 190ff., Anm. 1, und Franco Venturi, *Illuministi Italiani*, III/1958, 1038. Giannis 1805 geschriebene *Memorie sulla costituzione di governo immaginata dal Granduca Pietro Leopoldo*, die die erste authentische Nachricht über das Verfassungsprojekt brachten, sind zuerst von Louis De Potter, *Vie de Scipion de Ricci* . . ., Bruxelles, 1825, III, 358ff., dann 1848 im ersten Band von Giannis, *Scritti di pubblica exonomia* . . . veröffentlicht worden und liegen jetzt in moderner, mustergültiger Edition bei Venturi, a. a. O., 1038–64, vor. An neuerer Literatur sind zu nennen: Joachim Zimmermann, *Das Verfassungsprojekt des Großherzogs Peter Leopold von Toscana*, Heidelberg 1901 (mit wichtigem Dokumentenanhang), Mario Aglietti, La costituzione per la Toscana del Granduca Pietro Leopoldo, in: *Rassegna nazionale*, 164/1908, Heinz Holldack, Die Reformpolitik Leopolds von Toskana, *HZ* 165/1942, Carlo Francovich, La rivolutione americana e il progetto di costituzione del Granduca Pietro Leopoldo, *Rassegna Storica del Risorgimento*, 41/1954, Adam Wandruszka, Joseph II. und das Verfassungsprojekt Leopolds II., *HZ* 190/1960.

2. Siehe oben S. 291 u. 432, Anm. 6.

3. Sowohl Tavanti als auch Bertolini starben 1782.

4. *ASF.*, Gabinetto 139 (besonders Weisungen vom 22. Oktober, 5. und 9. November 1778), *HHST*, Tagebuch Zinzendorf, 18. März 1779 (». . . qu'il s'éleve des jeunes gens pour toutes les parties de l'administration, qu'il se promène avec eux . . .«).

5. »Questo raro esemplare fra i coronati fu Pietro Leopoldo gran duca di Toscana, che nel 1779, e dopo molte studio, visite ed esame del suo paese, esternò il suo pensiere di dare alla Toscana una legge fondamentale di convenzione, che fosse la perpetua costituzione di un governo monarchico temperato dall'intervento del voto nationale«. Gianni, *Memorie sulla costituzione di governo immaginata dal Granduca Pietro Leopoldo* . . .«, Venturi, a. a. O., 1040.

6. Vgl. zuletzt Karl Erich Born, *Vom Aufgeklärten Absolutismus zum Liberalismus.* Die politischen Ideen des französischen Reformministers Turgot. Historische Forschungen und Probleme, Peter Rassow zum 70. Geburtstag, Wiesbaden 1961, dort auch die ältere Literatur.

7. *HHST.*, Tagebuch Zinzendorf, 18. März 1779, »Il dit que la France est abimée par le dernier Emprunt de 300 millions, mais que le peuple y a de la confiance dans le Souverain, que ce lien si prêcieux est entiérement interrompu chez nous, tant entre les seigneurs et les paysans, qu'entre le sujet et le Souverain.«

8. Adalbert Wahl, Zur Geschichte von Turgots Munizipalitäten-Entwurf, *Annalen des Deutschen Reiches für Gesetzgebung, Verwaltung und Volkswirtschaft* 36/1903, Adolf Steinbrecher, *Zur Entstehung von Turgot-Du Ponts Munizipalitäten-Entwurf*, Marburg 1910, 3/Anm. 1.

9. In den umfangreichen Materialsammlungen Leopolds für das Verfassungsprojekt sind zwar Auszüge aus vielen französischen Schriften enthalten, nicht aber der Munizipalitäten-Entwurf, der, selbst wenn er später den Sammlungen entnommen worden wäre, in den Inhaltsverzeichnissen aufscheinen müßte. Auch hat Du Pont das Mémoire dem ihm so nahestehenden Carl Friedrich von Baden erst zu einer Zeit übersandt, da man in Florenz bereits tief in der Arbeit am Verfassungsprojekt steckte. (Du Pont an Carl Friedrich, 19. Juni 1779, Kries, a. a. O. I/198f.)

10. Zimmermann, a. a. O., 79ff.

11. Heinz Holldack, Der Physiokratismus und die absolute Monarchie (in diesem Band S. 137ff.). Ders., Die Neutralitätspolitik Leopolds von Toskana, a. a. O., sowie die oben zitierten Abhandlungen von Wahl, Steinbrecher und Born über den Munizipalitäten-Entwurf.

12. Dazu und zum Folgenden Francovich, a. a. O.

13. *Memorie della vita e delle peregrinazioni del Fiorentino Filippo Mazzei*, 2 Bde., Lugano 1845/46, I/305f. Über Mazzei und seine Beziehungen zu Leopold auch: Richard C. Garlick Jr., *Philip Mazzei, Friend of Jefferson, His Life and Letters*, Baltimore 1933.

14. Das Schreiben mit dem (unrichtigen) Datum des 27. Dezember 1775 (richtig wohl 1776) in Mazzeis *Memorie* . . ., a. a. O. I/393ff., Anm., sowie in: *The Works of Benjamin Franklin*, VII/131ff. New York 1904 (Federal Edition).

15. *HHST.*, Familienarchiv, Sammelbde., Karton 13, Nr. 10 u. 11.

16. Von Zimmermann, a. a. O., und Francovich, a. a. O.

17. Francovich, a. a. O.

18. »Il a considéré sa constitution comme parfaite, et devant servir de modèle à celle des autres provinces de la Monarchie; comme il s'en est déjà déclaré de bouche et par écrit à feu S. M. l'impératrice-reine dès l'année 1779.« Fontes rerum Austriacarum, a. a. O., 277. Die richtige Vermutung einer Beziehung zwischen den belgischen Provinzialverfassungen und dem toskanischen Verfassungsprojekt hat schon Mario Aglietti, a. a. O., 453f., geäußert, dabei allerdings auch schon auf den entscheidenden Unterschied des Ständebegriffs hingewiesen.

19. Den Hinweis auf dieses Reichshofratsgutachten verdanke ich Herrn Privatdozent Dr. Karl Otmar Freiherrn von Aretin, Göttingen. Leopold dürfte es wohl kaum gekannt haben, da in dem gesamten Material nie darauf Bezug genommen wird.

20. »La classe dunque di Sovrani, Ministri, Senato exx. non é che una classe di servitori ò ministri deputati dal pubblico con certe facoltà e prerogative, e non può fare una classe da se; quella del clero ed ecclesiastici neanche perché é un ministero il loro e non una classe. La nobiltà poi non é una classe, ma una semplice distinzione di rango. Restano dunque univamente i possessori si di campagna che di città, e gli artisti stabiliti, che formano il popolo senza altra distinzione.« Primo Disteso, *HHST.*, a. a. O., Karton 12.

21. *HHST.*, a. a. O., Karton 12. Bei Zimmermann, nach dem Florentiner Exemplar, ohne die von Leopold in einer zweiten Reaktion hinzugefügten Ergänzungen abgedruckt unter dem in der Wiener Fassung auch als Untertitel verwendeten Titel *Idea sopra il progetto della creazione dei stati,* 182ff. Zimmermann vermutete mit Recht, daß dieses Schriftstück von Leopold stammt und an den Anfang der Arbeit am Verfassungsprojekt gehört. Beide Vermutungen werden durch das Wiener Material und die ihm vorausgehende kurzgefaßte Darstellung der einzelnen Phasen dieser Arbeit bestätigt.

22. Memoria del Sen. Gianni del 9 Maggio 1779, *HHST.*, Karton 12, Nr. 2, Zimmermann, 93ff.

23. Vgl. u. a.: Kurt von Fritz, *The theory of the mixed constitution in antiquity*, 1958².

24. Im Original fehlt die Anmerkung.

25. Von einem »governo monarchico temperato dall'intervento del voto nazionale«, das durch die Verfassung geschaffen worden wäre, sprach im Rückblick auch Gianni.

26. »il maraviglioso pensiere di V.A.R.«, Zimmermann, 93.

27. »40. Resto pieno di maraviglia, quando refletto che ho l'onore di scrivere le presenti memorie per commissione datami vocalmente da V.A.R. e quanto mi edifica il vedere ch Ella abbia concepito un pensiere senza esempio tra i sovrani, tanto mi duole di dovere prevedere l'infelice riuscita di un opera, V.A.R. quale mostra la profonda intelligenza, e l'ottima volontà della R.A.V. cui farebbero perpetuo applauso li elogi dei savi politici, e dei più illuminati filosofi . . .«, Zimmermann, a. a. O., 99.

> 45. Il Toscano, e specialmente il Fiorentino, oramai da più di due secoli, ha perduta l'abituazione di pensare allo Stato.
>
> 46. Non conosce di patria, altro che un recinto di mura, dentro cui nacque a caso.
>
> 47. Non sente interesse, dove non ha di che calcolare l'acquisto immediato, o lo scapito momentaneo della propria borsa.
>
> 48. Non vede più lontano di se stesso.
>
> 49. Non fatica, e non usa dell'ingegno naturale, altro che per il proprio particolare profitto, e sono vani nomi senza sogetto in Toscana, lo zelo patrio, il corpo sociale, il bene comune, e l'interesse universale, Zimmermann, a. a. O. 100.

28. ». . . nell'usare del corpo predetto, comme di organo a conoscere i bisogni dello Stato, e nelle sue diverse parti, ed a sentire dal medesimo, ciò che gli duolesse, o giovasse.« Zimmermann, 93.

29. »industriosi progettisti«, Zimmermann, 93, Punkt 3.

30. ». . . ma nè V.A.R. nè altri Sovrani é possibile, che possano liberarsi dell'assedio di questa pestilenza politica che cironda sempre il Trono.« *ASF.*, Carte Gianni Filza 13, No 253, Memoria al Granduca sulla semplificazione degli affari, 1780.

31. Zimmermann, 94, Punkt 10 und 11.

32. Zimmermann, 95, Punkt 13.

33. Zimmermann 103, Punkte 1 und 3.

34. Ebenda, 103f., Punkte 4 und 8.

35. Ebenda, 104, Punkte 10 und 11.

36. Ebenda, 106, Punkte 40 bis 60.

37. Ebenda, 36ff.

38. Ebenda, 36f.

39. Ebenda, 42.

40. »Sul Destino del dispotismo scrissi qualche cosa per ordine di Leopoldo che ery il solo coraggioso a bastanza per leggerlo, man non ne feci mai una stampa e la negai sino a mio figlio.« Zitiert bei Franco Venturi, *Illuministi Italiani*, III/1065, Anm.

41. Nach *ASF.*, Carte Gianni, Filza 20, No 441, von Venturi publiziert, a.a.O., 1065ff.

42. Zimmermann 43, Anm. 1.

43. Alle Gutachten finden sich sowohl in Wien, *HHST.*, Sammelbde., Karton 12, Nr. 11, 12, 13, 16, wie, mit der gleichen Numerierung, in Florenz, *ASF.*, Gabinetto 22, 167. Eine kurze Inhaltsangabe der einzelnen Gutachten bei Zimmermann, 44ff.

44. ». . . che sotto l'osservanza della santa religione cattolica, e colla guida di una cristiana morale assicurasse loro la possibile umana felicità nell'onesto esercizio della libertà civile, e nel sicuro e pacifico godimento delle lore sostanze, della loro reputazione, e di tutti i leciti mezzi atti a provvedere ai bisogni della vita . . .«, Zimmermann 125.

45. ». . . e con aborrimento vedemmo che per le infelicità dei tempi e le turbolenze tra le quali fu stabilito il trono dell'estinta famiglia de'Medici, era sorto un governo senza veruna legge fondamentale, ed interamente arbitrario ed ingiusto, perché fondato sulla violenza, e non sul consenso dei popoli che soli possono legittimarne l'istituzione . . .«, ebenda.

46. ». . . ad eccitare nel cuore umano sentimenti di onesta libertà civile, costumi di applicazione e premura per il pubblico bene . . .«, Zimmermann, 128.

47. ». . . di creare una costituzione fondamentale da osservarsi indistintamente in tutta l'estensione della Toscana come legge di convenzione e come fondazione di quella forma di governo che con le nostre originali facoltà e con piena cognizione dell'importanza di tale risoluzione intendiamo e vogliamo stabilire e conservare tanto per noi che per i nostri successori.« Ebenda.

48. ». . . poiché riconosciamo che la grazia fatta in questa materia ad una parte sarebbe sempre gravosa o dispiacevole all'altra.« Zimmermann, 131.

49. ». . . essendo stat nostra principale intenzione in tale operazione il promuovere la prosperità della campagna, mediante lo stabilimento di famiglie rurali libere dalla dependanza colonica opposta all'avanzamento dell'industria e della popolazione.« Zimmermann, 134.

50. ». . . poiché per pricipio fondamentale deve essere conservata illesa la piena libertà di ogni lecita industria nelle negoziazioni mercantili di ogni specie e di ogni classe . . .«, Zimmermann, 135.

51. ». . . poiché tali atti di zelo sono la testimonianza del più affettuoso omaggio, che i sudditi possono rendere alla sovranità, così che a questo importante oggeto non si opponga né alcuna privata passione, né quel timido inopportuno silenzio che offende la volontà suprema, ostentando di rispettarla.« Zimmermann, 140f.

52. Zimmermann, 64ff. und 142ff.

53. Diese und andere Formulare, so jene für die Rechnungslegung über »Conto regio« und »Conto della Corona«, bei Zimmermann, 169ff.

54. Zimmermann, 177–195.

55. Im Anhang des II. Bandes.

56. Leopold an Marie Christine, 25. Januar 1790; Adam Wolf, *Leopold II. und Marie Christine. Ihr Briefwechsel,* Wien, 1867, 84ff. Das »Glaubensbekenntnis« in deutscher Übersetzung bei Alfons Huber, *Die Politik Kaiser Josephs II. beurtheilt von seinem Bruder Leopold von Toscana*, Innsbruck 1877, 6f.

57. Nach einer Version, die Giovanni Fabbroni *(Scritti di Pubblica Economia,* 2 Bde. Firenze 1847/48, II/321, Anm. 2) berichtet, soll Joseph II. die Frage gestellt haben, während sonst meist der schwedische König Gustav III. als Gesprächspartner dieser Anekdote genannt wird.

Der Aufgeklärte Absolutismus in Spanien

VICENTE PALACIO ATARD

I. DIE THEORIE DES AUFGEKLÄRTEN ABSOLUTISMUS

Die Widersprüche eines Jahrhunderts

Das 18. Jahrhundert ist voll von oft verwirrenden Widersprüchen. Vielleicht ist es deshalb so wenig bekannt und wird so leidenschaftlich diskutiert. Vielleicht liegt der größte Widerspruch darin, daß die Männer der Aufklärung von den wesentlichen Problemen geradezu besessen waren und daß sie, wie Paul Hazard sagt, »in einem Ausmaß, das uns wohl schon unverständlich ist«, fähig waren, sich die radikalsten Fragen zu stellen, daß sie aber dennoch diese wesentlichen Fragen mit einer leichtsinnigen Oberflächlichkeit behandelten, die uns überrascht und manchmal empört.

Dennoch darf es nicht zu sehr befremden, wenn die Politik dieses Jahrhunderts in Theorie und Praxis Widersprüche zeigt. Dies ist ein Charakteristikum der Zeit. Die Aufklärung, die Freiheit verkündet, und Monarchen, die ihre Macht absolut ausüben, reichen sich die Hand. Angesichts dieses Schauspiels könnte man verwirrt glauben, daß sich ausgerechnet die Verfechter der Freiheit in den Dienst des Absolutismus stellten oder daß die gekrönten Despoten sich zu Vorkämpfern der politischen Freiheit machten. Natürlich gibt es hier eine chronologische Koinzidenz. Aber man darf die Aufklärung als Gesamterscheinung nicht mit dem sogenannten Aufgeklärten Absolutismus verwechseln. Es sind Erscheinungen, die gleichzeitig auftreten, teils parallel laufen, teils zusammenfallen, die aber immer verschieden sind. Aufgeklärter Absolutismus bedeutet politisches Handeln in einer philosophischen Denkweise, die manchmal mit der aufgeklärten Philosophie zusammenfällt, sich aber oft von ihr unterscheidet. Es gibt aufgeklärte Männer, die, an die Spitze der Nation gestellt, auch ihre Ideologie im religiösen, sozialen oder ökonomischen Bereich durchsetzen wollen. Man könnte also, wenn auch etwas ungenau, sagen, daß sich die beiden Bewegungen, die politische und die philosophische, so überlagern, als ob sie einer einzigen ideologischen Haltung entsprächen. Es hat den Anschein, als sei das Politische eine einfache Verwirklichung des philosophischen Denkens, wobei die Ideen weiter fortschreiten, während die politischen Systeme unbewegt bleiben. Es kann der Moment kommen, in dem die Ideen der Aufklärung, die in sich den Keim der Zerstörung des Absolutismus tragen, sich der führenden Köpfe bemächtigen und so zum Untergang des Systems beitragen. Aber es trifft auch zu, daß viele Männer des Aufgeklärten Absolutismus nichts mit der Philosophie der Aufklärung gemein haben. In diesem Punkt dürfen wir nicht zu falschen Schlußfolgerungen kommen. Was den spanischen

Arbor 7, 1947, S. 27–52. Der Abdruck erfolgt mit freundlicher Genehmigung der Herausgeber; aus dem Spanischen übersetzt von Ute Jütten.

Aufgeklärten Absolutismus anbetrifft, so spielen in ihm gleichberechtigt der ultrakatholische Marquez de la Ensenada und der Voltairianer Aranda eine Rolle.

Zeit und Ausdehnung des Aufgeklärten Absolutismus

Nach Huizinga ist die Geschichtsschreibung von einer Inflation der Begriffe bedroht. Dies ist der Fall bei dem Begriff Renaissance und auch mit dem des Barock. Die Konsequenz ist deutlich: solche historischen Begriffe, die nicht konkret auf Zeit und Raum begrenzt sind, werden schließlich inhaltlos, da sie vieles und verschiedenes meinen.

Der Begriff »Aufgeklärter Absolutismus« hat eine entsprechende Entwertung erfahren. Da um die Mitte des 18. Jahrhunderts überall in Europa – in Preußen, Österreich, in vielen kleinen deutschen Fürstentümern, ebenso in Dänemark, in Polen, ja sogar in Rußland und dazu in den westlichen Ländern wie Savoyen, Toskana, Neapel, Spanien und Portugal – eine Reihe von Maßnahmen Ausfluß eines einzigen politischen Programms zu sein schienen, wurde der Begriff »Aufgeklärter Absolutismus« als eine europäische politische Erscheinung verallgemeinert und außerdem versucht, andere zeitlich und räumlich entfernte Systeme und Regierungen mit einzubeziehen. Die Entwertung des Begriffs wurde unvermeidlich. Zeitlich übertrug man den Begriff in weit zurückliegende Jahrhunderte, auf die Regierung des Perikles in Athen, auf das Imperium Mark Aurels in Rom oder in spätere Epochen, wie die Herrschaft Napoleon Bonapartes oder sogar auf einige Diktaturen des 20. Jahrhunderts. Räumlich dehnte man den Begriff auf Länder aus, auf die das Wort »Absolutismus« nicht ohne deutliche Verzerrung angewandt werden kann, wie das England Walpoles. Geoffroy Atkinson ging sogar so weit, die chinesischen Ursprünge des europäischen Absolutismus zu suchen [1]. Vor allem ist der Gedanke, das Frankreich Napoleons und sogar das Frankreich der Revolution als einen weiteren Exponenten des europäischen Aufgeklärten Absolutismus anzusehen, positiv aufgenommen worden. Mathiez' Replik auf Pirenne war vergeblich [2]. Vergeblich auch Olivier-Martins nachdrücklicher Hinweis, daß »der Aufgeklärte Absolutismus in Frankreich kein Regierungssystem, sondern eine politische Doktrin war« [3]. Der Begriff erfuhr eine immer stärkere Ausweitung.

All das kann die Verwirrung nur vergrößern. Deshalb möchte ich, zumindest was den spanischen Aufgeklärten Absolutismus anbetrifft, den Begriff zeitlich deutlich begrenzen. Der Begriff »Aufgeklärter Absolutismus« soll weit genug gefaßt werden. Aber wir werden uns nicht gestatten, ihn auf Epochen und Situationen unserer Geschichte zu übertragen, die nur einige Ähnlichkeiten aufweisen. Der Aufgeklärte Absolutismus in Spanien hat also seinen Ort im 18. Jahrhundert, und seinen Höhepunkt erreicht er mit Karl III. [4]

Trotz der tatsächlichen Analogien zwischen Spanien und anderen europäischen Ländern dürfen wir das charakteristisch Spanische des Phänomens, seine ganz eigenartige Ausprägung, nicht aus dem Auge verlieren. Denn zweifellos zeigt der Aufgeklärte Absolutismus in den verschiedenen Nationen ein unterschiedliches Bild, auch wenn die bestimmenden Grundzüge des Regierens gleichbleiben.

Absolutismus und Aufgeklärter Absolutismus

Die nationalen Monarchien oder die Fürstenherrschaften der Neuzeit strebten danach, sich von den Beschränkungen und Fesseln zu befreien, die ihnen die Cortes, die Ständevertretungen und die mittelalterlichen Institutionen aufgezwungen hatten. Luthers Lehre vom göttlichen Ursprung weltlicher Macht wurde von vielen Monarchen ausgenutzt. Mit Jakob I., dem Prototyp eines absoluten Königs, konnten sie Psalm 82 (statt 81, Hrsg.) buchstabengetreu interpretieren, demzufolge sie von Gott selbst Götter genannt wurden. Die Begründung der königlichen Macht »von Gottes Gnaden« führte notwendig zum vollendeten Absolutismus, denn keine menschliche Macht kann dem, was Teil einer kosmischen Ordnung ist, Beschränkungen auferlegen [5]. Aber der Absolutismus entwickelte sich auch auf anderen Wegen. Im 17. Jahrhundert hat die Formel *vicario de Dios*, die dem König in Spanien beigegeben wurde, einen ziemlich strengen Sinn, »sie wird als eine Begrenzung gehandhabt in dem Sinne, daß die Macht einen Inhalt hat, der durch ihren Zweck bestimmt ist« [6]. Vielfältige Kräfte wirken mit den Souveränen zusammen, damit deren Macht immer absoluter und effizienter werde. Moderne Gesellschaft und Verwaltung verlangen den Einsatz eines neuen Elements, des Beamten, der für den absoluten Monarchen so nützlich werden sollte. Der Monarch beherrscht das gesamte Verwaltungswesen mittels der Beamten, und diese werden der Schlüssel zur Zentralisation, das wesentliche Element des politischen Lebens der absoluten Monarchien der Neuzeit.

Man kann annehmen, daß zwischen dem älteren Absolutismus und dem Aufgeklärten Absolutismus eine tiefere Trennung besteht, als sie im persönlichen Auftreten des Monarchen deutlich wird. Es wird ebenfalls möglich sein, die Unterschiede in der theoretischen Rechtfertigung der politischen Macht zu finden [7]. Aber der Absolutismus ist wenigstens in seinem Vorgehen immer derselbe. Jean Bodin hatte ihn 1576 definiert als »summa in cives ac subditos legibusque potestas«. Man kann nicht einmal sagen, daß der Aufgeklärte Absolutismus keinen allmählichen Fortschritt voraussetzt, wie es vor Jahren Reinhold Koser behauptete [8]. Es sind die politischen Ideen und nicht die Handlungsweisen, die sich während des 17. Jahrhunderts rasch entwickeln. Sie entwickeln sich zu neuen und immer radikaleren Formeln, und so finden wir schließlich eine Situation vor, die Paul Hazard folgendermaßen beschreibt: »Die Beziehung, um die es ging, war nun nicht mehr die der Autorität des Fürsten zu den übergeordneten Autoritäten der Kirche und des Kaiserreichs, sondern die von Regierenden zu Regierten. Durch diese Ideen wurde auch der Begriff des Untertans verändert: es gab in Wahrheit keine Untertanen mehr, sondern nur Staatsbürger. Auch der Begriff des Souveräns wurde verändert. Selbst England empfand das Bedürfnis, das Wesen der Bindungen näher zu bestimmen, die nicht etwa die Nation dem König, sondern den König der Nation unterwarfen [9].« Diese Ideen sollten bald einige gekrönte Häupter oder wenigstens deren Minister erreichen. Das Gebäude des alten Absolutismus schwankte, da seine Grundfesten unterminiert waren. 1784 veröffentlichte Kant seine Schrift *Beantwortung der Frage: Was ist Aufklärung?* Es ist der Augenblick, in dem in Europa die Philosophie der Aufklärung und die Politik des Aufgeklärten Absolutismus ihren Höhepunkt erreicht haben. Für Kant ist die Aufklärung die geistige Adoleszenz der Menschheit, das intellektuelle Erwachsenwerden der Menschen. Der Mensch hatte den Weg seiner Befreiung entdeckt, indem er die Tyrannen vertrieb, die ihn daran hinderten, frei und selbständig zu denken. Wenn aber das Ziel darin besteht, die unbegrenzte Freiheit für alle Menschen zu erreichen, so erkennt Kant, daß dies sofort nicht möglich ist. Eine gewisse Begrenzung ist notwendig, wenigstens für den Augenblick, und zwar eine konkrete Begrenzung für die weniger kultivierten Klassen. Nur die gebildeten Menschen können und müssen jetzt frei denken. Aber nicht so, daß sie anderen eine intellektuelle Diktatur aufzwingen, sondern so, daß deren kulturelles Gedeihen erleichtert wird [10]. Dieser geistige Wandel vollzog sich bei einigen führenden Männern der Aufklärung und ließ sie so zu Wegbereitern des Aufgeklärten Absolutismus werden.

Die Physiokraten und der Aufgeklärte Absolutismus

Doch nicht alle Männer der Aufklärung waren Wegbereiter des Aufgeklärten Absolutismus; ebensowenig teilten alle Männer des Aufgeklärten Absolutismus die Ideen der Aufklärungsphilosophie. Die hervorragendsten Anhänger des Absolutismus kamen von der Nationalökonomie her. Zweifellos waren die Physiokraten die hartnäkkigsten Verteidiger des absolutistischen Regimes im 18. Jahrhundert.

In der Geschichtsschreibung haben Utopien eine lange Tradition. Vielleicht ist sie so alt wie die Erbsünde, das Streben nach Vollkommenheit und die Suche nach der bestmöglichen Organisation auf dieser Erde. Der Mensch hat sich mit dem Verlust des Paradieses nicht abgefunden, er sucht es und träumt davon, es wiederzufinden. Auch das 18. Jahrhundert trug seinen Teil zu den utopischen Träumen von einer besseren Gesellschaft bei [11]. Aber den schönsten Traum des Jahrhunderts und obendrein den durch seine Verbreitung bedeutendsten verdanken wir den Physiokraten. Wir wollen hier nicht ihre Konzeption von der »natürlichen Ordnung« und die aus ihr folgenden ökonomischen Formeln betrachten. Hier soll vor allem ihre Ansicht über die Aufgabe der Regierung untersucht werden. Ihre Hauptaufgabe ist die Erhaltung des Friedens nach außen und die Garantie der Ruhe im Innern, letzteres auf der Grundlage von Recht und Gesetz. Aber die Regierung ist auch gehalten, das Wohl der Regierten zu mehren und für die Beseitigung aller Hindernisse zu sorgen, die sich der »natürlichen Ordnung« entgegenstellen. Und schließlich ist es Aufgabe der Regierung, das Volk über seine wirklichen Interessen aufzuklären [12]. Dies ist in groben Zügen auch das Ideal des Aufgeklärten Absolutismus. Unter gewissen Umständen wird die Doktrin von der »natürlichen Ordnung« nicht übernommen, aber auch dann streben aufgeklärte Herrscher nach Verbesserung der Lebensumstände und des Wohlstands ihrer Untertanen, wobei Wohlstand ausschließlich in materieller und wirtschaftlicher Hinsicht verstanden wird. Wo diese Übereinstimmung der Programme einmal gegeben ist, wird die Meinung der Physiokraten zum Absolutismus nicht befremden. Außerdem beruhten alle Hoffnungen der Theoretiker auf Realisierung ihrer Pläne in der Allmacht des Monarchen. Eine Einschränkung der königlichen Befugnisse würde eine Begrenzung ihrer eigenen Möglichkeiten mit sich bringen. So wird verständlich, daß Le Mercier de la Rivière, der bedeutendste Vertreter der politischen Ideen der Physiokraten, die Theorie des »legalen Absolutismus« verkündet, die darin bestand, daß die Herrscher die sich aus der »natürlichen Ordnung« von selbst ergebenden Gesetze anwandten.

Eine dem Zeitgeist entsprechende Theorie der Rechtfertigung ihrer allmächtigen Herrschaft mußte den Fürsten in einem Augenblick, in dem so viele Denker sich daranmachten, die Fundamente eben dieser Herrschaft zu zerstören, genehm sein. Andererseits wiesen die Physiokraten eine Reihe möglicher und nützlicher Maßnahmen auf, die den Wohlstand mehrten und den Lebensstandard hoben, aus denen letzten Endes auch der König, ganz im Sinne der Maxime von Quesnay: »Reiches Land, reicher König«, seinen Nutzen zog. Deshalb zogen die absoluten Monarchen nur zu gern Physiokraten in die Regierung. »Die Fürsten, deren Macht durch die Theorie vom legalen Absolutismus gerechtfertigt wurde, fanden«, wie Lhéritier sagt, »in den Werken der Ökonomen eine Anleitung zu zahlreichen praktischen Reformen, die, ohne dem Bestehenden entgegenzuwirken, doch erlaubten, es zu verbessern [13].« Aber Lhéritier tut gut daran, zwischen dem Aufgeklärten Absolutismus als Theorie und dem praktizierten Aufgeklärten Absolutismus zu unterscheiden. Kein besseres Beispiel als Friedrich II. wäre zu nennen. Meinecke hat deutlich gezeigt, daß sein politisches Denken und die Regierungsmaßnahmen, die von der Staatsräson inspiriert waren, nicht immer übereinstimmten [14]. Andererseits hat Holldack in der Lehre der Physiokraten Gedanken aufgespürt, die keineswegs geeignet waren, die absolute Monarchie zu festigen, sondern ganz offen antiabsolutistisch waren [15]. Die Diskussion um das Recht auf Eigentum ließ unter den Physiokraten eine Strömung entstehen, die Holldack ohne Zögern als liberal bezeichnet, da sie eine individuelle Sphäre frei von Einmischung durch den Staat anerkennt. Aber mehr noch: die Physiokraten, auch die hartnäckigsten Verteidiger des monarchischen Absolutismus, wie Le Mercier de la Rivière, setzten die Monarchie an die Spitze der »natürlichen Ordnung«. So kommt es, daß der Monarch nicht mehr selbst die Souveränität verkörperte, sondern nur noch als ihr Träger angesehen wurde. Deshalb konnte sich Joseph II. »Beamter« der Verwaltung, oder Friedrich II. »erster Diener des Staates« nennen.

Auf diese Weise verlor die Monarchie als Institution ihre fundamentalen Positionen. Was aber ins Gewicht fiel, war nicht die Monarchie als Institution, sondern es waren die Personen, die sie verkörperten. So konnte Peter Klassen sagen, daß die Autorität des Monarchen im Aufgeklärten Absolutismus sich auf seine Eigenschaften als Mensch gründete und nicht auf die durch ihn vertretene Institution [16]. Dies war die logische Konsequenz aus den Lehren der Physiokraten für den politischen Bereich. Bis dahin mußte jedoch ein langer Weg zurückgelegt werden. Aber die Ereignisse überstürzten sich. Die Physiokraten verlangten eine Revolution. Eine Revolution, die sich nicht gegen die Monarchie richtete, sondern die eben diese Monarchie selbst durchführen sollte. Mit einem Wort, die Revolution von oben. Eine Revolution jedoch, die das gesamte alte System verändern mußte. Wie aber sollte das Hauptelement dieser alten Ordnung respektiert werden?

Aufgeklärter Absolutismus und Liberalismus

Wie sah diese Veränderung aus? Hundert Jahre zuvor hatte ein absoluter Monarch erklärt: »Der Staat bin ich.« Jetzt sagte ein anderer absoluter Monarch: »Ich bin der erste Diener des Staates.« Dieser Wandel konnte sich nur nach einer entscheidenden Veränderung der Ideen vollzogen haben. Aber wir dürfen nicht vergessen, daß, während in Frankreich noch ein absoluter Monarch erklärte: »Der Staat bin ich«, in England ein Theoretiker des Absolutismus die Herrschaft nicht mehr auf »Gottes Gnaden«, sondern auf den Herrschaftsvertrag zu gründen suchte. Die Souveränität wird zu einem Werk menschlichen Willens [17]. Wir dürfen auch den großen Einfluß von Hobbes auf die späteren politischen Denker nicht vergessen, vor allem auf die Franzosen, die großen Ideenverbreiter des 18. Jahrhunderts. In einer Hinsicht folgen die Physiokraten Hobbes, indem sie den Menschen als ein von Natur aus gesellschaftliches Wesen ansehen. So stehen die Physiokraten – Verteidiger des Absolutismus und Keim seines Untergangs – auf der Mitte des Weges, der folgerichtig von Hobbes zu Rousseau führt. Ein Schritt weiter, und der alte Herrschaftsvertrag weicht der Vorstellung vom Gesellschaftsvertrag. Diese Idee brach sich mächtig Bahn und beeinflußte aufgeklärte königliche Geister wie Joseph II., Friedrich den Großen und Leopold von Toskana. Aber bei Friedrich dem Großen begründete sie lediglich eine hohe ethische Pflichtauffassung. Von Joseph II. läßt sich nicht einmal das sagen. Es ist schwer zu glauben, daß die Untertanen Friedrichs II. bei der Verbreitung der Ideen vom Gesellschaftsvertrag der paternalistischen Erklärung ihres Königs zugestimmt haben: »Ist die Regierung glückhaft, wird es euch wohlergehen, geht es ihr schlecht, wird ihr Unglück auf euch zurückfallen.« Durchaus logisch und konsequent war Leopold bereit, eine gewisse repräsentative Mitwirkung des Volkes anzuerkennen. Aber keiner dieser Fürsten zog aus der Lehre vom Vertrag die Rousseausche Konsequenz der Volkssouveränität [18].

Vergessen wir auch nicht, daß, als Ludwig XIV. erklärte: »Der Staat bin ich«, an seinem Hof der Prinzenerzieher schrieb: »Nicht um seiner selbst willen haben die Götter ihn zum König gesetzt. Er ist es, um der Mann des Volkes zu sein: Dem Volk schuldet er all seine Zeit, all seine Mühen, all seine Zuneigung; und er ist des Königtums nur in dem Maße würdig, als er sich selbst vergißt und sich dem allgemeinen Wohl zum Opfer bringt . . .« [19] Von allen Seiten werden die Fürsten des 18. Jahrhunderts mehr auf ihre Pflichten als auf ihre Rechte, mehr auf ihre Verantwortung als auf ihre eitlen Ehren hingewiesen, und man rühmt an ihnen weniger die Herrlichkeit der Macht als die Lasten und Verpflichtungen ihres Amtes. So kann ein Herrscher wie Leopold von Toskana, sehr bemüht um diese Verantwortlichkeit, ausrufen: »Fürst zu sein ist ein schlechtes Geschäft!«

Da die Monarchie von der persönlichen Fähigkeit der Monarchen abhängig war, war ihr Untergang gewiß. Es war um so gewisser, als die Monarchen in einem Augenblick, in dem die Lehre von der Volkssouveränität ihrem Höhepunkt zustrebte, selbst an ihrer Sendung zu zweifeln begannen. Die Lehre von der absoluten Souveränität des Monarchen und die von der Volkssouveränität schlossen einander aus [20]. Zwischen dem Aufgeklärten Absolutismus und der Aufklärung gab es einen Kampf, oder besser ein Tauziehen. Ein bewußtes oder unbewußtes Kräftemessen, das aber nur mit der Niederlage des einen und dem Sieg des anderen enden konnte. Die Gemeinsamkeit von Absolutismus und Aufklärung zeigt sich nur in der Absicht, die administrative Organisation zu rationalisieren [21]. Aber diese Gemeinsamkeit bewirkte die unvermeidliche Niederlage der absoluten Monarchen. Es war eine seltsame und unerträgliche Allianz zwischen den Theoretikern des liberalen Staates und den Repräsentanten des Absolutismus. »Welches aber auch die Möglichkeiten einer Einigung sein mochten«, schreibt Hazard, »sie verhüllten doch nur einen unversöhnlichen Gegensatz: man mußte sich entweder für den absoluten Staat, der alle menschlichen Tätigkeiten lenkte, oder für den liberalen Staat entscheiden . . . Entweder muß man die Natur zwingen oder man muß sie gewähren lassen. Entweder man muß sich für das höchste oder für das geringste Maß staatlichen Eingreifens entscheiden . . .« [22]

Wenden wir uns den Widersprüchen des Jahrhunderts zu. Es scheinen die gegensätzlichsten Ideen miteinander zu leben. Absolutismus und Liberalismus regieren gemeinsam. Guido Ruggiero hat diesen Liberalismus des 18. Jahrhunderts als Liberalismus mit negativem Vorzeichen bezeichnet, da dieser sich darauf beschränke, eine nicht vorhandene Freiheit von der Staatsmacht, der Autorität des Monarchen, zu fordern [23]. Aber der Liberalismus nagte im Innern der alten Ordnung und setzte sich, oft unerkennbar, inmitten der feindlichen Stellungen fest. Der Aufgeklärte Absolutismus wollte natürlich eine gewisse Aufklärung, aber keineswegs die Freiheit [24]. Wenn wir mit Hazard annehmen, daß die Allianz zwischen Philosophen und Herrschern in Wirklichkeit eine Täuschung war, oder besser, eine geschickte Kriegslist, mit der die aufgeklärte Philosophie sich der Könige zu bedienen glaubte und diese aus ihr den Nutzen zogen, müssen wir ebenso annehmen, daß dieser Triumph ein Pyrrhussieg war. Denn die aufgeklärten europäischen Könige, die sich zu Verbündeten der aufgeklärten Philosophie machten, gründeten ihre Macht auf trügerischen Grund. Ihre Macht kam aus göttlichem Recht, und sie ließen zu, daß Gott aus den Grundfesten der Gesellschaft verbannt wurde. Sie selbst wirkten so an der Zerstörung ihrer Dynastien mit. Sie überhörten die Warnungen besonnener Männer, die sehr wohl vorausahnten, was später geschehen würde. Sie hörten nicht auf Dom Deschamps, der hellsichtig davor warnte, daß dies alles zu »einer schrecklichen und nutzlosen Revolution« führen werde. Sie hörten auch nicht auf Fréron, der nicht müde wurde zu beweisen, daß die Menschen, wenn sie ein heiliges Joch abstreiften, sich ebensowenig darein fügen werden, ein menschliches Joch zu tragen [25].

Jede radikale Neuerung war ein ernster Schaden für ein Regime, das sich auf die Tradition stützte. Die Aufklärung wollte den Menschen von all den Fesseln entbinden, die ihn in der freien Entwicklung seiner Person behinderten, Fesseln, die ihn an die Tradition, an die Vergangenheit, an den überkommenen Glauben banden. Sie waren sich nicht bewußt, daß der Mensch, einmal aus der Bahn geworfen, sich verlieren könnte, anstatt sich zu entwickeln, und daß er sich in der Unordnung mit Sicherheit selbst zerstören würde. Ebensowenig waren sich die aufgeklärten Herrscher bewußt, daß der Mensch, dem sie solche Freiheiten gewährten, bald die totale Freiheit fordern würde. So mußte der Aufgeklärte Absolutismus, von den Aufklärern geführt, zwangsläufig in der liberalen Revolution enden.

Dürfen wir mit Lhéritier annehmen, daß der Aufgeklärte Absolutismus als politisches Phänomen »ein Stadium zwischen einem Zustand geringerer Freiheit und dem größtmöglicher Freiheit« ist, »ein Stadium oft durch Revolutionen gekennzeichnet, die aus einer allzu großen Spannung zwischen alter Ordnung und neuen Ansprüchen entstanden . . .?«[26] Ich habe schon vorher auf die Gefahr hingewiesen, den Begriff »Aufgeklärter Absolutismus« zu sehr auszuweiten und auf den Nutzen, seine historische Verwirklichung in Zeit und Raum zu begrenzen. Lhéritier aber hat zu dieser Ausweitung beigetragen. Im Aufgeklärten Absolutismus des 18. Jahrhunderts wird man jedoch dieses Zwischenstadium im Sinne Lhéritiers nur schwerlich finden. Man wird im Modellstaat des Aufgeklärten Absolutismus, dem Preußen Friedrichs des Großen, kaum eine größere politische Freiheit finden als die, »Dummheiten gegen die Religion zu äußern«. Und was das Spanien dieser Zeit anbetrifft, muß daran erinnert werden, daß der Minister Wall, ein echter Vertreter des Aufgeklärten Absolutismus, die Bekämpfung der Schriften des Padre Feijóo und sogar den Druck der Widerlegungen verbot, da die Schriften des galicischen Benediktiners das königliche Wohlgefallen Ferdinands VI. gefunden hatten: »S. M. wünscht, der Consejo möge berücksichtigen, daß, wenn der Padre Maestro Feijóo von S. M. eine so noble Erklärung verdient hat, dafür, daß ihm seine Schriften gefallen haben, niemand sich erdreiste, sie anzufechten . . .«

Die traditionelle spanische Monarchie

Während des 16. und 17. Jahrhunderts hatten die politischen Schriftsteller Spaniens fast ausnahmslos die gleiche Lehre vertreten: die Könige sind Stellvertreter Gottes. Ihnen fiel alle weltliche Gewalt zu, und insofern waren sie absolute Herrscher. Aber weder war ihre Macht vollkommen unverantwortlich, noch war ihnen schrankenloser Despotismus erlaubt. Pedro de Rivadeneyra hatte 1595 diese Lehre so formuliert: »Da alle Könige dieser Erde nicht Eigentümer und Höchste ihrer Reiche sind, sondern Vizekönige und Statthalter Gottes, der, wie Daniel sagt, die Zeiten und die Jahrhunderte bewegt, Königreiche gründet und sie überträgt, wie ihm gedient wird, müssen sie aufmerksam und genau die Anweisungen und die Ordnung ihres Königs und Herrn beachten, wenn sie seinem Willen und seiner Weisung gemäß regieren wollen[27].« Von Quevedo bis Diego de Covarrubias oder irgendeinem anderen Schriftsteller der Zeit wird die königliche Gewalt verstanden als etwas, das einer moralischen Norm unterworfen ist, auch wenn dabei anerkannt wird, daß der Monarch den menschlichen Gesetzen nicht unterliegt[28]. Dies war nichts anderes als die Übernahme der scholastischen Lehre vom Gemeinwohl als dem Fundament der weltlichen Autorität, einer Lehre, die von Suárez, Mariana und allen unseren politischen Essayisten, vor allem von Vitoria, aufgenommen wurde. Nach ihnen ist politische Herrschaft niemals göttlichen, sondern vielmehr menschlichen Rechts. Sie ist wählbar durch das Volk, das sie zu ertragen hat. Daher ist das Volk souverän, und es allein kann kraft dieser Souveränität der zivilen Gewalt Legitimität verleihen. Diese spanische Lehre vom Recht des Volkes darf dennoch nicht mit der Volkssouveränität Rousseaus verwechselt werden. Die menschliche Gewissens- und Willensfreiheit, ebenso die menschliche Würde waren im spanischen Denken unantastbar. So schreibt P. Alejandro Aguado: »Die Vasallen der Monarchien sind keine Sklaven, sondern Untertanen. Ihre Unterwerfung ist nicht servil, sondern zivil. Der Fürst hat auf den Nutzen und das Wohl der Regierten zu achten[29].«

Als die bourbonische Monarchie sich in Spanien im 18. Jahrhundert einrichtet, nimmt sie eben diese theoretischen Betrachtungen auf und bedient sich zu ihrer Rechtfertigung der Macht. Die intellektuelle Begründung der spanischen Monarchie ändert sich in der Epoche des Aufgeklärten Absolutismus nicht mehr. Im Spanien des 18. Jahrhunderts gibt es keine Theorie vom Regierungsvertrag, ebensowenig wie vom Gesellschaftsvertrag, und schon gar nicht werden die »natürliche Ordnung« und der legale Despotismus der Physiokraten akzeptiert. Wohl gibt es schmeichlerische Regalisten, die, um einen schrankenlosen Absolutismus, der die überlieferte Lehre vom Ursprung der Gewalt zu vergessen scheint, zu unterstützen, das königliche Amt über die Maßen rühmen. In der theoretischen Begründung ist die spanische Monarchie unverändert dieselbe. Allein der Geist, der sie belebt, wandelt sich. Und dieser neue Geist nimmt Gestalt in einer Reihe von Maßnahmen der Regierung an, in denen sich der spanische Aufgeklärte Absolutismus historisch manifestiert.

II. DIE PRAXIS DES AUFGEKLÄRTEN ABSOLUTISMUS IN SPANIEN

Europäische und spanische Formen des Aufgeklärten Absolutismus

Wenn der Monarch des Aufgeklärten Absolutismus ein Mann ist, der von der Philosophie der Aufklärung durchdrungen ist, der wie ein Vater die Sorgen und Nöte aller fühlt und dessen beherrschende Rolle allein aus dieser väterlichen Stellung hergeleitet wird, müssen wir ohne Umschweife erklären, daß es in Spanien keinen Aufgeklärten Absolutismus gibt, da nämlich keiner unserer Könige des 18. Jahrhunderts die Lektionen dieser Philosophie gelernt hat[30]. Wenden wir jetzt unseren Blick vom Thron der Könige zu den Sesseln der Regierenden. Wir finden auch bei ihnen keine liberale politische Grundhaltung, die auf den Ideen der Aufklärung beruht. Manchen wird Konetzkes abschließende Beurteilung des typischen Vertreters unseres Aufgeklärten Absolutismus überraschen: »Wenn man Aranda als einen geistigen Befreier der Menschheit feierte und ihn in der Politik als gelehrigen Schüler Voltaires und der Enzyklopädisten in Anspruch nahm, unterlag man dem Irrtum, wie so häufig im Urteil über die aufgeklärten Fürsten und Staatsmänner der Zeit. Die Gedanken der Aufklärung waren ihm nur Mittel und nicht Ziel der Macht. Wo sie die Autorität des Monarchen bedrohten oder einengten, forderte er gegen sie entschlossenen Kampf[31].« In diesem Sinn beeilt sich der Graf Floridablanca, ein weiterer führender

Kopf unseres Aufgeklärten Absolutismus, einen »cordon sanitaire« zu errichten, als er der Resultate gewahr wurde, zu denen die Freiheitsidee der Aufklärung in Frankreich führte.

Aber die Männer des Aufgeklärten Absolutismus waren nicht immer Philosophen. Sie waren vor allem Politiker, die Regierungsmaßnahmen durchsetzten. Wir wollen sehen, was das für Maßnahmen waren. Paul Hazard beschreibt die Politik der aufgeklärten Herrscher wie folgt: »Sie setzten eine weitgreifende Reform ins Werk, indem sie die Unterschiede, das heißt die noch sehr beträchtlichen Spuren der Feudalverfassung beseitigten. Als Anhänger des Fortschritts trafen sie alle wirtschaftlichen Maßnahmen, die das Gedeihen ihrer Völker zu begünstigen geeignet waren. Die Aufklärung förderte den Glanz ihrer Herrschaft. Die von ihnen vorgenommene Zentralisierung der Verwaltung schuf an Stelle der früheren Unordnung jene Ordnung, die ein Widerschein der allgemeinen Vernunft war. Sie rationalisierten den Staat [32].« Es wäre jedoch übertrieben zu glauben, daß diese Rationalisierung des Staates die vorweggenommene Annahme der rationalistischen Philosophie bedeutet. Der Marquez de la Ensenada hatte nichts von einem Rationalisten, und dennoch unternahm er eine Rationalisierung des spanischen Finanzwesens.

Bis in die Mitte des 18. Jahrhunderts weisen die Determinanten der Politik fast aller europäischen Regierungen gemeinsame Züge auf. So kann man sagen, daß sie alle nach verstärkter Einmischung der königlichen Gewalt in die kirchliche Organisation streben [33]. Überall ist die königliche Gewalt bestrebt, zum Zentrum der gesamten Verwaltung zu werden. Aus der Sorge um das materielle Wohl der Völker ergab sich zudem ein großes Interesse an der bäuerlichen Bevölkerung, das den ökonomischen Lehren der Physiokraten entstammte, geweckt vom Physiokratismus, der jetzt den Merkantilismus verdrängte. Eine erweiterte Anerkennung der menschlichen Freiheiten, und in ihrem Gefolge die Abschaffung jeder Art von Hörigkeit, ist der soziale Aspekt dieses Wandels. Man erstrebt eine gerechtere und wirtschaftlichere Organisation des Steuersystems; die Idee einer Einheitssteuer hat zahlreiche Anhänger. Man kümmert sich auch um die kulturelle Entwicklung und dabei in außergewöhnlichem Maße um die Entwicklung des Kunsthandwerks.

Aber neben diesen Gemeinsamkeiten sind die Unterschiede von Land zu Land beträchtlich. Wir werden die allgemeinen Linien mit größter Sorgfalt analysieren und dabei eine Vielzahl von Varianten entdecken. Die Bauernpolitik Friedrichs II. mit ihrer deutlichen Tendenz zur Entflechtung der Grundherrschaften läßt sich z. B. nicht vergleichen mit der Protektion der Bauern und des Landes durch die Staatsmänner des Aufgeklärten Absolutismus in Spanien.

Der Charakter des Aufgeklärten Absolutismus ist ebensowenig an allen Höfen der gleiche, und die Differenzen sind keineswegs allein philosophischer Natur. Die aufgeklärten Fürsten haben recht verschiedene Regierungen. An den kleinen deutschen Höfen hat der Aufgeklärte Absolutismus einen stark patriarchalischen Charakter. So die Regierungen von Karl Theodor von Dalberg, Karl Eugen von Württemberg, Karl August von Weimar, Karl Friedrich von Baden, um die wichtigsten Vertreter dieses Fürstentyps zu nennen. Es ist der Fürst, den Pirenne »Landesvater« genannt hat in der ursprünglichen Auffassung der herrscherlichen Gewalt.

Auch der spanische Aufgeklärte Absolutismus hat seine besondere Physiognomie, die in einer Reihe von Äußerungen deutlich wird[34]. All diese Äußerungen sind von einem neuen Geist erfüllt. Wenn in den vorangegangenen Jahrhunderten die Herrscher sich vornehmlich den geistigen Problemen gewidmet hatten, ohne den Körper und dessen Kräfte wiederherzustellen, so beschäftigten sich im 18. Jahrhundert die Männer des Aufgeklärten Absolutismus vor allem mit Spaniens Körper und seinen Bedürfnissen und vernachlässigten dabei den Geist. Und da das Land Spanien Wege brauchte, die den Handel begünstigten, Kanäle, seine Felder fruchtbar zu machen, Industrien, seinen Reichtum zu mehren und das Lebensniveau zu heben, bauten sie Straßen und Wege, eröffneten sie Kanäle, unterstützten sie den Ackerbau und führten neue Anbaumethoden ein, errichteten sie Fabriken und förderten die Gründung großer Handelsgesellschaften. Lag hier das Geheimnis zur Rettung Spaniens? Ohne Zweifel war das alles nötig, und es ist ein durchaus positiver Saldo, den sich die Staatsmänner unseres Aufgeklärten Absolutismus gutschreiben dürfen. Aber es gab kein Allheilmittel. Zaubermittel mögen hin und wieder den Körper retten, aber sie verderben die Seele.

Ein Gelehrter, dem die Aufklärung ihre Vorliebe für die Popularisierung und die Qualitäten des Propagandisten gegeben hatte, machte sich zum Sprecher der neuen Bedürfnisse. »Spanien siecht dahin!« ruft der Padre Feijóo aus. Und er nennt die Heilmittel: Pflege der Naturwissenschaften, wie in anderen Ländern, wo die praktischen Resultate dieser Wissenschaften Wegbereiter für den allgemeinen Fortschritt waren; der Anreiz zur Arbeit, denn Arbeit adelt und schafft Reichtum. In zahlreichen Abhandlungen befaßt er sich mit diesen Themen sowie mit der Reform des Unterrichts, dem demographischen Problem, dem Agrarproblem und anderen sozialen Fragen. Campomanes, Jovellanos, Cabarrús werden später in ihren Streitschriften gegen die Majorate die Ideen Feijóos wiederaufnehmen[35]. Die Reformen der Zeit Karls III. werden leichter verständlich, wenn man dem literarischen Werk des Benediktiners Rechnung trägt[36].

Der spanische Aufgeklärte Absolutismus insgesamt läßt sich in vier großen Gebieten umschreiben: dem politisch-religiösen mit einer starken Entwicklung des Regalismus; dem politisch-administrativen, charakterisiert durch die Zentralisation; dem wirtschaftlich-sozialen mit verschiedenartigen Maßnahmen zu einem weitreichenden Reformprogramm; und schließlich dem kulturellen, in dem die Anhebung des Niveaus angestrebt und die Aufmerksamkeit auf bis dahin nicht entwickelte Zweige der Wissenschaften gerichtet wird.

Der Regalismus

Die Entwicklung des Regalismus ist nicht typisch für Spanien in dieser Epoche. In ganz Europa finden sich Beispiele mit dieser Tendenz. Regalismus ist das maßlose Bestreben der Herrscher, die Kirche zu kontrollieren, die große Macht auszuschalten, die sich am Rande ihrer absoluten königlichen Gewalt erhob und unvermeidlich in die Regierungssphäre hineinwirkte. Der Regalismus bringt einen Prozeß der Laisierung mit sich. Wie Axel Lindvald sagt: »Die Säkularisierung des staatlichen Lebens war eine Konsequenz der antiklerikalen und irreligiösen Tendenz dieser Zeit.« Aber »sie war auch ein Beweis der gestärkten Autorität der Souveräne«[37]. Der Regalismus hatte auch seine Fanatiker. 1723 veröffentlichte Pietro Giannone die *Istoria civile del regno de Napoli,* einen groben Angriff auf die seiner Ansicht nach unverschämte Einmischung Roms in die weltliche Regierung. Er war mehr als ein fanatischer Regalist. Er war von seiner Idee getrieben und wurde schließlich ihr Opfer. Auf jeden Fall aber gelang es ihm, viel Lärm in Europa hervorzurufen. Seine Bedeutung liegt jedoch nicht in dem Einfluß, den er auf die Meinung seiner Zeitgenossen ausübte, sondern darin, daß er für uns ein Spiegel dieser Epoche ist: ein Zeichen der Zeit[38]. In Spanien ließe sich Rafael Melchor de Macanaz mit dem Neapolitaner vergleichen.

Aber der spanische Regalismus deckt sich auch nicht völlig mit dem österreichischen Josephinismus oder mit dem Antipapismus der italienischen Fürsten und schon gar nicht mit dem französischen Regalismus. In Frankreich wirkten Regalisten und Jansenisten gemeinsam. In Spanien versuchte man gelegentlich, den Regalismus gegen den Jansenismus auszuspielen. Andererseits konnte die bourbonische Dynastie in Spanien eine lange regalistische Tradition aufgreifen. Die juristische Literatur über die Regalien war in Spanien im 16. und 17. Jahrhundert sehr umfangreich. Die Schriften von Melchor Cano, Vargas Machuca, Solórzano, Salgado de Somoza, Chumacero und Pimentel und vielen anderen sind dafür gute Beispiele. Das Patronato Regio wurde schon über die Kirchen des Königreichs Granada und Amerikas ausgeübt. Die hauptsächlich beanspruchten Regalien waren das *exequatur,* d.h. die königliche Genehmigung der päpstlichen Bullen und das Spolien- und Vakanzenrecht (rentas de espolios y vacantes). Die Immunitätsbezirke und die Rekursmöglichkeiten (recursos de fuerza) wurden eingeschränkt. Die Regalisten errangen ihre Siege im Laufe des 18. Jahrhunderts nicht kampflos. Am Anfang mußten sie beachtliche Niederlagen hinnehmen, wie bei dem »Pedimiento de los 55 artículos«, das Macanaz die politische Karriere kostete. Später rangen sie dem Papst jenes Konkordat von 1737 ab, das eher ein Kompromiß war und nicht einmal zum Waffenstillstand führte. Erst seit dem Konkordat von 1753 erringen die Regalisten ihre großen Siege: darin wird den spanischen Königen das begehrte Patronat über alle spanischen Kirchen gewährt. Wenige Jahre später konnten die spanischen Regalisten – Valladares, Mayans y Císcar – ihren Triumph begeistert verkünden. Eigenartig ist, daß die überzeugtesten Katholiken, wie der Marquis de la Ensenada, sich bei dieser Gelegenheit als die hartnäckigsten Regalisten erwiesen. Sogar die Jesuiten verteidigten den spanischen Regalismus als Gegengewicht zu der schwankenden Haltung der römischen Kurie. 1762, anläßlich der Affäre um den berühmten Katechismus von Messenghi, erließ Karl III. eine Cedula, um der Forderung nach dem *exequatur* entschieden Nachdruck zu verleihen. Schließlich erlangte man, dank des Breve vom 26. März 1771, die Reform des Nuntiaturtribunals: hinfort hatte der Auditor des Nuntius ein Spanier zu sein, dessen Ernennung der vorherigen Approbation des Königs bedurfte.

Die Zentralisation der Verwaltung

Die Verwaltungspolitik des spanischen Aufgeklärten Absolutismus fördert einerseits die Entwicklung der königlichen Macht – der Klerus unter königlicher Kontrolle, die Vergrößerung der Streitkräfte – und andererseits die Zentralisation. Dies alles entspricht dem Interesse der Monarchen an der Erweiterung ihrer Macht. Das Königtum erhielt auf diese Weise in Spanien eine Macht, die es nie zuvor gehabt hatte.

Die Verwaltungsorgane, die eine gewisse Autorität neben den Königen besaßen, wie die Räte (consejos) oder die Cortes, verfallen oder werden unterdrückt. Neben denen von Madrid, Zaragoza und Barcelona von 1701 und 1702 versammeln sich seit 1709 die jetzt vereinigten Cortes; aber sie werden während des ganzen Jahrhunderts nur sechsmal zusammengerufen, und das fast ausschließlich, um auf den Thronfolger vereidigt zu werden. Die territorialen Consejos verschwinden, so die von Aragón, Flandern, Italien; der Kastilienrat dehnt dagegen seine Jurisdiktion auf alle spanischen Gebiete aus. Andere Consejos, wie der Staatsrat und der Rat der Inquisition, sind tödlich getroffen. Selbst der Rat von Kastilien, das höchste politisch-administrative Organ des Landes, verfällt sichtlich: er hat keine lebenslänglichen und unabsetzbaren Präsidenten mehr, sondern Gouverneure, die vom jeweiligen Willen des Königs abhängig sind. Desdevises du Dézert hat das Spanien des ausgehenden 18. Jahrhunderts mit einem alten schwerfälligen Schiff und einer erschöpften Mannschaft verglichen: »Noch konnte es, angetrieben von sanften Brisen, ruhige Gewässer durchfahren, aber der geringste Sturm mußte seine Masten knicken und seinen Rumpf zerbrechen . . .«[39] Als im Jahre 1808 in unserem Lande der politische Sturm losbrach, da zerschellte das alte Schiff. Das gleiche Schicksal erleidet im politischen Bereich die Aristokratie. Die Adelstitel vervielfältigen sich, und durch Erlaß Karls III. wird dem Bürgertum der Weg in den Kreis der Aristokratie geöffnet. Auch die Abschaffung der territorialen Privilegien wird vorangetrieben: Der Erbfolgekrieg dient als Vorwand, die fueros der Länder der Krone Aragons aufzuheben.

Der König greift immer direkter in die Verwaltung ein und bedarf dazu neuer Elemente, die ihn dabei unterstützen. Er greift auf die Beamten zurück, die immer die stärkste Stütze der absoluten Monarchie waren. Neue Beamte erscheinen: die Minister der Zentralverwaltung; das alte Despacho universal wird in fünf, manchmal sechs Ressorts aufgeteilt: Staat, Justiz, Krieg, Finanzen und Indien. Schon 1751 und 1760 wurde durch Reales Cedulas angeordnet, daß die Abrechnung der Intendanten für die Provinzialverwaltung, die im gleichen Zuge durch die Vermehrung der Corregidoren und die zentrale Besteuerung der Gemeinden reformiert wurde, überwacht werden sollte. Die Einführung der Intendantur, die von einem Amt der Militärverwaltung zum Fundament der zivilen Provinzialverwaltung wurde, und die Gemeindereformen Karls III., deren wichtigste Konsequenz die Abschaffung der lebenslänglichen Ämter und der daraus folgenden Mißbräuche sowie die Einführung eines vereinheitlichenden Prinzips in die vielgestaltige örtliche Verwaltung waren, entsprachen dem doppelten Wunsch, die Provinzial- und die Lokalverwaltung durch die Regierung zu kontrollieren und sie zu rationalisieren. Desdevises du Dézert hat gesagt, daß die Provinzialverwaltung im Spanien des 18. Jahrhunderts konfus war[40]. Campomanes gab sie der Lächerlichkeit preis. Die Einteilung der Provinzen war für die Erfordernisse der Zeit anachronistisch. Es gab Provinzen, die in andere eingezwängt waren. Es gab den pittoresken Fall der Provinz Toro, deren Gebiete verstreut und weit voneinander entfernt waren. In diese Verwirrung versuchten die Staatsmänner des Aufgeklärten Absolutismus Klarheit, Ordnung und Vernunft zu bringen. Sie suchten eine gesündere, beweglichere und vollkommenere administrative Organisation, und wenn sie sie auch nicht vollkommen erreichten, so legten sie doch den Grundstein zu dem Gebäude, das im darauffolgenden Jahrhundert vollendet wurde. Es blieb die Frage, ob sich die Provinzen mit ihren neuen Leitern glücklicher fühlten als mit ihren alten pittoresken Systemen.

Die Sozial- und Wirtschaftspolitik

Auf wirtschaftlichem Gebiet war ein typischer Versuch des Aufgeklärten Absolutismus die Durchsetzung der Einheitssteuer. Schon unter Ferdinand VI. hatte Ensenada versucht, alle Provinzialsteuern durch eine einzige direkte Besteuerung zu ersetzen. Aber angesichts der Schwierigkeiten und Widerstände mußte er die Maßnahme wieder aufheben. Immerhin bleibt der allgemeine Kataster von 1752 als Überrest dessen, was man zu erreichen versucht hatte. Außerdem erreichte Ensenada, daß viele Abgaben von den Steuerpächtern in die direkte Verwaltung der Krone übergingen.

In Spanien herrschten auf dem wirtschaftlichen Gebiet die Ideen der Physiokraten vor. Sie finden Unterstützung bei Jovellanos, Gándara, Campomanes und vielen anderen. Die wirksamste Arbeit leisten jedoch die »Sociedades de Amigos del País«. Die Probleme des Landes und der Landwirtschaft rücken in den Mittelpunkt des Interesses. Dieses neuerwachte Interesse zeitigt bedeutsame Maßnahmen: die Wiederbevölkerung und die innere Kolonisation – Olavide in der Sierra Morena, das Gesetz über die Wiederbevölkerung der Gebiete von Salamanca im Jahre 1791 –, die Beschränkung der Privilegien der Mesta, die Aufteilung des Brachlandes in Estremadura sowie der Kampf gegen die Majorate und die Tote Hand. Auch der Industrie wird Aufmerksamkeit zuteil: Zahlreiche königliche Manufakturen werden gegründet, und die einzelnen Industrien erhalten staatlichen Schutz. Vor allem aber führen die Theoretiker einen erbitterten Kampf gegen die Zünfte und für die Freiheit der Industrie: 1785 wird in Valencia ein Preis für die beste Schrift über das Thema »Welche Zünfte müssen abgeschafft werden?« ausgeschrieben. Der Preis wird einer Denkschrift verliehen, die für die Abschaffung fast aller Zünfte eintrat. Auch der Handel wird aktiv gefördert. Man fordert Freiheit der Preise und des Handels, zahlreiche Binnenzölle werden aufgehoben, Gesellschaften für den Überseehandel gegründet – die Gesellschaften von Caracas, Havanna, den Philippinen –, und der Freihandel mit Amerika wird durch allerhöchste Verordnung genehmigt.

Ein weiteres interessantes Kapitel sind die öffentlichen Bauten, und zwar nicht allein die »Verschönerungsarbeiten«, sondern die von allgemeiner Bedeutung: der Bau von Wegen und Straßen und die Einrichtung eines Postdienstes, die Verbesserung der Häfen und vor allen Dingen die Wasserwirtschaftspolitik zugunsten der Landwirtschaft mit der Eröffnung der großen Kanäle von Aragón, Campos, Urgel oder mit dem Bau von Stauseen, wie dem von Lorca.

Sozialpolitik. Man hatte keine genauen Vorstellungen von dem, was wir heute »Komfort« nennen; aber im 18. Jahrhundert begann man die materiellen Annehmlichkeiten zu schätzen, denen man vorher wenig Aufmerksamkeit zugewandt hatte. In Deutschland veröffentlichte Peter Frank seit 1779 sein *Vollständiges System einer medizinischen Polizei,* ein erster Versuch eines Systems des öffentlichen Gesundheitswesens. In Madrid wurde ein Städtisches Laboratorium eingerichtet, in Europa das erste seiner Art. Auch die Wohlfahrt laisierte sich zunehmend, und so wandelte sich die Wohlfahrtspflege von einem religiösen zu einem philanthropischen Werk. Die von der Kirche in den Pfarreien organisierte soziale Fürsorge wurde durch eine öffentliche Fürsorge ergänzt, deren Träger die Städte und Gemeinden waren. Es entstehen städtische und Gemeindehospitäler, Asyle und Pfandhäuser.

Die Kultur

Der Kultureifer, der in Spanien während des 18. Jahrhunderts zu bemerken ist, wird auch vom Aufgeklärten Absolutismus belebt. Die fortschrittlichsten Reformer verlangen eine laizistische Organisation der Kultur. Cabarrús fragt, warum die religiösen Institute das Recht usurpieren konnten, die Gesellschaft zu unterrichten und zu erziehen, hatten sie sich doch von eben dieser Gesellschaft abgesondert und waren in dieser Gesellschaftsferne erst gegründet worden[41]. Säkularisierung und neue Lehrinhalte, das ist das kulturelle Programm des Aufgeklärten Absolutismus. Charles Rollin, Jean Pierre Crouzas, Joseph Priestley verfochten eine neue Erziehungsmethode. Die Colegios, die Lehrer, die Universitäten strapazierten das Gedächtnis ihrer Schüler, ohne sich um die Ausbildung ihrer Intelligenz zu kümmern. Sie vermittelten Bildungsinhalte, die sehr oberflächlich waren. Man studierte Latein, nur gerade das Nötigste, um ein wenig die Sprache Roms stammeln zu können, aber niemand beherrschte sie gründlich. Man studierte Logik, gerade genug, um einen Syllogismus von *Barbara* abzuleiten, ohne daß jemand denken gelernt hätte. Es wurden einige mathematische Begriffe vermittelt, doch am Ende blieb nicht viel mehr als das Subtrahieren. Der neue Unterricht sollte sich davon grundlegend unterscheiden: vor allem praktische Studien, Gewerbe und Handwerk. Die Kultur darf nicht den Klerikern und den Müßiggängern vorbehalten sein, sie ist ein Erbgut, das allen Menschen zugänglich gemacht werden muß, allen, die ihr Brot mit ihrer Arbeit verdienen wollen, mit einer produktiven Tätigkeit. Nützlich ist also etwas Geschichte, aber moderne Zeitgeschichte, um die Probleme des Augenblicks zu verstehen. Auch Geographie, aber vor allem Naturwissenschaften, Mathematik, Physik[42].

Während die alten Universitäten sichtlich verfallen, steigen neue Zentren der Kultur auf: die nationalen Akademien – die Spanische, die der Geschichte, der Medizin, der schönen Künste und sogar eine Real Academia de Sagrados Cánones von kurzem, aber bewegten Leben und die Akademien der Provinzen, wie die von Barcelona und

Sevilla, die Königliche Bibliothek, später Nationalbibliothek, das Kabinett für Naturgeschichte, der Botanische Garten. Auslandsreisen zur Erweiterung der Studien wurden gefördert. Ein Naturforscher wie José Ortega bereist Europa und bringt die neuesten Ergebnisse seiner Wissenschaft nach Spanien, die danach bei uns so bedeutende Gelehrte wie José Celestino Mutis hervorbringt. Der Orientalist Péréz Bayer betreibt seine Forschungen im Ausland und wird mit seiner Abhandlung über das hebräisch-samaritanische Geldwesen berühmt. Mit Unterstützung der Regierung werden wissenschaftliche Unternehmen von hohem Niveau und internationaler Bedeutung in Angriff genommen: die Vermessung des Meridians durch Jorge Juan de Ulloa und die Reise Malaspinas mit den Fregatten *Descubierta* und *Atrevida*.

Für die Kultur des Volkes wird liebevoll gesorgt. An erster Stelle stehen technischer Unterricht, Kunst und Handwerk, die in Spezialschulen unterrichtet werden. Jetzt werden auch zahlreiche Grundschulen geschaffen, einige unter königlicher Schirmherrschaft, andere von den Städten und Gemeinden oder von Einzelpersonen. In Navarra ordnet eine richterliche Verfügung den obligatorischen Grundschulbesuch an. Um die Verbreitung der Bildung zu begünstigen, wird die Büchersteuer teilweise abgeschafft. Man drängt auf Lehre und Unterricht, damit die Leute lernen und lesen. In einer Real Cédula aus dem Jahre 1762 heißt es: »Da die Wissenschaften zur schönsten Zier eines Staates zählen, haben alle Regierungen dafür gesorgt, diejenigen, die sie lehren, zu begünstigen und zu belohnen. Sie haben es gleichzeitig erleichtert, daß ihr Licht sich verbreite und durch alle erdenklichen Mittel möglichst vielen Menschen nahegebracht werde. Dazu sind vornehmlich der Druck und die Veröffentlichung von Büchern geeignet, denn sonst sind alle Studien und Mühen, die ihre Verfasser auf sich genommen haben, vergeblich[43].« Wie weit liegen die Zeiten jener Cedula Philipps IV. zurück, die empfahl, die Publikation neuer Bücher zu begrenzen, da es schon so viele gebe!

All diese Äußerungen sind wie ein Führer durch den Aufgeklärten Absolutismus in Spanien. Wir konnten darin die gleiche politische Tönung und ein Regierungsprogramm erkennen, das mit ziemlicher Regelmäßigkeit während des ganzen Jahrhunderts und besonders während der Herrschaft Karls III. durchgeführt wurde.

Karl III. glaubte nicht, ein aufgeklärter Monarch zu sein. Wohl hielt er sich für einen absoluten Herrscher, und nichts hätte ihn dazu bringen können, von seinen Rechten abzulassen. Seine politischen Bestrebungen stimmten, in großen Zügen, mit denen der anderen europäischen Monarchen überein, die seine Zeitgenossen waren und die als besonders repräsentativ für den Aufgeklärten Absolutismus gelten. Aus diesem Grund kann sein Name in ihre Reihe eingefügt werden. Zahlreiche tatkräftige Mitarbeiter legten mit Hand an das Werk, eine solche Politik zu verwirklichen. Aber ohne königliche Initiative und Zustimmung wäre so viel Einheit und Kontinuität nicht möglich gewesen. Der König betrieb diese Politik in dem guten Glauben, mit ihr seinen Völkern das Glück zu bringen. Die alte Formel, mit der der Aufgeklärte Absolutismus definiert wurde als »Regierung für das Volk, aber ohne das Volk«, kann in der Tat auf Spanien angewendet werden.

ANMERKUNGEN

1. G. Atkinson, *Les relations de voyage du XVIIIe siècle*. Paris o. J.

2. H. Pirenne, *Le despotisme éclairé et la Révolution française*, Brüssel 1929. A. Mathiez, La Révolution française et la théorie de la dictature, in: *Revue Historique*, Bd. CLXI. Vgl. auch M. Lhéritier, Le rôle historique du despotisme éclairé, particulièrement au XVIIIe siècle, in: *Bull. of the Intern. Comm. of Hist. Sc.*, Bd. I, 1928.

3. Olivier-Martin, Les pratiques traditionelles de la royauté française et le despotisme éclairé, in: *Bull. Intern. Comm. Hist. Sc.*, Bd. V, 1933, S. 701.

4. Die einzige Arbeit, die das Problem des Aufgeklärten Absolutismus in Spanien in allgemeiner Hinsicht dargestellt hat, ist die von C. Alcázar, El despotismo ilustrado en España, anläßlich des Internationalen Kongresses von Warschau, veröffentlicht in Bd. V des zitierten *Bull. Intern. Comm. Hist. Sc.*, 1933. Vgl. auch V. Rodríguez Casado, Politica interior de Carlos III, in: *Simancas*, 1950, I, S. 123–186.

5. P. Mesnard stellte in seinem umfangreichen Werk *L'essor de la philosophie politique au XVIe siècle*, Paris 1935, die wesentlichen Ideen der bedeutenden europäischen Denker dieser Epoche zusammen. Vgl. auch P. H. Murray, *Political consequences of the Reformation*, Bonn 1926. Für Wilhelm Mommsen bedeutet der Absolutismus auf dem politischen Gebiet das, was die Reformation für das religiöse war: das Ende des universalistischen Systems. Während der Zeit des Absolutismus werden hingegen die Fundamente der Nationalstaaten errichtet. Vgl: Zur Beurteilung des Absolutismus, *HZ* 158, 1938.

6. J. A. Maravall, *La teoría española del Estado en el siglo XVII*, Madrid 1944, S. 199.

7. Franz Schnabel, Das 18. Jahrhundert in Europa. In: *Propyläen-Weltgeschichte*, hrsg. v. W. Goetz, Bd. 6: *Das Zeitalter des Absolutismus*, 1931, S. 259.

8. F. Hartung, Die Epochen der Absoluten Monarchie in der Neueren Geschichte, *HZ* 145, 1931.

9. P. Hazard, *Die Herrschaft der Vernunft. Das europäische Denken im 18. Jahrhundert*, Hamburg 1949, S. 268f.

10. P. Hazard (wie Anm. 9), S. 67ff.

11. Eine gedrängte Zusammenfassung der Utopien des 18. Jahrhunderts enthält das erste Kapitel des Werkes von G. Brunn, *The Enlightened Despots*, New York 1929.

12. W. Petzet, *Der Physiokratismus und die Entdeckung des wirtschaftlichen Kreislaufs*, Karlsruhe 1929.

13. Lhéritier (wie Anm. 2), S. 605. Siehe auch Paul Dubreil, *Le despotisme legal. Vues politiques des physiocrates*, Paris 1908; L. Silberstein, *Lemercier de la Rivière und seine politischen Ideen*, Berlin 1928; L.-Ph. May, Le Mercier de la Rivière, intendant des Iles du Vent, 1759–1764, in: *Rev. d'Hist. Econ. et Soc.*, 1932.

14. F. Meinecke, *Die Idee der Staatsräson*, München 1924.

15. H. Holldack, Der Physiokratismus und die Absolute Monarchie, *HZ* 145, 1931 (in diesem Band S. 137ff.); ders., Die Bedeutung des Aufgeklärten Despotismus für die Entwicklung des Liberalismus, in: *Bull. Intern. Comm. Hist. Sc.*, Bd. V, 1933; und eine seiner letzten Arbeiten: Die Reformpolitik Leopolds von Toscana, *HZ* 165, 1941.

16. P. Klassen, *Die Grundlagen des Aufgeklärten Absolutismus*, Jena 1929.

17. F. Tönnies, *Thomas Hobbes*, Madrid ^{3}1925. L. Strauss, *The political Philosophy of Thomas Hobbes. Its basis and genesis*, Oxford 1936, auch die Einführung von M. Sánchez Sarto zur spanischen Ausgabe des *Leviatán*, Mexiko 1940.

18. H. Holldack, *Die Bedeutung des Aufgeklärten Absolutismus*, S. 774.

19. Fénelon, *Aventures de Télémaque*, Buch X, ed. von 1699, bei P. Hazard, *Die Krise des europäischen Geistes*, Hamburg 1939, S. 329. Fénelon ließ in seiner Kritik nicht nach. »In Fénelons *Examen de conscience pour un roi* fassen sich bereits, wie in einem geistigen Brennpunkt, all die Einwände zusammen, die gegen das absolutistische Regime und seine Auswüchse erhoben worden sind.« Vgl. E. Cassirer, *Die Philosophie der Aufklärung*, Tübingen 1932, S. 355.

20. Peter Klassen war der Meinung, der aufgeklärte Despotismus hätte diese Einheit wiederhergestellt, indem er die beiden Auffassungen von Souveränität überwand und sie auf eine Gesamtkonzeption des menschlichen Lebens gründete. Es wäre genauer gewesen, wenn er sich darauf beschränkt hätte, von einem *Versuch* der Einheit zu sprechen.

21. W. Goetz, Absolutismus und Aufklärung, Einleitung Bd. 6, *Prop. Weltgeschichte*, 1931.

22. P. Hazard (wie Anm. 9), S. 453.

23. G. de Ruggiero, *Geschichte des Liberalismus in Europa*, Einleitung, München 1930. Nachdruck Aalen 1964.

24. Franz Schnabel (wie Anm. 7), S. 281–282.

25. P. Hazard (wie Anm. 9), S. 126 und 256.

26. Lhéritier (wie Anm. 2), S. 612.

27. P. Rivadeneyra, *Tratado de la Religión y virtudes que debe tener el príncipe cristiano ...*, Ed. der Bibl. de Autores Españoles, S. 467.

28. J. A. Maravall (wie Anm. 6), S. 201. Diese ausgezeichnete Studie enthält zahlreiche Texte und Zitate unserer politischen Schriftsteller des 17. Jahrhunderts. Maravall stellt in ihr einige Abschnitte von Saavedra Fajardo und Mariana vor, die eine gewisse ideologische Ähnlichkeit mit Hobbes aufweisen.

29. A. Aguado, *Política española*, S. 40; bei Maravall (wie Anm. 6), S. 322.

30. P. Klassen (wie Anm. 16), S. 116. Klassen schrieb sein Werk mit dem Blick auf Friedrich II. von Preußen.

31. R. Konetzke, *Die Politik des Grafen Aranda*, Berlin 1929, S. 205.

32. P. Hazard (wie Anm. 9), S. 452.

33. Lhéritier hat von einer *religiösen Toleranz* als Charakteristikum des Aufgeklärten Absolutismus gesprochen. Toleranz? In vielen Fällen wäre besser von einer Verfolgung der katholischen Religion zu sprechen. Bedeutet etwa die Ausweisung der Gesellschaft Jesu Toleranz? Oder welche Toleranz wäre im Preußen Friedrichs des Großen besonders zu schätzen, auch wenn den ausgewiesenen französischen Jesuiten dort Zuflucht gewährt wurde?

34. Der Warschauer Kongreß 1933 vermittelte den Studien zum Aufgeklärten Absolutismus einen entscheidenden Impuls. Mit einigen Zusätzen wurde der Plan von Rafael Altamira angenommen, der die Historiker aufforderte, die besondere Politik des Aufgeklärten Absolutismus eines jeden Landes und ihre Auswirkung auf das nationale Leben herauszustellen. Auf diese Weise wurde ein gewisser Fortschritt in den vergleichenden Studien dieses speziellen Phänomens erzielt, aber dennoch bleibt noch viel zu tun. Commission pour l'étude du despotisme éclairé, in: *Bull. Intern. Comm. Hist. Sc.*, Bd. II, 1930.

35. L. Sánchez Agesta, Feijóo y la crisis del pensamiento político español en el siglo XVIII, in: *Rev. de Est. Pol.*, Bd. XII, 1945, S. 108ff.

36. Vorwort von A. Millares zum Teatro crítico von Feijóo, in: *Clásicos Castellanos*, Madrid 1932.

37. A. Lindvald, Comment le despotisme éclairé s'est présenté dans l'histoire de Danemark, in: *Bull. Intern. Comm. Hist. Sc.*, Bd. V, 1933, S. 715.

38. P. Hazard (wie Anm. 9), S. 91.

39. Desdevises du Dézert, Le Conseil de Castille en 1808, in: *Revue Hispanique*, 1907, S. 79.

40. Desdevises du Dézert, L'Espagne de l'Ancien Régime, Bd. II, in: Neudruck der *Revue Hispanique*, 1927, S. 154ff.

41. C. Alcázar (wie Anm. 4), S. 748.

42. P. Hazard (wie Anm. 9), S. 278ff.

43. M. Serrano y Sanz, El Consejo de Castilla y la censura de libros en el siglo XVIII, in: *Rev. de Arch. Bibl. y Mus.*, Bd. XV, 1906, S. 29.

Die Bourgeoisie und das gesellschaftliche Leben nach 1755 (Portugal)

JOSE-AUGUSTO FRANÇA

Wir haben gesehen, daß die Pläne für den Wiederaufbau von Lissabon von Pombal im Juni 1758 gebilligt wurden, aber wir haben auch gesehen, wie der Minister schon in seinen *Providencias* vom Dezember 1755 den Traum einer neuen Stadt durchscheinen ließ. Eine Stadt, die die Hauptstadt eines neuen Landes sein sollte, das aufzubauen er schon am Tag nach der Katastrophe sich imstande fühlte.

Lissabon ist dann auch für Pombal sofort der Ort geworden, an dem seine Reformen ausgeführt werden sollten, der Schauplatz seiner Aktivität, der Dekor des nationalen Dramas, das er aufführen zu lassen gedachte. So erscheint die Stadt nicht als das Ergebnis eines neuen Geistes, der den historischen Zusammenhang beseelt, sondern eher als die Ankündigung dieses Geistes. Lissabon ist folglich ein Phänomen *a priori,* das erste Glied einer Kette, die sich über eine Zeit von zwanzig Jahren hinziehen sollte. Sicher würde man darin gern einen Ausdruck für die Pombalsche Politik sehen, doch ist man einfach verwirrt von der Tatsache, daß es sich eher um ein Wunschbild handelt, das da entstanden ist – ein Wunschbild, das seinen Platz einnahm in den Träumen der Lissaboner, die schon 1760 an eine »absolut regelmäßige, absolut schöne« Stadt glaubten. Im Laufe dieses dritten Viertels des an Erschütterungen so reichen 18. Jahrhunderts überstürzten sich die Ereignisse in Portugal, und die empirischen Forderungen nach einer vielfältigen Aktivität an allen Fronten gleichzeitig widersprachen der chronologischen Logik. Und dazu der ideale, um nicht zu sagen irreale Charakter des Vorhabens Pombals inmitten einer schlafenden Nation mit trügerischen oder toten Strukturen, der ein solch widersinniges Verhältnis zwischen Szenendekor und dem zu spielenden Stück zusätzlich offenlegte. Von einem anderen Gesichtspunkt aus ist festzustellen, daß die Hauptstadt, wollte sie ihre führende Rolle im Komplex der Nation behalten, als erstes alle Reformbestrebungen auf sich konzentrieren mußte, um auf diese Weise ein Beispiel zu geben. Lissabon blieb tatsächlich der Wasserkopf eines erschöpften Landes. Hat man zu jener Zeit Portugal nicht verglichen mit »einer Spinne mit einem riesigen Körper, der die ganze Substanz (die Hauptstadt) enthält, und mit langen dünnen und schwachen Beinen, so daß sie sich kaum regen kann»? [1]

Das vom Marquis de Pombal in Szene gesetzte Stück begründet eine der fruchtbarsten und am häufigsten erörterten Geschichtsperioden Portugals. Wenn man es näher betrachtet, sieht man sofort, wie sich zwei Parteien herausbilden, von denen die eine für, die andere gegen die Politik des Diktators ist: Die Polemik zog sich über zwei Jahrhunderte hin und läßt auch heute noch viel Tinte fließen. Eine auf die Person

Aus: *Une ville des Lumières: La Lisbonne de Pombal,* 1965, S. 177–188. Der Abdruck erfolgt mit freundlicher Genehmigung des Verlages der Ecole Pratique des Hautes Etudes, Paris; aus dem Französischen übersetzt von Brigitte Classen.

bezogene Kritik, zurückzuführen auf die Unkenntnis der Konjunkturlage, hat Pombal allein für alles verantwortlich gemacht, was zwischen 1750 und 1777 geschehen ist. Wenn man ihn als eine Art aristotelische erste Antriebskraft betrachtet, kommt man freilich dazu, die historischen Kräfte, die ihn umgeben und getrieben haben, außer acht zu lassen [2]. Wortführer einer Klasse, die in Portugal mit einem Jahrhundert Verspätung »auftauchte«, darf man jedoch nicht vergessen, daß er dieser in einer Art Reflexbewegung das Bewußtsein ihrer Tüchtigkeit und ihrer Fähigkeiten vermittelt und ihr einen Mut verliehen hat, den sie allein schwerlich aufgebracht hätte, da sie in der Erstarrung des nationalen Lebens nun einmal steckengeblieben war. Gewählt von einer neuen Macht in der portugiesischen Gesellschaft, »Führer des kommerziellen Großbürgertums [3]«, ist Pombal nicht weniger ein Demiurg gewesen: Man möchte sagen, daß er selber diese Macht, ja sogar die Klasse, die sie repräsentierte, erfunden hat . . . Selbst die unnachsichtigste antipersonalistische Haltung kann die katalytische und einfallsreiche Rolle, die Pombal in einer sicher sehr komplizierten Konjunkturperiode gespielt hat, nur unter der Gefahr ignorieren, daß er die gesamte Umwandlung der portugiesischen Gesellschaft in ihrer Ökonomie, ihrer Kultur und ihren Sitten nicht begreift – und auch nicht ihren künftigen Zusammenbruch. Sebastio José de Carvalho e Mello, der spätere Pombal, verdankte seine Ernennung zum Minister dem bekannten *Politischen Testament*, das D. Luis da Cunha kurz vor seinem Tode gegen Ende der vierziger Jahre verfaßt hat. Er war ein alter Diplomat, der sich in Geschäften aufgerieben hatte, ein »estrangeirado« (vom Ausland beeinflußt), der, nachdem er an den mühseligen Verhandlungen teilgenommen hatte, die durch den Vertrag von Utrecht (1712) gekrönt wurden, nicht nach Portugal zurückkehren wollte. Cunha hatte sein politisches Wirken in London und Wien geschätzt und empfahl ihn für das Portefeuille des Inneren beim portugiesischen Thronfolger, indem er betont hatte, daß sein »ruhiges, spekulatives und ein wenig diffuses Gemüt dem der Nation entspräche«.

Dieses etwas zweideutige Porträt muß dahin ergänzt werden, daß Carvalho ein intelligenter und leidenschaftlicher Mann von großer Willenskraft und ungewöhnlicher Arbeitsfähigkeit war. Als Edelmann aus kleinem Adel war er in seiner Jugend nachts mit einer Bande von Schlägern durch Lissabons Straßen gelaufen; er besaß eine eindrucksvolle Gestalt, den »Blick eines Luchses«, Redegewandtheit, ein heiteres Gemüt, alles Dinge, die ihn nach einhelliger Meinung derer, die mit ihm verkehrten, zu einem faszinierenden Mann machten.

Am Tag nach der Thronbesteigung Josephs I., 1750, wurde Carvalho schließlich das Außen- und Kriegsministerium übertragen. Er war nun 51 Jahre alt. War seine Tätigkeit vor der Katastrophe von Lissabon schon fruchtbar gewesen, so machte diese aus ihm den Mann der Vorsehung; seit 1756, als Staatssekretär des Inneren, wurde er allmächtig – im Schatten eines Staates, der immer stärker und immer einheitlicher wurde und damit immer geeigneter für seine Reformen. Während die anderen Minister entlassen und durch ihm ergebene Leute ersetzt wurden, während die schwächlichen Versuche eines Widerstandes von seiten des Hofes vereitelt wurden und die alten Freunde und allzu einfältigen Verschworenen des Königs in Ungnade fielen, hat Pombal reorganisiert, reformiert, Neues geschaffen . . . Er verkörpert für Portugal den »Aufgeklärten Absolutismus«.

Er mußte zunächst zwei Gegner ausschalten: den alten Adel, den zu entmachten er bereits begonnen hatte, und die Gesellschaft Jesu. Diese, die das Land seit zweihundert Jahren durch den Hof, die Schulen und ihre Privilegien im Handel mit Brasilien regierte, wandte sich gegen ihn, nachdem sie ihn anfangs unterstützt hatte. Ein von einem beleidigten Ehemann 1758 geplantes Attentat auf den König, der sich einmal ein galantes Abenteuer geleistet hatte, lieferte Pombal den Vorwand, zu einem entscheidenden Schlag gegen die mächtigsten Familien des Königreiches und die Jesuiten auszuholen. Die Aveiro, die Tavora wurden grausam hingerichtet, ihre Eltern in den Kerker geworfen. Eine Welle des Terrors brach über eine Klasse herein, die mit Gewalt von der Idee, sie sei auch weiterhin der Staat, abzubringen war. Auch die Jesuiten sollten nicht länger aus ihrer offiziösen Stellung im Staat Nutzen ziehen können. 1759, einige Jahre bevor ähnliche Maßnahmen in Frankreich und Spanien ergriffen werden sollten, wurden sie wegen ihrer Mitschuld am Attentat von 1758 aus dem Königreich vertrieben [4]. Die Proteste von Rom (das jedoch mit Wohlwollen die schrecklichen Anschuldigungen Pombals aufgenommen hatte) zogen die Vertreibung des Nuntius nach sich. Die Beziehungen zwischen Portugal und dem Heiligen Stuhl wurden im folgenden Jahr für einen Zeitraum von neun Jahren abgebrochen. Das Mönchswesen, das zur Zeit Johanns V. so mächtig gewesen war, daß es das Königreich »aufzehrte und ruinierte [5]«, sah seinen Einfluß in den öffentlichen Angelegenheiten schwinden, obwohl es den Staat immer noch teuer zu stehen kam: 60 Millionen Reis pro Jahr noch 1770 allein für die Mönche von Mafra, wenn man Baretti glaubt (ein Drittel dieser Summe laut Ratton). Die Corpus-Christi-Prozession, die noch 1754 die »vielleicht prunkvollste in der christlichen Welt [6]« war, wurde jetzt mit weniger Prunk gefeiert. Der Theokratie versetzte Pombal Schlag auf Schlag. Sogar die Inquisition wurde einer Reform unterworfen; sie verlor ihr Zensurrecht und wurde unter Leitung eines Bruders des Ministers, der 1760 zum Großinquisitor ernannt wurde, zum Instrument seiner weltlichen Politik: Das letzte Autodafé fand 1767 statt. Bücher, die die mystischen Interpretationen vom Erdbeben widerlegten, die die Jesuiten vor dem Heiligen Stuhl angriffen oder den Vorrang der königlichen Macht vor der kirchlichen Macht verteidigten, wie eine unter dem Verdacht des Gallikanismus stehende Übersetzung von Justinus Febronius [7], waren von Pombal angeregt oder heimlich anbefohlen worden, um die Dinge zurecht zu rücken; sie dienten alle der Kampagne des Ministers zugunsten der Allgewalt des Staates.

Da Pombal seine Feinde zu solchen des Staates machte und umgekehrt, so war der Staat, oder genauer gesagt, so war er selbst der Despot; sicherlich war es nicht der bedauernswerte König, der »Angst vor ihm hatte, denn er hielt ihn für seinen einzigen treuen Untertan«, wenn man einem zeitgenössischen Jesuiten glauben darf [8].

Aber nicht nur der König und der unterworfene Hof fürchteten Pombal, sondern auch das ganze Land. »Alle Augen richteten sich auf diesen furchterregenden Mann, der alle Welt durch seinen Namen erstarren ließ«, schreibt Gorani. Trotzdem war er nicht isoliert. Er hatte die Polizei auf seiner Seite (eine Einrichtung der Generalverwaltung der Polizei von Lissabon von 1760), dazu ein Rechtssystem, das die Bestrafung auf Verdacht hin erlaubte; ferner eine neue Armee; sie war vom Grafen von Schaumburg-Lippe-Bückeburg, der 1762 nach Portugal berufen worden war, und seinen ausländischen Offizieren gedrillt und seit der Schlußphase des Siebenjährigen Krieges in die Lage versetzt worden, das Land gegen die Bourbonen zu verteidigen; schließlich stand vor allem das mit Privilegien überhäufte Wirtschaftsbürgertum auf seiner Seite. Auch konnte er sich auf eine neue Generation von Intellektuellen stützen, die von der Aufklärung durchdrungen war; außerdem auf die befreiten Sklaven, auf die neuen Christen (die Nachfahren der im 16. Jahrhundert konvertierten Juden), die endlich das Bürgerrecht erlangt hatten. Und wenn der Rest des Volkes, »der höhere Adel, dem die Ämter entzogen waren, die Kleinhändler, die von den großen Monopolen erstickt wurden, das Volk, das sich von den Steuern erdrückt fühlte«, sich beklagte, »sagte alle Welt einhellig (1765), daß, wenn dieser Mann wegfalle, das Land in Unordnung geriete, denn es gebe niemanden, der ihn ersetzen könne [9] . . .«

Dennoch setzte Pombal in der Frage der Regierungsnachfolge seine Hoffnungen auf einen jungen Prinzen, dem er die Krone übertragen wollte [10]. Joseph I. hatte nur Töchter, die man aus den Vorurteilen einer kirchlichen Erziehung nicht lösen konnte; die älteste, die Kronprinzessin, hatte 1760 den Bruder ihres Vaters geheiratet, einen armen Teufel, der noch unbedeutender war als der König. 1761 wurde der Prinz von Beira geboren, dessen Erziehung der Minister überwachte [11] und zu dessen Gunsten er plante, in der Thronfolge eine Generation zu überspringen. Der König würde sicher die nötigen Dekrete unterschreiben; 1773 führte jedoch eine Indiskretion zu defensiven Maßnahmen der Hofopposition, und nichts wurde getan. Doña Maria I. wurde Königin und nach ihr, ab 1792, regierte Johann VI., ihr zweiter Sohn, ein unfähiger Fürst; denn der Prinz von Beira, der Günstling Pombals, war bereits 1788 gestorben. So erhielt der Marquis nicht den »aufgeklärten« Fürsten zum Nachfolger, wie er ihn erträumt hatte; die positive Seite seines Werkes wurde folglich durch die zwei Generationen zerstört, die nach ihm und gegen ihn an die Macht kamen, mitten in einer Epoche, die durch die von Europa hereinbrechenden Stürme bewegt wurde.

Hinter jeder Handlung Pombals steht zu einem gewissen Grade ein ökonomisches Denken, das sich noch auf den schwankenden Boden der parasitären Ökonomie stützte, die von den reichen Bergwerken Brasiliens abhängig war, dank derer das Land während der ersten Hälfte des Jahrhunderts finanziell gesichert war. Pombal setzte sich dafür ein, auf diesem Gebiet Ordnung zu schaffen, indem er die nationalen Interessen gegen die Englands verteidigte, das seit zehn Jahren auf dem portugiesischen Markt, wo seine Untertanen eine »bessere Situation als die Portugiesen selbst« genossen, eine privilegierte Stellung einnahm [12].

Die vom Minister ergriffenen Maßnahmen legten ihn endgültig auf einen Weg fest, der uns die Erklärung seines ökonomischen Denkens geben wird: Es handelt sich um die Schaffung einer ganzen Reihe von großen Monopolen mit portugiesischem Kapital zwischen 1753 und 1759. Diese Gesellschaften wollten die unglückliche Erfahrung der Handelsgesellschaft von Brasilien, die schon um die Mitte des 17. Jahrhunderts gegründet worden war, positiv verwerten. So übernahmen die neuen Gesellschaften den Handel mit Asien, das heißt mit Indien, wie auch mit Brasilien; sie übernahmen den Walfang, die Agrikultur und die Weinproduktion von Nordportugal (Portwein). Die »Junta do Comercio«, die 1755 ins Leben gerufen wurde, sollte kraft großer Machtbefugnis die ökonomischen Unternehmen Pombals koordinieren.

Jedoch stießen die englischen Interessen nach wie vor auf günstige Bedingungen in Portugal. Wir haben schon die Riesenverluste der englischen Kaufleute beim Erdbeben von Lissabon erwähnt, und 1756 wie 1763 erhoben Ausländer, die mit portugiesischen Verhältnissen zu tun hatten, schwere Anschuldigungen gegen die Art, wie England das Land ausbeutete [13]. Noch während des Siebenjährigen Krieges suchte Portugal eine neutrale Stellung zwischen den beiden Blöcken. Trotz seines Wunsches nach Frieden weigerte es sich endlich aber doch, den Engländern seine Häfen zu verschließen. Pombal, ein selbstbewußter Spieler, kannte England und seine Macht im europäischen Zusammenspiel nur zu gut (er hatte während seines langen diplomatischen Aufenthalts in London viel gelernt), um Risiken einzugehen, die über die Möglichkeiten der Nation hinausgingen.

Nachdem er versucht hatte, die koloniale Erschließung zu organisieren, wandte Pombal seine Aufmerksamkeit der Rationalisierung der Industrie im Inland zu. Dort sicherte seine Politik die Kontinuität einer nationalen Tradition, die ein Minister Peters II. gegen Ende des 17. Jahrhunderts eingeleitet hatte [14]; er selbst war beeinflußt von den Ideen des portugiesischen Gesandten am französischen Hof zur Zeit Colberts [15]. So war Pombal ein verspäteter Anhänger Colberts, und dies im Zeitalter eines Gournay und der Physiokraten, denen er sich immer energisch widersetzte, wobei er sich auf die Gesellschaft stützen konnte, die ihn trug. Seine Politik der wirtschaftlichen Entwicklung kam darin zum Ausdruck, daß er ab 1757 (Wiedereinrichtung der Seidenindustrie) und dann mit stärkerem Nachdruck in den siebziger Jahren die Gründung von zahlreichen privilegierten Industrien betrieb [16]. Mehr als die Hälfte dieser Industrien gehörte Ausländern (besonders Franzosen und Italienern), die nach Portugal kamen; andere wurden von ausländischen Technikern geleitet, die schon im Lande waren oder dorthin gerufen wurden – auch dies eine Idee, die Pombal dem Portugal des 17. Jahrhunderts entliehen hatte [17]. Wenn man bedenkt, daß die meisten (80%) dieser Industrien nach 1770 gegründet worden sind, das heißt, in einer Krisenzeit, die gegen 1762 begonnen hatte und zwischen 1768 und 1771 sich verstärkte, so erklärt sich die Tatsache, daß es sich nur um situationsbedingte Maßnahmen handelte, mit denen man der wirtschaftlichen Krise entgegentreten wollte. Darum waren fast alle Fabriken aus dieser Zeit nur von kurzer Dauer. Keine Planung rechtfertigte sie wirklich, sondern nur die Konjunkturlage, die durch die schwere Wirtschaftskrise hervorgerufen worden war. Nun war diese Krise besonders bedingt durch den Niedergang der Goldgewinnung in Brasilien; ferner durch die Konkurrenz neuer Zuckerproduzenten auf den internationalen Märkten und schließlich auch zu einem gewissen Grade durch den Brand der Zollmagazine im Jahr 1764. Die Profite der mächtigen brasilianischen Gesellschaft vom Grao-Pará-e-Maranhao, um nur ein Beispiel zu nennen, verschwanden praktisch ab 1767 [18]. Brasilien bestimmte aber immer noch die ökonomische Konjunktur Portugals: Portugal war sozusagen das Gold Brasiliens geworden.

Pombal erwies sich als ein empirischer Staatsmann, da er stets genötigt war, der Gefahr zuvorzukommen und Mittel für eine günstige Lösung zu finden, ohne daß sich ihm die Möglichkeit bot, ein langfristiges Programm zu entwickeln. In dieser Art des Vorgehens, das von der Spekulation bis zur Aktion reicht und den »aufgeklärten Despotismus« kennzeichnet, neigt Pombal stärker zur Aktion; in einem gewissen Sinne ist er der opportunistischste Despot seiner Zeit. Im Grunde ist aber auch Pombal ein Opfer der schwachen Strukturen des Staatswesens, d.h. ein Opfer der Notwendigkeit, alles von Anfang an neu beginnen zu müssen. So befand er sich in einer Zwangslage, deren zermürbende Gewalt er allein in der ihm beschiedenen Zeit nicht zu beschwören und zu meistern vermochte. Folglich klammerte er sich an Prinzipien, die nun schon überholt waren, nach denen er aber ausgebildet worden war, und die ihm als die einzig brauchbaren erschienen, um sein Land neu aufzubauen.

So vergaß er beispielsweise grundlegende Maßnahmen wie den Straßenbau – in einem Land, in dem die beiden größten Städte 350 km und damit eine Reisewoche voneinander entfernt lagen[19].

Als Progressist wollte Pombal eine Gesellschaftsklasse schaffen, die der Nation eine Elite fortschrittlicher Geister liefern sollte, einen neuen aktiven Adel, der frisches Blut in die Adern des alten Adels, der rückständig, unwissend und ausgelaugt war, einfließen lassen sollte. Dieser Adel sollte aus der großen Handelswelt und der Finanz hervorgehen, offen sein für moderne Ideen und darin dem französischen Adel ähnlich sein, der bereits seit hundert Jahren sich entwickelt hatte. Er würde sich als der einzige Garant des Werkes Pombals erweisen und es fortsetzen. Pombal dachte an die Zukunft. Er machte sich aber nicht klar, daß er sich in einer Art von Zwangsläufigkeit an die Vergangenheit hielt und nicht an eine historische Gegenwart, die er zurückwies. Diese Ablehnung der Gegenwart und damit der sozusagen »ahistorische« Charakter seines Vorgehens kennzeichneten jedoch auf eine jämmerliche Art auch die kapitalistische Klasse selbst, wie sie sich im Laufe des folgenden Jahrhunderts entwickeln sollte; man könnte sagen, weil sich Pombal der Gegenwart nicht gestellt hat, versagte sich ihm auch die Zukunft. Dies lag nicht nur an der Reaktion von außen, die gleich nach seinem Sturz einsetzte, sondern auch am inneren Zustand in der Gesellschaft, auf die sich Pombal stützte. Denn er hatte nicht vermocht, ihr eine historische Perspektive zu vermitteln.

Wenden wir uns der Machtergreifung durch die Bürgerlichen zu, die immer reicher geworden waren. Ihr Vermögen gründet sich in der Regel auf den Vertrag bzw. auf die Privilegien des Tabakvertriebs: so bei den Velho Oldenberg (deutschen Ursprungs und übrigens adeliger Herkunft), die praktisch die Besitzer der ersten pombalischen Handelsgesellschaft waren, die den Handel mit Asien in der Hand hatte; bei den Caldas, den Machado, den Bandeira (alle drei wurden später geadelt)[20], bei den Quintela, die eine bedeutende Stellung in den brasilianischen Gesellschaften einnahmen; schließlich bei den drei Brüdern Cruz, die in Brasilien zu Reichtum gekommen waren und einen großen Teil des Kolonialhandels beherrschten. Zu den auserwählten Leuten, die mit Tabak zu tun hatten, gehörten auch die Leiter der »Junta do Comercio«.

Neben den nationalen Plutokraten darf man die Ausländer nicht vergessen, die Pombal ebenfalls umgaben: zum Beispiel Guildermeester, Konsul aus Holland und Diamantenhändler, zugleich Untermieter bei einem Bruder des Marquis; ebenso der Engländer Devisme und sein Teilhaber Purry aus Neuchâtel, die beim Marquis persönlich zu einem sehr hohen Preis wohnten [21]; beide hatten übrigens sein Porträt bei einem van Loo in Auftrag gegeben. Ganz zu schweigen von jenen Personen, die sich an die portugiesischen Verhältnisse angepaßt haben, wie die Braamcamp, die holländischen Ursprungs waren, oder die Oldenberg, die Ratton und die Daupias, französische Industrielle (Hüte und Baumwollwaren), deren Nachfahren Adelstitel erhielten [22].

Die bedeutendsten von allen waren wohl die Brüder Cruz und die Quintela, bei deren bemerkenswertem Werdegang wir ein wenig verweilen wollen. Wenn man Jacques, genannt Jacome Ratton, glaubt, hat der älteste der Cruz, der Oratorianer José, Pombal in seiner Laufbahn darin unterstützt, »bis zum Minister zu kommen«. Hier liegt der Ursprung der sehr engen Beziehungen zwischen dieser einflußreichen Familie und dem mächtigen Minister. José Francisco da Cruz, ein jüngerer Bruder des Priesters, bekleidete eine Reihe hoher öffentlicher Ämter gleichzeitig: unter anderem das des Zolladministrators, des Präsidenten der »Junta do Comercio« und des Schatzmeisters des Königreiches. 1763 gründete er ein »morgadio« (Majorat). Sein Bruder Joaquim Ignacio, der 1768 alle seine Ämter erbte und noch andere hinzugewann, wurde 1776 Herr von Sobral. Folglich wurde der Name der Familie umgewandelt in Cruz-Sobral. Ein vierter Bruder, Anselmo José, der 1780 Vermögen und ein mit Wappen verziertes Palais erbte, spielte eine Hauptrolle in der pombalschen und nachpombalschen Wirtschaft, denn er starb erst 1802. Seine Großzügigkeit »war eher die eines Prinzen als die eines Privatmannes« (Ratton). Er war auch der Gönner des berühmten Cagliostro in Lissabon, der der Geliebte seiner Frau war [23]. Seine Tochter und Erbin heiratete einen Braamcamp, der dadurch 1813 Baron von Sobral wurde. Dagegen gehörten die Quintela zur großen Handelswelt und zum Beamtenstand. Ignacio Pedro, der Präsident der »Junta do Comercio«, zugleich Besitzer des Tabakmonopols, war laut Ratton der Vertrauensmann Pombals; sein Bruder, der Bürgermeister Luis Rebelo, kaufte 1777 das Grundstück für seinen Palast in Lissabon. Joaquim Pedro, Neffe und Erbe der beiden Brüder, 1795 geadelt, gründete 1801 ein »morgadio«, dessen Wert bis auf eine halbe Milliarde Reis stieg. Seitdem hieß er Baron von Quintela [24]. Man hielt ihn für einen »der reichsten und prunksüchtigsten Männer Portugals [25]«. Dasselbe galt für seinen Sohn, der zum Grafen von Farrobo erhoben wurde, sich gegen 1865 aber völlig zugrunde richtete.

Zwar brachte es diese Klasse zu unendlichem Reichtum. Aber während der Zeitspanne, die uns beschäftigt, war sie nicht sehr erpicht auf Vergnügen und Luxus. Im Gegenteil, unter Pombal folgte sie dem Prinzip des Marquis, der am Tag nach dem Erdbeben die Hilfe des Hofes von Frankreich ablehnte und seinen Botschafter wissen ließ, daß »die Nation zu ihrer alten Einfachheit zurückkehrte [26]«. So führte die Großbourgeoisie unter Pombal ein Leben ohne Prunk, und im Augenblick diente ihr das Geld nur dazu, weiteres Geld zu machen. Sie hatte noch keine Privatpaläste wie später – erst 1792 stoßen wir darauf, daß die Quintela, die Cruz-Sobral, die Bandeira und die Caldas sich zu einem repräsentativen Unternehmen zusammenschlossen: dem Bau einer Oper. Wir müssen noch bemerken, daß die Verleihung von Adelsprivilegien an Bürgerliche ziemlich spät erfolgte. 1775 gestattet ein Gesetz den großen Kaufleuten (»comerciantes de grosso trato«), und ihnen allein, Majorate zu erwerben. Der älteste der Cruz hatte dies bereits 1763 erreicht. Doch handelte es sich wohl um eine Ausnahme. Sein jüngerer Bruder kam erst 1776 und die Quintela erst unter der folgenden Regierung zu Majoratsbesitz. Schon seit längerer Zeit hatte Pombal Maßnahmen wie diese geplant. So räumte er den großen Aktionären seiner Handelsgesellschaften [27] für die Zeit ihres Bestehens die Privilegien des Adels ein. In Anlehnung an Richelieu achtete er aber darauf, daß die Betätigung der großen Handelsgeschäfte nicht auf Kosten des Erbadels ging. Die großen pombalschen Gesellschaften öffneten sich wie zuvor die Patriarcale Johanns V. auch den jüngeren Söhnen der Adelsfamilien, ohne daß ihnen das Privileg des Adels aberkannt worden wäre (dérogeance).

Wie schon erwähnt, wurden in der Zeit nach dem Erdbeben keine Paläste gebaut, weder seitens des alten noch des neuen Adels: Der Palast der Cruz-Sobral wurde erst zwischen 1770 und 1780 gebaut [28] und der der Quintela zwischen 1781 und 1782 [29]. Auch der Lebensstil am königlichen Hof hat sich während der Regierung Pombals sehr verändert; seit dem Erdbeben gab es übrigens keinen eigentlichen Hof mehr. Die gesamte königliche Familie richtete sich in einer Reihe von Holzbaracken in Ajuda nahe bei Belem ein. Und erst nach 39 Jahren, als die Häuser dem Feuer zum Opfer gefallen waren, gaben die Fürstlichkeiten ihre neuen und seltsamen Gewohnheiten wieder auf. Der einzige Luxus Josephs I. waren das Silbergeschirr, das er närrischerweise bei den Germain bestellt hatte, und die Oper, die er in den Sälen seines gespenstischen Palastes spielen ließ, und zu der er italienische Sänger zu unglaublichen Gagen herbeiholte [30]. Übrigens stimmen die Beschreibungen der ausländischen Reisenden, die zu jener Zeit nach Portugal kamen, völlig überein. Der Engländer Dalrymple bestätigt, daß der Hof von Portugal 1760 »wenig elegant« war; der Italiener Gorani fügt hinzu, daß er 1765 »dürftig« war; der Franzose Dumouriez findet ihn im folgenden Jahr »sehr traurig und sehr zeremoniell, während der König nicht im geringsten repräsentiert«. Der Engländer Wraxall merkt für 1772 an, »der Hof von Lissabon bietet einem Ausländer gar keine Zerstreuung«. Dabei schuldete er aller Welt genausoviel Geld wie vorher, und so blieb es bis zum Tode des Königs [31].

Der alte Adel verschwand allmählich aus der Umgebung der königlichen Familie: Pombal hatte einige Köpfe rollen lassen, zahlreiche Titelträger waren verbannt worden, andere saßen im Gefängnis; der neue Herzog von Lafoes, ein Vetter des Königs, hatte den Weg ins Exil gewählt. So blieb nur der Herzog von Cadaval übrig, der vornehmste Adelige im Königreich nach den Prinzen von Geblüt und der weitaus reichste von allen. Dumouriez berichtet: »Es gibt gar keine anderen großen Herren an diesem Hof als den jungen Herzog von Cadaval«, doch handle es sich, fügt er dann hinzu, um »einen dicken, ausschweifenden und beschränkten Mann«. Derselbe

Autor spricht auch vom alten Marquis von Marialva und seinen beiden Söhnen, denn, unterbricht er sich, »der übrige Adel ist ohne Kredit, ohne Geld, ohne Macht, ohne Ehren und kriecht vor dem Grafen von Oeiras (Pombal) und seiner Frau (einer Österreicherin, geb. Daun); Prinzen von Geblüt, Privatleute, Adel, Volk, alle Welt vereint sich, um dieser mächtigen Familie zu schmeicheln und um sie zu verachten«. Mit zwei oder drei Ausnahmen »lebt der Adel in beschränkten Verhältnissen«, meint Dalrymple. Und Gorani seinerseits versichert: »Ich habe nur fünf oder sechs portugiesische Große kennengelernt, die einigermaßen gut ausgestattet und gut bedient waren.« Daher »gaben (sie) sehr selten Essen, obwohl sie gerne bei steinreichen Kaufleuten oder ausländischen Ministern zum Diner erschienen . . .« Wenn man Costigan glaubt, waren von etwa zwanzig Zimmern in ihren Palästen nur vier oder fünf möbliert. Und der schottische Offizier spricht ebenfalls von dem »Nebeneinander von Glanz und Elend, Armut und Eitelkeit, wie man es nur im Haushalt eines adligen Portugiesen findet«.

Das Aufflackern von Luxus, wie man es unmittelbar nach dem Erdbeben beobachtet hatte, war künstlich. Es erlosch schnell infolge der Wachsamkeit Pombals, seiner Gesetze wie infolge der Wirtschaftskrise, die sich bereits anbahnte. Mehr denn je wurde die »Pragmatische Sanktion« gegen den Luxus befolgt, die Johann V. 1759, als man über eine Krise in den brasilianischen Bergwerken beunruhigt war, verkündet hatte[31a]. Die Sitten änderten sich in dieser erschütterten Gesellschaft. Wie ausländische Beobachter betonten[32], fand die Abneigung, die die Königin nach ihrer gescheiterten Vermählung mit Ludwig XV. gegen Frankreich zeigte, keinen Widerhall. Vielmehr gewann Frankreich stärkeren Einfluß auf die portugiesischen Sitten, das heißt, auf städtische Einwohner, die in Beziehung mit Ausländern standen, ferner auf Leute, die in der Industrie beschäftigt waren, und schließlich auf die Armee, die man aufbaute. Die ausländischen Offiziere höheren Grades, die außerhalb der Reichweite der Inquisition standen, waren Träger der »Häresie« und der »Philosophie«: Sie brachten in ihrem Gepäck die verbotenen Bücher von Hobbes, Voltaire, Diderot, Rousseau mit – die übrigens französische Buchhändler (alle aus einer Stadt in der Dauphiné[33]) unter der Hand in Lissabon verkauften.

ANMERKUNGEN

1. A. W. Costigan, *Sketches of Society and Manners in Portugal,* London 1787, Brief 19.

2. Jorge de Macedo, *A Situação económica no tempo de Pombal*, Porto 1951, war der einzige portugiesische Historiker, der eine wissenschaftliche Untersuchung über diesen Zeitabschnitt durchführte.

3. F. Bandeira Ferreira, in: *Mundo Literário,* 43/1947.

4. Diese beiden Unternehmungen haben der königlichen Schatzkasse 1040 Mill. Reis eingebracht, die von den verurteilten Adligen und den Jesuiten konfisziert wurden. Vgl. J. Lucio de Azevedo, *Epocas de Portugal Economico,* 1929², S. 380.

5. Alexandre de Gusmão, Sekretär v. Johann V., in: Oliveira Martins, *Historia de Portugal,* 1879, 10. Aufl. II., S. 153.

6. Abbé Delaporte, *Le Voyageur Français ou la connaissance de l'ancien et du nouveau monde*, Paris 1767–91; XV, S. 276.

7. Abbé Platel, *Carta em que se mostra aefalsa profecia do terramoto do 1º Novembro de 1755* (1756); *Dedução Chronologica e analytica*, 1767–68, unterzeichnet von José de Seabra da Silva; *Mémoires historiques contenant les entreprises des Jésuites contre le Saint-Siège*, 1761, von Abbé Platel (Pierre Curel Platel, bekannt unter dem Namen Pe. Norberto, französischer Kapuziner, dessen wirklicher Name Parisot lautete). Pombal bediente sich seiner, um die Jesuiten anzugreifen, und bezahlte ihm jährlich 1½ Mill. Reis; 1763 vom Minister bedroht, floh Platel. Vgl. Camilo Castelo Branco, Perfil do Marquês Pombal, 1882, S. 81; João Ignacio Ferreira Souto (Generaldirektor der Nationalen Sicherheit, »Intendente da Policia«), *De Potestate Regia*, 1761, Manuskript, vgl. Camilo Castelo Branco, a. a. O., S. 157; Justinus Febronius, *Do estado da Igreja e poder legitimo do Pontifice Romano*, 1763, übers. v. M. T. Pedegache Brandão Ivo, 1770. Über diese Übersetzung und über das Problem des Gallikanismus unter Pombal vgl. den Artikel v. Alberto de Andrade in: *Coloquio* 16/1961. S. auch Justinus Febronius, *De statu ecclesiae deque legitima potestate Romani pontificis*, 2 Bde, Frankfurt 1763.

8. *A Inauguração da estatuta eqüestre* (. . .). Das wird von der Königin selbst bestätigt, die erklärte, daß die »arte de persuadir (von Pombal) era tal que aun a S. M. misma la hizo tutubear a veces en el tiempo que governó«. Brief des Marquis von Almodovar, Botschafter Spaniens in Lissabon, an den Grafen von Floridablanca vom 1. April 1777 in: *Cartas de D. Mariana Vitoria*, 1936, S. 221.

9. Brief von Graf Scarnafigi, Gesandter aus Turin in Lissabon, an seinen Hof vom 10. Dez. 1765, zu einer Zeit, als Pombal sehr krank war, in der portugies. Ausg. von Comte Joseph Gorani, *Mémoires pour servir à l'histoire de ma vie*, Paris 1944, port. 1945, Anm. S. 180.

10. Vgl. Brief des Grafen von Hennisdal, in: *Visconde de Sontarem, Quadro elementar das relações politicas e diplomaticas de Portugal* . . ., Paris 1853, III, 5.

11. S. das Dekret v. 1768 über die Beziehung von D. José in: *O Conimbricence* 2223, 14. Nov. 1868 [muß wohl heißen: 1768 (Hrsg.)].

12. Edgard Prestage, *As Relações Diplomaticas com França, Inglaterra e Holanda*, 1928. S. 147.

13. Vgl. *Discours politique sur les avantages que les Portugais pourraient retirer de leur malheur*, La Haye, Lissabon 1756.

14. Vgl. J. Macedo, a. a. O., u. Damião Peres in: *Historia de Portugal*, VI, Barcelos 1934.

15. Es handelt sich um Duarte Ribeiro de Macedo (1618–1680), Außerordentlicher Gesandter Portugals in Frankreich 1668–1677, Autor des *Dicurso sobre a introdução das artes em Portugal*, verfaßt 1675 u. veröffentlicht 1721 (2. Aufl. 1730), in seiner Sammlung der *Discursos politicos e obras métricas*. Er hat den Grafen von Ericeira beeinflußt, den Finanzminister (»vedor da fazenda«) Peters II. 1675, Urheber eines Schutzgesetzes für die Industrie. Vgl. Moisés Amzalak, *Do estudo e da evolução das doutrinas economicas em Portugal*, 1928, S. 82.

16. G. Matos Sequeira, *Depois do Terremoto*, 1916–33, IV, liefert eine Liste der Manufakturen Pombals.

17. S. Manuel Severim de Faria, *Dos Remédios para a falta de gente*, 1655.

18. Wir wiederholen hier die These Jorge de Macedos, a. a. O.

19. Vgl. D. Luiz da Cunha, *Testamento politico* (vor 1750, éd. Seara Nova 1943), S. 63, u. João Antonio Garrido, *Taboada Curiosa* (. . .), 1759, S. 171. Gorani, a. a. O., S. 432, spricht von 5–6 Tagen mindestens. Er verschweigt nicht den »extrem schlechten« Zustand der Straßen.

20. Die Rodrigues (später Pereira) Caldas, verwandt mit den Grafen von Medina gegen Mitte

des XIX. Jahrhunderts, waren auch mit den Machados verschwägert. Polycarpo José Machado, Ritter des Christusordens 1766, wurde 1777 geadelt; sein Sohn erhielt 1814 ein Wappen; sein Enkel wurde 1846 zum Vicomte von Benegazil ernannt. Der erste Bandeira, Jacinto Fernandes (der seinen Namen dem Namen der Straße, wo er in Viana geboren wurde, entlehnt hatte), Ritter des Christusordens 1774, geadelt 1794, wurde 1805 Baron von Porto-Covo-da-Bandeira. Seine Familie hat erst 1821 ein Wappen erhalten. Vgl. Silveira Pinto e Visconde de Sanches de Baena, *Resenha das Familias titulares e grandes de Portugal*, 1883–90.

21. 1600000 Reis pro Jahr. Vgl. Luiz Bivar Guerra, *Inventario e sequestro da Casa de Aveiro, em 1759*, 1952, S. 401. Den Beweis, daß es sich um eine überhöhte Miete handelte, liefert Diogo, der Sohn von J. Ratton, 1816, der gekommen war, um im selben Haus wie 1803 zu wohnen und nur 1 Mill. bezahlte (Beitrag von M. L. Bourdon, nach einem Hinweis von M. Nuno Daupias d'Alcochete).

22. Der Sohn von G. J. L. Daupias und der älteren Tochter von J. Ratton wurde 1836 zum Baron von Alcochete ernannt. Jacques, genannt Jacome Ratton, geboren 1736 in Monestierde-Briançon in der Dauphiné, angekommen in Portugal 1747, naturalisiert 1762, Ritter des Christusordens im selben Jahr, erhielt ein Wappen 1787 (es handelte sich um ein Wappen, das seine Familie bereits in Frankreich tragen durfte), wurde 1803 im königlichen Palast geadelt und starb 1820.

23. Vgl. Camilo Castelo Branco, *Mossaico e Silva* (...), 1868, S. 163. S. auch Marquês de Resende, *Pintura de un Outeiro nocturno e um saraumusical*, 1868, S. 15.

24. J. Castilho, *Lisboa Antiga – O Bairro Alto*, 3. Aufl. II, S. 117.

25. J. B. F. Carrère (anonym), *Voyage en Portugal et particulièrement à Lisbonne en 1796*, Paris 1798.

26. Vgl. Pinheiro Chagas, *Historia de Portugal*, 18, VI, S. 489.

27. 2400 Reis als Minimum in der Weinanbau- und Weinvertriebsgesellschaft des Douro 1756. Vgl. J. Macedo, a.a.O., S. 151. S. auch Damião Peres, a.a.O., S. 412.

28. Vgl. J. Castilho, a.a.O., III, S. 23.

29. Vgl. Norberto de Araujo, *Peregrinações em Lisboa*, XIII, S. 50.

30. Der Sänger Egipcelli erhielt 14½ Mill. Reis für zwei Monate 1759. Vgl. Camilo Castelo Branco, *Perfil do Marquês de Pombal*, S. 23. Cafarelli erhielt 12 Mill. Reis pro Jahr. Vgl. F. da Fonseca Benevides, O Real Teatro de S. Carlos, 1883, S. 8.

31. Vgl. Gorani, a.a.O. (für 1766); Camilo Castelo Branco, a.a.O. (für 1759 u. 1762); J. Lucio de Azevedo, a.a.O. (für 1777).

31a. 1759 regierte bereits der Sohn Johanns V., Josef. (Anm. des Hrsg.)

32. C. F. Dumouriez, *Etat présent du Royaume de Portugal en l'année 1766*, Lausanne 1775. Gorani, a.a.O.

33. J. J. Bertrand, J. u. L. A. Bonnardel, J. P. Guilbert, C. Dubeux.

Der Aufgeklärte Absolutismus in Rußland

NIKOLAJ MICHAJLOVIČ DRUŽININ

Wiederholt zitierten sowjetische Historiker und Rechtswissenschaftler Lenins Urteil, die Entwicklung der russischen Staatsordnung des 17. bis 20. Jahrhunderts sei in Richtung zur bürgerlichen Monarchie hin verlaufen. Stets wurde dabei der Leninsche Gedanke hervorgehoben, daß eine der gesetzmäßigen Etappen dieses Prozesses »die Selbstherrschaft des 18. Jahrhunderts mit ihrer Bürokratie, ihren Dienstständen, mit einzelnen Perioden des ›Aufgeklärten Absolutismus‹« war [1]. Dennoch erfuhr der Begriff des »Aufgeklärten Absolutismus« bislang keine klare und umfassende Erläuterung in der wissenschaftlichen Literatur. Sehr wenig befaßte man sich mit den gesetzmäßigen Ursachen der Entstehung wie mit den historischen Resultaten des »Aufgeklärten Absolutismus«. Kaum bearbeitet ist die Frage nach dem Zusammenhang dieser eigentümlichen Politik mit den vorausgehenden und den folgenden Maßnahmen der Selbstherrschaft. Es bleibt unklar, worin Ähnlichkeit und Besonderheiten des »Aufgeklärten Absolutismus« in Rußland und in anderen Ländern Europas bestehen. Meinungsverschiedenheiten existieren auch in der Frage nach den chronologischen Eingrenzungen des vorliegenden Phänomens: Einige Historiker und Juristen fanden, daß der »Aufgeklärte Absolutismus« nicht nur für die Politik Katharinas II., sondern auch für die Peters I. kennzeichnend war [2]; andere bezogen dieses System sowohl auf das 18. Jahrhundert als auch auf den Anfang des 19. Jahrhunderts, auf die liberalen Maßnahmen Alexanders I. [3]

Um den »Aufgeklärten Absolutismus« in Rußland zu verstehen, muß man bedenken, daß wir es nicht mit einem isolierten Faktum des russischen politischen Lebens, sondern mit einem gesetzmäßigen Stadium der gemeineuropäischen Staatenentwicklung zu tun haben. Als Träger der Ideen des Absolutismus gingen die Leiter der Innenpolitik fast des gesamten Kontinents von den Ideen der französischen Aufklärung aus: der preußische König Friedrich II., der schwedische König Gustav III., der österreichische Kaiser Joseph II., eine Reihe leitender Minister verschiedener Staaten – Aranda in Spanien, Pombal in Portugal, Tanucci in Neapel, Struensee in Dänemark usw. Die Politik des »Aufgeklärten Absolutismus« wirkte in Europa ein halbes Jahrhundert lang, zwischen den 40er und 80er Jahren des 18. Jahrhunderts, bis zur französischen bürgerlich-demokratischen Revolution. Soziale und ökonomische Grundlage dieses Phänomens war die Entwicklung einer neuen, der kapitalistischen Formation, welche die alten feudalen Verhältnisse aufzulösen begann; begleitet

Aus: *Absoljutizm v Rossii (XVII–XVIII vv.). Sbornik statej k semidesjatiletiju so dnja roždenija i sorokapjatiletiju naučnoj i pedagogičeskoj dejatel'nosti B. B. Kafengauza (= Der Absolutismus in Rußland im 17. und 18. Jahrhundert. Aufsatzsammlung zum 70. Geburtstag und 45. Jahrestag der wissenschaftlichen und pädagogischen Tätigkeit von B. B. Kafengauz).* Verlag Nauka, Moskau 1964, S. 428–459. Der Abdruck erfolgt mit freundlicher Genehmigung des Verfassers; aus dem Russischen übersetzt von Claus Scharf.

wurde sie vom Auftritt einer neuen Klasse auf dem Schauplatz der Geschichte, der Bourgeoisie, die offen um die wirtschaftliche und politische Herrschaft kämpfte, und, was nicht weniger wichtig ist, von einer Verschärfung des Klassenantagonismus zwischen den bäuerlichen Massen und dem herrschenden Adel. Immer breiter entfaltete sich die Kritik an allen Überbleibseln des Mittelalters und in erster Linie an der katholischen Kirche und dem monarchischen Despotismus. Ein Gefühl der Unsicherheit und die Erwartung einer revolutionären Eruption bemächtigten sich in dieser Zeit der regierenden Spitzen der europäischen Gesellschaft. Schon 1757 schrieb der Literat Melchior Grimm, der mit den Aufklärern gut bekannt war:
»Je suis bien éloigné de croire que nous touchons au siècle de la raison, et peu s'en faut que ne croie l'Europe menacée de quelque révolution sinistre.« Derselben Meinung waren bedeutende Staatsmänner, die den Ideen der Aufklärungsphilosophie fernstanden. Die österreichische Kaiserin Maria Theresia schrieb 1778 ihrem Sohn Joseph II.: »Tout lien civil et politique ne tient plus, on ne voit les hommes et les provinces que plus malheureux et en décadence; cela ira toujours en augmentant, si nous en agissons de même[4].« Parallel zu Beschreibungen unfaßbarer Entbehrung auf dem Lande erscholl immer lauter die Verurteilung des absterbenden Regimes vom Standpunkt des freien menschlichen Verstandes und der natürlichen Bedürfnisse des Individuums aus. Gerade zu dieser Zeit popularisierten und entwickelten die herausragenden Denker Frankreichs politische Ideen, die in der Epoche der englischen Revolution des 17. Jahrhunderts entstanden waren. Die glänzenden, von Sarkasmus erfüllten Werke Voltaires, der tiefsinnige Traktat Montesquieus über Natur und Typen der Staaten, die »Encyclopédie« von Diderot und d'Alembert, die demokratischen Ideen von Rousseau, Mably und ihren nächsten Anhängern beherrschten die Köpfe der fortschrittlichen Zeitgenossen.

Die Werke der Epoche der französischen Aufklärung waren in ihrer politischen Tendenz keineswegs einheitlich: Neben den gemäßigten Anschauungen Voltaires und Montesquieus, die den Interessen der Mittel- und Großbourgeoisie Ausdruck gaben, wuchs und verbreitete sich eine demokratische Strömung, die als sozialen Protest des Kleinbürgertums und des sich herausbildenden Proletariats gleichmacherische Theorien hervorbrachte[5]. Aber trotz aller Unterschiede in der Kritik und in den Vorstellungen von einer neuen Gesellschaftsordnung dominierte bei den Aufklärern die Forderung nach allumfassenden Veränderungen zugunsten des Wohlstandes der Massen, im Namen der persönlichen Freiheit und der staatsbürgerlichen Gleichheit. Die Ideen der französischen Aufklärung wurden durch ihre Verbreitung über den gesamten Kontinent zu einer Bedrohung für die feudale Ordnung. Unter dem Eindruck dieses Aufschwungs konnten sie die Leiter des feudalen Adelsstaates nicht gleichmütig lassen. Als Gegengewicht zur revolutionär-demokratischen Strömung Rousseaus und seiner Anhänger formierte sich eine »Allianz der Könige und der Philosophen« auf Zeit mit dem Ziele, *friedlich* die veralteten feudalen Institutionen zu verändern. Die eher gemäßigten Verkünder aufklärerischer Ideen, die zwischen der Sympathie für die englische Verfassung und den Hoffnungen auf aufgeklärte Monarchen schwankten, verbanden sich gern mit den Trägern der

Staatsgewalt, weil sie darauf rechneten, mit deren mächtiger Unterstützung ein vernünftiges naturrechtliches System verwirklichen zu können. Die scharfsinnigsten und aktivsten Leiter der europäischen Politik suchten ihrerseits den Rat und sogar die öffentliche Unterstützung der großen Denker der Epoche, um die bestehende Ordnung den neuen sozialen und ökonomischen Verhältnissen geschmeidig und allmählich anzupassen. Weder Friedrich II. noch Gustav III. noch sogar Joseph von Österreich teilten alle »Schwärmereien« der französischen Philosophen: Sie standen fest auf dem traditionellen Boden der feudalen Adelsmonarchie, sie fürchteten nicht nur den Aufstand der Massen, sondern auch die freie Eigenbetätigung der wohlhabenden Kreise der Gesellschaft. Sie waren bestrebt, die Fundamente der absoluten Monarchie durch die Beseitigung der am meisten überlebten Institutionen der Vergangenheit zu stabilisieren, um auf diese Weise einen revolutionären Zusammenbruch des ancien régime rechtzeitig abzuwenden.

So bildete sich das internationale System des »Aufgeklärten Absolutismus«, das bei den Ideologen der französischen Aufklärung deren abstrakte Prinzipien entlehnte, die Machtpolitik in die modischen Gewänder zeitgenössischer Ideen hüllte, aber dessen Hauptziele auf Grund seines tiefen inneren Widerspruchs von vornherein zum Scheitern verurteilt waren. Die Französische Revolution des 18. Jahrhunderts versetzte der Politik des »Aufgeklärten Absolutismus« den Todesstreich und verwandelte ihre gekrönten und titulierten Repräsentanten in aktive Gegner nicht nur des bürgerlichen Umsturzes, sondern auch der französischen Aufklärung, die ihn vorbereitet hatte. Die verspäteten Nachklänge der bürgerlich-aufklärerischen Ideen (z. B. in Preußen nach der Niederlage von Tilsit 1807) trugen schon nicht mehr die schöne Verschleierung einer »Allianz der Könige und der Philosophen«. Nichtsdestoweniger hatte die Politik des »Aufgeklärten Absolutismus«, besonders in katholischen, früher vom Papst abhängigen Ländern, eine relative historische Bedeutung. Sie war eine gesetzmäßige Etappe der staatlichen Entwicklung, ein Vorbote der heranreifenden Revolution, und ungeachtet der Halbheit der durchgeführten Reformen ließ sie den Zeitpunkt des Überganges des gesellschaftlichen Lebens zu einer neuen, progressiveren Formation näher heranrücken. Es ist die Aufgabe des Forschers, die bürgerlichen Tendenzen in der Politik des »Aufgeklärten Absolutismus« und ihren Anteil an der antagonistischen Verbindung mit der feudalen Basis des offiziellen politischen Kurses zu erfassen.

Als charakteristische Merkmale des »Aufgeklärten Absolutismus« kann man ansehen, daß die regierenden Kreise die Prinzipien der französischen Aufklärung übernahmen und offen verkündeten, auf ihre Weise interpretierten und in verschiedenen Lebensbereichen systematisch anwandten. Um jedoch den Gesetzen und der laufenden Politik der Träger dieses Systems auf den Grund zu kommen, müssen wir die feierlichen Deklarationen von den verborgenen Motiven der Staatsmänner unterscheiden, deren subjektive, mitunter aufrichtige, aber nicht immer bewußte Eindrücke von dem objektiven Inhalt der gesetzgeberischen Maßnahmen und den Resultaten ihrer Anwendung in der Praxis. Nicht weniger wichtig ist es, neben dem Aufdecken allgemeiner Züge in der Politik der »aufgeklärten Monarchen« die unterschiedlichen nationalen Besonderheiten herauszuarbeiten und die Verbindung dieser Unterschiede mit den Traditionen und Bedingungen jedes einzelnen Landes zu erforschen.

Wendet man sich der russischen Variante des »Aufgeklärten Absolutismus« zu, muß man unbedingt bestimmen, in welchem Maße die Innenpolitik Peters I. diesem politischen Begriff entsprach. In Peters Gesetzgebung, seinen öffentlichen Erklärungen und in der Motivierung eingeleiteter Maßnahmen begegnen wir sofort der Idee des »allgemeinen Wohls« als der Hauptaufgabe des »geregelten Staates«. Zweifellos wurde das Problem der Staatsgewalt durch Peter nicht im Geiste einer patrimonialen Theorie, sondern in Übereinstimmung mit den Lehren des niederländischen Denkers Hugo Grotius und des deutschen Rechtsgelehrten Pufendorf gelöst. In seiner Wirtschaftspolitik verwirklichte Peter I. konsequent die Ideen des Merkantilismus, dieses Anfangsstadiums einer bürgerlichen Förderung von Handel und Industrie. Die gesamte Bildungspolitik Peters – die Gründung allgemeiner und spezieller Schulen, die Einladung ausländischer Fachleute, die Vorbereitung zur Eröffnung einer Akademie der Wissenschaften usw. – ist mit den Tendenzen der Aufklärung des 18. Jahrhunderts verbunden. Peter festigte den Absolutismus, indem er die Überreste einer Monarchie mit beratenden Organen liquidierte und ein System bürokratischer Einrichtungen schuf, die unmittelbar dem Monarchen untergeordnet wurden; er erkannte nicht die Selbständigkeit der kirchlichen Gewalt an und verletzte in seinen Verordnungen die Privilegien der Geistlichkeit. Aber hinter diesen Elementen eines »Aufgeklärten Absolutismus« erkennen wir einen anderen objektiven Inhalt als in analogen Maßnahmen der europäischen Monarchien der 40er bis 80er Jahre. Peter I., der in Rußland den langwierigen Prozeß der Versklavung der Bauernschaft vollendete, stand jener aufklärerischen Philosophie fern, die sich um die Mitte des 18. Jahrhunderts entwickelte. Die allseitige Reglementierung des gesellschaftlichen und persönlichen Lebens, von der die petrinische Gesetzgebung durchdrungen war, entsprach nicht der bürgerlichen Kritik der despotischen Monarchie, wie sie Voltaire, Montesquieu und die Enzyklopädisten entfalteten, sondern der philosophischen Theorie des deutschen Denkers Christian Wolff, seiner dominierenden Idee einer totalen Herrschaftsgewalt des absoluten Monarchen. Im ersten Viertel des 18. Jahrhunderts fehlten nicht nur in Rußland, sondern auch in Westeuropa noch die objektiven Voraussetzungen, die später das *bewußte* Programm des »Aufgeklärten Absolutismus« hervorbrachten. Einzelne Keime dieser neuen Politik reiften unter Peter und seinen unmittelbaren Nachfolgern allmählich heran und brachen sich Bahn im Milieu der Palastrevolten und der Günstlingsherrschaft.

Das System der kapitalistischen Formation bildete sich in Rußland in den 50er und 60er Jahren des 18. Jahrhunderts heraus, aber »die einzelnen Perioden des ›Aufgeklärten Absolutismus‹«, mehrfach durch verschärften diplomatischen und militärischen Kampf unterbrochen, fanden ihre offene Ausprägung erst in der Innenpolitik Katharinas II. In gerade dieser Zeit traten deutlich jene Prozesse in Erscheinung, die qualitative Veränderungen im Wirtschaftsleben Rußlands bedeuteten. Die Erfolge der gesellschaftlichen Arbeitsteilung und der Warenproduktion führten zu einem bedeutenden Wachstum des allrussischen Marktes mit scharf umrissenen Unterschieden zwischen industriellen und landwirtschaftlichen Gouvernements. In Verbindung mit dem Anwachsen des landwirtschaftlichen Unternehmertums erhöhten sich erheblich die Exportziffern für landwirtschaftliche Produkte. Neben den Großunternehmen im Bergbau und in der Leichtindustrie entwickelte sich auf breiter Basis eine Kleinwarenproduktion, die als Grundlage für die Entstehung und das Wachstum der bäuerlichen Manufaktur diente. Die massenhafte Wanderung von Bauern zu städtischen Arbeitsplätzen deutete den beginnenden Prozeß einer kapitalistischen sozialen Differenzierung des Dorfes an. Das System der freien Lohnarbeit gewann einen beachtlichen Anteil an der industriellen Produktion.

Diese ökonomischen Veränderungen verursachten einen bestimmten Umschwung im Kräfteverhältnis der sozialen Klassen. Neben den Vertretern der alten Gildenkaufmannschaft, die auf einer Politik der Monopole und der Ausdehnung des Rechtes auf Zwangsarbeit beharrte, begannen in die Reihen der sich herausbildenden Bourgeoisie neue Elemente aus der Schicht der »Kapitalisten«-Bauern einzutreten, die mit den Ideen freier Konkurrenz und kaufmännischer Selbstverwaltung sympathisierten. Der grundbesitzende Adel behauptete die Herrschaft im wirtschaftlichen und politischen Leben, aber er hörte auf, sozial homogen und in seinen Forderungen einmütig zu sein. Deutlich differenzierte er sich in drei Hauptkategorien: eine feudal-aristokratische Opposition, die auf ihren politischen Privilegien bestand, die große konservative Masse der Anhänger der Leibeigenschaft und eine fortschrittliche Schicht des gebildeten Adels, die sich die bürgerlichen Ideen politischer Freiheit und staatsbürgerlicher Gleichheit zu eigen machte. Viele Vertreter der herrschenden Klasse ließen sich von jener Meinung leiten, die die Fürstin E. R. Daškova, stolz auf ihre Kontakte mit den französischen Philosophen, in einem Gespräch mit dem berühmten Diderot hochgestochen äußerte: »Reichtum und Glück der Leibeigenen bildet die einzige Quelle unseres eigenen Wohlstandes und materiellen Gewinns; angesichts dieses Axioms wäre man ein Dummkopf, wollte man die Quelle unseres persönlichen Interesses ausschöpfen . . . die Bildung zieht die Freiheit nach sich, und nicht die Freiheit schafft die Bildung; das erste wird ohne das zweite niemals imstande sein, Anarchie und Aufruhr hervorzurufen[6].« Aber diesem hier noch gemäßigten Standpunkt der Anhänger der Leibeigenschaft standen schon in den 60er Jahren die fortschrittlichen emanzipatorischen Ansichten des Professors S. E. Desnickij mit seinem Projekt einer radikalen Veränderung der Gesellschafts- und Staatsordnung Rußlands gegenüber, desgleichen die aufklärerisch-satirische Aktivität N. I. Novikovs und die ersten politischen Versuche A. N. Radiščevs.

Doch die Hauptfront des Klassenkampfes verlief nicht hier, sondern auf dem von der Leibeigenschaft geprägten Lande – dort, wo die breiten Massen der Bauern, auf kirchlichem oder adligem Grundbesitz lebend bzw. den Werken im Ural zugeschrieben, jahrzehntelang beharrlich und ohne Unterbrechung gegen die sich verstärkende Ausbeutung durch die Grundherren kämpften. Zu Beginn der 60er Jahre nahmen die Bauernunruhen eine besonders heftige Form an. Der Sturz Peters III. durch Katharina II. wurde nicht allein von Straßenunruhen in der Hauptstadt, nicht allein von einer Belebung der oligarchischen Tendenzen der Aristokratie, sondern auch von einem neuen Aufschwung der Bauernbewegung in verschiedenen Gebieten begleitet. Sich weit verbreitende Gerüchte einer bevorstehenden Befreiung, gefälschte Freiheitsmanifeste, massenhafte Weigerungen, Fronarbeit zu leisten, eine Flut von Bittschriften an die Kaiserin selbst, schließlich bewaffnete Aufstände, die mit Infanterie und Artillerie niedergeworfen wurden – so sah die bedrohliche Lage aus, die mit der Palastrevolte einherging. In einer Aufzeichnung über die ersten Jahre ihrer Kaiserherrschaft erkannte Katharina an, daß »die Bergwerks- und Klosterbauern fast alle in offenem Ungehorsam gegen ihre Herrschaften standen und daß sich mancherorts Gutsbauern mit ihnen zu vereinigen begannen«; sie sagte, es seien Anzeichen zu entdecken »für eine große Mißstimmung gegen die Regierungsform der verflossenen letzten Jahre«. An ihre Adresse wären etwa tausend Gesuche eingegangen, wobei einige Bittsteller ihr den Weg versperrt hätten, »indem sie sich im Halbkreis mit ihren Briefen niederknieten[7]«. Ein Senatsukas vom 8. Oktober 1762 konstatierte eine besorgniserregende Situation einer ganzen Reihe von Kreisen: ». . . viele Bauern, verführt und verblendet durch falsche und erlogene Gerüchte, die gemeine und hinterlistige Leute ausstreuten, haben sich von dem schuldigen Gehorsam gegenüber den Gutsbesitzern und ihren Herrschaften losgesagt und sich daraufhin auf viele Willkürakte und Dreistigkeiten eingelassen[8].« Um sich auf dem Throne zu behaupten, mußte Katharina nicht allein über die Leichen Peters III. und Ivan Antonovičs steigen, sondern auch über Berge von Leichen aufständischer Bauern, die von Gewehr- und Artilleriesalven in Zentralrußland und am Ural niedergestreckt worden waren. Das waren die Vorboten noch bedrohlicherer Ereignisse, die sich später in der Gestalt des »Pestaufstandes« und jenes machtvollen Bauernkrieges entfalteten, der die Grundlagen der feudalen Monarchie selbst erschütterte.

Wir werden den »Aufgeklärten Absolutismus« Katharinas II. nicht begreifen, wenn wir diese soziale Situation außer acht lassen, die die Grundfesten der autokratisch regierten Leibeigenschaftsordnung bedrohte. Katharina war klug genug und geistig entsprechend vorbereitet, um die aufziehende Gefahr zu spüren und einzuschätzen. Freilich war sie in den Gewohnheiten und Ansichten eines verarmten deutschen Fürstentums erzogen worden und früh in dem verführerischen Milieu des Hofes unter Elisabeth aufgegangen. Zwanzig Jahre lang mußte sie ein zurückgezogenes Leben führen, zwischen den Hofintrigen lavieren und ihre ehrgeizigen Ränke mit dem Ziel der eigenen Thronbesteigung schmieden. Doch in dieser Zeit eines erzwungenen Nichtstuns interessierte sie sich lebhaft für die europäische politische Literatur. Die Werke von Tacitus, Voltaire und besonders Montesquieu bewirkten, nach ihren eigenen Worten, einen Umsturz in ihrem Denken[9]. Das war der Beginn ihrer politischen Selbstbildung, die ihr später half, sowohl die internationale Lage in Europa als auch die Aufgaben einer behutsameren Politik zu erfassen. Als sie den Thron bestieg, besaß sie bereits ein ausgeprägtes Programm, dessen Ursprünge auf die gemäßigte Richtung der Aufklärungsliteratur zurückgingen. Anfangs fühlte sie sich unsicher, sie setzte die Säkularisation der Kirchengüter außer Kraft, die 1762 durch Gesetz verkündet worden war, und lehnte nicht einmal das Projekt eines Kaiserlichen Rates ab, das von den oligarchischen Absichten Nikita Panins diktiert war. Doch die Hauptaufgabe ihrer Sozialpolitik wurde schon im Manifest vom 3. Juli 1762 deutlich formuliert: »Wir haben die Absicht, die Gutsbesitzer in ihren Besitzungen und Grundherrschaften unverbrüchlich zu bewahren und die Bauern in dem jenen schuldigen Gehorsam zu halten [10].« Nachdem Katharina den Sieg über die Prätendenten davongetragen hatte und sich nunmehr auf die große Masse des Adelsstandes stützen konnte, warf sie mit Hilfe von Vjazemskij und Bibikov brutal den Aufstand der Bauern nieder, verbot den Leibeigenen, gegen den Grundbesitzer Klage zu führen, und gestattete den Gutsherren, Bauern wegen »Aufsässigkeit« zur Zwangsarbeit zu deportieren. Sie verstand jedoch gut die ganze Gefahr einer repressiven Politik und die unaufschiebbare Notwendigkeit partieller Zugeständnisse an den Geist der Zeit. Unter anderen Anweisungen an den Generalprokureur A. A. Vjazemskij schrieb sie freimütig:

»8. Die Lage der Gutsbauern ist so kritisch, daß man ihr durch nichts außer durch Ruhe und menschenfreundliche Institutionen entrinnen kann.

9. Wird keine generelle Befreiung aus dem unerträglichen und grausamen Joch folgen, kann sie in Ermangelung eines gesetzlichen oder anderweitigen Schutzes demnach jeder kleine Anlaß zur Verzweiflung treiben; besonders wird sich ein solches Gesetz rächen, wie es dem Senat einfiel, es zum falschen Zeitpunkt und unsachgemäß herauszugeben.

10. Und so bitte ich darum, äußerst vorsichtig zu sein, um die ohnehin zur Genüge bedrohliche Not nicht zu forcieren, sofern nicht in einer neuen Verordnung Maßnahmen ergriffen werden, um solche gefährlichen Folgen zu verhüten.

11. Denn wenn wir uns nicht dazu bereit finden werden, die Grausamkeit zu verringern und die dem Menschengeschlecht unerträgliche Last zu mildern, dann

12. werden sie dies gegen unseren Willen früher oder später selbst erzwingen [11].«

In diesen Worten klang eben jener Ton an, der für das gesamte innenpolitische Programm der neuen Monarchie charakteristisch war. Indem Katharina Kontakte mit den französischen Philosophen pflegte, einen offenherzigen Briefwechsel mit Grimm führte und eigenhändig die grundlegenden Gesetze ihrer Herrschaft vorbereitete, bewegte sie sich im Fahrwasser einer Innenpolitik, wie sie zur selben Zeit – in Preußen, Österreich, Schweden und anderen Ländern – die Repräsentanten des »Aufgeklärten Absolutismus« betrieben. Katharina beschränkte sich nicht auf separate Maßnahmen, wie die Regelung der Verpflichtungen der zugeschriebenen Bauern und die erneut durchgeführte Säkularisation der Kirchengüter. Innerhalb von zwei Jahren verfaßte sie das Programm der neuen Herrschaft in Form einer Instruktion für eine einzuberufende Kommission zur Verfertigung eines neuen Gesetzbuchs. Die Einberufung der Kommission aus Vertretern der verschiedenen Stände – des Adels, der Geistlichkeit, der Kaufmannschaft und der Staatsbauern – hatte schon an sich eine bestimmte politische Bedeutung für Katharina: Sie stabilisierte nicht allein ihre selbstherrscherliche Macht und erhöhte ihre Autorität in Westeuropa, sondern half ihr auch, sich, wie sie selbst bekannte, über den Zustand des Reiches (insbesondere, so können wir hinzufügen, über das Kräfteverhältnis zwischen den Klassen, die auf dem politischen Schauplatz miteinander kämpften) zu orientieren.

Die »Instruktion« Katharinas II. erwies sich als das Ergebnis ihrer vorangegangenen Überlegungen zur Aufklärungsliteratur und als ihre eigentümliche Rezeption der Ideen der gemäßigten Richtung der französischen und zum Teil der deutschen Aufklärer. Katharina selbst versicherte, sie habe den Präsidenten Montesquieu zum Wohle ihrer Untertanen »ausgeplündert«. Eine sorgfältige Analyse und ein Vergleich der »Instruktion« mit anderen Materialien führten N. D. Čečulin und F. V. Taranovskij zu dem Schluß, daß ihr nicht nur der »Geist der Gesetze« von Montesquieu und das Opus seines italienischen Jüngers Beccaria, sondern auch die Werke deutscher Autoren (Bielfeld, Justi und anscheinend Sonnenfels) zugrunde lagen[12]. Es wäre jedoch falsch, Katharinas Arbeit für eine mechanische Kompilation vorliegender ausländischer Quellen zu halten: Die Kaiserin wählte aus, systematisierte und interpretierte politische Schlußfolgerungen, die ihr nicht nur die Grundsätze der französischen Aufklärung, sondern auch die Eindrücke von der russischen Wirklichkeit vermittelten. Sie kombinierte das Material unter dem Blickwinkel ihrer eigenen Ansichten und machte in bestimmten Stadien ihrer Arbeit vertraute Leute von Rang mit ihren Entwürfen bekannt. Vor der Eröffnung der Kommission wurde die »Instruktion« dem Urteil und der Kritik von Vertretern der adligen Großgrundbesitzer ausgesetzt. Vieles wurde verbessert und vieles durch die Autorin gestrichen. Ein Vergleich der verschiedenen Redaktionen der erhaltenen Handschriften überzeugt uns davon, daß mit der »Instruktion« eine große selbständige Arbeit geleistet wurde.

Wenn wir uns dem Inhalt der »Instruktion« zuwenden, so erkennen wir mühelos in ihr die Grundwahrheiten der Aufklärungsphilosophie. Als Ausgangspositionen werden hier feierlich die Ideen des Naturrechts und des allgemeinen Wohls deklariert: ». . . die natürlichsten Gesetze sind diejenigen, deren besondere Einrichtung der Verfassung des Volks, für welches sie gemacht werden, am gemäßesten ist . . .« (Art 5); die Aufgabe von Staat und Herrschaft besteht nicht darin, »die Menschen ihrer natürlichen Freiheit zu berauben, sondern ihr Handeln auf die Erlangung der höchsten Glückseligkeit zu lenken« (Art. 13). Doch wenn Katharina auch der Theorie des Naturrechts folgt, bleibt sie in Distanz von den extremen Folgerungen des Rationalismus. Im Sinne der Lehre Montesquieus von den gesetzmäßigen Formen des Staatslebens und vom Einfluß der objektiven Bedingungen eines Landes warnt die »Instruktion« die Repräsentanten der Macht: »Die Gesetzgebung muß sich nach der allgemeinen Denkungsart der Nation richten . . .« (Art. 57). »Um bessere Gesetze einzuführen, ist nötig, daß die Gemüter der Menschen schon dazu vorbereitet sind . . .« (Art. 58). »Es ist eine sehr schlechte Politik, die das durch Gesetze verändern will, was durch Gebräuche verändert werden muß« (Art. 60). Eine solche Ausgangsposition gibt Katharina die Möglichkeit, in Abweichung von Montesquieu, das Prinzip der selbstherrscherlichen Regierung zu begründen und, gestützt auf Montesquieu, einen eingeschränkten Freiheitsbegriff zu formulieren: »Der Herrscher ist autokratisch; denn keine andere als eine nur in dessen Person vereinte Macht kann auf eine der Weitläufigkeit eines so großen Reiches gemäße Weise wirken . . .« (Art. 9). »Die Freiheit (la liberté) ist das Recht, alles das zu tun, was die Gesetze erlauben;

und wenn irgendwo ein Bürger etwas, das die Gesetze verbieten, tun könnte, so würde daselbst schon keine Freiheit mehr sein, weil andre, dasselbe zu tun, gleiche Macht haben würden« (Art. 38). Aber wenn der Herrscher ein autokratischer Monarch ist, wie kann dann der Pervertierung der Monarchie in eine Despotie vorgebeugt werden? Um dies zu erreichen, muß man vor allem das Prinzip einer strengen Gesetzlichkeit sanktionieren, d.h. den Staat vor Äußerungen persönlicher Willkür bewahren und die Gleichheit aller Staatsbürger vor dem Gesetz herstellen (Art. 22–35, 41–44).

Auf diese Weise ignorierte die Autorin der »Instruktion« die Sympathien Montesquieus für den englischen Parlamentarismus, stabilisierte aber mit Hilfe desselben Montesquieu ideologisch die Gesetzmäßigkeit des Absolutismus. Indem sie ihren Gedanken weiterentwickelte, war sie bestrebt, ausgehend von den Prinzipien der Aufklärungsphilosophie, ergänzende Garantien gegen einen schrankenlosen Despotismus zu schaffen. Die erste dieser Garantien, die Montesquieu empfohlen hatte, waren die »vermittelnden Gewalten«, die zwischen dem Monarchen und dem Volke stehen und das Volk »vor willkürlichen Wünschen und ungezähmten Begierden« schützen sollen (Art. 18, 20, 29). Aber wenn sich Montesquieu diese »vermittelnden Gewalten« (les pouvoirs intermediaires) als mehr oder weniger vom Monarchen unabhängige Kräfte (z.B. die Stände des Adels und der Geistlichkeit mit ihren historischen Prärogativen) gedacht hatte, so hatte Katharina vom autokratischen Monarchen geschaffene bürokratische Organe im Blick, »kleine Ausflüsse, nämlich Behörden, durch welche sich die Macht des Herrschers ergießt« (Art. 20). Zwar wahrt Katharina, darin Montesquieu folgend, die ständische Ordnung – die Gliederung der Gesellschaft in einen Adel, der verpflichtet ist, sich von dem Streben nach Tugend und Ehre inspirieren zu lassen, in die Bauern, die »alle übrigen Stände der Menschen ernähren« (»und dies ist ihr Los«, fügt die »Schülerin Voltaires« hinzu), und in einen »mittleren Stand der Menschen«, der sich »mit Künsten, Wissenschaften, der Seefahrt, dem Handel und den Handwerken« beschäftigt. Doch der Inhalt der entsprechenden Kapitel (XV–XVII) sanktioniert lediglich die traditionelle Struktur der russischen Gesellschaft, indem nur äußerst gedämpft die Rechte und Privilegien eines jeden Standes erwähnt werden.

Als weitere Garantie gegen den Despotismus dient die Absonderung der jurisdiktionellen Gewalt von der exekutiven und die damit untrennbar verknüpfte Reform des Gerichtsverfahrens, welche die veralteten feudalen Institutionen liquidiert (Kap. IX). Schließlich erscheint als eine gewisse Garantie gegen den Despotismus in Katharinas Denken das sog. »Vorlagerecht«, entlehnt aus der Praxis des westeuropäischen Lebens: Mittleren Instanzen wird das Recht gewährt, die Aufmerksamkeit des Monarchen darauf zu lenken, »daß diese oder jene Verordnung [d.h. laufende Behördenverfügungen – N. D.] dem Gesetzbuche [d.h. den Grundgesetzen des Staates – N. D.] widerspreche, daß sie schädlich, dunkel und nicht praktikabel sei« (Art. 21).

Ohne sich auf diese allgemeinen Thesen zu beschränken, entwirft die »Instruktion« ein konkretes Programm der Wirtschaftspolitik im Geiste der physiokratischen Lehre: Entschieden tritt Katharina gegen die Erhaltung der Monopole und für die

Freiheit von Handel und Industrie ein, indem sie diese Forderungen mit den Ratschlägen der deutschen Kameralisten zur maximalen Bevölkerungsvermehrung und zur Kolonisation unbewohnter Räume ergänzt (Kap. XII–XIII). Sie ist überzeugt, daß »der Handel sich von denjenigen Orten entfernt, wo man ihn drückt, und sich da niederläßt, wo man seine Ruhe nicht stört« (Art. 317), daß es notwendig ist, die Gründung von Städten als ökonomischer Zentren zu fördern (Art. 385–399), und daß man nicht »diesem oder jenem unter Ausschluß aller übrigen das Betreiben eines Gewerbes gewähren« darf (Art. 590). Mit diesen Postulaten verbunden sind die Bekräftigung der Notwendigkeit einer freien Verfügbarkeit des Eigentums (Art. 343) und der Vorrang, der in voller Übereinstimmung mit Quesnay und seinen Anhängern dem Ackerbau eingeräumt wird: Er ist »die erste und vornehmste Arbeit, wozu die Menschen müssen aufgemuntert werden; die zweite sind Manufakturen aus eigenen Landesprodukten« (Art. 313). Aber auch hier schulmeistern die fortschrittliche Theorie traditionelle und überkommene Vorstellungen vom Nachteil der Maschinen, sofern diese die Zahl der Arbeitenden verringern (Art. 314), und vom Nutzen der Zünfte, sofern diese nicht die Ausbreitung des Handwerks behindern (Art. 400–403).

Das wirtschaftspolitische Programm stellte unausweichlich in den Vordergrund die Bauernfrage, der in einem Lande mit Leibeigenschaft eine besonders hohe Bedeutung zukam. In der ursprünglichen Form der »Instruktion« hatte sich Katharina kühner als in späteren Redaktionen ausgedrückt: Tatsächlich hatte sie hier unter dem Druck der Kritik ihrer titulierten Opponenten »viel verbessert«; sie nahm die Forderung zurück, den Schutz der Leibeigenen vor Gewalttaten zu sanktionieren und den Leibeigenen das Recht auf Vermögensbesitz zu gewähren. Zwar behielt sie eine schroffe Warnung an die Seelenbesitzer bei, wie sie schon einmal in der Anweisung an den Generalprokureur A. A. Vjazemskij angeklungen war: »Die Untertänigkeit mag von einer Art sein, wie sie wolle, so ist nötig, daß die bürgerlichen Gesetze, wie auf der einen Seite den Mißbrauch der Leibeigenschaft abwenden, also auf der andern Seite die Gefahr, welche daraus entstehen könnte, verhüten« (Art. 254). Aber von den konkreten Vorschlägen blieb nicht viel übrig: Ohne äußerste Notwendigkeit »nicht die Menschen in die Unfreiheit zu führen«, »nicht auf einmal und durch ein allgemeines Gesetz vielen Leibeigenen die Freiheit zu schenken« (Art. 260) und »etwas Gutes zu stiften, indem den Leibeigenen ein Eigentum bestimmt wird« (Art. 261).

Bei weitem ausführlicher und entschiedener sprach die »Instruktion« von der Reform der Gerichtsverfassung und des Gerichtsverfahrens. Im Anschluß an Montesquieu und Beccaria erklärte sich Katharina gegen die Anwendung von Folter und Todesstrafe (obwohl sie für Ausnahmefälle die Möglichkeit von Todesurteilen zugestand), sie proklamierte das Prinzip eines »Gerichtes der Gleichen«, sie hielt es für notwendig, die Untersuchungshaft zu beschränken, und empfahl, Garantien für ein unparteiisches und gerechtes Untersuchungsverfahren zu schaffen; sie lehnte die Notwendigkeit qualvoller und grausamer Strafen ab und erklärte, indem sie die Bilanz ihrer Entlehnungen aus der Aufklärungsliteratur zog: »Es ist ungleich besser, den Verbrechen vorzubeugen, als sie zu bestrafen« (Art. 240).

Im Einklang mit diesem zuletzt genannten Prinzip wurde das Kapitel XIV der »Instruktion« dem Problem der Erziehung gewidmet. Obwohl der Inhalt des Kapitels in einer sehr abstrakten Form dargestellt wurde und von einer patriarchalischen Ideologie geprägt war, nahm er seinen Ausgang von einer unumstößlichen grundsätzlichen These im Geiste der Aufklärungsliteratur: »Die Regeln der Erziehung sind die ersten Grundsätze, die uns vorbereiten, gute Bürger zu werden« (Art. 348).

So trug die »Instruktion für die Kommission zur Verfertigung eines neuen Gesetzbuches« einen eigentümlichen Charakter: Sie enthielt eine widersprüchliche Verbindung progressiver bürgerlicher Ideen und konservativer feudaler Anschauungen. Einerseits proklamierte Katharina die fortschrittlichen Wahrheiten der Aufklärungsphilosophie (besonders in den Kapiteln über die Wirtschaft und die Gerichtsreform), andererseits wahrte sie die Selbstherrschaft, die traditionelle Ständeordnung, die Herrschaft des grundbesitzenden Adels und die Leibeigenschaft der Bauern. So sah der unaufhebbare Antagonismus des Programms des »Aufgeklärten Absolutismus« aus: Er stabilisierte den Absolutismus und erhielt die Stützen der Feudalordnung, fügte aber in sie partielle Korrektive ein, wie sie die Entwicklung der kapitalistischen Ordnung gebieterisch verlangte – eine größere Freiheit des wirtschaftlichen Lebens, gewisse Grundlagen einer bürgerlichen Rechtsordnung und den Gedanken von der Notwendigkeit der Aufklärung. Entgegen der Behauptung Nikita Panins war die »Instruktion« weit davon entfernt, »Mauern« einzureißen, aber sie war in die gefällige Form der aufklärerischen Grundsätze gekleidet und verlieh dem Staate eine gewisse Tendenz zur bürgerlichen Monarchie [13]. Die Gesetzbuchkommission von 1767 nahm Katharinas Belehrung mit Ehrerbietung entgegen, aber folgte dann ihrem eigenen Wege der Verteidigung und Stabilisierung der Interessen der einzelnen Stände. Die Instruktionen und die Debatten der Kommission wurden jenen Projekten zugrunde gelegt, die Sonderausschüsse erarbeiteten, und bereiteten das konkrete Material für die fernere Gesetzgebung vor.

Besaß die »Instruktion« eine praktische Bedeutung im Staatsleben? Und welche bürgerlichen Prinzipien fanden in den folgenden grundlegenden Gesetzen Katharinas II. ihre Verwirklichung? Obwohl die »Instruktion« kein positives Recht wurde und in vielem nicht den Meinungen der Deputierten der Kommission entsprach, diente sie nicht nur zur Begründung der früher getroffenen Maßnahmen Katharinas, sondern lag auch der folgenden Gesetzgebung zugrunde. Von ihr aus kann man Verbindungslinien zu allen wichtigeren Gesetzgebungsakten der 60er bis 80er Jahre ziehen. Die Prinzipien des »Aufgeklärten Absolutismus« fanden ihre schnellste und konsequenteste Verwirklichung in den Fragen des wirtschaftlichen Lebens. Schon 1762/63 wurden Ukase herausgegeben, die dem herrschenden System der Monopole einen Schlag versetzten. Am 31. Juli 1762 wurden die Monopole im Teerhandel aufgehoben und die Freiheit im Robben- und Fischfang sowie in der Tabakverarbeitung erklärt; durch dasselbe Gesetz wurde erlaubt, ungehindert Zucker- und Kattunfabriken zu eröffnen. Für den zuletzt genannten Industriezweig wurde eine ausdrückliche Begründung gegeben, die später eine viel weitere Verbreitung erfuhr: Seit 1763 wurde es gestattet, frei Kattununternehmen zu gründen, »damit niemandem in dieser

Tätigkeit auch nur das geringste Hindernis bereitet werde, sondern wer immer aus der Bauernschaft und von sonstigen davon Gebrauch zu machen wünscht, denen allen ist es ungehindert zu erlauben [14]«. Am 23. Oktober desselben Jahres wurde, gestützt auf eine Vorlage, die Katharina bestätigt hatte, ein persönlicher Ukas herausgegeben, durch den »befohlen« wurde, »daß von nun an in Zukunft alle jeglichen Standes, die es wünschen, Fabriken und Betriebe für die in dieser Vorlage verzeichneten Zwecke außerhalb Moskaus, aber auch in den übrigen Städten und Kreisen, bauen und vermehren dürfen [15]« . . . Im folgenden Jahre wurde das Produktionsmonopol für Blattgold und -silber, Papier- und Leinentapeten sowie für Erzeugnisse der Gobelinweberei aufgehoben [16]. Aber eine besonders große Bedeutung erlangten jene Gesetze, die die Freiheit der städtischen Gewerbe erklärten: Am 17. April 1767 wurde angeordnet, »keinerlei Handtätigkeit, mit der sich Stadtbewohner einen unschuldigen Lebensunterhalt erarbeiten können, zu verbieten und alles von sogenannten ukaslosen Fabriken Genommene den Eigentümern wiederzugeben . . .[17]«

Zwei Jahre später, am 30. Oktober 1769, wurde unter Zugrundelegung dieses persönlichen Ukases ein neuer, ausführlicher begründeter herausgegeben: Unter Hinweis auf die Notwendigkeit einer »Vermehrung jeglicher Handarbeit« wurde verordnet, »daß allen jenen, die in ihrem Hause oder wo sie leben, einen oder mehrere Webstühle anschaffen und an ihnen Arbeit leisten wollen, darin keinerlei Behinderung oder Verbot durch wen auch immer zugefügt werden darf« [18]. Das Gesetz beschränkte sich auf die Forderung, daß die Besitzer solcher Unternehmen dem Manufaktur-Kollegium von sich Mitteilung machten und die festgesetzte Kanzleigebühr bezahlten. So wurde der erbitterte Kampf der ohne Ukas gegründeten, vornehmlich bäuerlichen Kleinindustrie für das Recht einer freien Herstellung von Textilerzeugnissen zum Abschluß gebracht.

Nach der Beendigung des Türkenkrieges wurde am 17. März 1775 das Prinzip einer freien Industrie feierlich in einem besonderen Manifest verkündet: die staatlichen Gebühren der industriellen Unternehmen wurden abgeschafft, und angeordnet wurde, »daß niemand irgendwoher gehindert werden darf, frei Werkstätten jeder Art einzurichten und an ihnen Handarbeit jeder Art zu leisten, und daß dazu keine anderen Genehmigungen oder Anordnungen nötig sind« [19]. Auf diese Weise wurden die Prinzipien der »Instruktion«, die eine neue Wirtschaftspolitik verkündet hatten, verwirklicht, wobei sich beispielhaft der innere Zusammenhang zwischen den sich entwickelnden kapitalistischen Verhältnissen und Katharinas Politik des »Aufgeklärten Absolutismus« erwies. Die Gesetze der 60er und 70er Jahre spielten eine große Rolle im Wirtschaftsleben, weil sie dem Wachstum der bäuerlichen Industrie Raum schufen und ihre allmähliche Umwandlung in eine kapitalistische Produktion begünstigten. Sieht man diese offiziellen Maßnahmen im Zusammenhang mit der Bestätigung des Statuts der Freien Ökonomischen Gesellschaft, der systematischen Kolonisation der südlichen Steppengebiete und der Expeditionen der Akademie der Wissenschaften zur Erforschung der natürlichen Ressourcen des Landes, so entfaltet sich vor uns das weite Panorama einer Wirtschaftspolitik, die mit dem Merkantilismus gebrochen hatte und die schon früher sich abzeichnende Tendenz einer Förderung des freien Unternehmertums weiterentwickelte.

Es konnte jedoch keine echte Freiheit des wirtschaftlichen Lebens existieren, solange die Leibeigenschaft weiterhin bestand und sich sogar verschärfte. Die bürgerlichen Tendenzen der »Instruktion« auf dem Gebiete der Wirtschaftspolitik kollidierten mit der Bauernfrage, die die »Schülerin Voltaires« in ihren theoretischen Überlegungen nur beiläufig und zaghaft gestreift hatte. Und hier fanden die inneren Widersprüche des ursprünglichen Programms Katharinas ihre vollständige Entsprechung in ihrer weiteren praktischen Politik. Zwar stellte sie 1766 anonym der Freien Ökonomischen Gesellschaft die Preisfrage nach der Zweckmäßigkeit, den Gutsbauern das Recht auf bewegliches Eigentum und Grundbesitz zu gewährleisten. Die von Russen und Ausländern auf diese Frage präsentierten Antworten, insbesondere der Traktat von A. J. Polenov, offenbarten die ganze Schärfe und Wichtigkeit des aufgeworfenen Problems. Aber der geschlossene Widerstand der Gutsherren verhinderte eine Erörterung dieser Frage. Ebenso ergebnislos verhallten die kritischen Reden der Kommissionsdeputierten Korob'in und Kozel'skij im Jahre 1767. Indem Katharina den Boden der bestehenden Feudalverhältnisse nicht verließ, kapitulierte sie schnell vor der reaktionären Opposition des Adels.

Die einzige große Maßnahme, die dem Bauerntum in der Periode des »Aufgeklärten Absolutismus« half, war die Säkularisation der Kirchengüter. Nachdem die Regierung ungefähr eine Million Leibeigene dem Synod, den Klöstern, Kirchen und Erzpriesterhäusern genommen hatte, teilte sie den Bauern die kirchlichen Ländereien zu und stellte ihre Leistung auf den Geldzins um. Das war eine offensichtliche Erleichterung, die günstige Voraussetzungen für eine soziale Differenzierung des Dorfes und für die Entstehung einer bäuerlichen Bourgeoisie schuf. Aber diese Maßnahme war schon in den vorangegangenen Jahrzehnten vorbereitet worden und hatte sich aus der bereits früher erreichten Unterordnung der Kirche unter den Staat ergeben. Eine gewisse Bedeutung hatte Katharinas Politik im Hinblick auf die Staatsbauern. Trotz der hartnäckigen Forderung der Aristokratie, alle besiedelten Staatsländereien an die Gutsbesitzer zu verteilen, erhielt Katharina den Status der »freien ländlichen Bewohner« und beschränkte sich auf sporadische, wenn auch große Schenkungen von Staatsbauern an Privatbesitzer, insbesondere in den ehemaligen polnischen Gebieten. Dem livländischen Adel »riet« sie, sich überhöhter Abgaben zu enthalten und die bäuerlichen Verpflichtungen genau zu regeln. Einen schwankenden Charakter trug die Politik der Regierung im Süden in den vor kurzer Zeit der Türkei entrissenen Landstrichen. Da die Regierung eine schnellere Kolonisation der menschenleeren Steppenregionen wünschte, ergriff sie keine harten Maßnahmen gegen die Massenflucht leibeigener Bauern in diese Gebiete. Doch unter dem Druck des Adels untersagte sie die freien Wanderungen der Bauern in der Ukraine und im Bezirk des Donheeres.

Den schwachen Versuchen, die Lage der Bauernschaft zu erleichtern, standen die grausame Unterdrückung der unaufhörlichen Unruhen der Leibeigenen, die Ausdehnung der Rechte der Seelenbesitzer auf das »getaufte Eigentum« und die Vergabe von 400000 Staatsbauern in private Hände gegenüber. Durch den Gebrauch seiner Macht errang der Adel nahezu unbegrenzte Vollmachten in der Behandlung seiner

Leibeigenen, und in den südlichen Gouvernements machte das Verbot der Freizügigkeit die freien Siedler, die gemäß der Revision Gutsbesitzern überschrieben wurden, zu ebensolchen rechtlosen Sklaven, wie sie die in Privatbesitz befindlichen Bauern der zentralen Gouvernements schon waren.

Vom Ende der 60er bis zur Mitte der 70er Jahre wurde Katharina durch den russisch-türkischen Krieg und die komplizierten diplomatischen Schritte in der polnischen Frage von der weiteren Verwirklichung der »Instruktion« abgelenkt. In diese Zeit fielen neue Eruptionen eines Massenprotestes, von denen die größten der »Pestaufstand« von 1771 und vor allem der Bauernkrieg unter der Führung von E. I. Pugačev waren. Der Aufstand der Uralkosaken, die Unruhen in Baschkirien, der Kampf der Bergarbeiter im Ural, die Bewegung Pugačevs in Richtung Moskau, seine revolutionären Ukase, die dem Volke Land und Freiheit versprachen, zwangen die »Schülerin Voltaires« erneut, in aller Schärfe die Gefahren zu empfinden, die im inneren Zustand des Reiches verborgen lagen. Katharina, über die Ereignisse in Westeuropa sinnierend und sie mit dem, was man in Rußland erlebt hatte, vergleichend, schrieb 1780 freimütig an einen ihrer Vertrauten, den Grafen I. Černyšev:

»Maintenant toutes les puissances sont dans leurs crises! Elles éprouvent alternativement ces convulsions passagères, qui ébranlent, renversent, ou élèvent les empires. Buffon a prédit qu'un jour une comète devait dans sa course accrocher et entraîner notre globe! Je crois qu'elle sera dirigée de l'occident à l'orient[20].« Bei der Verwendung der Metapher vom Kometen dachte Katharina bei weitem mehr an irdische als an kosmische Gefahren. Nach der erzwungenen Unterbrechung gab sich Katharina von neuem ihrer Neigung zur »Legislomanie« hin, bestrebt, kraft unbegrenzter Herrschaftsgewalt die Untertanen mit eigenhändig abgefaßten Gesetzen zu beglükken. Die soeben erlebten stürmischen Ereignisse, die sie um die Unversehrtheit des Thrones hatten fürchten lassen, warfen erneut das Problem einer regionalen Verwaltungsreform auf. Waren die staatlichen Zentralbehörden allmählich und nahezu unbemerkt zum Zwecke einer Stärkung des Absolutismus umgestaltet worden, hatte sich der Senat endgültig in ein ohnmächtiges Exekutivorgan verwandelt und waren schließlich der Generalprokureur und die Leiter der wichtigen Kollegien zu gehorsamen Werkzeugen der Autokratie geworden, so herrschte in den ausgedehnten Räumen der großen nachpetrinischen Gouvernements eine andere Situation. Vom Standpunkt der Theorie des »Aufgeklärten Absolutismus« aus war es erforderlich, die durch die Ukase der vorangegangenen Periode zerrütteten regionalen Institutionen in Ordnung zu bringen, zu erneuern und vollständig der monarchischen Gewalt unterzuordnen. Diesmal beschränkte sich die Kaiserin nicht auf die Grundprinzipien der »Instruktion«, auf die Materialien der Kommission von 1767 und auf die vorliegenden Projekte und Informationen von der petrinischen Reform des Jahres 1719. Sie beschäftigte sich verstärkt mit dem Studium des rechtswissenschaftlichen Werkes von Blackstone, des konservativen Interpreten der englischen Institutionen, und eigenhändig verfaßte sie das Projekt einer Verordnung zur Verwaltung der Gouvernements, das 1775 Gesetzeskraft erlangte[21]. Zweifellos ging Katharina beim Entwurf dieses Reformwerkes wie früher von Montesquieus Theorie der »vermittelnden

Gewalten« aus, die vom Monarchen abhängen, ihn aber hindern sollen, ein Despot zu werden. Der Darlegung der Artikel des Gesetzes schickte sie eine prinzipielle Begründung des »allgemeinen Wohles«, der »Ausbreitung einer wahren Rechtspflege« und der »Gesundung der Sitten« voraus. Einerseits zentralisierte das Gesetz von 1775 die lokale Verwaltung, indem es die Zahl der Gouvernements und Kreise auf Grund eines rationalen statistischen Prinzips erhöhte und dem Statthalter (Generalgouverneur), der unmittelbar dem Kaiser untergeordnet wurde, eine umfassende persönliche Macht verlieh, die nicht durch die Ansichten eines kollegialen Organs wie der Gouvernementsregierung eingeschränkt werden konnte. Andererseits lagen der Verordnung über die Gouvernementsverwaltung von 1775 die Ideen der Aufklärung des 18. Jahrhunderts zugrunde: Die Wählbarkeit des Gerichts und seine Trennung von der Administration wurden eingeführt, ihm wurde der Charakter eines ständischen »Gerichtes der Gleichen« verliehen, und es wurden die ersten Grundlagen einer künftigen ständischen Selbstverwaltung geschaffen. Neben einem dreistufigen System durch Wahl zu besetzender Gerichts- und Ständeinstitutionen in den Gouvernements wurde ein Gewissensgericht aus Vertretern der drei Stände – des Adels, der Stadtbewohner und der Staatsbauern – geschaffen, das die Funktionen einer schlichtenden oder schiedsgerichtlichen Instanz in weniger wichtigen Angelegenheiten erfüllte (gemäß Art. 133 der »Instruktion«). Bei diesem Gericht konnte nämlich jeder länger als drei Tage Inhaftierte, der von der Ursache seiner Arrestierung nicht unterrichtet und keinem Verhör unterzogen worden war, Klage einreichen, und wenn er nicht unter dem Verdacht eines schweren Verbrechens stand, so wurde er gegen Bürgschaft freigelassen (ein Versuch, die englische Garantie der Unantastbarkeit des Persönlichkeitsrechts zu entlehnen). Noch stärker spürt man den Einfluß der Ideen der Aufklärung in der Gründung eines »Kollegiums der allgemeinen Fürsorge« in den Gouvernements, das sich gleichfalls aus gewählten Vertretern der drei Stände zusammensetzte und verpflichtet war, der Bevölkerung beim Bau und bei der Unterhaltung von Schulen, Spitälern, Altenpflegeheimen, Waisen- und Arbeitshäusern zu helfen. Der Generalgouverneur erhielt gemeinsam mit dem Gerichts- und dem Kameralhof sowie der Gouvernementsregierung das »Recht der Vorlage« an den Senat für den Fall, daß man Mängel eines kürzlich erlassenen Gesetzes bemerkte. Unter dem starken Einfluß der Adelsinstruktionen wurde die lokale Kreisverwaltung einem vom Adel gewählten Kreishauptmann und dessen Beisitzern übertragen. Katharina verleugnete nicht ihre eigene »Instruktion« (und auch nicht Montesquieus Auffassung), als sie das Übergewicht in der lokalen Verwaltung dem adligen Stande zuteil werden ließ. Bäuerliche Kreisgerichte, die sog. Niedere Rechtspflege, ließ das Gesetz nur nach dem Ermessen des Generalgouverneurs zu. In diesem Punkte offenbarte sich kraß die Benachteiligung des untersten Standes der Bauernschaft im Vergleich zum Adel und zu den Stadtbewohnern.

In dem Bemühen, konsequenter und umfassender die Idee der »vermittelnden Gewalten« zu verwirklichen, ihnen eine gewisse Selbständigkeit zu sichern und realere Garantien für eine »aufgeklärte Monarchie« zu schaffen, begann Katharina an Gnadenurkunden für die drei Stände – den Adel, die Städte und die Staatsbauern –

zu arbeiten. Auch hier ging sie von den Thesen der »Instruktion« aus, in der sie im Anschluß an Montesquieu die beherrschende Rolle eines vom Gefühl der Ehre beseelten Adels formuliert hatte. In der erhaltenen Handschrift der unvollendeten Urkunde an die Bauernschaft verweist sie auf die Werke der Experten des englischen Rechtes, Blackstone und de Lolme, die ihr als Handbücher bei ihrer Arbeit dienten. Mit nicht geringerer Berechtigung kann man als besonders wichtige Quelle ihrer neuen Projekte die ausgeprägten Traditionen des Adelsstaates, die führende Rolle des Adelsstandes, die sich unter ihrer Herrschaft noch verstärkt hatte, und den Einfluß des »Projektes eines Adelsrechtes«, das einer der Sonderausschüsse der Kommission 1767 vorbereitet hatte, betrachten.

Die Urkunden für den Adel und die Städte wurden 1785 vollendet und in der Form von Gesetzen veröffentlicht[22]. Die Gnadenurkunde für den Adel kodifizierte und erweiterte sogar, verglichen mit dem Text der »Instruktion«, die persönlichen Rechte und Privilegien des ersten Standes. Feierlich bestätigte das Gesetz jedem Angehörigen des Erbadels die Unverlierbarkeit seines Standestitels (dieser konnte nur für bestimmte Verbrechen durch Gerichtsurteil aberkannt werden), die Freiheit von der Dienstpflicht, von staatlichen Steuern und von der Körperstrafe, das Eigentumsrecht auf bewegliches und unbewegliches Vermögen, das Recht, nur von »Gleichen« (d.h. Vertretern desselben Standes) gerichtet zu werden, schließlich ausführlich formulierte ökonomische Rechte. Hatte Katharina in der »Instruktion« noch geschwankt, ob man dem Adel ein uneingeschränktes Recht auf Handel gewähren sollte (Art. 330–333), so sprach sie sich in der Gnadenurkunde kategorisch für das Recht eines jeden Edelmannes aus, »einen Groß- und Außenhandel zu betreiben«, »Fabriken, Manufakturen und Betriebe jeder Art zu gründen« (Art. 32). Hatte sie in der »Instruktion« davon gesprochen, daß es wünschenswert sei, die Geldabgaben der leibeigenen Bauern zu regulieren (Art. 269–270), so fügte sie in die Gnadenurkunde keinerlei Einschränkungen des adligen Besitzrechtes ein, d.h. sie sanktionierte die absolute Willkür der Gutsherren auf dem Lande.

Doch indem Katharina »auf ewige Zeiten den erblichen Geschlechtern des russischen wohlgeborenen Adels Freiheit und Ungebundenheit« bestätigte (Art. 17), weigerte sie sich zugleich, vor der aristokratischen Opposition, die besonders energisch durch den Fürsten M. M. Ščerbatov vertreten wurde, zu kapitulieren. Sie erhielt das petrinische Recht des persönlichen Erdienens und ließ in das Geschlechterbuch der Statthalterschaft alle Oberoffiziere und zivilen Beamten gemäß der Rangtabelle eintragen. Auf diese Weise behauptete das bürokratische Prinzip der Beförderung auf Grund des Dienstes, das seit jeher als Stütze des Absolutismus fungiert hatte, die gleiche Bedeutung wie die Prinzipien der adligen Herkunft und der persönlichen Auszeichnung durch den Monarchen. Dafür wurden die »Wohlgeborenen« durch Katharina mit Zins und Zinseszins entschädigt, indem sie mit dem Gesetz umfassende korporative Rechte verliehen bekamen: Die Adelsgesellschaft jedes Kreises und jedes Gouvernements (die schon im Gesetz von 1775 als juristische Person anerkannt worden war) wurde endgültig sanktioniert und sicherte sich das Recht, sich turnusmäßig zu versammeln, die Adelsmarschälle und die Mitglieder der Kreis- und

Gouvernementsbehörden zu wählen, ihre eigene personale Zusammensetzung zu kontrollieren, ihre eigene Kasse zu führen sowie Eingaben und Klagen nicht nur beim Generalgouverneur, sondern auch beim Senat und beim Monarchen selbst einzureichen. Trotz dieser ausgedehnten Privilegien vergaß es Katharina nicht, eine ganze Reihe von Punkten über die Vollmachten des Generalgouverneurs zur Beaufsichtigung, Überprüfung und Bestätigung der Entscheidungen der Adelsversammlung in die Gnadenurkunde einzufügen (Art. 38, 39, 41, 43, 44, 46). Die Gouvernementsanwälte als die Gesetzeshüter beauftragte sie, Strafanträge zu stellen und die »Liquidierung unvernünftiger Forderungen« der Adelsversammlungen anzustreben. So wurde wie in der »Instruktion« die absolute Gewalt des Monarchen und seiner bevollmächtigten lokalen Organe den Prärogativen des herrschenden Standes übergeordnet.

Nach demselben Muster wurde die Urkunde über die Rechte und Vergünstigungen der Städte des russischen Reiches konzipiert. Obwohl unter die »Stadtbewohner« alle Eigentümer von Land und Häusern, eingeschlossen die Adligen, gerechnet wurden, verstand man als Hauptkategorien der städtischen Bevölkerung – in voller Übereinstimmung mit der in der »Instruktion« gegebenen Charakteristik – die Kaufleute und die Handwerker. Ähnlich den Adligen erhielten die Vertreter des »mittleren Standes der Menschen« (die Bürger) persönliche und korporative Rechte – die erbliche Unverlierbarkeit des ständischen Titels, die Unantastbarkeit und freie Verfügung über das Eigentum, die Freiheit der industriellen Betätigung. Aus der Gesamtheit der Stadtbewohner hob man die in Gilden eingeschriebenen und schon besonders privilegierten Handelsleute heraus, indem sie das Recht, sich von der Wehrpflicht loszukaufen, und die Freiheit vom Staatsdienst gewährt bekamen. Außerdem wurden Kaufleute der Ersten und der Zweiten Gilde sowie angesehene Bürger der Stadt (Gelehrte, Künstler, Bankiers, Großkaufleute usw.) von Körperstrafen befreit. Eine besondere Kategorie bildeten die Zunfthandwerker, die aus anderen Städten stammenden Kaufleute und industriellen Unternehmer. Die städtische Gesellschaft wurde wie die adlige als juristische Person mit verliehenen korporativen Rechten betrachtet. Sie hatte das Recht, ihre Bedürfnisse zu erörtern und ihnen Genüge zu leisten, einen Stadtältesten sowie Vertreter in die Gerichte zu wählen, die durch das Gesetz von 1775 geschaffen worden waren. Verbindender Mittelpunkt der städtischen Selbstverwaltung wurde die »allgemeine Duma« der Stadt aus Deputierten aller Kategorien der städtischen Gesellschaft. Sie besaß als Exekutivorgan eine sechsköpfige Duma, gebildet aus Deputierten aller sechs Gruppen der Stadtbevölkerung – der Besitzbürger, der Gilden, der Zünfte, der Fernkaufleute aus anderen Städten und aus dem Ausland, der angesehenen Stadtbewohner sowie der Posadbewohner (unter diesen verstand man die in der Stadt Alteingesessenen, die sich mit Handwerk und Gewerbe beschäftigten und die nicht zu einer der übrigen Kategorien der Stadtbevölkerung gerechnet wurden). Besondere Handwerksämter mit Ältesten an der Spitze führten die Tätigkeit der Zünfte. Aber auch hier erhob sich über den städtischen Korporationen die Macht des Generalgouverneurs, von dem abhing, Versammlungen der Stadtbewohner zu erlauben oder zu verbieten, gewählte Vertreter zu bestätigen und »eine Vorlage zu unterbreiten«, welcher die städtische Gesellschaft »Achtung« zu erweisen hatte und auf die »geziemende Antworten« zu geben, »die sowohl mit den Verordnungen als auch mit dem allgemeinen Wohl harmonieren«, sie verpflichtet war (Art. 38). Das Stadtgesetz von 1785 ging in seinen Ursprüngen auf die petrinische Gesetzgebung zurück, und indem es den Artikeln der »Instruktion« über die Städte entsprach, wurde es der Forderung gerecht, die Wähler und Deputierte der Gesetzeskommission erhoben hatten: den Kaufleuten und Industriellen Selbstverwaltung zu gewähren. Ohne den feudal-ständischen Standpunkt zu verlassen, bedeutete das Gesetz einen Schritt nach vorn zu bürgerlichen Verhältnissen hin: Mehrfach wurde nachdrücklich das Recht der Stadtbewohner wiederholt, »Tätigkeiten jeglicher Art ohne eine andere Erlaubnis oder Anweisung dafür auszuüben« (Art. 90), Industrieunternehmen, See- und Binnenschiffe zu bauen und zu unterhalten usw. Das Gesetz erhielt die Besonderheiten der Gilden und Zünfte, gewährte aber gleichzeitig den »Kreisbewohnern« (d.h. den auf dem Lande Lebenden) das Recht, »frei und sicher ihre landwirtschaftlichen Erzeugnisse, Handarbeitsprodukte und Waren in die Stadt zu bringen und das für sie Erforderliche ungehindert aus der Stadt hinauszubringen« (Art. 24). Diese Anordnung versetzte den Monopolen und der ständischen Abgeschlossenheit der Stadtbewohner einen deutlichen Schlag und entsprach den allgemeinen Prinzipien der Freiheit des Wirtschaftslebens.

Gleichzeitig mit der Vorbereitung des Stadtgesetzes konzipierte Katharina 1785 den Entwurf eines Landgesetzes, das aber nicht die Guts-, sondern die Staatsbauern im Blick hatte, die formal ihre rechtliche Freiheit bewahrt hatten. Der Text dieser dritten Urkunde wurde von denselben Erwägungen über das Wesen der Freiheit, über die Ernennung einer gewählten Vertretung und über die »politische Körperschaft« geleitet, die die Kaiserin bei der Organisierung der anderen sich selbst verwaltenden Stände inspiriert hatten, welche als »vermittelnde Gewalten« der wahren Monarchie berufen worden waren. Das Projekt der Urkunde wurde nach demselben formalen Plan geschaffen: Es teilte die Bevölkerung der Staatsgüter in sechs Kategorien (Land- und Hausbesitzer, Kapitaleigner, Handwerker, Neusiedler, Leute, die wiederholt Wahlämter ausgeübt hatten, und alle übrigen). Den »Landbewohnern« wurden persönliche Rechte zuerkannt – die Unverlierbarkeit des freien Standes, das Recht auf Eigentum, das Recht, ungesetzliche Abgaben und Dienstleistungen zu verweigern, und besondere Privilegien der »Artikelbauern«, d.h. der wohlhabenden Schicht des Dorfes. Neben den persönlichen Rechten wurden diesen korporative Rechte verliehen: Hier wurde auch die ländliche Gesellschaft als juristische Person betrachtet, die ihre Bedürfnisse erörtern und Exekutiv- wie Gerichtsorgane durch Wahl besetzen dürfe. Das Projekt des »Landgesetzes« entwickelte die Gesetzesartikel von 1775 über die bäuerlichen Gerichtsorgane weiter und unterstrich nochmals das Recht der Bauern, sich selbständig mit Handel und Industrie zu beschäftigen[23]. Obwohl Katharina der Tradition, die sich eingebürgert hatte, und den früher proklamierten Prinzipien der »Instruktion« folgte, führte sie die begonnene Arbeit doch nicht zum Abschluß; offenkundig erwies sich der Widerstand des herrschenden Adels stärker als die Prinzipien des »Aufgeklärten Absolutismus«: Die Besitzer leibeigener Seelen wußten gut, welchen aufreizenden Einfluß der verhältnismäßig freie

Status der Staatsbauern auf die rechtlose Bevölkerung der Gutsbesitzerländereien ausübte. Eine Reglementierung des Lebens der Staatsbauern und eine offizielle Anerkennung einer bäuerlichen Selbstverwaltung wurden erst zwei Jahre später für die Ländereien der Statthalterschaft von Ekaterinoslav kodifiziert, wo sich die Kolonisations- und Kuratorenpolitik Potemkins breit entfaltete[24].

Mit den Gnadenurkunden von 1785 ging Katharina noch ein wenig über das Prinzip ihrer eigenen »Instruktion« hinaus: In dem Wunsche, die Despotie in eine »wahre Monarchie« umzugestalten, erkannte sie als »vermittelnde Gewalten« zwischen dem Monarchen und dem Volke die oberen Stände an – den Adel und die städtische Bourgeoisie. Doch nachdem sie deren ständische Privilegien rechtlich kodifiziert und ausgeweitet hatte, errichtete sie über ihnen wie früher die beaufsichtigende und gängelnde Macht der Funktionsträger des Absolutismus.

Das letzte Rechtskraft erlangende Gesetz, das das Programm der großen »Instruktion« verwirklichen sollte, war das »Statut für die Volksschulen im Russischen Reich« vom Jahre 1786[25]. Es hatte seine Vorläufer in der Aufklärungsdeklaration von 1764[26], in der Gründung eines Erziehungshauses für Findelkinder, in der Einrichtung des Smol'nyj-Institutes für adlige Mädchen und in anderen separaten Maßnahmen, die mit der Hilfe I. I. Beckijs die pädagogischen Prinzipien des »Aufgeklärten Absolutismus« verkörperten. 1786 wurde unter Mitwirkung des österreichischen Pädagogen serbischer Herkunft Janković de Mirievo das Gesetz, das in Rußland die allgemeine Schulbildung einführte, konzipiert und sanktioniert. Dem Statut zufolge wurde angeordnet, in jeder Gouvernementsstadt eine vierklassige Hauptvolksschule und in jeder Kreisstadt nach dem Ermessen der Behörde für die öffentliche Fürsorge eine zweiklassige kleine Volksschule zu gründen. Der Unterricht in beiden Lehranstalten wurde für kostenlos und freiwillig erklärt. Die Lehrpläne der projektierten Schulen waren umfangmäßig genug. In den Hauptschulen wurde neben Lesen, Schreiben und Rechnen allgemeine Geschichte, allgemeine und Geographie Rußlands, Anfangsgründe der Geometrie, Physik und Naturkunde, russische Grammatik sowie in praktischen Übungen das Verfassen von Briefen und Buchhaltung gelehrt. Für jene, die ihre Bildung in Gymnasien oder Universitäten fortzusetzen wünschten, mußten Latein und eine Fremdsprache unterrichtet werden. Die kleinen Schulen wiederholten die Lehrpläne der zwei ersten Klassen der Hauptschulen: Die Schüler wurden hier im Lesen, im Schreiben, in den Grundregeln der Grammatik, in Reinschrift, Zeichnen und Katechese unterrichtet. Eine besondere Zeit wurde der Lektüre des Buches »Über die Pflichten des Menschen und Staatsbürgers« zugewiesen. Zum Zeitpunkt der Inkraftsetzung des Statuts wurden auf Staatskosten speziell vorbereitete Lehrbücher und methodische Leitfäden für die Lehrer herausgegeben. An den Hauptschulen wurden Bibliotheken, »bestehend aus verschiedenen ausländischen und russischen Büchern«, geschaffen, »eine Sammlung natürlicher Dinge aus allen drei Reichen der Natur« sowie eine »Sammlung von geometrischen Körpern, von mathematischen und physikalischen Instrumenten, von Zeichnungen und Modellen oder Mustern zur Erläuterung der Architektur oder der Mechanik« (Art. 15–17). In den Richtlinien für die Lehrer wurde eindringlich geraten, daß sie nicht

»die Kinder armer Eltern vernachlässigen dürfen, sondern immer im Gedächtnis haben müssen, daß sie Mitglieder für die Gesellschaft vorbereiten«; die Lehrer sollten nicht nur unterrichten, sondern die Schüler erziehen, indem sie ihnen Beispiele »für Sittlichkeit, Freundlichkeit, Höflichkeit und Fleiß« geben und alles vermeiden sollten, »was Versuchung verursachen oder Anlaß für Aberglauben bieten kann« (Art. 34). Das Gesetz regte die Gründung von Schulen in Privathäusern und die kostenlose Verbreitung von Büchern an. Die Volksschulen eines jeden Gouvernements erhielten einen besonderen Direktor, der vom Generalgouverneur ernannt wurde, wenn er der Anforderung entsprach, ein Freund »der Wissenschaften, der Ordnung und der Tugend« zu sein, wohlwollend »gegenüber der Jugend und den Wert der Erziehung kennend« (Art. 69). Für alle Schulen wurde als leitende Behörde eine Hauptschulverwaltung in der Hauptstadt errichtet.

In Übereinstimmung mit dem sozialen und dem politischen Programm des adligen Absolutismus machte das Statut von 1786 den Generalgouverneur zum Kurator der Volksschulen, der verpflichtet wurde, persönlich über dem Unterricht zu wachen, und untersagte den Lehrern, vom Inhalt der eingeführten staatlichen Lehrbücher abzuweichen. Mit keinem Wort erwähnte das Gesetz die Notwendigkeit eines Unterrichtes für die Gutsbauern, um den Gedanken der Fürstin Daškova (und sogar Katharinas selbst), daß die Bildung ihre Befreiung vorbereiten müsse, zu verwirklichen. Lediglich in einem Paragraphen des Statutes wurde der Kurator angewiesen, sich um die Ausbreitung von Schulen »nicht nur in den Kreisstädten, sondern auch in anderen Siedlungen, sofern die Mittel ihm das erlauben«, zu bemühen (Art. 64).

Mit diesem Versuch, die Grundlagen zu einer breiten Volksbildung zu schaffen, muß man auch andere kulturelle Maßnahmen Katharinas, die sich aus dem Programm des »Aufgeklärten Absolutismus« ergaben, in Zusammenhang bringen: Die Einrichtung einer besonderen Russischen Akademie für das Studium der Sprache und der Literatur bei der Akademie der Wissenschaften, die Erweiterung der Akademie der Künste, die Gründung der Ermitage beim Hofe, die Berufung russischer und ausländischer Architekten für die Errichtung künstlerischer Bauten, insbesondere von Palästen, u.a.m. Während der Ausführung ihres Programmes trat Katharina selbst als anonymer satirischer Publizist und Autor literarischer Werke auf, die zum Kampfe gegen Scheinheiligkeit, Aberglauben und im Zusammenhang damit gegen die Feinde des Absolutismus aufriefen.

Das Statut für die Volksschulen wurde das letzte große Gesetz, das in sich das Programm des »Aufgeklärten Absolutismus« verkörperte. Drei Jahre später begann die Französische Revolution, die Katharina II. in das Lager der offenen, bedingungslosen Reaktion zurückwarf. Indem sie den Gang der Ereignisse verfolgte, empörte sie sich über die Handlungen der »1200köpfigen Hydra«, regte sie sich auf über die Nachgiebigkeit Ludwigs XVI., entrüstete sie sich über das Zaudern der Emigranten. Im Februar 1790 schrieb sie an Grimm: »Comme ignorant fait et parfait, je ne fais que des questions, voyant renverser tout ce à quoi du commencement et au milieu de ce siècle l'esprit était attaché et dont l'on faisait des règles et des principes, sans lesquels cependant l'on ne vit que du jour à la journée.« Von den revolutionären

Ereignissen empörte sie am meisten die Aufhebung der Adelsprivilegien – die »Zerstörung« des Adels (la destruction de la noblesse). ». . . quoi? ce que les familles ont acquis par leurs travaux, par leurs services, on le leur ôte? Et pourquoi, s'il vous plait, ôter aux gens l'honneur et le profit? quel sera donc l'aiguillon qui les fera aller? ils doivent tous rester dans obscurité[27].«

War Katharina früher von Voltaire und Montesquieu entzückt gewesen, hatte aber eine Antipathie gegenüber Rousseau empfunden, hatte sie mit Diderot und d'Alembert über Probleme der äußeren und inneren Politik gestritten, so beginnt sich jetzt Schritt für Schritt ihr Verhältnis zur französischen Aufklärung zu verändern. Anfangs verteidigt sie noch die französischen Inspiratoren der »Instruktion«, indem sie diese den radikaleren Anhängern aufklärerischer Ideen des 18. Jahrhunderts gegenüberstellt. Zur Zeit des Konventes, nach der Proklamation der Republik und der Hinrichtung des Königs, urteilt sie schon anders. In einem Brief an Grimm vom 11. Februar 1794 schreibt sie voller Empörung freimütig: »Or, vous avez raison de n'avoir jamais voulu être compté parmi les illuminats, illuminés, ni philosophes, car tout cela ne vise, comme l'expérience le prouve, qu'à détruire. Mais ils ont beau dire et faire, le monde ne manquera jamais de maître, et encore vaut-il mieux le déraisonnement momentané d'un que le déraisonnement de beaucoup, qui met une vingtaine de millions d'hommes en fureur pour le mot de liberté, dont ils n'ont pas même l'ombre, et après lequel ces insensés courent sans jamais l'acquérir.« Katharina richtete alle ihre Hoffnungen darauf, daß ein machtsüchtiger »Cäsar«, ein grausamer Diktator, erscheinen wird, um alle Exzesse des empörten Pöbels niederzuschlagen: »Quand viendra ce César? Oh! il viendra, gardez-vous d'en douter. Il s'en présentera[28].«

Katharina fürchtete nicht so sehr die entfernten Geschehnisse in Frankreich als vielmehr den machtvollen Einfluß der Revolutionen auf die Geister und das Handeln innerhalb der Grenzen ihres eigenen Reiches. Sie beeilt sich, mit Polen Schluß zu machen, diesem »revolutionären Nest«, das in sich eine drohende Gefahr birgt. In Schlüsselburg kerkert sie den friedlichen Aufklärer N. I. Novikov ein, da sie die Freimaurerorganisationen zerstörerischer Pläne gegen ihre Macht verdächtigt; sie schickt den revolutionären Denker A. N. Radiščev in die sibirische Verbannung, weil sie seine »Reise von Petersburg nach Moskau« für gefährlicher als den Aufstand Pugačevs erachtet. Sie weiß von dem sympathisierenden Echo auf die französischen Ereignisse in den verschiedenen Teilen Rußlands und ergreift brutale Maßnahmen, um eine undurchdringliche Mauer zwischen dem aufständischen revolutionären Frankreich und dem autokratischen Rußland zu errichten. Kurz vor ihrem Tode teilt sie Grimm mit, daß eine russische Armee von 60000 Mann unter der Führung Suvorovs bereit sei, ins Feld zu ziehen, um Deutschland vor dem Vordringen der Französischen Revolution zu retten[29]. So wurde im Bewußtsein der »Schülerin Voltaires« das politische System des »Aufgeklärten Absolutismus« begraben.

Es existiert eine Meinung, derzufolge nach dem terroristischen Regime Pauls I. die Politik des »Aufgeklärten Absolutismus« zu Beginn des 19. Jahrhunderts wiederaufgelebt sei. Tatsächlich verkündete Alexander I. nach dem Zarenmord vom 11. März

1801 feierlich, daß er das Land »gemäß den Gesetzen und nach dem Herzen ... der augusteischen Großmutter« regieren werde; er stellte die aufgehobenen Gesetze Katharinas wieder her, sprach von seiner Sympathie für die Ideen (aber nicht für die »Verbrechen«!) der Französischen Revolution, milderte die Zensur und bemühte sich, die Bildungspläne der 60er bis 80er Jahre des 18. Jahrhunderts weiterzuentwickeln.

Es besteht keinerlei Zweifel, daß Alexander I. bis zum Jahre 1820 den Einfluß der Französischen Revolution um sich her nicht weniger deutlich spürte als Katharina. Unter den Bedingungen eines weiterentwickelten wirtschaftlichen Lebens und komplizierterer gesellschaftlicher Verhältnisse in Rußland erkannte er gut die Gefährlichkeit der inneren Situation des Landes: Sowohl im Inoffiziellen Komitee als auch in den Unterhaltungen mit Speranskij suchte er einen Ausweg aus der entstandenen Lage, die eine nahe soziale und politische Krise in sich barg. Die Gesetze von 1801 über die Aufhebung des adligen Monopols auf sogenannte »unbesiedelte Ländereien« (ohne leibeigene Bauern) und noch mehr das Gesetz von 1803 über die freien Ackerbauern waren Symptome der neuen Schritte des Reiches hin zur bürgerlichen Monarchie. Projekte über die Aufhebung der Leibeigenschaft, die auf Befehl des Selbstherrschers oder unabhängig von seinem Willen konzipiert wurden, gingen fast ununterbrochen im Kabinett Alexanders I. ein. Doch alle diese Versuche waren schon nicht mehr eine Politik des »Aufgeklärten Absolutismus«. Wie in Westeuropa war auch in Rußland nach der Französischen Revolution das Leben weit vorangeschritten, weg von den gemäßigten Ansichten Voltaires und Montesquieus, vom Glauben an den unüberwindlichen Einfluß vernünftiger Gesetze, von der Zuversicht auf die erlösende Macht der traditionellen Autokratie. In seinen Plänen aus dieser Periode – und teilweise auch in seinen Gesetzgebungsakten – war Alexander I. gezwungen, über die Anschauungen Katharinas hinauszugehen. Die Konstitutionen, die Finnland und Polen gewährt wurden, ebenso der vom Kaiser gebilligte Staatsplan Speranskijs von 1809 oder der spätere Entwurf einer repräsentativen Monarchie, den Novosil'cev konzipierte, bezeugten offenkundig das Abrücken von der Politik der »augusteischen Großmutter«. Solange Alexander I. noch nicht die Heilige Allianz der Herrscher geschaffen und sich noch nicht der reaktionären Hegemonie in Europa versichert hatte, führte er seinen Kampf mit der revolutionären Gefahr unter der Flagge der Idee einer »nationalen Repräsentanz«, gegen die Katharina und andere Verfechter des »Aufgeklärten Absolutismus« beharrlich gekämpft hatten. In der Zeit von 1801 bis 1820 versuchte die russische Selbstherrschaft, eine neue Form der Monarchie zu schaffen, die rechtlich den Absolutismus einschränken, faktisch aber die alleinige Macht des Herrschers behaupten sollte.

In der Folgezeit hörte der Gebrauch der »Axiome« der französischen Philosophie des 18. Jahrhunderts auf, ein Mittel zur Verteidigung gegen den vollständigen Triumph der bürgerlichen Rechtsordnung zu sein. Unter dem Druck revolutionärer Erhebungen gingen die westeuropäischen Staaten allmählich zu einer konstitutionellen Ordnung über. Die russischen Selbstherrscher hingegen blieben, vor allem nach 1825, dabei, sich halsstarrig an die traditionellen politischen Grundsätze zu klammern und standen den Prinzipien der zerstörerischen Philosophie des 18. Jahrhunderts nicht nur fremd, sondern sogar feindlich gegenüber. Verspätete Nachklänge der Ideen des »Aufgeklärten Absolutismus« kann man bei einzelnen Amtsträgern des Zarenreiches, so z. B. bei P. D. Kiselev, bemerken, aber nicht sie bestimmten die Innenpolitik der gesamten folgenden Epoche.

Ziehen wir Bilanz, so müssen wir uns fragen, welche praktischen Resultate die Politik des »Aufgeklärten Absolutismus« in Rußland bewirkte und welche historische Bedeutung die »einzelnen Perioden« dieses kurzlebigen Phänomens hatten.

Zweifellos war am effektivsten und am meisten den Forderungen der Zeit entsprechend Katharinas Wirtschaftspolitik, die sich als progressiver erwies als der Merkantilismus Friedrichs II. Die Freiheit der Industrie wurde nicht nur von Adligen und Kaufleuten, sondern auch von verschiedenen Kategorien der Staats- und der leibeigenen Gutsbauernschaft rege genutzt. Geringeren Erfolg hatten die Versuche der Regierung, die Volksbildung einzuführen: Am Ende des 18. Jahrhunderts wurden in Rußland nur 277 Schulen gezählt, in denen 705 Lehrer unterrichteten und 17315 Personen lernten, von denen nur ein kleiner Prozentsatz auf Schüler weiblichen Geschlechtes entfiel. Dennoch darf man den propagandistischen Einfluß des »Statuts über die Volksschulen« nicht negieren: Wenn Alexander I. sich bemühte, »gemäß den Gesetzen und nach dem Herzen« Katharinas zu regieren, so ist dies vor allem auf die Bildungsreformen am Anfang des 19. Jahrhunderts zu beziehen. Doch bleibt einschränkend zu sagen, daß auch dann nur eine für Rußland verschwindend geringe Zahl ländlicher Schulen, gering vor allem in den Siedlungen der Leibeigenen, eröffnet wurde.

Die Verordnung zur Verwaltung der Gouvernements von 1775 und die Gnadenurkunden von 1785 erwiesen sich als die dauerhaftesten Gesetze: Mit gewissen formalen Änderungen blieben sie bis 1861 und teilweise auch länger in Kraft. Aber ausgerechnet hier erlitt Katharinas Idee der »vermittelnden Gewalten« einen totalen Mißerfolg. Sie hatten die »wahre Monarchie« im Sinne Montesquieus gegen die Pervertierung in eine halbasiatische Despotie versichern sollen. Doch die innere Logik des autokratischen Regimes – vor allem bis zu den 60er Jahren des 19. Jahrhunderts – zeigte sich stärker als die umgemodelten Ideen der französischen Aufklärung. Nicht allein die ständische Selbstverwaltung, sondern auch die Selbständigkeit der abgesonderten Gerichtsinstanzen erwies sich als illusorisch angesichts einer unbegrenzten kaiserlichen Macht, die sich auf eine gehorsame Bürokratie stützen konnte. In dieser Beziehung rechtfertigte das von Katharina errichtete, unter Alexander I. um neue zentrale Stützpfeiler ergänzte Gebäude nicht die aufklärerischen Ideen der Reformkaiserin. Die Praxis der zentralen und der lokalen Verwaltung in Rußland war von systematischen Gesetzesbrüchen durchdrungen. Ebenso machten die grausamen Repressivmaßnahmen gegen die Bauernschaft und alle Gegner der feudalen Adelsinstitutionen die Versuche, das traditionelle Strafsystem zu mildern, zunichte. In dieser Beziehung erlebte die Gesetzgebung Katharinas II. das gleiche Schicksal wie die berühmten, aber mißlungenen Maßnahmen Friedrichs II., die nach dem Tilsiter Frieden den Reformen Steins und Hardenbergs Platz machen mußten.

Die geringste Bedeutung hatten Katharinas Anstrengungen, die Bauernfrage aufzuwerfen und zu lösen: Ihre Bemühungen konnten nicht so weit gehen wie die Politik Josephs II., der in Österreich die Bauern befreite, und sie blieben sogar hinter den Versuchen Friedrichs II. zurück, in Preußen einer Verdrängung der Bauern von Grund und Boden vorzubeugen. Die Säkularisation der Kirchenländereien, die eine unbezweifelbare praktische Bedeutung besaß, verband den »Aufgeklärten Absolutismus« in Rußland mit antiklerikalen Maßnahmen in westeuropäischen Ländern. Aber es kostete Katharina keine große Mühe, angesichts des Fehlens einer starken kirchlichen Macht dieses wichtige Vorhaben durchzuführen; ihr »Aufgeklärter Absolutismus« stand der analogen Politik der protestantischen Staaten bei weitem näher als dem erbitterten und anstrengenden Kampf mit dem Klerikalismus, den die Könige und Minister der katholischen Länder gegen den Vatikan führten.

So hatten die bürgerlichen Tendenzen, die sich in den Gesetzgebungsakten der 60er bis 80er Jahre des 18. Jahrhunderts offenbarten, eine gewisse historische Bedeutung, aber ihre Äußerung war noch gering und blieb vornehmlich auf die Sphäre des wirtschaftlichen Lebens beschränkt. Der »Aufgeklärte Absolutismus« Katharinas II. setzte die von Peter I. begonnene Bürokratisierung des Staatsapparates fort und intensivierte sie, aber er ließ die sozialen Grundlagen der feudalständischen Ordnung unangetastet und steigerte noch mehr die uneingeschränkte Herrschaftsgewalt des autokratischen Monarchen. Ungeachtet einzelner partieller Zugeständnisse gegenüber den sich entwickelnden kapitalistischen Verhältnissen blieb der russische Staat eine absolute Adelsmonarchie, die einen langwierigen Prozeß der inneren Auflösung durchmachte. Der Grund für diese Erscheinung war das verzögerte Wachstum der Bourgeoisie unter den Bedingungen eines ausgedehnten Landes mit zahlreichen ökonomisch rückständigen Gebieten und einem verspäteten Prozeß der ursprünglichen Akkumulation.

ANMERKUNGEN

Vorbemerkung des Übersetzers: Anmerkungen oder Erläuterungen in runden Klammern im Text gehen auf Družinin zurück. Die Anmerkungen in eckigen Klammern stammen hingegen vom Übersetzer. Die französischen Zitate im Text, die Družinin ins Russische übersetzt hatte, wurden nach dem Original eingefügt. Die deutschen Zitate aus der »Instruktion« Katharinas wurden der zeitgenössischen Übersetzung angelehnt: *Katharinä der Zweiten Kaiserin und Gesetzgeberin von Rußland Instruction für die zu Verfertigung des Entwurfs zu einem neuen Gesetzbuche verordnete Commißion*, Riga/Mietau 1768.

1. V. I. Lenin, *Polnoe sobranie sočinenij*, T. 17, S. 346; T. 20, S. 121 [Entsprechungen in der jüngsten deutschen Ausgabe: W. I. Lenin, *Werke*, Bd. 15, Berlin 1962, S. 335; Bd. 17, Berlin 1963, S. 53].

2. B. I. Syromjatnikov, *»Reguljarnoe« gosudarstvo Petra Pervogo i ego ideologija*, Moskva/Leningrad 1943, S. 151–153; *Istorija političeskich učenij*, pod red. G. F. Kečik'jana i G. I. Fed'kina, Moskva 1955, S. 226–236.

3. Vortrag von S. V. Juškov in einem Kolloquium, das 1945 im Historischen Institut der

Akademie der Wissenschaften dem System des »Aufgeklärten Absolutismus« in Rußland gewidmet worden war.

4. A. Sorel', *Evropa i francuzskaja revoljucija*, T. 1, S.-Peterburg 1892, S. 73 [Grimmzitat hier nach der franz. Ausgabe: A. Sorel, *L'Europe et la révolution française*, T. 1, Neudruck Paris 1946, S. 72, Anm. 2; Originalzitat Maria Theresias hier nach: *Maria Theresia und Joseph II. Ihre Correspondenz*, hrsg. von A. von Arneth, Bd. 2, Wien 1867, S. 171].

5. V. P. Volgin, *Razvitie obščestvennoj mysli vo Francii v XVIII veke*, Moskva 1958.

6. *Zapiski knjagini E. Daškovoj*, S.-Peterburg 1907, S. 95f.

7. *Russkij archiv*, 1865, T. 1, S. 470–473; *Polnoe sobranie zakonov Rossijskoj imperii* [im folgenden: *PSZ*] T. 16, No. 11593, 11710, 11730, 11865.

8. *PSZ*, T. 16, No. 11678.

9. *Zapiski Ekateriny* II, S.-Peterburg 1906, S. 36, 46, 117, 129, 137; V. A. Bil'basov, *Istorija Ekateriny II*, T. 1, S.-Peterburg 1890, S. 246–306 [Entsprechung in der deutschen Ausgabe: B. v. Bilbassoff, *Geschichte Katharina II.*, Bd. 1, Berlin 1891, S. 310–328, 368–378].

10. *PSZ* T. 16, No. 11593.

11. *Os'mnadcatyj vek*, 1869, kn. 3, S. 390; vgl. P. V. Ivanov, *K voprosu o social'no-političeskoj napravlennosti »Nakaza« Ekateriny II* (= *Učenye zapiski Kurskogo gosudarstvennogo pedagogičeskogo instituta*, T. 3), Kursk 1954.

12. *Nakaz imperatricy Ekateriny II, dannyj Kommissii o sočinenij proekta novogo uloženija*, pod red. N. D. Čečulina, S.-Peterburg 1907, S. CXXIX–CLVII; F. V. Taranovskij, Političeskaja doktrina v Nakaze imperatricy Ekateriny II, in: *Sbornik statej po istorii prava, posvjaščënnyj M. F. Vladimirskomu-Budanovu*, Kiev 1904, S. 44–86.

13. Vgl. F. V. Taranovskij, op. cit.

14. *PSZ* T. 16, No. 11630.

15. A.a.O., No. 11689.

16. A.a.O., No. 11761.

17. *PSZ* T. 18, No. 12872.

18. A.a.O., No. 13374.

19. *PSZ* T. 20, No. 14275.

20. *Sbornik Imperatorskago Russkago Istoričeskago Obščestva* [im folgenden: *SIRIO*] T. 2, S.-Peterburg 1861, S. 410.

21. *PSZ* T. 20, No. 14392; vgl. V. Grigor'ev, *Reforma mestnogo samoupravlenija pri Ekaterine II*, S.-Peterburg 1910, Kap. III.

22. *PSZ*, T. 22, No. 16187, 16188.

23. *SIRIO*, T. 20, S.-Peterburg 1877, S. 497f.

24. *PSZ*, T. 22, No. 16603.

25. A.a.O., No. 16421.

26. *PSZ*, T. 16, No. 12103.

27. *SIRIO*, T. 23, S. 481 u. 495.

28. A.a.O., S. 503 u. 593; vgl. V. A. Bil'basov, Ekaterina II i Grimm, in: Ders., *Istoričeskie monografii*, T. 4, S.-Peterburg 1901, S. 187–232.

29. *SIRIO*, T. 23, S. 689f.

Entwicklungsetappen und Besonderheiten des Absolutismus in Rußland

PETER HOFFMANN

Wie zahlreiche andere Termini der Geschichtswissenschaft wird auch der Begriff Absolutismus von verschiedenen Autoren entsprechend ihren weltanschaulichen, klassenbedingten Positionen unterschiedlich benutzt. Für den marxistischen Historiker ist dieser Begriff auf die welthistorische Epoche des Übergangs vom Feudalismus zum Kapitalismus beschränkt und bezeichnet ein bestimmtes Herrschaftssystem in dieser Übergangszeit, das seine klassische Ausprägung in Frankreich im 17. und 18. Jh. gefunden hat.

Während für Frankreich nur Nuancen in der Definition des Absolutismus strittig sind, brachten die Spezifik der historischen Entwicklung, z. B. in Preußen, Österreich und Rußland und ihre Interpretation unterschiedliche Auffassungen mit sich. Darum geht es besonders in der seit einiger Zeit unter den sowjetischen Historikern geführten grundlegenden Diskussion über Fragen des Absolutismus in Rußland [1]. Die bisherigen Diskussionbeiträge haben dabei zur Klärung der einzelnen Standpunkte beigetragen, ohne daß sich jedoch eine einheitliche Auffassung herausgebildet hat. Zumeist wird das Vorhandensein eines gesamteuropäischen Zusammenhanges zwar nicht geleugnet, seine Bedeutung ist aber bisher mehr deklariert als untersucht worden [2].

Zu einzelnen speziellen Aspekten der Problematik des Absolutismus in Rußland liegen auch Beiträge von Historikern der DDR vor; dabei wurden vor allem die Voraussetzungen des Absolutismus in Rußland [3], seine ökonomischen Grundlagen [4] und seine speziellen Erscheinungsformen [5], der Aufgeklärte Absolutismus [6] und Lenins historisch-politische Konzeption des russischen Absolutismus [7] untersucht. Ausgehend von der in diesen Beiträgen dargelegten, im wesentlichen einheitlichen Konzeption, die bisher vorwiegend unter systematischen Aspekten dargelegt wurde, soll der vorliegende Beitrag durch eine im wesentlichen chronologisch angelegte Untersuchung erstens die Periodisierung des Absolutismus in Rußland und zweitens die Besonderheiten des russischen Absolutismus im Vergleich zur Entwicklung in anderen Ländern behandeln. Einer Einführung in die Thematik sollen – den Ratschlägen Čistozvonovs folgend [8] – in jeweils eigenen Abschnitten Darlegungen über die Genesis des Absolutismus, über seine Blütezeit und schließlich über seinen Niedergang, d. h. über den Spätabsolutismus und über das Weiterbestehen absolutistischer Formen unter neuen gesellschaftlichen Verhältnissen folgen [9].

Jahrbuch für Geschichte der sozialistischen Länder Europas 14,2, 1970, S. 107–133. Der Abdruck erfolgt mit freundlicher Genehmigung des Deutschen Verlages der Wissenschaften, Berlin (Ost).

I.

Von bürgerlicher Seite wird der Absolutismus vorwiegend in einer eng verfassungsgeschichtlichen, weitgehend personengebundenen Sicht behandelt, die die klassenbedingten, gesellschaftlichen Grundlagen in der Regel ignoriert oder bagatellisiert. Einzelne bürgerliche Historiker benutzen die Termini Absolutismus und Despotie als Synonyme und kennzeichnen den Absolutismus in der Zeit des späten Feudalismus dementsprechend als Aufgeklärten Absolutismus [10]. Solche extremen Auffassungen werden allerdings, wie es vor allem die Diskussionen auf dem X. und XII. Historikerkongreß gezeigt haben, von der Mehrheit der bürgerlichen Historiker nicht geteilt [11]. Nur chronologisch besteht weitgehend Übereinstimmung: Sowohl von marxistischen [12] als auch von bürgerlichen [13] Historikern wird das 17. und vor allem das 18. Jahrhundert in der Regel als das »Zeitalter des Absolutismus« bezeichnet.

Von den bisherigen Ergebnissen der marxistisch-leninistischen Geschichtswissenschaft ausgehend, soll im folgenden das Allgemeingültige und das Besondere der absolutistischen Entwicklung Rußlands dargelegt werden.

Das Zeitalter des Absolutismus gehört, wie bereits angedeutet, in die Epoche des späten Feudalismus und des Übergangs zum Kapitalismus, also in jene Zeit, in der sich im Schoße der Feudalordnung neue, bürgerliche Verhältnisse zu entwickeln beginnen. Engels hat in seinem Brief an Kautsky vom 20. Februar 1889 das sich daraus ergebende Janusgesicht des Absolutismus herausgearbeitet, als er eine Veröffentlichung Kautskys zum 100. Jahrestag der Großen Französischen Revolution kritisierte: »Hier fehlt eine klare Darstellung davon, *wie* die absolute Monarchie als naturwüchsiger Kompromiß zwischen Adel und Bourgeoisie aufkommt und wie sie daher nach beiden Seiten hin Interessen schützen, Gunstbezeugungen austeilen muß. Dabei fällt dem – politisch in Ruhestand versetzten – Adel die Plünderung der Bauern, die des Staatsschatzes und der indirekte politische Einfluß durch Hof, Armee, Kirche und hohe Verwaltung zu – der Bourgeoisie der Schutz durch Zölle, Monopole und eine *relativ* geordnete Verwaltung und Gerichtsbarkeit [14].«

Für das Entstehen des Absolutismus ist in diesem dialektischen Prozeß das Aufkommen bürgerlicher Verhältnisse, der Warenproduktion und der Geldwirtschaft, nicht aber, wie Davydovič und Pokrovskij in ihrem Diskussionsbeitrag behaupten [15], die damit unmittelbar verbundene Zersetzung der Feudalordnung der bestimmende Faktor.

Der Absolutismus kann in einem Lande erst dann entstehen, wenn sich die entsprechenden sozialökonomischen Grundlagen in diesem Lande selbst herausgebildet haben; diese Feststellung Troickijs [16] ist voll und ganz zu unterstreichen. Zu diskutieren bleibt aber, was diese Grundlagen sind, welcher Entwicklungsstand unter welchen allgemeinen Bedingungen zur Errichtung eines absolutistischen Herrschaftssystems notwendig bzw. ausreichend ist.

Čistozvonov hat darauf hingewiesen, »daß sowohl die sozialökonomische als auch die politische Entwicklung der europäischen Länder – je weiter die Entwicklung fortschreitet, desto mehr – den Charakter eines einheitlichen gemeinsamen Prozesses annimmt, wenn auch mit deutlich ausgeprägten Besonderheiten und Unterschieden in den einzelnen Ländern[17]«. In seinen weiteren Darlegungen geht er dann allerdings weniger auf die Gemeinsamkeiten ein, sondern betont vor allem die Unterschiede[18]. Der Absolutismus kann sich, wie er weiter feststellt, spontan auf der Grundlage der autochthonen Entwicklung des mittelalterlichen Städtebürgertums zur modernen Bourgeoisie herausbilden; Beispiele für diesen Entwicklungstyp sind England und Frankreich. Der zweite Typ der Entwicklung des Absolutismus, zu dem Čistozvonov Preußen, Österreich, Rußland und Spanien rechnet, wird seiner Meinung nach dadurch gekennzeichnet, daß die herrschende Feudalklasse hier ein absolutistisches Regime errichtet, obwohl die kapitalistischen Elemente noch fehlen oder nur sehr schwach entwickelt sind; untrennbar verbunden damit ist in den meisten Ländern Mittel- und Osteuropas eine wesentliche Verschärfung der Leibeigenschaft[19].

Diese scharfe Trennung der beiden Entwicklungstypen des Absolutismus ist von verschiedenen Autoren gerügt worden, ohne daß damit das Vorhandensein unterschiedlicher Entwicklungswege zum Absolutismus grundsätzlich bestritten würde. Berechtigt erscheint ein Hinweis von W. Küttler, daß die Entwicklung zum Absolutismus in sich einheitlich ist, weshalb die beiden Grundtypen letztlich nur Unterschiede der Intensität und des Tempos dieser Entwicklung widerspiegeln; es werden also die eigenen Grundlagen auch für den zweiten Entwicklungstyp des Absolutismus ausdrücklich betont. Küttler schreibt: Das Entstehen des Absolutismus »setzt den beginnenden Niedergang des Feudalismus und die Evolution sozialökonomischer Keimformen der bürgerlichen Gesellschaft voraus . . . Der Absolutismus kann sich also auf wirtschaftlichen, sozialen und politischen Grundlagen bilden, deren optimale Konstellation – bei schneller und tiefgreifender Entwicklung des Kapitalismus im Rahmen der sich zersetzenden Feudalordnung – der Kampf der entstehenden Bourgeoisie gegen den Adel ist; die Minimalvariante, die bei einer sehr schwachen oder überhaupt nur in Vorstufen vorhandenen Herausbildung kapitalistischer Elemente wirksam wird, besteht dagegen in der Anpassung des Feudalstaates an die kleine Warenproduktion, die Ware-Geld-Beziehungen und den nationalen Markt durch eine Umschichtung der Feudalklasse und durch eine begrenzte Förderung eines noch unselbständigen Bürgertums[20]«.

Für die Errichtung eines absolutistischen Herrschaftssystems war eine solche Entwicklung der Geldwirtschaft, des Handels und der Warenproduktion notwendig, daß eine Entlohnung der Beamten, Soldaten und Offiziere mit Geld möglich und sinnvoll wurde; Voraussetzung dafür war eine relativ hohe Entwicklung bürgerlicher, wenn auch noch nicht ausgeprägt kapitalistischer Verhältnisse. Unter diesem Aspekt ist die Entwicklung in Spanien und Rußland nicht miteinander vergleichbar[21], da diese Geldmittel in Spanien aus den Kolonien, in Rußland aber aus der eigenen – wenn auch weitgehend feudal bestimmten – wirtschaftlichen Entwicklung gewonnen wurden.

Im 16. Jahrhundert erreichte die wirtschaftliche Entwicklung in Rußland noch nicht die für die Errichtung eines absolutistischen Regimes notwendige Reife; erst in der zweiten Hälfte des 17. Jahrhunderts entstanden für einen solchen Prozeß ausreichende Grundlagen. Lenin wies darauf hin, daß bereits der Zusammenschluß der russischen Länder um Moskau »durch den zunehmenden Austausch zwischen den einzelnen Gebieten, den allmählich wachsenden Warenverkehr, die Konzentration der kleinen örtlichen Märkte zu einem gesamtrussischen Markt« bewirkt wurde, wobei er ausdrücklich feststellte: »Da es die kapitalistischen Kaufleute waren, die diesen Prozeß lenkten und beherrschten, so bedeutete die Schaffung dieser nationalen Bindungen nichts anderes als die Schaffung bürgerlicher Bindungen[22].«

Im internationalen Rahmen vollzog sich in dieser Zeit der Übergang vom Bürgertum als Stand der feudalen Gesellschaft zur Bourgeoisie. Mit ihrem ökonomischen Erstarken innerhalb der alten Gesellschaftsordnung begann diese neue Klasse in wachsendem Maße gegenüber dem Feudalsystem als Ganzem eigene, von der Entwicklung der Marktproduktion und des Handels bestimmte Forderungen zu erheben. Diese Entwicklung stellte den Feudaladel international vor die Notwendigkeit, sich diesen neuen Tendenzen mehr oder weniger anzupassen, jeweils in dem Maße, wie es dem inneren Kräfteverhältnis des betreffenden Landes und den außenpolitischen Erfordernissen entsprach. In England und Frankreich geschah das im wesentlichen auf der inneren Grundlage eines raschen sozialökonomischen Aufschwungs der Bourgeoisie, die schließlich in siegreichen Revolutionen das Feudalsystem zerstören konnte; in den ostelbischen Gebieten kam es dagegen zur Ausbildung der Gutswirtschaft, die letztlich die Anpassung des Feudalbesitzes an die Warenproduktion darstellte. In jedem Fall erhielt aber der Herrscher zunächst die Möglichkeit, unter Ausnutzung der widerstreitenden Interessen der verschiedenen Stände und Schichten seine eigene Macht im Interesse einer allgemeinen Stärkung der Macht des feudalen Staates zu festigen.

Grundlage dieser Entwicklung war, wie Küttler herausgearbeitet hat, eine Konstellation der Klassenkräfte, bei der die an der Macht befindliche Feudalklasse bereits von den neuen, tendenziell gegen ihre Existenz gerichteten kapitalistischen Kräften beeinflußt wurde, weshalb sie sich »nur noch durch eine Regierungsform behaupten kann, die eine bestimmte Handlungsfreiheit gegenüber allen widerstreitenden gesellschaftlichen Kräften besitzt[23]«.

Für diese Festigung der Macht waren vor allem zwei Erscheinungen charakteristisch: die Errichtung eines stehenden Heeres, das zum persönlichen Machtinstrument des Herrschers wurde, und der Aufbau einer von den feudalen Ständen unabhängigen bürokratischen Verwaltung. Der Feudaladel blieb die von der absolutistischen Regierung anerkannte herrschende Schicht im Staat. Der absolute Staat nahm dieser Schicht »zwar die ›hohe Politik‹ ab, überließ ihr aber die lokale Gerichts- und Polizeigewalt über die Bauern[24]«. Diese Feststellung gilt nicht nur für Frankreich, sondern trifft noch weit mehr für Preußen und Rußland zu. Die auf den Herrscher ausgerichtete Verwaltung, in der der Feudaladel durch einzelne Vertreter die maßgeblichen Posten besetzt hielt, erleichterte es, den Staat als Ganzes den neuen, sich herausbildenden bürgerlich-kapitalistischen Verhältnissen im eigenen Lande oder im internationalen Maßstab so weit anzupassen, wie es zur Aufrechterhaltung der feudalen gesellschaftlichen Verhältnisse notwendig war.

Die relative Selbständigkeit des Herrschers darf aber nicht darüber hinwegtäuschen, daß der Feudalstaat nach wie vor weiterbestand, wobei es die Aufgabe des absoluten Herrschers war, die Feudalordnung als solche zu erhalten. Der Absolutismus stellt somit den Versuch dar, die feudale Gesellschaftsordnung durch Anpassung an die sich entwickelnden kapitalistischen Verhältnisse zu konservieren. Trotz aller zeitweiligen und relativen Fortschrittlichkeit der absoluten Monarchie, die vor allem in ihrer Anfangsphase Handel und Gewerbe förderte, um auf diese Weise den Staat zu stärken, war der Absolutismus grundsätzlich ein konservatives Herrschaftssystem.

Damit unterscheidet sich der Absolutismus aber von anderen entscheidenden Entwicklungstendenzen dieser Zeit: der ursprünglichen Akkumulation im Bereich der unmittelbaren Produktion und der Aufklärung im Bereich des geistig-kulturellen Lebens.

Die ursprüngliche Akkumulation ist eine unabdingbare Voraussetzung jeder kapitalistischen Entwicklung. Was im Bereich der Produktion durch die ursprüngliche Akkumulation vollzogen wurde – eben die Zersetzung der sozialökonomischen Basis der bestehenden Feudalordnung – geschah im ideologischen Bereich durch die Aufklärung. Als neue, der Tendenz nach antifeudale bürgerliche Ideologie überwand die Aufklärung die mittelalterliche scholastische Enge; sie knüpfte an den frühbürgerlichen Humanismus an und entwickelte neue Gedanken, die die bürgerliche Revolution ideologisch vorbereiteten. Ursprüngliche Akkumulation und Aufklärung verhalfen dem Neuen zum Durchbruch, sie sind untrennbar mit der Herausbildung neuer, in ihrem Wesen kapitalistischer Verhältnisse verbunden und tragen deshalb grundsätzlich fortschrittlichen Charakter.

Beide Erscheinungen wirkten jedoch unterschiedlich. Die Aufklärung griff über die Ländergrenzen hinaus. Merkantilismus, Physiokratismus, Naturrechtslehre usw. wurden, nachdem die führenden Vertreter des Geisteslebens sie formuliert und begründet hatten, zu ideologischen Maximen, und selbst die Feudalklasse sah sich in einer bestimmten Phase ihrer Entwicklung vielfach dazu veranlaßt, diese Lehren teilweise in ihre Politik und vor allem in ihre Propaganda einzubeziehen. Nicht zufällig sprechen Marx und Engels wiederholt von der »Internationale der Aufklärer[25]«. Daraus ergibt sich aber auch, daß das Ende der Aufklärung von der allgemeinen internationalen Entwicklung bestimmt wird.

Etwas anders liegen die Dinge bei der ursprünglichen Akkumulation. Sie vollzog sich in jedem Lande mehr oder weniger selbständig, wobei die internationale Verflechtung über den sich herausbildenden Weltmarkt ein wichtiges Stimulans für die Wirtschaft in jenen Ländern darstellte, die diese Entwicklung mit einer gewissen Phasenverschiebung und in variierten Formen nachholten. Der Anschluß an die kapitalistische Entwicklung bildete für diese Länder auf Grund der Gefahr, sonst in koloniale Abhängigkeit herabgedrückt zu werden, eine wesentliche Voraussetzung für ihre weitere Existenz als selbständiger Staat. Aus dieser Sachlage ergibt sich das Doppelgesicht des Absolutismus, der auf der einen Seite bestrebt war, die bestehenden Feudalverhältnisse zu konservieren, sich andererseits aber bei Gefahr des eigenen

Untergangs dazu gezwungen sah, den neuen wirtschaftlichen Kräften, die in sich die Entwicklungstendenz zum Kapitalismus trugen, einen doch recht breiten Entwicklungsspielraum zu gewähren.

Während die Aufklärung als Phänomen der Geistesgeschichte von vornherein eine internationale Kategorie war, während die ursprüngliche Akkumulation in jedem Falle die Voraussetzung für die Entwicklung kapitalistischer Verhältnisse schuf und dabei durch den Weltmarkt ebenfalls über die Landesgrenzen hinausgriff, blieb der Absolutismus als Herrschaftssystem im wesentlichen auf den jeweiligen Staat beschränkt. Es wurde in jedem absolutistisch regierten Lande zur entscheidenden historischen Aufgabe, dieses System durch eine bürgerliche Revolution zu überwinden, wie es das klassische Beispiel Frankreichs demonstrierte. Blieb die Revolution aus oder scheiterte sie, dann war ein außerordentlich schwerfälliger, krisenhafter Weg über Reformen von oben die unausbleibliche Folge, wobei die Entwicklung dieser Länder sowohl im ökonomischen als auch im sozialen Bereich stark gehemmt wurde, was letztlich zu einer besonderen Verschärfung der sozialen Gegensätze und des Klassenkampfes führte.

Dabei konnten – wie das Beispiel Rußlands und weniger prägnant Preußens zeigen – absolutistische Herrschaftsformen weit über die Durchsetzung des Kapitalismus hinaus erhalten bleiben.

II.

Eine Einschätzung der Entwicklung des Absolutismus in Rußland ist vor allem deshalb schwierig, weil die Entwicklung in Westeuropa nicht immer geeignete Vergleichsmaßstäbe bietet; ungeklärt ist weitgehend, was zu den allgemeinen Gesetzmäßigkeiten und was zu den Besonderheiten der absolutistischen Entwicklung in einzelnen Staaten gerechnet werden muß. In diesem Zusammenhang ist auch die Frage zu stellen, welche Faktoren bei der Herausbildung eines absolutistischen Regierungssystems wirksam werden können und welche Voraussetzungen unabdingbar sind. Diese Frage ist in der bisherigen Diskussion verschiedentlich erörtert worden, wobei Küttler zu der Antwort kam: »Die Grundlagen des Absolutismus sind gegeben, wenn die Elemente des Neuen den Feudalstaat zwingen, die bisherige Form der feudalen Herrschaftsausübung durch eine neue, modernere zu ersetzen [26].« Eine solche allgemeine Formulierung läßt das Wirken sowohl innerer als auch äußerer Faktoren zu, wobei es naheliegend ist, bei jenen Staaten, die sehr früh zu absolutistischen Regierungsformen gelangten, fast ausschließlich dem Wirken innerer Faktoren Bedeutung beizumessen, während für jene Staaten, die den Weg zum Absolutismus später beschritten, auch Einwirkungen von außen zumindest in Betracht gezogen werden müssen. In der bisherigen Diskussion zeigte sich die Gefahr, daß manche Autoren in der berechtigten Ablehnung von Überspitzungen in der einen Richtung in das entgegengesetzte Extrem fallen. Troickij z. B. weist durchaus berechtigt auf die Bedeutung der inneren Faktoren für die Herausbildung des russischen Absolutismus hin, unterschätzt aber in der Polemik vor allem gegen Čistozvonov die Einwirkungen von außen, d.h. von seiten der weiter fortgeschrittenen west- und mitteleuropäischen Staaten.

Die Überlegenheit der absolutistischen Regierungsform, wie sie in einer besseren Organisation auf wirtschaftlicher, gesellschaftlicher und staatlicher Ebene, in der stärkeren Ausschöpfung der bestehenden finanziellen und militärischen Möglichkeiten durch den Staat, in der expansiven Außenpolitik, in der Förderung von Produktion und Handel zum Ausdruck kommt, mußte auch jene Länder beeinflussen, in denen die Voraussetzungen für eine Durchsetzung des Absolutismus in der eigenen inneren Entwicklung noch nicht ausgereift waren. Zu beachten ist – das zeigt das russische Beispiel besonders deutlich –, daß der Absolutismus, der als Herrschaftssystem zum gesellschaftlichen Überbau gehört, die spontanen Entwicklungsprozesse in der ökonomischen Basis wesentlich beeinflußt, teilweise sogar Formen der Entwicklung durchsetzt, die keinen unmittelbaren Übergang zu kapitalistischen Produktionsverhältnissen zulassen. Pavlova-Sil'vanskaja ist relativ ausführlich auf diese, wie sie es nennt, »in die Sackgasse führenden« Erscheinungen eingegangen und verweist dabei im einzelnen auf das große auf Warenwirtschaft umgestellte Feudalgut, auf die mit Leibeigenen arbeitende Manufaktur und auf die vorkapitalistischen Banken [27], alles Erscheinungen, die in den Ländern der klassischen Entwicklung des Kapitalismus, in Holland, England und Frankreich, nicht zu finden sind.

In Holland kam es nicht zu einer Durchsetzung des Absolutismus, da hier im Kampf für die Befreiung des Landes von der spanischen Unterdrückung zugleich – wenn auch auf einer frühen Entwicklungsstufe – die wichtigsten Aufgaben der bürgerlichen Revolution gelöst wurden. In England entwickelten sich auf Grund der dort sehr raschen kapitalistischen Entwicklung bereits seit dem 15. Jahrhundert Formen des Absolutismus, die aber schon in der Mitte des 17. Jahrhunderts, d.h. noch vor ihrer vollen Reife, von der bürgerlichen Revolution beseitigt und durch die konstitutionelle Monarchie ersetzt wurden. In Frankreich dagegen fand der Absolutismus seine klassische Ausprägung. Hier vollzog sich der Ausbau der absolutistischen Macht seit dem 15. Jahrhundert parallel zu der autochthonen spontanen Entwicklung kapitalistischer Produktionsverhältnisse. Hier ging im 18. Jahrhundert die Periode der relativen Fortschrittlichkeit des Absolutismus zu Ende; der Widerspruch zwischen den überlebten Feudalverhältnissen und den ständig an ökonomischer Macht gewinnenden neuen bürgerlich-kapitalistischen Kräften fand 1789 seine Lösung auf revolutionärem Wege.

In Rußland kam die Entwicklung der neuen, kapitalistischen Produktionsverhältnisse bis zum 18. Jahrhundert über erste Ansätze nicht hinaus, die zudem weitgehend in die noch relativ gefestigten Feudalverhältnisse eingeordnet blieben. Die allgemeine internationale Situation Rußlands – der Kampf gegen Tataren und Türken, später gegen Polen und Schweden –, aber auch seine innere Lage, machten einen Ausbau der Staatsgewalt erforderlich. Dieser Aufgabe mußten alle Herrscher seit Ivan III. ihre Aufmerksamkeit zuwenden, doch ließen die ihnen zur Verfügung stehenden Möglichkeiten nur eine sehr oberflächliche Zentralisierung des Staatsapparates zu. Im

Zusammenhang mit dem Tatareneinfall hatte sich die allgemeine sozialökonomische Entwicklung Rußlands verzögert. Trotzdem kam es hier bereits in der Mitte des 16. Jahrhunderts, unter Ivan Groznyj, zur Herausbildung von Vorformen des Absolutismus. Für seine Entwicklung zum Herrschaftssystem reiften die Voraussetzungen allerdings erst allmählich heran.

Die von Ivan Groznyj und seinen Nachfolgern bis zur Mitte des 17. Jahrhunderts entwickelten Vor- und Frühformen eines absolutistischen Regierungssystems – Anfänge einer zentralen Verwaltung und eines stehenden Heeres, staatliche Förderung bestimmter Gewerbezweige, expansive Außen- und Wirtschaftspolitik – konnten zwar durchaus beachtliche Voraussetzungen und Ansätze für die spätere absolutistische Entwicklung schaffen, aber noch nicht unmittelbar zu dieser Entwicklung überleiten. Diese Erscheinung läßt sich beispielsweise an der Entwicklung des Prikaz-Systems deutlich ablesen. Ivan IV. hatte für einzelne, nicht immer klar abgegrenzte und sich häufig auch gegenseitig überschneidende Bereiche zentrale Institutionen, Prikaze, ins Leben gerufen. Im 17. Jahrhundert wurde dieses System unter seinen Nachfolgern ständig weiter aus- und umgebaut, ohne daß man damit bereits den Übergang zu klar abgrenzbaren Fachressorts vollzog. Die Verwaltungsstruktur wurde zufälligen Tagesaufgaben entsprechend verändert, wobei Aufgabenbereich und Befugnisse eines Prikaz sich nur zu oft aus der Stellung seines Leiters zum Zaren ergaben. Auch die Organisation der Strelitzen als Vorform eines stehenden Heeres kann als Beispiel angeführt werden. Da für eine Entlohnung in Geld die wirtschaftlichen Bedingungen noch nicht herangereift waren, mußten diese »Soldaten« sich ihren Lebensunterhalt außerhalb des Militärdienstes durch Handel und Gewerbe selbst verdienen. Damit fehlte den Strelitzen aber ein wesentliches Merkmal des stehenden Heeres der Neuzeit, nämlich die Disponibilität, d.h., diese Truppen waren von vornherein nicht ohne weiteres für alle Aufgaben und an jedem beliebigen Ort einsetzbar.

Allgemeine Voraussetzung für die im Hochfeudalismus beginnende Zentralisierung war, darauf hat Küttler hingewiesen [28], zunächst die Stadtgesellschaft des Mittelalters; für die Errichtung des Absolutismus war darüber hinaus die »Evolution sozialökonomischer Keimformen der bürgerlichen Gesellschaft« notwendig [29], die zugleich auch den Niedergang des Feudalismus charakterisieren. Solche Keimformen der bürgerlichen Gesellschaft waren die Entwicklung von Marktbeziehungen und der Warenwirtschaft. In Rußland wie auch in anderen ost- und mitteleuropäischen Gebieten bildeten Gutsherrschaft und Leibeigenschaft eine der möglichen Antworten auf die aus der inneren Entwicklung sich ergebenden Forderungen des Marktes, worauf bereits Avrech hingewiesen hat [30]. Das bedeutet aber, daß – entgegen der Ansicht von Pavlenko und anderen [31] – Gutswirtschaft und Leibeigenschaft nicht nur als ein Ausdruck der Festigung des Feudalsystems angesehen werden dürfen, sondern daß sie wichtige Charakteristika des beginnenden Niederganges, der Deformierung des Feudalismus sind [32].

Die Veränderungen in der Wirtschafts- und Sozialstruktur sind in Rußland im 16. bis 17. Jahrhundert nicht zu verkennen. Handel und Produktion entwickelten sich relativ rasch; es begann bereits jene Entwicklung, die dann im 17. Jahrhundert zur Herausbildung des gesamtrussischen Marktes führte. Auf die damit verbundenen tiefgreifenden Veränderungen im Bereich der Produktion hat Troickij ausdrücklich hingewiesen, wobei er als besondere Charakteristika »die Einbeziehung der gutsherrlichen und der bäuerlichen Wirtschaft in die Ware–Geld–Beziehungen, die Ausdehnung der einfachen kapitalistischen Kooperation, das Entstehen der Großproduktion in Form der Manufaktur« nennt[33]. Diese Entwicklung darf jedoch nicht überbetont werden, denn es gab zwar in Rußland im 16. Jahrhundert immerhin solche mit der Manufaktur durchaus zu vergleichenden Betriebe wie die staatliche Kanonengießerei »Pušečnyj dvor« in Moskau oder die großen Salzsiedereien im Nordosten; im 17. Jahrhundert entstanden weitere manufakturähnliche Betriebe. Die ersten rein kapitalistisch betriebenen Manufakturen wurden – darauf hat Pavlenko kürzlich in einem Aufsatz hingewiesen[34] – in Rußland aber erst um die Mitte des 17. Jahrhunderts von Ausländern und mit ausländischem Kapital gegründet.

Parallel zu dieser Entwicklung im ökonomischen Bereich begann im 16. Jahrhundert eine tiefgreifende Umschichtung innerhalb der herrschenden Klasse, wobei sich der Feudaladel teilweise an die neuen Tendenzen der Warenproduktion und Geldwirtschaft anpaßte. Gleichzeitig kam es zu einer Differenzierung der handel- und gewerbetreibenden Schichten und zu einer außerordentlichen Verschärfung des Klassenkampfes, der unter feudalen Bedingungen in den Bauernkriegen seinen absoluten Höhepunkt erreichte.

Die Klassifizierung dieser Erscheinungen erweist sich im einzelnen deshalb als schwierig, weil die Übergänge oft fließend und aus den Quellen nur schwer erfaßbar sind. Hinzu kommt – darauf hat Küttler verwiesen –, daß in Rußland »die für den westeuropäischen Entwicklungsgang typische Stufenfolge hochfeudale Ständemonarchie – frühabsolutistische Regierungsformen – Absolutismus« zwar ebenfalls erkennbar ist, aber doch »durch gewisse übergreifende despotisch-autokratische Charakterzüge der Staatsform[35]« überlagert und damit vielfach auch verschleiert wurde.

Formen einer ständischen Vertretung bildeten sich in Rußland – wenn man absieht von den Ansätzen in der vormongolischen Rus und von der eigenständigen Entwicklung in Novgorod und Pskov, die mit der Eroberung dieser Staaten durch die Moskauer Herrscher bereits im 16. Jahrhundert weitgehend abgebrochen wurde – erst zu einer Zeit heraus, als der Zusammenschluß der russischen Länder zum Einheitsstaat bereits abgeschlossen war. Die Entwicklung der ständischen Vertretung in den zemskie sobory verlief weitgehend parallel mit dem Aufbau der gesamtstaatlichen Verwaltung. Der zemskij sobor trat seit der Mitte des 16. Jahrhunderts als beratendes Organ neben die Bojarenduma, die vor allem die Interessen des Hochadels vertrat, und konnte nur in Krisenzeiten – wie etwa zu Beginn des 17. Jahrhunderts – zeitweilig stärkeren Einfluß auf die Regierung ausüben. Nach der erneuten Festigung des Staates verloren die zemskie sobory rasch wieder an Einfluß, doch entsprach auch die Bojarenduma nicht mehr den Erfordernissen der Zeit. Noch für die erste Hälfte des 17. Jahrhunderts stellt Kotošichin, ein Zeitgenosse jener Vorgänge, in seinen Aufzeichnungen über den Moskauer Staat eindeutig fest, daß Zar Michail, obwohl

»er sich Selbstherrscher schrieb, doch ohne den Bojarenrat nichts machen konnte[36]«. In der zweiten Hälfte des 17. Jahrhunderts wurde der Einfluß der Bojarenduma und des zemskij sobor dann systematisch zurückgedrängt; Zar Aleksej Michajlovič stützte sich weitgehend auf einen kleinen Kreis persönlicher Ratgeber. Kotošichin berichtet deshalb auch von diesem Zaren, daß er »seinen Staat nach seinem Willen regiert« habe[37]. Dementsprechend wurde der zemskij sobor nicht mehr einberufen. Die Bojarenduma verlor ständig an Bedeutung, so daß ihre Auflösung durch Zar Peter nur eine konsequente Weiterführung der Politik seiner Vorgänger war.

Die Herausbildung der Vor- und Frühformen des Absolutismus vollzog sich in Rußland in ständiger Wechselwirkung mit dem sich außerordentlich verschärfenden Klassenkampf, der seinen Höhepunkt vor allem in den großen Bauernkriegen fand. Die Klassenauseinandersetzungen erfuhren in diesem Zeitraum jedoch – entsprechend der sozialökonomischen Entwicklung, vor allem der Durchsetzung und weiteren Ausprägung der Leibeigenschaft – wesentliche Veränderungen. Während es anfangs durchaus möglich war, daß bestimmte Adelsschichten sich den Aufstandsbewegungen anschlossen – wie besonders im ersten Bauernkrieg unter Führung Bolotnikovs und im Moskauer Aufstand von 1648 –, trugen die späteren Aufstände und Bauernkriege von vornherein einen so klar ausgeprägten antifeudalen Klassencharakter, daß eine Beteiligung an ihnen für jeden Adligen den Bruch mit dem Adel als Klasse bedeuten mußte. Damit war aber nicht ausgeschlossen, daß einzelne Gruppierungen der herrschenden Adelsklasse bestimmte Aufstandsbewegungen in ihrem Interesse ausnutzten, wie es unter anderem bei den Strelitzenunruhen am Ende des 17. Jahrhunderts zu beobachten ist.

Die relative Selbständigkeit der Staatsmacht im Absolutismus verschleierte die wirklichen Machtverhältnisse, weshalb sich die Bauernkriege und Aufstände auch nicht unmittelbar gegen den absolutistischen Staat und die an seiner Spitze stehende Monarchie, sondern fast immer nur gegen bestimmte Mißstände, Übergriffe oder unbeliebte Würdenträger richteten, denen man die Schuld an der Verschlechterung der Lage der Volksmassen gab. In der Regel war die Aufstandsbewegung von einem spontanen Monarchismus getragen, der sich unter anderem darin äußerte, daß ein Usurpator an der Spitze der Bewegung stand oder daß zumindest behauptet wurde, diese Protestbewegung entspreche den wahren Interessen und Intentionen des Zaren.

Wollte die Staatsmacht angesichts des sich ständig verschärfenden Klassenkampfes ihre Aufgaben als Machtinstrument der Feudalklasse lösen, dann mußte sie nach einem weiteren Ausbau und einer weiteren Festigung der zentralen und örtlichen Organe streben. Da in Rußland während des 17. Jahrhunderts mit der relativ raschen Entwicklung von Warenproduktion und Geldwirtschaft zudem die sozialökonomischen Grundlagen für den weiteren Ausbau der zentralen Verwaltung entstanden, wurde jetzt auch hier die Durchsetzung eines absolutistischen Herrschaftssystems möglich. Die Vor- und Frühzeit des russischen Absolutismus ging zu Ende.

Bei einer weiteren Untergliederung dieses ersten Abschnitts in der Geschichte des russischen Absolutismus ergeben sich zwei Phasen: Auf der Grundlage des Einheitsstaates, der sich seit der Mitte des 15. Jahrhunderts herausbildete, werden ab Mitte des 16. Jahrhunderts zentrale Verwaltungsinstanzen geschaffen, die aber infolge des Fehlens der notwendigen sozialökonomischen Grundlagen zunächst nicht weiter ausgebaut werden konnten. Zu derartigen Vorformen, bei denen die Entwicklung einige Zeit verharrte, die aber Möglichkeiten für eine weitere absolutistische Entwicklung in sich bargen, gehörten die Errichtung von Prikazen sowie der Aufbau von Strelitzen-Einheiten als Vorstufen einer zentralen Verwaltung bzw. der regulären Armee.

Nach den Rückschlägen vor allem in den beiden ersten Jahrzehnten des 17. Jahrhunderts kam es mit der verstärkten Entwicklung von Warenproduktion und Geldwirtschaft, mit dem Zusammenwachsen der örtlichen Märkte zum gesamtrussischen Markt seit der Mitte des 17. Jahrhunderts in verstärktem Maße zur Ausbildung echter Frühformen des Absolutismus – unter anderem erfolgte ein Ausbau der Prikaze und die Schaffung der Regimenter »neuer Ordnung« –, durch die die zweite Phase gekennzeichnet ist. Zu diesen frühen absolutistischen Maßnahmen gehörte auch die Vereinheitlichung der Rechtsprechung, wie sie im Uloženie von 1649 allerdings ganz im Sinne der Durchsetzung der Leibeigenschaft gesetzlich verankert wurde.

Diese Frühformen stellten natürlich noch kein absolutistisches Herrschaftssystem dar. Auch war es trotz der grundsätzlich in Richtung auf den Absolutismus verlaufenden Tendenz noch keineswegs sicher, ob und wann die verschiedenen Einzelfaktoren zu einem in sich geschlossenen System zusammengefügt wurden. Dieser Schritt zur letzten Stufe der Feudalherrschaft erfolgte dann mit dem Wirken Peters I., mit dem sich die international dominierende Entwicklungsrichtung auch in Rußland durchsetzte, während alle anderen noch vorhandenen Alternativen endgültig ausgeschaltet wurden.

III.

Allgemein wird anerkannt, daß das absolutistische Herrschaftssystem in Rußland seine volle Ausprägung unter Peter I. erfuhr. Strittig ist aber, warum es zu dieser Entwicklung kam, welche gesellschaftlichen Kräfte die soziale Grundlage des russischen Absolutismus bildeten. In diesem Zusammenhang muß das Zusammenwirken innerer und äußerer Faktoren hervorgehoben werden. Nur so läßt sich erklären, daß das absolutistische Herrschaftssystem sich in Rußland – gemessen an der inneren sozialökonomischen Entwicklung dieses Landes – relativ früh herausbildete. Seit dem 16. Jahrhundert war Rußland immer stärker in das sich herausbildende europäische Staatensystem einbezogen. Mit den enger werdenden Verbindungen verstärkten sich aber auch die direkten und indirekten Einwirkungen der weiter fortgeschrittenen west- und mitteleuropäischen Staaten auf die russische gesellschaftliche Entwicklung. Für eine ganze Reihe von Aufgaben, vor die sich die russische Regierung zu Beginn des 18. Jahrhunderts gestellt sah, bot das Beispiel anderer Länder Lösungswege an, die aufmerksam studiert wurden.

Als beschleunigender Faktor für die rasche Durchsetzung des Absolutismus in Rußland zu Beginn des 18. Jahrhunderts wirkte die energische Persönlichkeit des Zaren, der zielstrebig die von ihm als notwendig erkannten Reformen durchsetzte und sich dabei nicht scheute, Widerstände in den verschiedenen Bevölkerungsschichten – auch in der herrschenden Adelsschicht – rücksichtslos zu brechen. Begünstigt wurde die rasche Durchsetzung des Absolutismus in Rußland auch durch die noch nicht überlebten Traditionen autokratisch-despotischer Herrschaft, an die Peter I. anknüpfen konnte.

In den Ländern mit einer – im internationalen Maßstab gesehen – späten Entwicklung des Absolutismus, zu denen Rußland gehörte, fand der in allen absolutistischen Staaten zu beobachtende Doppelcharakter des Absolutismus eine besondere Ausprägung: Die rasche Entwicklung der Ware-Geld-Wirtschaft vollzog sich noch auf überwiegend feudaler Grundlage, womit das Feudalsystem als Ganzes zumindest zeitweilig – wenn auch in einer bereits stark deformierten Form – noch einmal gefestigt wurde; die Durchsetzung der neuen, kapitalistischen Entwicklung dagegen bedurfte langer schwerer Kämpfe. In Rußland bot das Feudalsystem – zumindest bis in die zweite Hälfte des 18. Jahrhunderts hinein – noch Möglichkeiten für eine Weiterentwicklung der Produktivkräfte: und diese Möglichkeiten wurden auch genutzt. Zentrale Aufgabe der zu Beginn des 18. Jahrhunderts unter Peter I. durchgeführten Reformen war es gerade, alle mit der Feudalordnung nur irgendwie zu vereinbarenden ökonomischen und anderen Möglichkeiten voll zu erschließen und sie für die Festigung der Macht des spätfeudalen Staates einzusetzen.

Die relative Fortschrittlichkeit des russischen Absolutismus wurde, wie Küttler betont, »schon im Ansatz in der progressivsten Phase unter Peter I., mehrfach durch extrem autokratische Herrschaftsmethoden . . . und wirkungsvolle Refeudalisierung bürgerlicher Entwicklungsformen gebrochen[38]«. Auf das Widersprüchliche in der Entwicklung, die sich während des 18. Jahrhunderts in Rußland vollzog, hat allgemein auch Šapiro hingewiesen und dabei auf reaktionäre Züge aufmerksam gemacht, die bereits damals in der Entwicklung der russischen Bürokratie zu beobachten waren[39]. Zunächst traten die sich herausbildenden Widersprüche aber weder in der Sphäre der Produktion noch im Überbau unmittelbar in Erscheinung. Die Rückständigkeit der russischen gesellschaftlichen Verhältnisse konnte verschleiert werden, weil das Ausschöpfen aller Möglichkeiten der Feudalordnung zeitweilig noch eine ökonomische Stärkung Rußlands zuließ. Im unmittelbaren Bereich der Produktion hielt Rußland während des 18. Jahrhunderts mit der allgemeineuropäischen Entwicklung Schritt. Die durch das weitere Vorherrschen der feudalen Produktionsweise bedingte, zeitweilig sehr starke Deformierung der noch in der Herausbildung befindlichen kapitalistischen Produktionsverhältnisse, wie sie vor allem in der Manufakturentwicklung zu erkennen ist, war ein ungedeckter Wechsel auf die Zukunft, den die folgenden Generationen einlösen mußten.

Der in der sowjetischen Geschichtswissenschaft lange Zeit geführte Streit um die Einordnung und Klassifizierung solcher in sich widersprüchlicher Erscheinungen der Übergangsepoche vom Feudalismus zum Kapitalismus – wie etwa der mit Leibeigenen betriebenen Manufaktur – hat wahrscheinlich auch deshalb bisher noch zu keinem klaren Ergebnis geführt, weil im damaligen Rußland einerseits die Feudalverhältnisse im wesentlichen weiterbestanden, andererseits aber sowohl die alten feudalen als auch die entstehenden kapitalistischen Verhältnisse so stark deformiert wurden, daß sie mit den entsprechenden Vorgängen in den Ländern der klassischen Entwicklung des Kapitalismus, vor allem in England und Frankreich, kaum noch vergleichbar waren. Die Manufaktur mit Leibeigenen war sowohl ein Bestandteil des Feudalsystems als auch ein Faktor zur Herausbildung kapitalistischer Verhältnisse. Obwohl voll in die Feudalordnung integriert, kennzeichnete sie bereits die neue Entwicklung, konnte aber infolge ihrer von überlebten Verhältnissen beeinflußten Erscheinungsform nicht unmittelbar in diese neue Entwicklung überleiten.

Hier kann nur auf die Schwierigkeit dieser Problematik hingewiesen werden, obwohl diese Frage für eine Klärung der sozialen und ökonomischen Grundlagen des russischen Absolutismus natürlich außerordentliche Bedeutung besitzt. Die historisch bereits veralteten gesellschaftlichen Verhältnisse bargen in den ersten Jahrzehnten des 18. Jahrhunderts durchaus noch die Möglichkeit in sich, in Arbeitsorganisation und technischer Ausrüstung ein Niveau zu erreichen, das teilweise über dem zu dieser Zeit in England erreichten Stand lag; es sei in diesem Zusammenhang nur auf die Weiterentwicklung des Hochofens im Ural und auf die vorbildliche Ausnutzung der Wasserkraft in den Betrieben des Berg- und Hüttenwesens verwiesen. Die auf feudaler Grundlage betriebene russische Manufaktur konnte Erfahrungen der kapitalistischen Manufaktur aus den fortgeschrittenen Ländern West- und Mitteleuropas übernehmen[40] und teilweise weiterentwickeln, was die Manufakturentwicklung in Rußland erleichterte und beschleunigte. Die feudalen Verhältnisse wirkten zu dieser Zeit quantitativ noch nicht als unmittelbares Hindernis, sondern in gewissen Grenzen sogar fördernd.

In Rußland entstanden Betriebe, die teilweise größer waren als vergleichbare Betriebe in Westeuropa. Die Petersburger Admiralität beschäftigte bereits im 18. Jahrhundert bis zu 10000 Menschen, in der Segelleinenmanufaktur arbeiteten 1200, in der Moskauer Tuchmanufaktur 1100 Arbeitskräfte. Das russische Berg- und Hüttenwesen wurde in der zweiten Hälfte des 18. Jahrhunderts zum höchstentwickelten in Europa, das russische Eisen beherrschte eindeutig den europäischen Markt. Die Anfänge der industriellen Revolution in England sind ohne die russischen Eisenimporte nicht denkbar[41]. Mit der Durchsetzung der industriellen Revolution in England geriet das russische Berg- und Hüttenwesen jedoch rasch in eine tiefgreifende Rückständigkeit, die es bis zur Oktoberrevolution nicht mehr zu überwinden vermochte. Man kann daher – eine Äußerung Hagers über die Planung im Imperialismus variierend – sagen, daß die Feudalmanufaktur historisch gesehen ein Versuch der Feudalklasse war, »mittels systemfremder Methoden ihre überlebte reaktionäre Gesellschaftsordnung zu konservieren[42]«; ein solches Vorhaben ist jedoch, wie die historischen Erfahrungen lehren, nur einen begrenzten Zeitraum hindurch möglich.

Nachdem mit der Entwicklung der Ware–Geld–Wirtschaft auch in Rußland die ökonomischen Grundlagen des Absolutismus entstanden waren[43], erfolgte in den petrinischen Reformen der Ausbau dieses Herrschaftssystems. Entsprechend den neuen Anforderungen wurden Heer, Verwaltung und Justiz grundlegend umgestaltet, wurde die Durchdringung des gesamten Staatswesens mit absolutistisch-bürokratischen Institutionen vorangetrieben. Es ist das Verdienst Peters I., daß er mit der Errichtung der Kollegien die notwendige durchgreifende Reform des Staatsapparates verwirklichte. Mit ihrer klaren Gliederung und strafferen Organisation stellten die Kollegien gegenüber der früheren Prikaz-Verwaltung eine neue Qualität dar. Die für Aufbau und Unterhalt der Verwaltung, des Heeres und der anderen absolutistischen Institutionen notwendigen Mittel wurden in Rußland durch eine erhöhte Ausbeutung der leibeigenen Bevölkerung beschafft. Diese rasche Verschärfung der Ausbeutung führte zu einer außerordentlichen Zuspitzung des Klassenkampfes, der sich aber weitgehend im Protest der Ausgebeuteten und Unterdrückten gegen diese Ordnung erschöpfte. Erst gegen Ende des 18. Jahrhunderts – zu einer Zeit also, da in Frankreich die herangereiften Widersprüche auf revolutionäre Art gelöst wurden – waren auch in Rußland Stimmen zu vernehmen, die sich gegen die Leibeigenschaft und die herrschenden Feudalverhältnisse als Grundübel der bestehenden Ordnung wandten.

Im Laufe des 18. Jahrhunderts entstand als Ergebnis der petrinischen Reformen eine eigene Schicht, die Bürokratie, der anfangs in überwiegendem Maße nachgeborene Söhne des grundbesitzenden Adels angehörten, die infolge des Gesetzes über die Unteilbarkeit des adligen Grundbesitzes auf eine standesgemäße Versorgung durch den Staat – entweder als Offizier oder als Beamter – angewiesen waren. Diese Bürokratie blieb mit der absolutistischen Staatsmacht in Rußland bis 1917 auf Gedeih und Verderb verbunden.

Bei den von Zar Peter I. zumeist lange und sorgfältig vorbereiteten Reformen wurden nicht nur die eigenen russischen Erfahrungen ausgewertet, sondern bewußt auch ausländische Vorbilder studiert und Organisationsformen, die der russischen Entwicklung entsprachen, unmittelbar oder in einer adaptierten Form übernommen, wobei die Reformen alle Bereiche des gesellschaftlichen und staatlichen Lebens betrafen [44]. Dabei spielten die Erfahrungen des Klassenkampfes in Rußland eine entscheidende Rolle, da gerade der Kampf gegen den sich ständig verschärfenden Protest der feudal unterdrückten Schichten zu den Hauptaufgaben des absolutistischen Staatsapparates gehörte. Auf die Rolle des Klassenkampfes bei der Herausbildung des Absolutismus hat vor allem B. F. Poršnev hingewiesen: Die permanente Aufstandsgefahr erforderte eine Zentralisierung der staatlichen Macht [45], die unter Feudalverhältnissen auch in Rußland ihren Höhe- und Endpunkt im Absolutismus erreichte.

Gegenüber dem sich entwickelnden Bürgertum, das im wesentlichen noch ein Stand der feudalen Gesellschaft war und nur vereinzelt Tendenzen einer Entwicklung zur kapitalistischen Bourgeoisie erkennen ließ, betrieb die russische absolutistische Staatsmacht keine geradlinige Politik. Die bürgerlichen Schichten gewannen zwar im 18. Jahrhundert mehr und mehr an wirtschaftlicher Bedeutung, wobei die Staatsmacht im Interesse ihrer eigenen Stärkung zeitweilig eine Politik wirtschaftlicher

Förderung dieser bürgerlichen Kräfte verfolgte, gleichzeitig machten sich jedoch auch Tendenzen bemerkbar, die zu einer Verschmelzung der Interessen des Bürgertums mit denen des Feudalstaates führten. Da der Staat vielfach als wichtigster oder sogar einziger Abnehmer der gewerblichen Produktion auftrat, konnte es kaum zu Gegensätzen zwischen den Manufakturunternehmern (Staatsbeamten, adligen Unternehmern, Kaufleuten, reichgewordenen Handwerkern, bäuerlichen Manufakturbesitzern, ausländischen Einzelunternehmern und Gesellschaften) als entstehender sozialer Schicht und dem Staat kommen. Die »Rangtabellen« Peters, die es Nichtadligen in Einzelfällen ermöglichten, in den Adel aufzusteigen, spiegelten letztlich diese Anpassung der heranwachsenden bürgerlichen Schichten an Feudalstaat und Adel wider.

Die in Rußland erfolgende Deformierung der entstehenden kapitalistischen Verhältnisse sowohl in der unmittelbaren Produktion als auch im Überbau, vor allem im ideologischen Bereich, verzögerte die Entwicklung einer russischen Bourgeoisie. Als sie sich schließlich auch in Rußland als Klasse konstituierte, war im internationalen Maßstab die revolutionäre Zeit der Bourgeoisie bereits vorbei. Aus diesem Entwicklungsrückstand resultiert die Tatsache, daß die russische Bourgeoisie während ihrer Existenz keine echten revolutionären Tendenzen hervorgebracht hat. Die weitgehende Übereinstimmung zwischen den Interessen der entstehenden Bourgeoisie und denen des Feudaladels erlangte in der Spätphase der absolutistischen Entwicklung für Rußland eine entscheidende negative Bedeutung; bei der Durchsetzung des Absolutismus und in der ersten Zeit seines Bestehens wirkte sich diese Gemeinsamkeit der Interessen jedoch eher fördernd aus. Die extrem reaktionären Kreise des Hochadels, die sich gegen die absolute Macht des Zaren wandten, konnten relativ rasch isoliert und ausgeschaltet werden.

Die innere Geschlossenheit des russischen absolutistischen Staates bildete die Grundlage für eine erfolgreiche Außenpolitik. Die Zeit des Absolutismus ist die Zeit der Kabinettskriege, wobei jeder absolute Monarch an einer möglichst starken Stellung seines Staates im Gesamtsystem der damaligen Staatenwelt interessiert war. Ein solches Machtstreben mußte sich, wenn es sich um den Herrscher eines Territorialstaates handelte, gegen die Interessen der nationalen Entwicklung richten, wie es in prägnanter Weise am Beispiel Friedrichs II. von Preußen deutlich wurde. In einem Nationalstaat dagegen erfüllte der Monarch aus seinem persönlichen Machtstreben heraus vielfach Forderungen der nationalen Entwicklung, wie es z. B. in Frankreich mit der endgültigen Überwindung der territorialen Zersplitterung der Fall war. Die russischen absoluten Herrscher öffneten ihrem Staat mit dem Nordischen Krieg, der Rußland den Zugang zur Ostsee brachte, und mit den Kriegen gegen die Türkei, die im Verlauf des 18. Jahrhunderts zur Angliederung der Krim an Rußland und damit zur Sicherung der Südgrenze sowie zur endgültigen Eroberung des Zugangs zum Schwarzen Meer führten, entscheidende Verbindungswege zu den Weltmeeren und damit zum Welthandel. Es liegt im Charakter der Zeit, daß solche objektiv im Interesse der nationalen Entwicklung liegenden Maßnahmen vielfach mit expansiver Politik und mit Aggressionsakten verbunden waren; als Beispiele dafür könnten die Reunionskriege Frankreichs, genauso aber auch Rußlands Eingreifen in gesamteuropäische Streitfragen dienen – seine Einmischung in die polnischen Königswahlen und später sein Mitwirken an den polnischen Teilungen, seine Beteiligung am Siebenjährigen Krieg, seine Vermittlung im Bayrischen Erbfolgestreit usw. Im Ergebnis dieser Aktionen kam es zu einer Festigung der Stellung Rußlands im Konzert der europäischen Großmächte.

Wenn man diese systemimmanente Funktion der Außenpolitik des absolutistischen Staates beachtet, dann ist es nicht überraschend, daß selbst die weniger bedeutenden Nachfolger Peters I., gestützt auf die großen Machtmittel ihres Staates, eine aktive und im wesentlichen erfolgreiche Außenpolitik geführt haben.

Etwa seit der Mitte der fünfziger Jahre des 18. Jahrhunderts vollzogen sich in Rußland deutliche Veränderungen in der Gesamtstruktur der Gesellschaft. Im Rahmen der weiterbestehenden Feudalordnung führte die allmähliche, aber ständige Entwicklung kapitalistischer Elemente jetzt dazu, daß nicht mehr deformierbare kapitalistische Beziehungen entstanden; es begann die Zersetzung der Feudalordnung, die gegen Ende des 18. Jahrhunderts auch in Rußland zur Krise dieser Gesellschaftsordnung überleitete. Kennzeichnend für diese Entwicklung war unter anderem die immer breitere Anwendung freier Lohnarbeit; in der Leichtindustrie wurde die Lohnarbeit in einzelnen Produktionszweigen, wie etwa in der Baumwollverarbeitung, bereits in den sechziger Jahren zur vorherrschenden Form. Trotz dieses Fortschritts blieb die russische Bourgeoisie aber nach wie vor auf das engste mit dem absolutistischen System verknüpft, politisch unselbständig und ökonomisch schwach.

Diese sozialökonomische Entwicklung bildete den Hintergrund für eine neue Phase in der Geschichte des russischen Absolutismus, die – entsprechend ähnlichen Erscheinungen vor allem in Preußen und Österreich – zumeist als »Aufgeklärter Absolutismus« bezeichnet wird. Der Regierung erschien es etwa seit der Mitte des 18. Jahrhunderts als vorteilhaft, sich auf die in den weiter fortgeschrittenen Ländern entwickelte Ideologie der Aufklärung zu berufen und einzelne aus dem Zusammenhang gelöste Grundsätze der Aufklärung zu ihrem Regierungsprogramm zu erklären.

Starke Tendenzen der Aufklärung waren in der russischen Regierungspolitik schon unter Peter I. spürbar geworden, wie beispielsweise das Streben nach Erweiterung der Bildung und nach Entwicklung von Wissenschaft und Kultur zeigt. Neu war jetzt das bewußte Einsetzen von Thesen der entwickelten Aufklärung zur Rechtfertigung der eigenen absolutistischen Machtpolitik, die als Verwirklichung der höchsten Ideale der Aufklärung ausgegeben wurde. Der »Aufgeklärte Absolutismus« ist also, wenn man diesen Terminus als Periodenbegriff benutzen will, nicht im »Absolutismus« aufzulösen; er kennzeichnet aber auch nicht, wie Davydovič und Pokrovskij behaupten[46], eine »progressive Politik« schlechthin.

In Rußland war eine solche Politik des Aufgeklärten Absolutismus möglich, weil eine gesellschaftliche Kraft fehlte, »die fähig gewesen wäre, sich an die Spitze des sozialen Fortschritts zu stellen[47]«. Diese Lage wird eindeutig illustriert durch die Instruktion Katharinas II. für die Gesetzeskommission 1765, die durchaus nicht zufällig in Frankreich sofort verboten wurde. Dort mußten die Gedanken dieser Instruktion, die in Rußland infolge der verkrüppelten Entwicklung der russischen Bourgeoisie damals noch ohne unmittelbaren Einfluß blieben, auf Grund der weit fortgeschrittenen Zersetzung des Feudalsystems bereits revolutionierend wirken. Als dann gegen Ende des 18. Jahrhunderts auch in Rußland radikale Strömungen entstanden, führten die gleichen Überlegungen dazu, daß die Instruktion zurückgezogen und erst nach 1861 wieder nachgedruckt wurde.

Der russische Absolutismus war unter Zar Peter, wie Lenin noch für eine spätere Zeit feststellte, »asiatisch-jungfräulich«[48], womit er die krassen Unterschiede zu Ländern mit fortgeschrittenen kapitalistischen Verhältnissen polemisch kennzeichnete. Es war für Peter durchaus möglich, »mit barbarischen Mitteln den Kampf gegen die Barbarei zu führen[49]«. Ein halbes Jahrhundert später – unter Elisabeth und unter Katharina II. – war das nicht mehr in dem Maße der Fall. Es ist nicht zufällig, daß Katharina großen Wert darauf legte, den westeuropäischen Aufklärern gegenüber immer wieder den Unterschied zwischen einer Despotie und ihren monarchischen Prinzipien zu betonen. Wie in Preußen und Österreich war der Aufgeklärte Absolutismus auch in Rußland der Versuch eines Kompromisses zwischen den rückständigen sozialökonomischen Verhältnissen im eigenen Lande und der international in immer stärkerem Maße vom Kapitalismus bestimmten Entwicklung.

Der Aufgeklärte Absolutismus war demzufolge eine vor allem auf internationale Wirkung berechnete Politik. Eine im Grunde genommen konservative und vielfach sogar reaktionäre Innenpolitik verband sich mit Freundschaften des Monarchen zu Philosophen aus anderen Ländern. Avrech betont, daß die Freundschaft zwischen Monarchen und Philosophen für diese Zeit durchaus nichts Zufälliges darstellte[50], hofften doch viele Philosophen, daß gerade von aufgeklärten Monarchen ihre Ideale verwirklicht würden. Grundlage dieser Illusion war die Tatsache, daß in den noch relativ gefestigten Feudalstaaten des Aufgeklärten Absolutismus bestimmte Reformen, wie etwa in Rußland die Säkularisierung, durch den Willen des Monarchen durchgesetzt werden konnten, die in den weiter entwickelten Ländern bereits eine Gefährdung der gesamten, in sich schon zerrütteten Feudalordnung bedeutet hätten. Engels betonte, daß die russische Politik jener Zeit eine »glückliche Vereinigung liberaler und legitimistischer Phrasen« gezeigt habe[51]. Unter Katharina II. bekannte sich der russische Hof »zu den höchsten Prinzipien der Aufklärung«, und es gelang ihm, wie Engels hervorhob, »die öffentliche Meinung . . . trefflich zu täuschen[52]«.

Den bürgerlich-kapitalistischen, die Epoche bestimmenden Entwicklungstendenzen sollte dabei seitens der absolutistischen Staatsmacht durch einzelne eng begrenzte Zugeständnisse Rechnung getragen werden. Eine solche Politik der Zugeständnisse, wie sie vor allem für die ersten Regierungsjahre Katharinas II. charakteristisch ist, war allerdings nur kurze Zeit möglich. Bereits der Bauernkrieg unter Führung Pugačevs ließ erkennen, wie gefährlich eine solche Politik für die Feudalgesellschaft werden konnte. Mit der Großen Französischen Revolution verlor die herrschende Klasse endgültig den Glauben an die Unerschütterlichkeit der bestehenden Verhältnisse, der eine wesentliche subjektive Voraussetzung für die Politik des Aufgeklärten Absolutismus gewesen war[53].

Eine Phase des Aufgeklärten Absolutismus war demnach nur im Endstadium des Absolutismus, und zwar in sozialökonomisch rückständigen Ländern möglich. Ohne die weit fortgeschrittene Entwicklung der Aufklärung in den sozialökonomisch führenden Ländern ist der Aufgeklärte Absolutismus undenkbar. Damit war der Aufgeklärte Absolutismus aber zugleich ein Kennzeichen dafür, daß das Zeitalter des Absolutismus seinem Ende entgegenging.

Die für die Entwicklung des Absolutismus im internationalen Maßstab entscheidende Zäsur wird von der Großen Französischen Revolution 1789 gebildet. Mit ihr endete – welthistorisch gesehen – die Epoche jener Revolutionen beim Übergang vom Feudalismus zum Kapitalismus, die allein von der Bourgeoisie als einer entschieden progressiven Kraft geführt wurden[54].

In Rußland kam es in jener Zeit noch nicht zu einer Polarisierung der Klassenkräfte, die zu einer revolutionären Situation hätte führen können. Die Bourgeoisie blieb auch weiterhin auf das engste mit dem absolutistischen Regime verbunden. Die herrschende Feudalklasse aber hatte die Gefahren, die ihr drohten, am französischen Beispiel kennengelernt, sie hatte erkennen müssen, wie gefährlich das Spiel mit der Aufklärung werden konnte. Katharina II. gab daher auch alle Ambitionen in dieser Richtung auf. Rußland wurde nach 1789 zum Bollwerk der Reaktion in Europa und blieb es – abgesehen von einzelnen kurzen Episoden – im wesentlichen auch bis zum Ende des 19. Jahrhunderts.

IV.

Lenin schrieb: »Wenn die französischen revolutionären Städter und die revolutionären Bauern Ende des 18. Jahrhunderts, nachdem sie in ihrem Lande die Monarchie auf revolutionärem Wege gestürzt hatten, die demokratische Republik errichteten, . . . dann mußte diese Politik der revolutionären Klasse das ganze übrige autokratische, zaristische, königliche, halbfeudale Europa bis in die Grundfesten erschüttern[55].« An anderer Stelle lesen wir bei ihm, daß die bürgerliche Große Französische Revolution »das ganze europäische Festland zu neuem geschichtlichen Leben erweckte[56]«. Es war gerade dieses Ereignis, das »eine neue Epoche in der Geschichte der Menschheit« eröffnete[57].

Für die allgemeine Geschichte ist diese Feststellung Lenins immer beachtet worden. A. Z. Manfred schreibt beispielsweise in der dritten Auflage der »Kleinen Sowjetenzyklopädie« im Beitrag »Französische bürgerliche Revolution«: »Die bürgerliche demokratische französische Revolution von 1789 bis 1794 versetzte der feudal-absolutistischen Ordnung den entscheidenden Schlag und bereitete den Boden für die Entwicklung des Kapitalismus. Sie besaß großen Einfluß auf die Entwicklung der kapitalistischen Verhältnisse und auf den ideologisch-politischen Kampf in ganz Europa[58].«

Obwohl die welthistorische Zäsur von 1789 somit grundsätzlich für die gesamte allgemeine Geschichte anerkannt ist, hat man ihr in Hinsicht auf die russische

Geschichte bisher noch nicht genügend Beachtung geschenkt. Mit seiner in den Tagen der Revolution von 1905 niedergeschriebenen Charakteristik: »Also das ist es, woran der russische Bourgeois am meisten denkt: an die unerhörten Gefahren des ›Weges‹ von 1789[59]«, bezeichnete Lenin nicht nur die Position der russischen Bourgeoisie in der ersten bürgerlich-demokratischen Revolution Rußlands, sondern zugleich auch den Weg, den die gesellschaftliche Entwicklung im zaristischen Reich seit der Großen Französischen Revolution zurückgelegt hatte: den Weg der qualvollen bürgerlichen Evolution des Feudalsystems, der Reformen von oben und der außen- und innenpolitischen Reaktion.

In seinem Diskussionsbeitrag formulierte Küttler: »Die französische Revolution ist der Schlußstein des Absolutismus als tendenzbestimmendes Herrschaftssystem auch in jenen Ländern, in denen absolutistische Regierungen erhalten bleiben[60].« Dieser Feststellung kommt wesentliche Bedeutung für die gesamte Absolutismus-Diskussion zu. Der Absolutismus hatte sich – international gesehen – nach 1789 endgültig überlebt; dort, wo das absolutistische Regime nicht gestürzt wurde, bildete es in der Folgezeit ein immer drückenderes Hemmnis für jegliche weitere Entwicklung. Für diesen Spätabsolutismus trifft Avrechs Feststellung, daß er »den schlechtesten Typ der kapitalistischen Entwicklung[61]« darstellt, völlig zu, doch dürfte es verfehlt sein, diese Definition auf den Absolutismus schlechthin zu übertragen, da ein solches Vorgehen die zeitweilig vorhandene relative Fortschrittlichkeit dieses Herrschaftssystems völlig eliminieren würde.

Die Französische Revolution von 1789 bedeutete für den Absolutismus im internationalen Maßstab den Übergang zu einer neuen Qualität. In der Diskussion der sowjetischen Historiker ist dieser Wandel in der Qualität des Absolutismus bisher nicht immer genügend beachtet worden. Selbst wenn man den entscheidenden Umschwung in Rußland etwas später ansetzt – von sowjetischen Historikern werden vor allem die Mitte der neunziger Jahre bzw. 1796[62] oder aber die Jahrhundertwende bzw. 1801[63] als Einschnitt angeführt –, so sind die entscheidenden Impulse für diesen Übergang doch von der Großen Französischen Revolution ausgegangen. Gegenüber der 1789 eingetretenen neuen Qualität auch im russischen absolutistischen Herrschaftssystem bringen alle anderen Daten nur quantitative Veränderungen zum Ausdruck. Natürlich sind Periodisierungsgrenzen – darauf hat Lenin ausdrücklich hingewiesen – »wie überhaupt alle Grenzen in Natur und Gesellschaft bedingt und beweglich, relativ und nicht absolut. Auch wir nehmen die besonders hervorstechenden und ins Auge springenden geschichtlichen Ereignisse nur annähernd als Marksteine der großen geschichtlichen Bewegung[64]«. Was aber ist markanter in jener Übergangszeit vom Feudalismus zum Kapitalismus als der Sieg der bürgerlichen Revolution in Frankreich? Diese welthistorische Bedeutung des Jahres 1789 hatte wohl seinerzeit auch die Autoren der »Očerki istorii SSSR« dazu veranlaßt, ihre Darstellung nur bis zum Beginn der neunziger Jahre des 18. Jahrhunderts zu führen[65], was mit der hier vorgeschlagenen Epochengrenze übereinstimmt.

Davydovič und Pokrovskij vertreten eine Auffassung, die der hier geäußerten nahekommt. Gewissermaßen als Hinführung zu dem entscheidenden Datum bezeichnen sie den Bauernkrieg unter der Führung Pugačevs und den amerikanischen Unabhängigkeitskrieg als Ereignisse, die den Übergang zur neuen Phase des Absolutismus kennzeichnen[66]. Die Große Französische Revolution bildete den Höhepunkt in einer Reihe von Klassenschlachten, die die allgemeine Krise des Feudalsystems im internationalen Maßstab kennzeichnen. Ergänzend könnte man noch auf den Bauernkrieg in Böhmen und auf die revolutionären Kämpfe in Polen hinweisen. Die in jener Zeit sich durchsetzende neue Qualität des Absolutismus wird von Davydovič und Pokrovskij klar herausgearbeitet.

Der Niedergang des absolutistischen Systems hatte sich in Rußland bereits nach dem letzten Bauernkrieg abgezeichnet, was die Auswirkungen des echten Bruchs, der in der internationalen Entwicklung mit der Großen Französischen Revolution eintrat, auf Rußland verschleierte. Am deutlichsten ist der Einfluß der Ereignisse von 1789 in den ideologischen Auseinandersetzungen zu erkennen. Die Revolution demonstrierte den alten Feudalmächten mit aller Deutlichkeit, wie gefährlich das Gedankengut der Aufklärung war; es ist daher nicht verwunderlich, daß die in Rußland schon nach dem Bauernkrieg zu beobachtende Verschärfung der Zensur und die verstärkte Einflußnahme der Regierung auf Literatur und Kultur nun ihren Höhepunkt erreichten.

In Rußland hatten sich in den Städten – besonders in Petersburg, aber auch in anderen ökonomisch wichtigen Zentren des Landes – kleinbürgerliche und plebejisch-frühproletarische Schichten entwickelt, die Träger der neuen revolutionären Gedanken werden konnten, wie sie in der Französischen Revolution von 1789 sich durchgesetzt hatten; gerade diese Bevölkerungsschichten waren es, bei denen die Nachrichten von der Revolution in Paris ein begeistertes Echo auslösten, aber auch oppositionelle Kreise der herrschenden Feudalklasse äußerten sich anfangs vielfach zustimmend, weil aus der Ferne die Stoßrichtung der Revolution gegen die Feudalordnung als solche zunächst nicht klar erkennbar war.

Mit dem Weiterschreiten der Revolution in Frankreich verstärkte sich auch in Rußland die Polarisierung der Kräfte[67]. In dieser Situation aber zeigte sich die Schwäche der bürgerlichen Ansätze im gesellschaftlichen Leben Rußlands und zeitigte die Politik der absolutistischen Regierung, die kapitalistischen Unternehmerkreise in das absolutistische Regime einzubeziehen, ihre Ergebnisse. In Rußland kam es nicht zu einem so zugespitzten Gegensatz zwischen Absolutismus und Bourgeoisie wie in Frankreich und dementsprechend auch nicht zu einer revolutionären Situation. Dennoch war die Entwicklung kapitalistischer Verhältnisse in Rußland inzwischen so weit vorangeschritten, daß die letzte Phase des Feudalsystems, das Krisenstadium, auch hier heranreifte. Ausdruck dafür war nicht zuletzt die Krise der traditionellen Wirtschaftsformen in der Industrie und der Landwirtschaft. Das Berg- und Hüttenwesen, in dem nach wie vor die Arbeit Leibeigener ausgebeutet wurde, konnte mit der Entwicklung in England nicht mehr Schritt halten und verlor die Führungsposition, die es in Europa bislang innegehabt hatte. Das in der Folgezeit – bis über die Mitte des 19. Jahrhunderts hinaus – andauernde Stagnieren der russischen Eisenerzeugung und -verarbeitung war letztlich ein Ausdruck für die Krise der gesamten Wirtschaft des zaristischen Reiches. Vor allem in den zentralen Gebieten verlor eine ständig wachsende Zahl von Leibeigenen die Bindung zur Landwirtschaft und erarbeitete sich den Obrok als freie Lohnarbeiter in der Industrie. Dem »gewaltigen Umschwung der ökonomischen Lebensbedingungen der Gesellschaft folgte«, wie Engels für diese Entwicklungsphase der Feudalgesellschaft allgemein festgestellt hat, »keineswegs sofort eine entsprechende Änderung ihrer politischen Gliederung. Die staatliche Ordnung blieb feudal, während die Gesellschaft mehr und mehr bürgerlich wurde[68]«.

Lenin stellte zu Beginn des 20. Jahrhunderts fest, daß die »russische Selbstherrschaft . . . um ein ganzes Jahrhundert hinter der Geschichte zurückgeblieben ist[69]«. Die petrinischen Reformen und auch noch die Politik des Aufgeklärten Absolutismus hatten sich zumindest in der Struktur des Staates und wichtigen Bereichen der materiellen Produktion Rußlands wenigstens quantitativ im Gleichschritt mit der allgemeineuropäischen Entwicklung gehalten; das Zurückbleiben in sozialökonomischer und kulturell-ideologischer Hinsicht konnte zeitweilig überspielt werden. Nach der Großen Französischen Revolution und angesichts der beginnenden industriellen Revolution entsprachen Herrschaftssystem und Produktionsverhältnisse in Rußland immer weniger den sich verändernden Anforderungen. Von Jahr zu Jahr wurde die Diskrepanz zwischen den in Rußland konservierten Feudalverhältnissen und der sich rasch entwickelnden kapitalistischen Gesellschaft in den fortgeschrittenen Staaten West- und Mitteleuropas größer und damit spürbarer.

Die Reformen, mit denen das russische spätabsolutistische Regime eine Anpassung an die im internationalen Maße wie auch im eigenen Lande sich verändernden gesellschaftlichen Verhältnisse zu erreichen suchte, kamen immer zu spät und blieben auf halbem Wege stehen. In der russischen Geschichte fehlte die revolutionäre Potenz der jungen, aufsteigenden, zur Macht strebenden Bourgeoisie. Die fortschrittlichen Kreise des Adels, die Adelsrevolutionäre, konnten diese Lücke auf Grund der standesbedingten Enge ihrer Anschauungen nicht ausfüllen.

Der Absolutismus blieb in Rußland als Regierungssystem noch bestehen, als er international bereits seit langem überholt war. Im Verhältnis zu dem vorangegangenen Zeitalter des Absolutismus bedeutete der Spätabsolutismus eine neue Qualität, auch wenn äußerlich vorerst keine auffallenden Veränderungen eintraten und diese neue Qualität in der gesellschaftlichen Praxis zunächst kaum erkennbar war. Die relative Fortschrittlichkeit des Absolutismus in Rußland während des 18. Jahrhunderts gehörte der Vergangenheit an. Für den russischen Spätabsolutismus sind Reaktion nach innen und außen, Arakčeevščina und Heilige Allianz, charakteristisch. Wenn Lenin am Ende des 19. Jahrhunderts erklärte: »Das absolutistische Rußland ist von jeher das Bollwerk der gesamten europäischen Reaktion gewesen[70]«, dann gilt diese Feststellung vor allem für den Spätabsolutismus, für die Zeit nach 1789 und noch mehr nach 1815, für jene Zeit also, in der Rußland »der Gendarm Europas, der ständige und sicherste Hort jeder Reaktion« wurde, »der das russische Volk mit Schmach und Schande überhäufte, weil es, selber unterdrückt, als Werkzeug zur Unterdrückung der Völker des Westens diente[71]«.

Im sozialökonomischen Bereich war die Politik der spätabsolutistischen Regierung konservativ-reaktionär und hemmte die Entwicklung der Produktivkräfte in starkem Maße. Seine soziale Grundlage besaß der Spätabsolutismus dabei im Bündnis von Feudaladel und Bourgeoisie gegen die Masse der Bevölkerung, vor allem gegen die noch immer leibeigene Bauernschaft und gegen die entstehenden frühproletarischen Schichten, das sich bereits im 19. Jahrhundert andeutete und nach 1861 bzw. in besonderem Maße nach 1905 voll ausprägte.

Waren die Versuche, die neuen sozialökonomischen Entwicklungstendenzen in die bestehende Feudalordnung einzugliedern und ihr anzupassen, zu Beginn des 18. Jahrhunderts noch in gewissen Grenzen erfolgreich gewesen, so wurden die Bemühungen, die Feudalverhältnisse mit Hilfe der absolutistischen Staatsmacht weiterhin zu erhalten, nach der Großen Französischen Revolution – unter welthistorischem Aspekt betrachtet – zu einem Anachronismus, der in Rußland allerdings noch bis 1861 und in einzelnen Bereichen des gesellschaftlichen Lebens bis 1917 Bestand haben sollte.

V.

In Rußland wurde die Feudalordnung nicht durch eine siegreiche Revolution hinweggefegt. Eine revolutionäre Situation, die die Regierung zu Zugeständnissen an die kapitalistische Entwicklung zwang, bildete sich im zaristischen Reich erst zu einem Zeitpunkt heraus, da der Feudalismus im Weltmaßstab längst überholt war. Die in ihrer Entwicklung zurückgebliebene russische Bourgeoisie bildete auf Grund ihrer Schwäche und infolge ihrer engen Bindungen zur bestehenden Ordnung niemals einen echten Antipoden der herrschenden Feudalklasse und versuchte gar nicht erst, ihrer historischen Aufgabe gerecht zu werden; damit aber gab sie den feudalen Kräften die Möglichkeit, durch Kompromisse ihre Macht zu erhalten. Die Reformen von 1861 brachten dann zwar den endgültigen Durchbruch der kapitalistischen Tendenzen, doch beschnitten diese bürgerlichen Reformen die sozialen und politischen Privilegien des Adels nur so weit, wie es auf Grund der allgemeinen Entwicklung unumgänglich geworden war; die Bourgeoisie, die ihre Forderungen nicht energisch vertrat, wurde mit Almosen abgespeist. Trotz all ihrer Halbheiten bedeuteten die Reformen von 1861 doch den Schritt zu einer neuen Qualität in der Entwicklung Rußlands. Mit ihnen wurde auch im zaristischen Reich der Übergang zur kapitalistischen Ära vollzogen. Es kennzeichnet die Zurückgebliebenheit der russischen Verhältnisse, daß schon relativ geringe Zugeständnisse ausreichten, um die am Ende der fünfziger Jahre herangereifte revolutionäre Situation zu entschärfen. Semstvo, Gerichtsreform usw. kennzeichnen neben der Aufhebung der Leibeigenschaft den bürgerlichen Charakter der Reformen, die jedoch nicht weitergeführt wurden. Die Semstvos beispielsweise, die zu echten Vertretungskörperschaften hätten werden können, blieben nur Keimformen einer demokratischen Verwaltung. Die vorhandenen Möglichkeiten wurden von den bürgerlichen Kräften Rußlands auf Grund ihrer Schwäche nicht genutzt.

Zu den feudalen Überresten, die 1861 unangetastet blieben, gehörte unter anderem die absolutistische Form der Regierung, die unter neuen sozialökonomischen Verhältnissen weiter existierte. Da aus der spätfeudalen Ordnung inzwischen ein trotz aller feudalen Relikte kapitalistisches Gesellschaftssystem geworden war, kann dieses Regime nicht mehr schlechthin als absolutistisch bezeichnet werden; es hatten sich absolutistische Institutionen und Formen erhalten, die infolge des verkrüppelten Entwicklungsganges der russischen Bourgeoisie den Sturz der Feudalordnung überdauerten. Die Hauptfunktion der Staatsmacht im Absolutismus – die Erhaltung der Feudalordnung unter Anpassung an die sich verändernden gesellschaftlichen Verhältnisse – war nicht mehr gegeben; es blieben nur Reste dieser einstigen Hauptaufgabe bestehen: die Sicherung eines möglichst großen Anteils am gesellschaftlichen Gesamtprodukt für die reaktionären feudalen Kräfte.

Mit den Reformen der sechziger Jahre wurde Rußland zu einem kapitalistischen Land. Auf diese Tatsache hat Lenin mehrfach hingewiesen. Im Jahre 1911 schrieb er beispielsweise anläßlich des 50. Jahrestages der Reformen, der vom zaristischen Staat groß gefeiert wurde: »Wirft man einen allgemeinen Blick auf die Veränderung in der ganzen Struktur des russischen Staates im Jahre 1861, so muß man feststellen, daß diese Veränderung ein Schritt auf dem Wege der Umwandlung der feudalen Monarchie in eine bürgerliche Monarchie war. Das ist nicht allein vom ökonomischen, sondern auch vom politischen Standpunkt richtig[72].«

Wesensbestimmend für den russischen Staat nach den Reformen war nicht mehr das Weiterbestehen feudaler Verhältnisse, sondern die rasche Entwicklung kapitalistischer Beziehungen. Die staatliche Wirtschaftspolitik basierte jetzt im wesentlichen auf kapitalistischen Grundlagen und förderte trotz aller feudalen Relikte letztlich die kapitalistische Entwicklung.

Ebenso wie andere Überreste der Feudalordnung wurde im Laufe der Zeit auch die absolutistische Regierungsgewalt durch die weitere Entwicklung immer mehr untergraben. Die Autokratie des Zaren konnte zwar bis zur Februarrevolution von 1917 im wesentlichen erhalten werden, geriet aber in der Revolution von 1905 erheblich ins Schwanken. Die Positionen der Duma konnten nach der Niederlage der Revolution zwar stark eingeschränkt werden, doch war mit dieser gewählten Vertretungskörperschaft ein großer Schritt in Richtung auf die bürgerliche konstitutionelle Monarchie getan worden.

Bis zur Mitte des 19. Jahrhunderts waren die revolutionären Aktionen der russischen Bauern ausschließlich gegen die unmittelbaren Unterdrücker, d.h. gegen die Feudalherren und die lokalen Organe der Staatsgewalt, gerichtet gewesen. Ausdruck dafür waren unter anderem die monarchistischen Tendenzen in der Bauernbewegung, die bis in das 20. Jahrhundert zu erkennen sind. Die Adelsrevolutionäre, Radiščev und die Dekabristen, gingen zwar in ihren Programmen schon erheblich weiter, doch fehlte ihren Forderungen nach gesellschaftlicher Umgestaltung jede reale Unterstützung, da dieser Personenkreis ohne Verbindung zu den Volksmassen blieb. Die revolutionären Demokraten und Narodniki, die nächste Generation der russischen revolutionären Bewegung, bemühten sich schon um die Schaffung einer

Massenbasis, suchten sich dabei aber auf die Bauernschaft, die mit der rückständigsten Form der Produktion verbundene Klasse, zu stützen, so daß ihre Bemühungen letztlich erfolglos bleiben mußten. Erst mit dem Entstehen des Proletariats entwikkelten sich die Voraussetzungen für einen erfolgreichen Kampf gegen den überlebten absolutistischen Staatsapparat. Den Forderungen dieser einzigen konsequent revolutionären Klasse wurde in Rußland durch die von Lenin geschaffene und geführte Partei neuen Typus besonderer Nachdruck und revolutionäre Durchschlagskraft verliehen. Mit den sozialen Gegensätzen verschärften sich auch die politischen, so daß neue revolutionäre Auseinandersetzungen unausbleiblich wurden. Die endgültige Beseitigung aller absolutistischen Formen und Institutionen, aller Reste des einst herrschenden Absolutismus konnte in Rußland erst mit der Großen Sozialistischen Oktoberrevolution, d. h. mit dem Sturz der Ausbeuterordnung überhaupt, erreicht werden.

Einige Teilnehmer an der Diskussion über den russischen Absolutismus vertreten auf Grund einer sehr weiten Auffassung des Begriffs Absolutismus die Ansicht, daß gerade die spätabsolutistischen Reliktformen für den Charakter des Absolutismus ganz allgemein bestimmend gewesen seien, und versuchen, von diesen Spätformen her auch die frühere Entwicklung – vor allem auch die des 18. Jahrhunderts – zu erfassen. Dieses Vorgehen führt sie teilweise zu einseitigen Formulierungen, die die russischen Besonderheiten überbetonen. Davydovič und Pokrovskij schreiben beispielsweise in ihrem Diskussionsbeitrag: »Die vierte Etappe in der Entwicklung des Absolutismus beginnt mit den Reformen der sechziger Jahre, die einen ersten Schritt in Richtung auf die Umwandlung in eine bürgerliche Monarchie bedeuten[73].« Bei einer solchen Formulierung wird die Tatsache außer acht gelassen, daß inzwischen ein qualitativer Umschlag vom spätfeudalen Absolutismus zur Regierung eines kapitalistischen Staates erfolgte, die in der Form der Machtausübung absolutistische Praktiken konservierte. Die Form blieb erhalten, aber der Inhalt veränderte sich grundlegend. Avrech betont zu Recht den bürgerlichen Charakter dieses Staates[74], überträgt diese Charakteristik dann aber auch auf den absolutistischen Staat mit noch feudaler Grundlage. Hier muß man jedoch Küttler zustimmen, wenn er feststellt: »Die mögliche und auch tatsächliche Kontinuität absolutistischer Regierungsformen« bei einer relativ langsamen Entwicklung kapitalistischer Verhältnisse in Rußland während des 19. und zu Beginn des 20. Jahrhunderts »berechtigt jedoch nicht dazu, System und Periode des Absolutismus auf die Evolution der Staatsmacht im Kapitalismus auszudehnen[75].«

Untersucht man die Problematik des Absolutismus unter diesem Aspekt, dann gehören sowohl die von Davydovič und Pokrovskij herausgearbeitete vierte Etappe (1861 bis Ende des 19. Jahrhunderts) und erst recht die von ihnen als »besonders wichtig« hervorgehobene fünfte Entwicklungsetappe im Zeitalter des Imperialismus[76] nicht mehr zur unmittelbaren Kategorie des russischen Absolutismus.

Eine solche Abgrenzung des Absolutismusbegriffs scheint der Tatsache zu widersprechen, daß Lenin in seinen aktuell-politischen Arbeiten immer wieder – sogar noch nach der ersten russischen bürgerlich-demokratischen Revolution von 1905/07

– den Sturz des russischen Absolutismus als Aufgabe des politischen Tageskampfes bezeichnet hat. Küttler arbeitet jedoch heraus, daß Lenin das Wort Absolutismus »als Sammelbegriff für Autokratie, unumschränkte Herrschaft der Regierung, Selbstherrschaft und Zarismus« benutzt hat, und er zieht daraus die Schlußfolgerung: »Absolutismus ist für Lenin also die extrem reaktionäre, rückständige und überlebte, auf revolutionärem Wege durch einen konsequenten bürgerlichen Demokratismus zu ersetzende, uneingeschränkte Herrschaft des Zaren als Repräsentanz aller Überreste des feudalen Mittelalters in Rußland [77].« Entsprechend den Erfordernissen des politischen Tageskampfes betrachtete Lenin die ihm zeitgenössischen absolutistischen Spätformen als das Bollwerk aller feudalen Überreste, gegen die der Kampf der Arbeiterklasse mit voller Kraft geführt werden muß. Die Absolutismus-Problematik hatte für ihn – ähnlich wie für Marx und Engels – in erster Linie einen aktuell-politischen Aspekt [78].

*

Im vorliegenden Beitrag wurde versucht, die Entwicklungsgeschichte des Absolutismus in Rußland in chronologischer Abfolge darzulegen und auf die Besonderheiten der verschiedenen Phasen seiner Entwicklung hinzuweisen. Dabei sind folgende vier Hauptetappen deutlich geworden:

1. Vor- und Frühformen im 16. und 17. Jahrhundert.
2. Das Zeitalter des Absolutismus von den petrinischen Reformen bis zur Großen Französischen Revolution mit der besonderen Phase des Aufgeklärten Absolutismus vor allem in den fünfziger, sechziger und siebziger Jahren des 18. Jahrhunderts.
3. Die Zeit des Spätabsolutismus von der Großen Französischen Revolution bis zur Durchsetzung der kapitalistischen Ordnung mit den bürgerlichen Reformen von 1861.
4. Das Weiterbestehen absolutistischer Institutionen unter neuen gesellschaftlichen Verhältnissen. Diese vierte Etappe gehört jedoch strenggenommen nicht mehr zur eigentlichen Geschichte des Absolutismus.

Der Absolutismus konnte sich in Rußland über seine Zeit hinaus an der Macht halten, weil revolutionäre Umwälzungen ausblieben. Die gesamte Entwicklung vollzog sich auf dem qualvollen Weg der Reformen von oben, des Kompromisses, der Halbheiten. Die gesellschaftlichen Voraussetzungen für diesen verkrüppelten Entwicklungsgang lassen sich teilweise bis in die Frühzeit des Absolutismus zurückverfolgen. Alle Besonderheiten des russischen Absolutismus sind letztlich nur Details einer Entwicklung, die grundsätzlich der allgemeinhistorischen Tendenz folgte.

Auf den entscheidenden Unterschied zwischen einer revolutionären und einer evolutionären Entwicklung haben sowohl Marx und Engels als auch Lenin wiederholt hingewiesen. Der revolutionäre Weg ermöglichte durch die Zerschlagung des Feudalismus eine rasche, freie Entfaltung des Kapitalismus; der Weg der Reformen bedeutete dagegen eine langsame, qualvolle Entwicklung, die durch die weiterhin bestehenden feudalen Relikte verzögert und deformiert wurde. In Rußland wurde der

Weg der Reformen beschritten, für den Leibeigenschaft und Gutswirtschaft – also der »preußische Weg« der Entwicklung des Kapitalismus in der Landwirtschaft – ebenso charakteristisch waren wie die Erhaltung von Spätformen des absolutistischen Herrschaftssystems unter neuen, kapitalistischen Bedingungen.

Die Revolution wurde in Rußland erst möglich und zugleich unvermeidlich, als sich mit dem immer enger werdenden Bündnis von grundbesitzendem Adel und Großbourgeoisie alle Mängel der Gesellschaft in den Oberschichten dieser beiden Klassen vereinigten und als sich parallel dazu alle Widersprüche der Ausbeuterordnung zu einem mit friedlichen Mitteln, durch Kompromisse und Reformen, unlösbaren Knäuel verflochten. »Das Haupthindernis im Kampf der russischen Arbeiterklasse für ihre Befreiung ist«, wie Lenin schrieb, »die unumschränkte autokratische Regierung mit ihren dem Volke nicht verantwortlichen Beamten. Gestützt auf die Privilegien der Grundeigentümer und Kapitalisten und für deren Interessen tätig, hält sie die niederen Stände in völliger Rechtlosigkeit . . . und hemmt die Entwicklung des ganzen Volkes. Daher führt der Kampf der russischen Arbeiterklasse für ihre Befreiung mit Notwendigkeit zum Kampf gegen die unumschränkte Macht der autokratischen Regierung[79].«

Was die russische Bourgeoisie in den mehr als hundert Jahren seit der Großen Französischen Revolution nicht erreicht hatte, vollendete die russische Arbeiterklasse: Sie überwand endgültig die Zurückgebliebenheit Rußlands und schuf im Sowjetstaat das Modell einer neuen, besseren Welt.

ANMERKUNGEN

1. Vgl. A. Ja. Awrech, *Der Absolutismus und seine Rolle bei der Herausbildung des Kapitalismus;* G. I. Schtschetinina, Eine Beratung sowjetischer und italienischer Historiker über den Absolutismus, beides in: *Sowjetwiss./Gesellschaftswiss. Beiträge* 1969; 2; M. P. Pavlova-Sil'vanskaja, K voprosu ob osobennostjach absoljutizma v Rossii, in: *Istorija SSSR* (1968; 4); A. L. Šapiro. Ob absoljutizme v Rossii, in: *Istorija SSSR* (1968; 5); A. M. Davidovič/A. A. Pokrovskij, O klassovoj suščnosti i ėtapach razvitija russkogo absoljutizma, in: *Istorija SSSR* (1969; 1); S. M. Troickij, O nekotorych spornych voprosach istorii absoljutizma v Rossii, in *Istorija SSSR* (1969; 3); A. N. Čistozvonov, Nekotorye aspekty problemy genezisa absoljutizma, in: *Voprosy istorii* (1968; 5).

2. Vgl. *Perechod ot feodalizma k kapitalizmu v Rossii. Materialy vsesojuznoi diskussii,* Moskau 1969, S. 18, 42, 122 und andere.

3. W. Küttler, Gesellschaftliche Voraussetzungen und Entwicklungstyp des Absolutismus in Rußland, in: *Jb. f. Geschichte d. sozialistischen Länder Europas,* Bd. 13/2, Berlin 1969.

4. E. Donnert/P. Hoffmann, Zur Frage der wirtschaftlichen und sozialen Grundlagen des Absolutismus in Rußland, in: *Zs. f. Geschichtswiss.* XIV (1966; 5), S. 758ff.

5. C. Grau, Probleme des Absolutismus in Rußland im 17. und 18. Jahrhundert, in: *Wiss. Beiträge f. d. Geschichtslehrer* 5 (Berlin 1969). Manuskriptdruck der Deutschen Historiker-Gesellschaft.

6. P. Hoffmann, Aufklärung, Absolutismus und Aufgeklärter Absolutismus in Rußland, in:

Studien zur Geschichte der russischen Literatur des 18. Jahrhunderts, IV (Veröffentlichungen des Instituts für Slawistik 28/IV), Berlin 1970.

7. W. Küttler, Lenins historisch-politische Konzeption des russischen Absolutismus, in: *Jb. f. Geschich. d. sozialistischen Länder Europas,* Bd. 14/1, Berlin 1970, S. 91ff.

8. Vgl. Čistozvonov, a.a.O., S. 59.

9. Die Notwendigkeit einer solchen Untersuchungsmethode betont auch Troickij, a.a.O., S. 130.

10. Vgl. Ch. Petrie, Die absolute Monarchie und ihr System, in: *Historia mundi. Ein Handbuch der Weltgeschichte,* Bd. 7, Bern 1957, S. 249, 253. – P. datiert den Aufgeklärten Absolutismus bis in die Zeit der Renaissance zurück.

11. Vgl. zur bürgerlichen Absolutismuskonzeption M. P. Pavlova-Sil'vanskaja, Problema russkogo absoljutizma v sovremennoj buržuaznoj literature, in: *Istorija SSSR* (1969; 6), S. 217f.

12. Vgl. Awrech, a.a.O., S. 171.

13. Vgl. M. Beloff, *The Age of Absolutisme 1660–1815,* o.O. 1954; F. Wagner, *Europa im Zeitalter des Absolutismus,* München 1959; W. Hubatsch, *Das Zeitalter des Absolutismus,* Braunschweig 1962; R. W. Harris, *Absolutism and enlightenment 1660–1789,* London 1964.

14. F. Engels an K. Kautsky, vom 20. Februar 1889, in: Marx/Engels, *Werke,* Bd. 37, Berlin 1967, S. 154.

15. Davydovič/Pokrovskij, a.a.O., S. 65.

16. Troickij, a.a.O., S. 140.

17. Čistozvonov, a.a.O., S. 45.

18. Vgl. Troickij, a.a.O., S. 137.

19. Čistozvonov, a.a.O., S. 62.

20. Küttler, Gesellschaftliche Voraussetzungen, a.a.O., S. 83.

21. Vgl. Čistozvonov, a.a.O., S. 60.

22. W. I. Lenin, Was sind die »Volksfreunde« und wie kämpfen sie gegen die Sozialdemokraten?, in: Lenin, *Werke,* Bd. 1, Berlin 1963, S. 147.

23. Küttler, Gesellschaftliche Voraussetzungen, a.a.O., S. 75.

24. J. Glasneck, Der französische Absolutismus zur Zeit Ludwigs XIV., in: *Wiss. Beiträge f. d. Geschichtslehrer* 5 (Berlin 1969), S. 5.

25. Vgl. F. Engels, Die auswärtige Politik des russischen Zarentums, in: Marx/Engels, *Werke,* Bd. 22, Berlin 1963, S. 20; K. Marx, Das revolutionäre Spanien, in: Marx/Engels, *Werke,* Bd. 10, Berlin 1961, S. 450.

26. Küttler, Gesellschaftliche Voraussetzungen, a.a.O., S. 81.

27. Vgl. Pavlova-Sil'vanskaja, K voprosu, a.a.O., S. 84f.

28. Küttler, Gesellschaftliche Voraussetzungen, a.a.O., S. 82.

29. Ebenda, S. 83.

30. Avrech, a.a.O., S. 178; vgl. Küttler, Gesellschaftliche Voraussetzungen, a.a.O., S. 86.

31. Vgl. Perechod ot feodalizma, S. 13; sowie die Entgegnung von M. V. Nečkina im gleichen Band, S. 119.

32. M. Ja. Volkov, O stanovlenii absoljutizma v Rossii; in: *Istorija SSSR* (1970; 1), S. 92.

33. Troickij, a.a.O., S. 134.

34. Vgl. N. I. Pavlenko, Zum Problem der Struktur der russischen Manufaktur, in: *Jb. f. Gesch. d. sozialistischen Länder Europas* 13 (Berlin 1969; 2), S. 109ff.

35. Küttler, Gesellschaftliche Voraussetzungen, a.a.O., S. 93.

36. G. Kotošichin, O Rossii v carstvovanie Alekseja Michajloviča, zit. nach: *Istorija SSSR s drevnejšich vremen*, Bd. III: *Prevraščenie Rossii v velikuju deržavu. Narodnye dviženija XVII–XVIII vv.*, Moskau 1967, S. 62.
37. Ebenda.
38. Küttler, Gesellschaftliche Voraussetzungen, a.a.O., S. 91.
39. Šapiro, a.a.O., S. 81.
40. Vgl. I. A. Bulygin/E. I. Indova/A. A. Preobraženskij/Ju. A. Tichonov/S. M. Troickij, Načalnyj ėtap genezisa kapitalizma v Rossii, in: *Voprosy istorii* (1966; 10), S. 66 (red. Vorbemerkungen).
41. Vgl. die Zahlenangaben bei S. G. Strumilin, *Istorija černoj metallurgii v SSSR*, Bd. I, Moskau 1954, S. 459ff.; ein Vergleich der russischen und englischen Produktionsziffern findet sich in: *Očerki istorii SSSR. Period feodalizma. Rossija vo vtoroj polovine XVIII v.*, Moskau 1956, S. 101.
42. K. Hager, Die Aufgaben der Gesellschaftswissenschaften in unserer Zeit, in: *Neues Deutschland* v. 29. 10. 1968.
43. Vgl. Donnert/Hoffmann, a.a.O., S. 758ff.
44. Zur Charakterisierung dieser Reformen unter dem Aspekt der Durchsetzung des Absolutismus in Rußland vgl. Grau, a.a.O., S. 17ff.
45. Vgl. B. F. Poršnev, *Feodalizm i narodnye massy*, Moskau 1964, S. 354.
46. Davydovič/Pokrovskij, a.a.O., S. 70.
47. *Geschichte der UdSSR*, Bd. 1: *Von den ältesten Zeiten bis zum Jahre 1861. Urgesellschaft, Sklavenhalterordnung und Feudalismus*, 2. Halbbd., Berlin 1962, S. 544.
48. W. I. Lenin, Eine Revolution vom Typus 1789 oder vom Typus 1848, in: Lenin, *Werke*, Bd. 8, Berlin 1959, S. 248.
49. W. I. Lenin, Über »linke« Kinderei und über Kleinbürgerlichkeit, in: Lenin, *Werke*, Bd. 27, Berlin 1960, S. 333.
50. Awrech, a.a.O., S. 175.
51. F. Engels, Die auswärtige Politik des russischen Zarentums, in: Marx/Engels, *Werke*, Bd. 22, Berlin 1963, S. 24.
52. F. Engels, Was hat die Arbeiterklasse mit Polen zu tun?, in: Marx/Engels, *Werke*, Bd. 16, Berlin 1962, S. 161.
53. Vgl. Hoffmann, *Aufklärung, Absolutismus und aufgeklärter Absolutismus in Rußland*, a.a.O., S. 32f.
54. Vgl. G. Schilfert, Die Revolutionen beim Übergang vom Feudalismus zum Kapitalismus, in: *Zs. f. Geschichtswiss.* XVII (1969; 1/2), S. 171.
55. W. I. Lenin, Krieg und Revolution, in: Lenin, *Werke*, Bd. 24, Berlin 1959, S. 397.
56. W. I. Lenin, Die dritte Internationale und ihr Platz in der Geschichte, in: Lenin, *Werke*, Bd. 29, Berlin 1965, S. 297.
57. W. I. Lenin, Sozialismus und Krieg, in: Lenin, *Werke*, Bd. 21, Berlin 1968, S. 300.
58. *Malaja sovetskaja ėnciklopedija*, Bd. 9, Moskau 1960, Sp. 1144; vgl. *Bol'šaja sovetskaja ėnciklopedija*, Bd. 45 (2. Aufl.), Moskau 1956, S. 560.
59. W. I. Lenin, Was wollen und was fürchten unsere liberalen Bourgeois?, in: Lenin, *Werke*, Bd. 9, Berlin 1966, S. 236.
60. Küttler, Gesellschaftliche Voraussetzungen, a.a.O., S. 99.
61. Awrech, a.a.O., S. 179.
62. Vgl. *Istorija SSSR s drevnejšich vremen do našich dnej*, Bd. III, S. 7; Bd. IV: *Nazrevanie krizisa krepostnogo stroja v pervoj polovine XIX* v., Moskau 1967, S. 8.

63. Vgl. *Chrestomatija po istorii SSSR. XVIII vek*, Moskau 1963, S. 3; *Kratkij očerk istorii russkoj kul'tury*, Leningrad 1967, S. 237.
64. W. I. Lenin, Unter fremder Flagge, in: Lenin, *Werke*, Bd. 21, Berlin 1968, S. 135.
65. Vgl. *Očerki istorii SSSR. Period feodalizma. Rossija vo vtoroj polovine XVIII v.*, S. 5.
66. Davydovič/Pokrovskij, a.a.O., S. 71.
67. Vgl. M. M. Štrange, *Russkoe obščestvo i francuzskaja revoljucija 1789–1794 gg.*, Moskau 1956.
68. F. Engels, Anti-Dühring, in: Marx/Engels, *Werke*, Bd. 20, Berlin 1962, S. 97.
69. W. I. Lenin, Die Katastrophe, in: Lenin, *Werke*, Bd. 8, S. 484.
70. W. I. Lenin, Friedrich Engels, in: Lenin, *Werke*, Bd. 2, Berlin 1963, S. 13.
71. W. I. Lenin, Was sind die »Volksfreunde« und wie kämpfen sie gegen die Sozialdemokraten?, in: Lenin, *Werke*, Bd. 1, Berlin 1963, S. 261f.
72. W. I. Lenin, Zum Jubiläum, in: Lenin, *Werke*, Bd. 17, Berlin 1967, S. 98.
73. Davydovič/Pokrovskij, a.a.O., S. 73.
74. Vgl. Awrech, a.a.O., S. 177.
75. Küttler, Gesellschaftliche Voraussetzungen, a.a.O., S. 99.
76. Davydovič/Pokrovskij, a.a.O., S. 73.
77. Küttler, Zu Lenins . . . Konzeption, a.a.O., S. 93.
78. Vgl. ebenda, S. 94f.
79. W. I. Lenin, Entwurf und Erläuterung des Programms der Sozialdemokratischen Partei, in: Lenin, *Werke*, Bd. 2, S. 88.

Bibliographie

AUFKLÄRUNG, ABSOLUTISMUS, 18. JAHRHUNDERT

L'Abolition de la »Féodalité« dans le monde occidental. Colloques internationaux Toulouse 1968, 2 Bde., 1971.

Anderson, M. S., *Europe in the Eighteenth Century, 1713–1783*, 1961.

Ashton, T. S., *The Industrial Revolution, 1760–1830*, 1950.

Berlin, I., *The Age of Enlightenment*, 1956.

Cassirer, E., *Die Philosophie der Aufklärung*, [2]1932.

Chaunu, P., *La Civilisation de l'Europe des Lumières*, 1969 (Les Grandes Civilisations).

Cheinisse, L., *Les Idées politiques des physiocrates*, 1914.

Cobban, A., *In Search of Humanity: The Role of the Enlightenment in Modern History*, 1960.

Cotta, S., *Montesquieu e la scienza della società*, 1953 (Publ. dell'Istit. di scienze pol. dell'Univ. di Torino. 2.).

Crocker, L. G., *The Age of Enlightenment*, 1969 (The Documentary History of Western Civilization).

Derathé, R., Les philosophes et le despotisme, in: Francastel, P., (éd.), *Utopie et institutions au XVIIIe siècle: Le pragmatisme des lumières*, 1963.

Devèze, M., *L'Europe et le monde à la fin du XVIIIe siècle*, 1970 (L'Evolution de l'Humanité.)

Fiorot, D., *La Filosofia politica dei Fisiocrati*, 1954.

Francastel, P. (éd.), *Utopie et Institutions au XVIIIe Siècle. Le pragmatisme des lumières*, 1963, (Ecole pratique des Hautes Etudes-Sorbonne, Congrès et Colloques 4.)

Gay, P., *The Enlightenment: An Interpretation*, 2 Bde., 1966–1969.

Goodwin, A. (ed.), *The European Nobility in the Eighteenth Century*, 1953.

Handbuch der Kirchengeschichte. Hrsg. v. H. Jedin. Bd. 5: *Die Kirche im Zeitalter des Absolutismus und der Aufklärung*. Von W. Müller u. a., 1970.

Harris, R. W., *Absolutism and Enlightenment, 1660–1789*, 1964.

Hartung, F., Die Epochen der absoluten Monarchie, in *HZ* 145, 1932, S. 46–52.

Hartung, F., R. Mousnier, »Quelques problèmes concernant la monarchie absolue«, in: *X Comitato Internazionale di Scienze Storiche, X^{e} congresso internazionale Relazioni*, Bd 4, 1955, S. 1–55.

Hazard, P., *Die Herrschaft der Vernunft. Das europäische Denken im 18. Jahrhundert*, 1949.

Hazard, P., *Die Krise des europäischen Geistes, 1680–1715*, 1939.

Just, L., Stufen und Formen des Absolutismus. Ein Überblick, in: *HJb.* 80, 1961, S. 143–159.

Klaveren, J. van, Die Manufakturen des Ancien Régime, in: *VSWG* 51, 1964, S. 145–191.

Koselleck, R., *Kritik und Krise. Ein Beitrag zur Pathogenese der bürgerlichen Welt*, 1959 (Orbis academicus).

Koser, R., Die Epochen der absoluten Monarchie in der neueren Geschichte, in: *HZ* 61, 1889, S. 246–287.

Krieger, L., *Kings and Philosophers, 1689–1789*, 1970 (History of Modern Europe).

Letwin, W., *The Origin of Scientific Economics*, 1963.

Mantoux, P., *The Industrial Revolution of the 18th Century*, 1958.
Mathiez, A., Les doctrines politiques des physiocrates, in: *Annales historiques de la Révolution Française* 13, 1936, S. 193–203.
Mingay, G. E., *The agricultural revolution, 1750–1880*, 1966.
Möbus, G., *Die politischen Theorien im Zeitalter der absoluten Monarchie bis zur französischen Revolution*, ²1966 (Möbus: Politische Theorien. Tl. 2.).
Mohnhaupt, H., Potestas legislatoria und Gesetzesbegriff im Ancien Régime, in: *Jus Commune*, Bd. 4, 1972, S. 188–239.
Mousnier, R., E. Labrousse, M. Bouloiseau, *Le XVIIIe siècle. Révolution intellectuelle, technique et politique, 1715–1815*, 1953 (Histoire générale des civilisations. 5.).
Oestreich, G., Strukturprobleme des europäischen Absolutismus, in: *VSWG* 55, 1968, S. 329–347.
Palmer, R. R., *Das Zeitalter der demokratischen Revolution. Eine vergleichende Geschichte Europas und Amerikas von 1760 bis zur Franz. Revolution*, 1970.
Préclin, E., E. Jarry, *Les Luttes politiques et doctrinales aux XVIIe et XVIIIe siècles*, 2 Bde., 1955/56 (Histoire de l'Eglise, depuis les origines jusqu'à nos jours, publ. par A. Fliche et V. Martin, 19).
Raumer, K. v., Absoluter Staat, korporative Libertät, persönliche Freiheit, in: *HZ* 183, 1957, S. 55–96. Neudr. in H. H. Hofmann, *Die Entstehung des modernen Staates*, 1967 (Neue wiss. Bibl. 17.).
Rudé, G., *Europe in the Eighteenth Century. Aristocracy and the Bourgeois Challenge*, 1972.
Seppelt, F. X., G. Schwaiger, *Geschichte der Päpste von den Anfängen bis zur Mitte des zwanzigsten Jahrhunderts*, 5: *Das Papsttum im Kampf mit Staatsabsolutismus und Aufklärung von Paul III. bis zur Französischen Revolution*, ²1959.
Venturi, F., *Utopia and Reform in the Enlightenment*, 1971.
Vickers, D., *Studies in the Theory of Money, 1690–1776*, 1959.
Williams, E. N., *The Ancien Régime in Europe. Government and Society in the Major States 1648–1789*, 1970.
Wittram, R., Formen und Wandlungen des europäischen Absolutismus, in: *Glaube und Geschichte, Festschr. F. Gogarten*, 1948.
Wolf, A., *A History of Science, Technology and Philosophy in the 18th Century*, 2 Bde., 1961.

AUFGEKLÄRTER ABSOLUTISMUS

Bulletin of the International Committee of Historical Sciences. Aufsätze über den aufgeklärten Despotismus in den einzelnen europäischen Staaten 1, 1928, S. 601–612; 2, 1930, S. 533–552; 5, 1933, S. 701–804; 9, 1937, S. 2–131, 135–225, 519–537; Zsf. Lhéritier, M., Rapport général: Le despotisme éclairé de Frédéric II à la Révolution française, in: *Bulletin of the International Committee of Historical Sciences.* 9, 1937, S. 181–225.
Andrews, S., *Enlightened Despotism*, 1967.
Bruun, G., *The Enlightened Despots*, ²1967.
Conrad, H., Staat und Kirche im aufgeklärten Absolutismus, in: *Der Staat* 12, 1973, S. 45–63.
Gagliardo, J. G., *Enlightened Despotism*, 1967.
Gershoy, L., *L'Europe des princes éclairés 1763–1789*, 1966.
Holldack, H., Die Bedeutung des aufgeklärten Despotismus für die Entwicklung des Liberalismus, in: *Bull. of the intern. Comm. of hist. Sciences* 5, 1933, S. 773–779.

Klassen, P., *Die Grundlagen des aufgeklärten Absolutismus*, 1929 (List-Studien 4.).
Lhéritier, M., Le rôle historique du despotisme éclairé, particulièrement au XVIIIe siècle, in: *Bull. of the Intern. Comm. of Hist. Sciences* 1, 1929, S. 601–612.
Mittenzwei, J., Über das Problem des aufgeklärten Absolutismus, in: *Zschr. f. Gesch.wiss.* 18, 1970, S. 1162–1172.
Morazé, C., Finances et despotisme. Essai sur les despotes éclairés, in: *Annales, ESC*, 20, 1948, S. 279–296.
Reclam, H., *Über die Herkunft des Ausdrucks »Aufgeklärter Absolutismus« (despotisme éclairé)*, Diss. Berlin 1943.
Thomann, M., La pensée politique de l'absolutisme éclairé, in: *Politique* 11, 1968, S. 231–251.
Wines, R. (ed.), *Enlightened Despotism: Reform or Reaction?*, 1968.

DEUTSCHLAND

Braunreuther, K., *Die Bedeutung der physiokratischen Bewegung in Deutschland in der 2. Hälfte des 18. Jahrhunderts. Ein geschichtlich politökonomischer Beitrag zur »Sturm-und-Drang«-Zeit*, Diss. Berlin Ost 1955, masch.schriftl.
Bussi, E., *Diritto e Politica in Germania nel XVIII secolo*, 1971.
Droz, J., *L'Allemagne et la révolution française*, 1939. Kap.: La pensée allemande et l'absolutisme, S. 9ff.
Epstein, K., *Die Ursprünge des Konservativismus in Deutschland. Der Ausgangspunkt: Die Herausforderung durch die französische Revolution 1770–1806*, 1973.
Hartung, F., Die geschichtliche Bedeutung des aufgeklärten Absolutismus in Preußen und den deutschen Kleinstaaten, in: *Bull. of the intern. Comm. of hist. Sciences* 9, 1937, S. 3–21.
Haussherr, H., *Verwaltungseinheit und Ressorttrennung vom Ende des 17. bis zum Beginn des 19. Jahrhunderts*, 1953.
Krieger, L., *The German Idea of Freedom. History of a Political Tradition*, 1957.
Lenz, G. (Hrsg.), *Deutsches Staatsdenken im 18. Jahrhundert*, 1965 (*Politica* 23.).
Liebel, H. P., Enlightened Despotism and the Crisis of Society in Germany, in: Enlightenment Essays 1, 1970.
Merzbacher, F., Staat und Jus publicum im deutschen Absolutismus, in: *Gedächtnisschrift H. Peters*, 1967.
Schiera, P., *Dall'Arte di Governo alle Scienze dello Stato. Il Cameralismo e l'assolutismo tedesco*, 1968.
Valjavec, F., *Die Entstehung der politischen Strömungen in Deutschland 1770–1815*, 1951.
Wolff, H. M., *Die Weltanschauung der deutschen Aufklärung in geschichtlicher Entwicklung*, [2]1963.

PREUSSEN

Brunschwig, H., *La crise de l'Etat Prussien à la fin du XVIIIe siècle et la genèse de la mentalité romantique*, 1947.
Conrad, H., *Rechtsstaatliche Bestrebungen im Absolutismus Preußens und Österreichs am Ende des 18. Jahrhunderts*, 1961 (Arbeitsgemeinschaft für Forschung des Landes Nordrhein-Westfalen, Geisteswissenschaften, H. 95.).

Conrad, H., Staatsgedanke und Staatspraxis des aufgeklärten Absolutismus, in: Rheinisch-Westfälische Akademie der Wissenschaften, *Vorträge* G 173, 1971.
Dorn, W. R., The Prussian Bureaucracy in the Eighteenth Century, in: *Pol. Sc. Quart.* 46, 1931, S. 403–423; 47, 1932, S. 75–94, 259–273.
Gaxotte, P., *Friedrich der Große*, [2]1973.
Henderson, W. O., *The State and the Industrial Revolution in Prussia, 1740–1870*, 1958.
Henderson, W. O., *Studies in the Economic Policy of Frederick the Great*, 1963.
Hinrichs, C., *Preußentum und Pietismus. Der Pietismus in Brandenburg-Preußen als religiös-soziale Reformbewegung*, 1971.
Hintze, O., Der österreichische und der preußische Beamtenstaat im 17. und 18. Jahrhundert, in: *Staat und Verfassung*, Ges.Abh. 1, [2]1962.
Hintze, O., Der preußische Militär- und Beamtenstaat im 18. Jahrhundert, in: *Regierung u. Verwaltung*, Ges.Abh. 3, [2]1967.
Klein, E., Johann Heinrich Gottlob Justi und die preußische Staatswirtschaft, in: *VSWG* 48, 1961, S. 143–202.
Koselleck, R., *Preußen zwischen Reform und Reaktion. Allgemeines Landrecht, Verwaltung und soziale Bewegung von 1791–1848*, 1967 (*Industrielle Welt*, 7).
Meinecke, F., *Die Idee der Staatsräson in der neueren Geschichte*. Hrsg. u. eingel. v. Walther Hofer (*Werke* 1, 1957), S. 321–400: Friedrich der Große.
Mittenzwei, J., Theorie und Praxis des aufgeklärten Absolutismus in Brandenburg-Preußen, in: *Jb. f. Gesch.* 6, 1972, S. 53–106.
Schmoller, G., Studien über die wirtschaftliche Politik Friedrichs des Großen und Preußens überhaupt, 1680–1786, in: *Schmollers Jahrbuch* 8, 1884, S. 1–61, 345–421, 999–1091.
Ritter, G., *Friedrich der Große. Ein historisches Profil*, [3]1954.
Ritter, G., *Staatskunst und Kriegshandwerk. Das Problem des »Militarismus« in Deutschland*, 1: Die altpreußische Tradition (1740–1890), 1954.
Rosenberg, H., *Bureaucracy, Aristocracy and Autocracy. The Prussian Experience, 1660–1815*, 1958 (Harvard hist. Monographs, 34.).
Weill, H., *Frederick the Great and Samuel von Cocceji; A Study in the Reform of the Prussian Judicial Administration 1740–1755*, 1961.

DEUTSCHE KLEINSTAATEN

Leroux, R., *La théorie du despotisme éclairé chez Karl Theodor von Dalberg*, 1932 (Publ. de la Faculté des Lettres de l'Université de Strasbourg, Fasc. 60).
Liebel, H. P., *Enlightened Bureaucracy versus Enlightened Absolutism in Baden, 1750–1792*, 1965 (*Transactions of the American Phil. Society*, N. S., Vol. 55, P. 5.).

ÖSTERREICH

Appelt, D., *Die Idee der Toleranz unter Kaiser Joseph II.*, Diss. Wien 1950.
Arneth, A. v., *Geschichte Maria Theresias*, 10 Bde., 1863–1879.
Barany, G., Hoping against Hope: The Enlightened Age in Hungary, in: *Am.Hist.Rev.* 76, 1971, S. 319–357.
Bernard, P. P., *Jesuits and Jacobins. Enlightenment and Enlightened Despotism in Austria*, 1971.

Bernard, P. P., *The Origins of Josephinism. Two Studies*, 1964.

Bradler-Rottmann, E., *Die Reformen Kaiser Josephs II.*, 1973 (Göppinger Akad. Abhandlungen, 67).

Crankshaw, E., *Maria Theresia*, 1970.

Hellbling, E. C., *Österreichische Verfassungs- und Verwaltungsgeschichte*, 1956 (Rechts- und Staatswissenschaften. 13.), S. 283–322: Die Zeit Maria Theresias, Josephs II. und Leopolds II. (1740–1792).

Hoffmann, A., Österreichs Wirtschaft im Zeitalter des Absolutismus, in: *Festschrift für Karl Eder*, 1959.

Jordan, S., *Die kaiserliche Wirtschaftspolitik im Banat im 18. Jahrhundert*, 1967 (Buchreihe der Südostdeutschen Hist. Komm., 17.).

Kerner, R. J., *Bohemia in the Eighteenth Century: A Study in Political, Economic and Social History, with Special Reference to the Reign of Leopold II, 1790–1792*, 1932.

Király, B. K., *Hungary in the late Eighteenth Century, The Decline of Enlightened Despotism*, 1969 (East European Studies of Columbia University).

Klingenstein, G., *Staatsverwaltung und Kirchliche Autorität im 18. Jahrhundert. Das Problem der Zensur in der theresianischen Reform*, 1970.

Link, E. M., *The Emancipation of the Austrian Peasant, 1740–1798*, 1949.

Lütge, F., Die Robot-Abolition unter Kaiser Joseph II., in: *Wege und Forschungen der Agrargeschichte, Festschr. Günther Franz*, 1967, S. 153–170.

Maass, F., *Der Josephinismus, Quellen zu seiner Geschichte in Österreich, 1760–1850*, 5 Bde., 1951–1961.

Maass, F., *Der Frühjosephinismus*, 1969 *(Forsch. z. Ki.Gesch. Österr.* 8.).

Maass, F., Vorbereitung und Anfänge des Josephinismus im amtlichen Schriftwechsel des Staatskanzlers Fürsten von Kaunitz-Rittberg mit . . . Karl Grafen von Firmian, 1763–1770, in: *Mitt. d. Österr. Staatsarch.* 1, 1948, S. 289–444.

Mitrofanov, P. v., *Joseph II., seine politische und kulturelle Tätigkeit*, 2 Bde., 1910.

O'Brien, Ch. H., *Ideas of Religious Toleration at the Time of Joseph II: A Study of the Enlightenment among Catholics in Austria*, 1969 *(Transactions of the American Phil. Society*, N.S. 59, Part 7).

Osterloh, K.-H., *Joseph von Sonnenfels und die österreichische Reformbewegung im Zeitalter des aufgeklärten Absolutismus. Eine Studie zum Zusammenhang von Kameralwissenschaft und Verwaltungspraxis*, 1970 (*Hist. Stud.*, H. 409).

Padover, S. K., *The Revolutionary Emperor: Joseph II of Austria*, [2]1967.

Rieser, H., *Der Geist des Josephinismus und sein Fortleben. Der Kampf der Kirche um ihre Freiheit*, 1963.

Rozdolski, R., *Die große Steuer- und Agrarreform Josephs II. Ein Kapitel zur österreichischen Wirtschaftsgeschichte*, 1961.

Santoli, F., Wirtschaftliche Grundlagen des Josephinismus, in: *Österr. Archiv f. Kirchenrecht.* 13, 1962, S. 218–232.

Sashegyi, O., *Zensur und Geistesfreiheit unter Joseph II.*, 1958.

Schasching, J., *Staatsbildung und Finanzentwicklung. Ein Beitrag zur Geschichte des österreichischen Staatskredits in der 2. Hälfte des 18. Jahrhunderts*, 1954.

Silagi, D., *Jakobiner in der Habsburger-Monarchie. Ein Beitrag zur Geschichte des aufgeklärten Absolutismus in Österreich*, [2]1962 *(Wiener hist. Stud.* 6).

Sommer, L., *Die österreichischen Kameralisten in dogmengeschichtlicher Darstellung*, 2 Bde., 1920–25.

Strakosch, H. E., *State Absolutism and the Rule of Law. The Struggle for the Codification of Civil Law in Austria 1753–1811*, 1967.

Valjavec, H. E., *Der Josephinismus. Zur geistigen Entwicklung Österreichs im 18. u. 19. Jahrhundert*, [2]1945.

Valsecchi, F., *L'assolutismo illuminato in Europe. L'opera reformatrice di Maria Teresa e di Giuseppe II*, 1952.

Walter, F., *Die Theresianische Staatsreform von 1749*, 1958 (Österreich Archiv).

Walter, F., *Die Österreichische Zentralverwaltung (1740–1792)*, 2 Bde., 1938, 1950.

Wandruszka, A., *Leopold II. Erzherzog von Österreich, Großherzog von Toskana, König von Ungarn und Böhmen, Römischer Kaiser*, 2 Bde., 1963–65.

Wangermann, E., *Von Joseph II. zu den Jakobinerprozessen*, 1966.

Winter, E., *Barock, Absolutismus und Aufklärung in der Donaumonarchie*, 1971.

Winter, E., *Der Josefinismus: Die Geschichte des Österreichischen Reformkatholizismus*, 1740–1848, [2]1962.

Winter, E., *Joseph II. Von den geistigen Quellen und letzten Beweggründen seiner Reformideen*, 1946.

Wright, W. E., *Serf, seigneur, and sovereign. Agrarian Reform in Eighteenth-Century Bohemia*, 1966.

FRANKREICH

Born, K. E., Vom aufgeklärten Absolutismus zum Liberalismus. Die politischen Ideen des französischen Reformministers Turgot, in: *Historische Forschungen und Probleme, Festschrift P. Rassow*, 1961.

Bosher, J. F., *French Finances 1770–1795. From business to bureaucracy*, 1970 *(Cambridge Studies in Early History)*.

Bourde, A. J., *Agronomie et agronomes en France au XVIIIe siècle*, 3 Bde., 1967 (*Les Hommes et la Terre* 13.).

Cavanaugh, G. J., *Vauban, D'Argenson, Turgot. From Absolutism to Constitutionalism in Eighteenth-Century France*, Diss. Columbia Univ. 1967.

Cavanaugh, G. J., Turgot, the rejection of enlightened despotism, in: *French hist. Studies*, 1969. S. 31–58.

Dakin, D., *Turgot and the Ancien Régime in France*, [2]1965.

Diaz, F., *Filosofia e politica nel settecento Francese*, 1962.

Galliano, P., Philippe, R., Sussel, P., *La France des Lumières, 1715–1789*, 1970.

Glagau, H., *Reformversuche und Sturz des Absolutismus in Frankreich 1774–88*, 1908.

Groethuysen, B., *Die Entstehung der bürgerlichen Welt- und Lebensanschauung in Frankreich*, 2 Bde., 1927–1930 *(Philosophie und Geisteswissenschaften*, 4. 5.).

Histoire économique et sociale de la France, dir. par F. Braudel et E. Labrousse, 2: *Des derniers temps de l'âge seigneurial aux préludes de l'âge industriel (1660–1789)*, par E. Labrousse u. a., 1970.

Préclin, E., *Les jansénistes de XVIIIe siècle et la Constitution civile du clergé*, 1929.

Reichardt, R., *Reform und Revolution bei Condorcet. Ein Beitrag zur späten Aufklärung in Frankreich*, 1973 *(Pariser Hist. Studien* 10).

Sagnac, P., *La Formation de la Société Française Moderne, 1945/46*. 1: *La Société et la Monarchie Absolue (1661–1715)*. 2: *La Révolution des Idées et des Mœurs et le Déclin de l'Ancien Régime (1715–1788)*.

Sée, H., *L'Evolution de la pensée politique en France au XVIIIe siècle*, 1924.
Sée, H., *La France économique et sociale au 18e siècle*, [5]1952.
Skalweit, S., *Frankreich und Friedrich der Große. Der Aufstieg Preußens in der öffentlichen Meinung des »ancien régime«*, 1952 (*Bonner hist. Forsch.*, 1).
Soboul, A., *La civilisation et la Révolution française. 1. La crise de l'Ancien Régime*, 1971 (Les Grandes Civilisations).
Weulersse, G., *Le mouvement physiocratique en France de 1756 à 1770*, 2 Bde., 1910, Nachdr. 1968.

ITALIEN

Atti del convegno storico toscano »L'opera di Pietro Leopoldo Granduca di Toscana«, Montecatini 29–30 giugno 1965, in: *Rass. stor. tosc.*, 1965.
Bolton, Ch. A., *Church reform in the 18th century Italy* (The synod of Pistoia, 1786), 1969 (*Internat. Archives of the hist. of Ideas* 29).
Brunello, B., *Il pensiero politico italiano nel Settecento*, 1942.
Bulferetti, L., *L'assolutismo illuminato in Italia, 1700–1789*, 1944.
Caristia, C., Riflessi politici del giansenismo italiano. Il giansenismo operante. Di Scipione de' Ricci alla repubblica toscana, in: *Atti di Accad., delle Scienze di Lett. ed Arti di Palermo*, 1955/56, S. 349–448.
Codignola, E., *Illuministi, giacobini e giansenisti nell'Italia del Settecento*, 1947.
Cuccia, S., *La Lombardia alla Fine dell'Ancien Régime. Ricerche sulla situazione amministrativa e giudiziaria*, 1971.
Dal Pane, L., *Industria e commercio nel Granducato di Toscana nell'età del Risorgimento*, 1: *Il Settecento*, 1971.
Diaz, F., *Francesco Maria Gianni. Dalla burocrazia alla politica sotto Pietro Leopoldo di Toscana*, 1966.
Fubini, M. (ed.), *La cultura illuministica*, [2]1964.
Holldack, H., Die Reformpolitik Leopolds von Toskana, in: *HZ* 165, 1942, S. 23–46.
Jemolo, A. C., *Il giansenismo in Italia prima della rivoluzione*, 1928.
Matteucci, B., *Scipione de'Ricci. Saggio storico-teologico sul giansenismo italiano*, 1941.
Mincuzzi, R., *Bernardo Tanucci, ministro di Ferdinando di Borbone 1759–76*, 1967.
Mirri, M., Proprietari e contadini toscani nelle riforme leopoldine, in: *Movimento operaio*, 1955, S. 173–229.
Mori, R., *Le riforme Leopoldine nel pensiero degli economisti toscani del '700*, 1951.
Pietro Leopoldo, *Relazioni sul governo della Toscana. A Cura di Salvestrini*, bisher 2 Bde., 1969, 70 (*Bibliotheca di storia toscana moderna e contemporanea. Studi e documenti*).
Passerin d'Entrèves, E., *L'Italia nell' età delle riforme, 1748–1796*, [2]1965 (*Storia d'Italia, a cura di Nino Valeri* 3).
Passerin d'Entrèves, E., La riforma »giansenista« della Chiesa e la lotta anticuriale in Italia nella seconda metà del Settecento, in: *Riv. stor. it.* 71, 1959, S. 209–234.
Rosa, M., Giurisdizionalismo e riforme religiosa nella politica ecclesiastica leopoldina, in: *Rass. stor. tosc.* 1965, S. 257–300.
Salmonowicz, S., *»Leopoldina«, il codice penale Toscano dell'anno 1786*, 1969, S. 173–195 (aus: *Rivista Italiana per le scienze giuridiche* 13).
Segre, U., Il pensiero economico nell'illuminismo italiano, in: *La cultura illuministica*, [2]1964.

Turi, G., »*Viva Maria*«. *La reazione alle riforme leopoldine* (1790–1799), 1969 (*Bibliotheca di Storia Toscana moderna e contemporanea. Studi e Documenti* 6).
Valeri, N., *Pietro Verri*, 1969 (*Studi e Documenti di Storia del Risorgimento*).
Valsecchi, F., L'assolutismo illuminato, in: *Bibliografia dell'età del risorgimento, in onore di A. M. Ghisalberti*, 1, 1971, S. 349–388 (Bibliographie mit einer Einleitung).
Valsecchi, F., *L'Assolutismo illuminato in Austria e in Lombardia*, 2 Bde., 1931–34.
Valsecchi, F., Joseph II. und die Verwaltungsreform in der Lombardei, in: *Historica. Festschrift F. Engel-Janosi*, 1965.
Valsecchi, F., Il pensiero illuministico e la riforma dello Stato nell'Italia del Settecento, in: *Rass. stor. tosc.*, 1955, S. 81–99.
Valsecchi, F., *Le riforme dell'assolutismo illuminato negli Stati italiani 1748–1789*, 1955.
Valsecchi, F., *Riformismo e antico regime nel secolo XVIII. Il riformismo borbonico a Napoli e a Parma, lo Stato della Chiesa*, 1967.
Venturi, F., *Settecento riformatore, da Muratori a Beccaria*, 1969 (*Biblioteca di cultura storica* 103).

SPANIEN, PORTUGAL

Alcázar Molina, C., El despotismo ilustrado en España, in: *Bull. of the intern. Comm. of hist. Sciences* 5, 1933, S. 727–751.
Desdivises du Dezert, G., *L'Espagne de l'Ancien Régime*, 3 Bde., 1897–1904. Neu hrsg. in *Revue Hispanic* 64, 1925, S. 225–656; 70, 1927, S. 1–556; 73, 1928, S. 1–488.
Desfourneaux, M., Tradition et lumière dans le »Despotismo Ilustrado«, in: Francastel, P. (éd.), *Utopie et institutions au XVIIIe siècle*, 1963.
Domínguez Ortiz, A., *La sociedad española en el siglo XVIII*, 1955.
Domínguez, M., *O Marquês de Pombal, O homen e a sua época*, ^{2}1963.
França, J.-A., *Une Ville des Lumières: La Lisbonne de Pombal*, 1965 (*Bibl. gén. de l'école pratique des hautes études*, VIe Section).
Herr, R., *The Eighteenth-Century Revolution in Spain*, 1958.
Petrie, Sir Charles, *King Charles III of Spain. An enligthened despot*, 1971.
Macedo, J. B. de, Pombal, in: *Dicionário de História de Portugal* 3, 1968, Sp. 415ff.
Ritter, M., *Gaspar Melchior de Jovellanos (1744–1811). Seine Persönlichkeit und sein Werk in der Geschichte der spanischen Aufklärung*, Diss., Mannheim 1965.
Rodríguez Casado, V., *La Administracion Publica en el reinado de Carlos III*, 1961.
Rodríguez Casado, V., *Política interior de Carlos III*, 1950.
Rodríguez Casado, V., *La Política y los políticos en el reinado de Carlos III*, 1962.
Sánchez Agesta, L., *Il pensiamento político del despotismo ilustrado*, 1953.
Sánchez Diana, J. M., El Despotismo ilustrado de Frederico el Grande y su influencia en España, in: *Arbor* 27, 1954, S. 518–543.
Sarrailh, J., *L'Espagne éclairée de la seconde moitié du XVIIIe siècle*, 1954.
Tapia Ocariz, E. de, *Carlos III su época. Biografía del siglo XVIII*, 1962.

SCHWEDEN, DÄNEMARK

Friis, A., *Bernstorfferne og Danmark*, 2 Bde., 1903–1919. Bd. 1, dt: *Die Bernstorffs*, 1905.

Hennings, B., *Gustav III. En biografi*, ²1967.

Linvald, A., Comment le despotisme éclairé s'est présenté dans l'histoire du Danmark, in: *Bull. of the intern. Comm. of hist. Sciences* 5, 1933, S. 714–726.

Nordmann, C., *Grandeur et liberté de la Suède (1660–1792)*, 1971. (Publications de la Faculté des Lettres et Sciences humaines de Paris-Sorbonne. Sér. »Recherches«, 63.)

Palme, S. U., Vom Absolutismus zum Parlamentarismus in Schweden, in: *Ständische Vertretungen in Europa im 17. und 18. Jahrhundert*, hrsg. v. D. Gerhard, 1969.

RUSSLAND

Alexeiev, Nikolaj N., Beiträge zur Geschichte des russischen Absolutismus im 18. Jahrhundert (aus dem Russ. übers.) in: *Forsch. zur Osteurop. Geschichte* 6, 1958, S. 7–81.

Allen, R. V., *The Great Legislative Commission of Catherine II of 1767*, Diss. Yale 1950.

Amburger, E., *Geschichte der Behördenorganisation Rußlands von Peter dem Großen bis 1917*, 1966.

Avrech, A. Ja., Russkij absoljutizm i ego rol' v utverždenii kapitalizma v Rossii (Der russische Absolutismus und seine Rolle bei der Festigung des Kapitalismus in Rußland), in: *Istorija SSSR* 1968, 2, S. 82–104. Gekürzte deutsche Übersetzung: Awrech, A. Ja., Der Absolutismus und seine Rolle bei der Herausbildung des Kapitalismus, in: *Sowjetwissenschaft, Gesellschaftswissenschaftliche Beiträge*, 1969, H. 2, S. 165–182.

Bilbassoff, B., von, *Geschichte Katharina II.*, 2 Bde., 1891–93.

Čerepnin, L. V., K voprosu o skladyvanii absoljutnoj monarchii v Rossii (XVI–XVIII vv.), in: *Dokumenty sovetsko-ital'janskoj konferencii istorikov 8–10 aprelja 1968 g. Absoljutizm v Zapadnoj Evrope i Rossii. Russko-ital'janskie svjazi vo vtoroj polovine XIX veka*, 1970, S. 11–60. (Zum Problem der Formierung der absoluten Monarchie in Rußland 16.–18. Jahrhundert. In: *Dokumente der sowjetisch-italienischen Historikerkonferenz vom 8.–10. April 1968. Der Absolutismus in Westeuropa und Rußland. Die russisch-italienischen Beziehungen in der zweiten Hälfte des 19. Jahrhunderts).*

Čistozvonov, A. N., Nekotorye aspekty problemy genezisa absoljutizma. (Einige Aspekte des Problems der Entstehung des Absolutismus) in: *Voprosy istorii*, 1968, 5, S. 46–62.

Dukes, P., *Catherine the Great and the Russian Nobility*, 1967.

Fedosov, I. A., Prosveščennyj absoljutizm v Rossii, in: *Voprosy istorii* 1970, 9, S. 34–55 (Der aufgeklärte Absolutismus in Rußland).

Fedosov, I. A., Social'naja suščnost' i évoljucija rossijskogo absoljutizma (XVIII – pervaja polovina XIX v.) (Sozialer Charakter und Entwicklung des russischen Absolutismus [18. Jahrhundert und erste Hälfte des 19. Jahrhunderts]), in: *Vorprosy istorii* 1971, 7, S. 46–65.

Geyer, D., »Gesellschaft« als staatliche Veranstaltung. Bemerkungen zur Sozialgeschichte der russischen Staatsverwaltung im 18. Jahrhundert, in: *Jahrb. f. Gesch. Osteuropas*, NF, 14, 1966, S. 21–50.

Hoffmann, P., Aufklärung, Absolutismus und aufgeklärter Absolutismus in Rußland, in: *Studien zur Geschichte der russischen Literatur des 18. Jahrhunderts*, Bd. 4, 1970, S. 9–40.

Jones, R. E., *The emanzipation of the Russian nobility 1762–1785*, 1973.

Ivanov, P., K voprosu o »prosveščennom absoljutizme« v Rossii 60-ych godov XVIII veka. (Zum Problem des »aufgeklärten Absolutismus« in Rußland in den 60er Jahren des 18. Jahrhunderts) in: *Voprosy istorii*, 1950, 5, S. 85–99.

Küttler, W., Gesellschaftliche Voraussetzungen und Entwicklungstyp des Absolutismus in Rußland, in: *Jb. f. Gesch. d. soz. Länder Europas*, 13,2, 1969, S. 71–108.

Laran, M., L'absolutisme en Russie dans la seconde moitié du XVIIIe siècle, in: *Information historique* 28, 1966, S. 54–66.

Raeff, M. (ed.), *Catherine the Great. A Profile*, 1972.

Raeff, M., Random Notes on the Reign of Catherine II in the Light of Recent Literature, in: *Jahrb. f. Gesch. Osteuropas*, NF, 19, 1971, S. 541–556.

Raeff, M., *Imperial Russia, 1682–1825: The Coming of Age of Modern Russia* (= Vol. 4 in the *Borzoi History of Russia)*, 1970.

Sacke, G., Die Gesetzgebende Kommission Katharinas II. Ein Beitrag zur Geschichte des Absolutismus in Rußland; *Jb. f. Gesch. Osteuropas*, Beih. 2, 1940.

Scharf, C., Staatsauffassung und Regierungsprogramm eines aufgeklärten Selbstherrschers. Die Instruktion des Großfürsten Paul von 1788, in: *Gedenkschrift Martin Göhring. Studien zur europäischen Geschichte*. Hrsg. von E. Schulin, 1968.

Taranovskij, F., Političeskaja doktrina v Nakaze Imperatricy Ekateriny II (Die politische Doktrin in der Instruktion der Kaiserin Katharina II.), in: *Sbornik statej po istorii prava, prosvjaščennyj Vladimirskomu-Budanovu*, 1904.

Troickij, S. M., O nekotorych spornych voprosach istorii absoljutizma v Rossii. (Über einige Streitfragen des Absolutismus in Rußland) in: *Istorija SSSR*, 1969, 3, S. 130–149.

Personen- und Ortsregister

NOTTINGHAM UNIVERSITY LIBRARY